STAUFFENBURG

Discussion

Stauffenburg Discussion

Studien zur Inter- und Multikultur / Studies in Inter- and Multiculture

Band / Volume 24

Herausgegeben von / edited by

Elisabeth Bronfen (Zürich), Michael Kessler (Rottenburg)
Paul Michael Lützeler (St. Louis), Wolfgang Graf Vitzthum (Tübingen)
Jürgen Wertheimer (Tübingen)

Redaktion / Managing Editor

Michael Kessler

Sabine Wilke

Masochismus und Kolonialismus

Literatur, Film und Pädagogik

STAUFFENBURG VERLAG

Bibliografische Information der Deutschen Nationalbibliothek

Die Deutsche Nationalbibliothek verzeichnet diese Publikation in der
Deutschen Nationalbibliografie; detaillierte bibliografische Daten sind im
Internet über <http://dnb.ddb.de> abrufbar.

Gedruckt mit freundlicher Unterstützung
der Graduate School der University of Washington.

Printed in Germany
ISSN 1430-4139
ISBN 978-3-86057-052-4

Inhaltsverzeichnis

Vorbemerkung

Ein Projekt wie dieses wächst über Jahre und hat viele Väter. Mein Interesse an der deutschen Kolonialzeit wurde angeregt durch einen Besuch der Leipziger Antiquariatsmesse im Frühjahr 1997, wo ich zum erstenmal Einblick in die reichhaltig illustrierten kolonialen Monatsblätter und Vierteljahresschriften nehmen konnte und von der schieren Bilderflut ungemein beeindruckt war. Die Verbindung zwischen Textstrukturen und Ikonographie hat mich bereits in meinem damaligen Projekt, einer Studie zur Destruktion und Konstruktion von Körpern in den Texten der deutschsprachigen Moderne, wie auch in den an diese Studie anschließenden Aufsätzen zur literarischen Bedeutung des Sadomasochismus brennend interessiert und ist hier auf reiches Material gestoßen.

Die Anfänge dieser Studie, die die Tradition des literarischen Masochismus und dessen Verhältnis zum deutschen – und europäischen – Kolonialismus behandelt, verdanken viel dem Einfluss mehrerer Personen, von denen hier nur die wichtigsten genannt werden können: Russell Berman, Georg Braungart, Rick Gray, Ingeborg Hoesterey, Jens Rieckmann, Judith Ryan, Richard Sperber und nicht zuletzt Susanne Zantop. Überhaupt möchte ich gleich von vornherein eingestehen, dass meine Beschäftigung mit der deutschen Kolonialzeit tief beeinflusst ist von Zantops Forschungen zur präkolonialen Phantasie und zu den zeitgenössischen Aspekten dieses Phänomens. Keine germanistische Arbeit, die sich mit diesem Thema beschäftigt, kommt um Zantops Thesen herum. Ich möchte von daher dieses Buch dem bleibenden Andenken an eine enorm einflussreiche Wissenschaftlerin widmen, die die Richtung des Faches ganz entscheidend mitgeprägt hat. Mary Wilke vom Center for Research Libraries in Chicago hat wertvolle Literaturhinweise gegeben und die Simon J. Guggenheim Memorial Foundation sowie die German-American Fulbright Commission haben die Durchführung dieser Arbeit finanziell gefördert. Der Graduate School der University of Washington danke ich für die Gewährung einer großzügigen Druckbeihilfe.

Folgende Teile des Buchs sind unabhängig vom Manuskript in früheren Fassungen und teilweise auf Englisch erschienen: der Teil über den Nazi-Kulturfilm (auf Englisch) in *German Studies Review* 24 (2001): 353-76; die Ausführungen zu Christa Wolfs Medea im *German Quarterly* 74 (2003): 1-23; die Bemerkungen zu Uwe Timm in *Monatshefte* 93 (2001): 335-54; die Forschungen zur Kolonialpädagogik (in englischer Sprache und wesentlich gekürzt und um eine komparatistische Perspektive ergänzt) in dem Sammelband *Imperialisms: Historical and Literary Investigations, 1500-1900*, der von Elizabeth Sauer und Balachandra Rajan bei Palgrave herausgegeben wird (im Erscheinen) und die Ausführungen zu Bachmann und Jelinek in einem von

Bettina Gruber und Heinz-Peter Preußer herausgegebenen Band der Vorträge des Arbeitskreises Literatur und Politik (im Erscheinen). Den Herausgebern sei für die Gewährung der Rechte des Wiederabdrucks gedankt.

Seattle/Winthrop/Tübingen, 2006

Einführung: Masochismus und Kolonialismus – Geschichte und Diskurs

Die vornehme moderne Dame trägt Pelz. Sie ist eine hervorragende Reiterin. Sie ist von Adel. Sie trägt fließende Seidenkleider. Ihre flammenden roten Haare flattern offen im Wind. Sie führt eine Reitgerte mit sich und ist gewohnt zu kommandieren. Der Pelz verhüllt notdürftig die weiße fließende Seide ihres Kleides. Sie ist gebieterisch und grausam gegen ihre Diener und Verehrer. Sie verkehrt in den besten Kreisen und ist steinreich. Als Frau ist sie ungebunden, zumeist verwitwet. Diese Figur der grausamen Frau ist eine Geburt der literarischen Phantasie des neunzehnten Jahrhunderts und wird mit Leopold von Sacher-Masochs Novelle „Venus im Pelz" von 1869 sprichwörtlich. Von dann ab spukt sie nicht nur in der Literatur herum, sondern stachelt auch etliche Leser – Frauen wie auch Männer – dazu an, sich in den Rollen des klassischen Masochismus – der Venus im Pelz und ihrem Diener/Sklaven „Gregor" – auszuprobieren. Man denke nicht zuletzt an die berühmte Photographie aus dem Jahre 1882, die Nietzsche mit seinen Freunden Paul Rée und Lou Andreas Salomé vor einer Alpenkulisse zeigt und auf der Salomé auf einem Leiterkarren kniet, Nietzsche und Rée am Geschirr ziehen und Salomé eine Peitsche mit Fliederzweig in der Hand hält – eine offene und karikierend überspitzte Anspielung an die Tradition des literarischen Masochismus (der Fliederzweig erinnert an den Strauß in den Händen der „Venus von Urbino" von Tizian), die mit der Andeutung des kolonialen Kontextes spielt – nicht zuletzt sind Ochsenkarren die hauptsächlichen Fortbewegungs- und Arbeitsmittel in den Kolonien. Salomé hat später berichtet, wieviel Nietzsche an der ikonographischen Anordnung dieser Photographie gelegen hat: „gleichzeitig betrieb Nietzsche auch die Bildaufnahme von uns Dreien, trotz heftigem Widerstreben Paul Rées, der lebenslang einen krankhaften Abscheu vor der Wiedergabe seines Gesichtes behielt. Nietzsche, in übermütiger Stimmung, bestand nicht nur darauf, sondern befasste sich persönlich und eifrig mit dem Zustandekommen von den Einzelheiten – wie dem kleinen (zu klein geratenen) Leiterwagen, sogar dem Kitsch des Fliederzweiges an der Peitsche" (Benders/Öttermann 313-14). Diese Episode mag es ermöglichen, dass wir den vielzitierten Satz des alten Weibes aus Nietzsches *Zarathustra* („Du gehst zu Frauen? vergiß die Peitsche nicht") anders auslegen, als es Tradition ist, denn die sanfte Fliederpeitsche in der Photographie wird von der grausamen Frau gehalten (nicht von dem Mann, der zu Frauen geht) und ist zur Zucht des Mannes gedacht, der der Frau als Sklave dient. Zu dem Pelz, den flammenden Haaren, den Seidenkleidern und dem strengen Ton kommen in der künstlerischen und literarischen Imagination des neunzehnten Jahrhunderts noch schwarze Dienerinnen aus Afrika hinzu, so wie sie die Tradition der Venus-Abbildungen von Rubens bis Monet zeigt. Die schwarze Dienerin, die Venus den Spiegel hinhält, ist seit Rubens ein fester Bestandteil dieser imaginativen Ikonographie. Was hat es mit dieser Figur auf sich? Was bedeutet es, dass Venus sich von einer Afrikanerin bedienen lässt?

In diesem Buch möchte ich die Grundzüge der masochistischen Struktur freilegen, die in der zweiten Hälfte des neunzehnten Jahrhunderts die kulturelle Produktion von literarischen und nicht-literarischen Texten im deutschsprachigen Raum zu großen Teilen bestimmt und die meines Erachtens ursächlich mit dem zeitgleichen Aufschwung des europäischen Kolonialismus und Imperialismus des späten neunzehnten Jahrhunderts zusammenhängt. Ich folge hier den ersten zaghaften Erklärungsversuchen dieses Phänomens, die auf die historisch zentrale Kontextualisierung des Aufkommens der masochistischen ästhetischen Tradition im neunzehnten Jahrhundert hinzielen. Carol Siegel beispielsweise hat den Masochismus als eine Erfindung des neunzehnten Jahrhunderts bezeichnet, „created textually in response to the impact of specific developments in gender and sexual politics on the conventions of narrative poetry and prose" (2). Masochismus sei somit eine Antwort auf den Verlust von Erfahrungen, der mit Modernisierungsbestrebungen zusammenhängt (siehe hier auch Bongie 5). Die Welt des Masochismus ist nämlich mit Menschen bevölkert, die eine sinnstiftende Lebensform in exotisch-erotischen Kontexten und Inszenierungen wiederherstellen wollen, die im Zuge der modernen Gesellschaft verloren gegangen ist (siehe Jessica Benjamin 10ff.). Und diese Wiederherstellung funktioniert über die erotische Besetzung der einzelnen Elemente dieser Inszenierung. Bram Dijkstra hat deren Bilder analysiert und auf ihren masochistischen Gehalt hin überprüft (siehe 371ff.). Was wir an Hand der Lektüre von Novellen, Romanen und anderen Textsorten des neunzehnten Jahrhunderts nachvollziehen können, ist eine Vermischung und Überlagerung von verschiedenen Bildbereichen, die an sich unterschiedlichen Traditionen entstammen. Zunächst ist es die ikonographische Tradition der Venusdarstellungen von Botticelli bis Monet, die der literarischen Rezeption masochistischer Szenarien unterliegt. Wie das funktioniert, werden wir an Hand einer detaillierten Analyse der literarischen Erzähltradition des Masochismus im neunzehnten Jahrhundert sehen. Hinzu kommt der Bildbereich der europäischen Kolonialgeschichte in Afrika und Asien, dessen Archiv voller Stereotypen über das Land und die Menschen ist und der projektiv aus der Perspektive der reisenden, siedelnden und kolonisierenden Europäer entstanden ist und die Reaktion dieser Menschen auf die Begegnung mit Afrika (oder mit Asien und der Südsee beispielsweise) widerspiegelt. Durch die Überlagerung dieser zwei Bildbereiche entsteht das, was ich als masochistische koloniale Imagination bezeichnen will, d.h. eine kuriose Vermischung von Topoi aus der Tradition des literarischen Masochismus und der europäischen Kolonialgeschichte, die in eine Struktur mündet, die der kulturellen Produktion als Imaginationsmuster unterliegt und die die koloniale Phantasie – und damit auch die Erwartungen, die an die koloniale Erfahrung herangetragen werden und die koloniale Praxis mitbestimmen – kennzeichnet.

Es gibt seit Jahren – nun verspätet auch in Deutschland – eine Diskussion über die Bedeutung der kolonialen Imagination für die Paradigmen der kulturellen Produktion im Europa des neunzehnten und zwanzigsten Jahrhunderts. Nach János Riesz zu urteilen, ist die Literatur Europas schlechthin die Literatur eines Kontinents von Kolonisatoren und das Phänomen des Kolonialismus omnipräsent (13). Von daher empfiehlt es sich, Riesz zufolge, dass ganze „Begriffs-Systeme wie die der ‚Entdeckungs'- und ‚Abenteuer'-Literatur" überprüft „und in eine historisch adäquate historische Terminologie übersetzt werden" (9-10): „Zivilisation, Christianisierung, Kampf gegen Krankheit und Unwissenheit, Befreiung von tyrannischen Herrschern, Gott, Vaterland und Menschenrechte entsprechen in der Wirklichkeit Piraterie und Abenteurertum, Waffenhandel und Krämergeist, Machtgier und Gier nach Gold" (Riesz 14). Daraus folgt, dass die europäische Literatur, auch die deutschsprachige, die sich nicht vordergründig als eine Literatur von Kolonisatoren begreift, „im Lichte des Kolonial-Phänomens überprüft und ergänzt werden" muss (Riesz 11). Bisher hat die Literaturwissenschaft den Zusammenhang von Literatur und Kolonialsystem, der bei Riesz behauptet wird, verschwiegen und stattdessen (wenn überhaupt) sich mit der ästhetischen Seite der literarischen Texte, die mit diesem Kolonialsystem verstrickt sind, beschäftigt. Zeichen dieses omnipräsenten Kolonial-Phänomens sei beispielsweise die Tatsache, dass Europa den kolonisierten Völkern immer mit dem Anspruch der Überlegenheit entgegengetreten sei. Diesen Anspruch werden wir an Hand mehrerer Figuren aus den hier ausgewählten literarischen Texten detailliert verfolgen können. Was wir János Riesz zufolge weiterhin an Hand des literarischen Umgangs mit dem Kolonial-Phänomen beobachten können, ist die Tatsache, dass das tatsächliche „Interesse an den überseeischen Ländern und seine Darstellung in der Literatur […] in keinerlei Zusammenhang mit dem Kolonialsystem [steht], der Eroberung und Ausbeutung der Kolonien", sondern, dass es „literaturimmanent als irreduktibles ästhetisches Phänomen" erscheint (22-23). Das bedeutet nun wiederum, dass das Thema des Kolonialismus in der Literatur ein ästhetisch sich selbst reproduzierendes Phänomen darstellt, aus dem sich eine autonome literarische Tradition speist, die es aufzubrechen gilt durch die Analyse und Freilegung der Imaginationsstruktur, die für sie charakteristisch ist. Ich möchte mich in diesem Zusammenhang hauptsächlich mit den Texten beschäftigen, die Afrika problematisieren, nicht nur, weil die meisten und (von der Landmasse her) größten Kolonien Deutschlands sich in Afrika befanden, sondern auch weil die hier untersuchte Struktur des Masochismus in dem deutschsprachigen Afrika-Diskurs eine konstituierende Rolle spielt. Die deutsche Kolonisation in der Südsee und in China läuft über eine andere Schiene ab, die separat untersucht werden muss. Eine solche vergleichende Perspektive werde ich in dem Fünften Kapitel aufnehmen, wo es um die zusammenfassende Diskussion der spezifisch deutschen Modelle von Kolonisierung geht.

I. Positionen der postkolonialen Theoriebildung

Im Zuge der afrikanischen Entkolonisierungsbewegungen der sechziger Jahre des zwanzigsten Jahrhunderts dringen die ersten selbstbewussten Stimmen aus den Kolonien nach Europa. Hier sei exemplarisch Frantz Fanons Generalabsage an die auf Grausamkeit basierende europäische Zivilisation erwähnt, worin behauptet wird, dass die Geschichte der Gewaltherrschaft in den (französischen) Kolonien die kolonisierten Völker enthumanisiere, dass sie alle indigenen Traditionen ausgemerzt habe, dass die indigenen Sprachen mit der Sprache des Kolonisators ersetzt und dass im Zuge dieses Kolonisationsprozesses die indigene Kultur zerstört wurde und von daher das Muster von Gewalt sich nach innen gekehrt hat – was in den bis heute andauernden internen Kämpfen der postkolonialen afrikanischen Staaten andauere (13ff; siehe auch Jean-Paul Sartres Vorwort zu diesem Band). Fanon zufolge bedeutet der Prozess der Kolonisation die systematische Verneinung der anderen Person, genauer: der Andersartigkeit der anderen Person (siehe 203). Von daher ist ein kolonisiertes Volk nicht mit einem lediglich politisch dominierten Volk gleichzusetzen, was den Unterschied zwischen den kolonisierten Völkern Afrikas, Asiens und Ozeaniens gegenüber den dominierten Völkern innerhalb Europas herausstreicht. Es sei ein Unterschied, ob man von der Kolonisation Afrikas spreche oder von Europa-internen Machtbestrebungen, die zwar ebenfalls eine Eroberung von Landstrichen und eine fremde Administration der dort lebenden Menschen bezwecken mag, die aber keine Begegnung einer kolonisierenden Kultur mit einer indigenen Kultur beinhalte. Fanon zufolge gibt es für die Kolonisierten nur eine korrekte Reaktion auf die Konstante der europäischen Zivilisation: „Leave this Europe where they are never done talking about Man, yet murder men everywhere they find them" (252). Das Spiel der europäischen Mächte ist, laut Fanon, am Ende angekommen. Europa kann aus postkolonialer Perspektive nur als Ruinenlandschaft betrachtet werden.

Edward W. Said hat 1978 die Grundparadigmen des europäischen Orientalismus erläutert. Die radikale Grundidee Saids war, dass der Orient eine europäische Erfindung darstelle und dass er von daher nur dort einen sinnvollen Platz einnehme. Hier haben deutsche Wissenschaftler in der Tat eine führende Rolle gespielt, wenn man einmal an die romantischen Vorstellungen von Sprachwissenschaft denkt. Weiterhin sei Orientalismus eine Haltung, die sich über einen hegemonialen Diskurs reproduziere, der die gesamte Systematik und Vorgehensweise der nach-aufklärerischen Wissenschaft bestimme und bis heute die politische Kultur des Westens präge. Von daher sei Orientalismus „a way of coming to terms with the Orient that is based on the Orient's special place in European western experience" (*Orientalism* i): „my real argument is, that Orientalism is – and does not simply represent – a considerable dimension of modern political-intellectual culture, and as such has less to do with the Orient than it does with ,our' world" (*Orientalism* 12). Orientalistischer Diskurs beruht von daher auf einer angenommenen Machthierarchie zwischen der europäischen Hegemonialherrschaft und der orientalen Kolonialkultur, wobei eurozentrische Überlegenheit in der Begegnung mit dem Anderen entscheidend ist. Orientalismus ist ein Wissenssystem über den Orient, der auf einer positionalen Überlegenheit basiert.

Zwei Kritikpunkte sind in neuerer Zeit an Saids Orientalismus-These aufgekommen. Zum einen ist es die Nichtbeachtung von Geschlechterdiskursen, die Said von feministischer Seite aus vorgeworfen wurde (vgl. Spivak, „Can the Subaltern Speak?" 104). Zweitens ist es die naive Einschätzung Saids zur Rolle Deutschlands im Kontext des europäischen Kolonialismus. Said zufolge sei der deutsche Orientalismus wegen der fehlenden tatsächlichen Eroberung fremder Landstriche bis in die achtziger Jahre des neunzehnten Jahrhunderts hinein und dank eines fehlenden nationalen politischen Interesses bis 1871 in erster Linie ein wissenschaftliches Phänomen gewesen, das den orientalischen Studien der Romantiker entsprungen sei (vgl. *Orientalism* 19). Kamakshi Murti hat aber deutlich auf die Allianz der deutschen Wissenschaft und Philosophie mit dem englischen Imperialismus (in Indien) hingewiesen und ein für allemal aufgeräumt mit der romantischen Vorstellung, dass der deutsche Orientalismus keine zentrale Stellung gespielt habe in der Geschichte des europäischen Imperialismus, die bis heute in die postkolonialen Reflexionen der Kultur Nachkriegsdeutschlands reiche (siehe 7). Der These Saids vom lediglich wissenschaftlichen Charakter des deutschen Orientalismus hat auch Susanne Zantop vehement widerspochen und auf die zentrale Funktion prekolonialer Phantasien für die deutschsprachige literarische Tradition hingewiesen.

> The shortness of the colonial period, the absence of vocal „colonial subjects" in the German „metropolis" (the lack of a metropolis, for that matter), and the preponderance of the Holocaust in all post-World War II discussions have obscured the significance of colonial fantasies in the formation of German national identity and of race relations within Germany. As I argue, however, the undefined status and the slippery position of colonial fantasies both inside and outside the canon, inside and outside of texts, and somewhere in between well-defined literary genres – as well as their pervasiveness – makes them crucial markers, even agents in cultural history. (*Colonial Fantasies* 3)

Die prekolonialen und kolonialen Phantasien sind Zantop zufolge somit das politische Unbewußte der sich formenden Nation. Zantop stellt diese These eindrucksvoll und anschaulich an Hand der Eroberungsliteratur des siebzehnten und achtzehnten Jahrhunderts dar, deren rein imaginärer Charakter sich mit dem untergründigen sexuellen Begehren der Eroberung des Anderen und somit mit einem Machtdiskurs verbindet. Von daher argumentiert Zantop gegen Said, dass es gerade der Mangel an tatsächlichem Kolonialismus war, der vielen Deutschen einen prägenden Wunsch nach kolonialen Besitzungen eingepflanzt habe.

Dieser Wunsch nach kolonialem Besitz wurde gespeist aus der Tradition der deutschsprachigen Abenteuerromane und romantischen Reisebeschreibungen, deren Detailfreudigkeit den deutschen Lesern eine Position anbot, in der sie sich als „bessere" Kolonisatoren wiedererkennen konnten. Von daher rührt der Mythos von den Deutschen als den „besseren" Kolonisatoren nicht primär aus der postkolonialen Propaganda der Weimarer Republik, die auf den Vorwurf der Alliierten reagiert, Deutschland sei zum Kolonisator nicht geeignet, sondern ist von vornherein Teil der deutschen kolonialen Imagination. Die Fehler der europäischen Nachbarn sollten in einem idealen Kolonialismus deutscher Prägung vermieden werden, der orientalistischen und masochistischen Eroberungsphantasien freien Raum lässt. Zantop hat über diese These hinaus argumentiert, dass diese Tatsache der nicht kritisch reflektierten Beziehung der deutschen Kultur und Gesellschaft zur Tradition des europäischen Kolonialismus auch in der Literatur der Nachkriegszeit weiterbestehe. Sie bezieht sich damit auf eine These Katrin Siegs, die die Herstellung von kolonialen Phantasien in Nachkriegsdeutschland gemäß einer Dreiecks-Struktur konzipiert:

> Colonial fantasies created what Katrin Sieg calls a „triangulated communicative structure." She defines this as a „theatre of identity in which the brown-white relationship pivots on an absent third party"; in other words: in which an alleged blood brotherhood between „Germans" and „Indians", for example, or the denunciation of U.S. imperialism obscures and displaces an exploration of the genocide perpetrated on Jews, the racism extended to dark-skinned *Ausländer*, or Germany's share in international corporate expansionism. („Colonial Legends, Postcolonial Legacies" 192)

Zantops Forschungen zur Geschichte der kolonialen Phantasien haben ergeben, dass derartige Dreiecks-Visionen über einen nichtvorhandenen Dritten aus früheren kolonialen Wunschvorstellungen rühren, die bis ins achtzehnte Jahrhundert zurückreichen. Zantop nennt eine solche Position „a moral high ground from which the critical German onlooker could analyze the colonialism of others, without investigating not just his own complicity in past and present colonialist endeavors but also the historical connections previously outlined" („Colonial Legends, Postcolonial Legacies" 200).

Der Begriff „Hybridität" ist mittlerweile zu einem Modewort in der modernen Literaturkritik geworden und muss von daher zunächst einmal auf seine Herkunft hinterfragt werden. Robert J. C. Young leistet dahingehend eine gründliche Analyse der historischen Dimension dieses Begriffs. Seiner Forschung nach leitet sich der Begriff Hybridität ursprünglich aus der Pflanzenlehre ab und nimmt erst im Laufe des neunzehnten Jahrhunderts die Bedeutung der Mischung von Menschenrassen an (6). Diese semantische Verschiebung von der Pflanzenkunde zur Humanwissenschaft hat allerdings schwerwiegende Konsequenzen. Unter anderem hat sie zur Folge, dass die Verschiedenheit der Menschenrassen nach dem Modell der Verschiedenheit von biologischen Arten denkbar wird. Michail Bachtin sei es gewesen, der den nächsten gedanklichen Schritt in der Geschichte des Begriffs Hybridität unternommen habe, indem er das Modell von Hybridität in einer dekonstruktiven Bewegung von der Anwendung auf Menschenrassen auf die Funktionsweise sprachlicher

Ebenen verschoben habe: Hybridität stelle jetzt nicht mehr einen Spezialfall der biologischen Rassenmischung dar, sondern werde zur Bedingung der Möglichkeit von Sprache überhaupt: „Hybridity describes the condition of language's fundamental ability to be simultaneously the same but different" (Young 20). Diese interne Spur des Anderen, von der die poststrukturalistische Theorie jahrelang gesprochen hat, sei, Bachtin zufolge, immer in der Mischung von zwei (gesellschaftlichen) Sprachebenen innerhalb einer einzigen Sprachäußerung gegeben. Dies ist nun der entscheidende gedankliche Schritt, der den Begriff der Hybridität aus seinem biologischen Kontext lösen und zu einem literatur- und kulturkritischen Terminus aufwerten kann. Hier setzt Homi K. Bhabha beispielsweise an mit seiner Definition von Hybridität als des Moments, an dem der koloniale Diskurs seinen eindeutigen Zugang zur Bedeutung verliert und sich mit der Spur des Anderen in sich selbst konfrontiert sieht: „For Bhabha, hybridity becomes the moment in which the discourse of colonial authority loses its univocal grip on meaning and finds itself open to the trace of the language of the other, enabling the critic to trace complex movements of disarming alterity in the colonial text" (Young 22). Dadurch werde, so Young, die Herrschaftsstruktur in der kolonialen Situation potentiell untergraben, weil Gleichheit und Verschiedenheit in einer Aussage simultan denkbar werden. Das heißt aber auch, dass – wie auch in der poststrukturalen Theorie herausgearbeitet – alle Texte, die Texte der postkolonialen Diaspora wie auch die Texte der Kolonial- und Rassentheoretiker, dekonstruktive hybride Elemente enthalten, was Young zu einer ganz anders gewichteten Kulturtheorie führt:

> Culture never stands alone but always participates in a conflictual economy acting out the tension between sameness and difference, comparison and differentiation, unity and diversity, cohesion and dispersion, containment and subversion. Culture is never liable to fall into fixity, stasis or organic totalization: the constant construction and reconstruction of cultures and cultural differences is fuelled by an unending internal dissension in the imbalances of the capitalist economies that produce them. (Young 53)

Der nun innerhalb der postkolonialen Theorie zirkulierende Begriff von Hybridität führt somit zurück zu einer Position, die den Diskussionen um den Poststrukturalismus entlehnt ist – Fragen von der Strukturalität von Struktur und der Ursprünglichkeit von Differenz beispielsweise –, obwohl die Tropen der Differenz jetzt nicht mehr sprachlich-philosophischer Natur sind, sondern materielle und kulturelle Praxen aus der Geschichte des europäischen Kolonialismus und Postkolonialismus bezeichnen.

In seinem Buch *The Location of Culture* entfaltet Bhabha den Zusammenhang zwischen Kultur und nationalen politischen Interessen aus der Perspektive der postkolonialen Theorie. Für Bhabha entsteht von daher die zentrale Frage, inwiefern die Erkenntnisinteressen westlich bestimmter Theoriebildungen wie des Poststrukturalismus beispielsweise mit den politischen Interessen und der hegemonialen Rolle des Westens in der Weltpolitik parallel gehen. Das hybride Moment von politischer Veränderung beispielsweise liegt, Bhabha zufolge, in der Reartikulation oder auch Übersetzung von Strukturelementen, die weder das eine noch das andere, sondern etwas ganz anderes darstellen, das von daher also die Bedingung der Möglichkeit beider diskursiver und machtpolitischer Territorien bestreitet:

> Hybrid hyphenations emphasize the incommensural elements – the stubborn chunks – as the basis of cultural identifications. What is at issue is the performative nature of differential identities: the regulation and negotiation of those spaces that are continually, *contingently*, „opening out", remaking the boundaries, exposing the limits of any claim to a singular or autonomous sign of difference – be it class, gender or race. (Bhabha 219)

Durch die Präsenz solcher Bindestrich-Identitäten verliert der Diskurs der hegemonialen Macht seine Gewalt und es wird im postkolonialen dekonstruierten Kontext möglich, auf die Produktivität der Ambivalenzen innerhalb des kolonialen Diskurses hinzuweisen. Die Bedeutung von Hybridität liege in diesem neu definierten Kontext vor allem darin, dass die Existenz von Elementen behauptet wird, „that are neither the one nor the Other but something else besides which contests the terms and territories of both" (Bhabha 28). Demzufolge seien alle kulturellen Systeme und Aussagen in einer widersprüchlichen Art konstruiert – auch die kolonialen Diskurse. „The objective of colonial discourse is to construe the colonized as a population of degenerate types on the basis of racial origin, in order to justify conquest and to establish systems of administrations and instruction" (Bhabha 70). Aber diese Verwaltungs- und Erziehungssysteme seien voller Spuren von Hybridität und Widersprüchlichkeit, was die Möglichkeit eines postkolonialen Diskurses anzeigt.

Spuren von Hybridität werden wir in vielen Texten wiedererkennen. Bhabha geht, wie wir eben gesehen haben, sogar so weit, gegen die üblich angenommene Funktion von Stereotypisierung zu polemisieren:

> Stereotyping is not the setting up of a false image which becomes the scapegoat of discriminatory practices. It is a much more ambivalent text of projection and introjection, metaphoric and metonymic strategies, displacement, over-determination, guilt, aggressivity; the masking and splitting of official, and phantasmagoric knowledges to construct the positionalities and oppositionalities of racist discourse. (Bhabha 81-82)

Mithilfe dieser so umformulierten Kulturtheorie, die die hybriden Elemente in den zentralen Texten des kolonialen Diskurses aufspürt und nach deren produktiver Funktion fragt, werde ich versuchen, die Stimmen der „Kolonisatoren" in den hier ausgewählten Texten aufzubrechen. Das Interessante an dieser Ansammlung von Texten entpuppt sich in der Tatsache, dass nicht nur die Kolonisatoren zu Wort kommen, sondern auch hybride koloniale Subjekte sprechen – allerdings mit Hilfe des Diskurses der Macht, den sie sich aneignen. Denn, das wissen wir von Gayatri Spivak, das Subalterne kann nicht

selbst sprechen, da es nicht des Diskurses mächtig ist (vgl. 104). Die postkoloniale Identität, die der britische Wissenschaftler Stuart Hall beispielsweise beschreibt, ist immer eine Identität im Prozess des Werdens, die sich innerhalb
und außerhalb von Bedeutung konstituiert. Der traumatische Charakter der
postkolonialen Existenz ist von daher begründet in der Tatsache, „that they had
the power to make us see and experience ourselves as ‚Other'" (Hall 394), was
aber gleichzeitig zu der permanenten Umdeutung der diasporischen Existenz
führen kann: „Diaspora identities are those which are constantly producing and
reproducing themselves anew, through transformation and difference" (Hall
402). Von daher erklärt sich auch die grundsätzlich offene Haltung der postkolonialen Theorie gegenüber der Denktradition des Poststrukturalismus und
der Dekonstruktion, die eine prinzipielle Kritik der westlichen metaphysischen
Tradition enthält und implizit das Studium der Konstruktion individueller und
nationaler Identitäten fördert, so dass in einem postkolonialen Kontext der Topos des Reisens beispielsweise ganz andere Bedeutungen annehmen kann.
Mary Louise Pratt hat hier Pionierarbeit geleistet und auf die Konstruktion der
europäischen Identität durch das koloniale Reisen hingewiesen: „how do travel
books by Europeans about non-Europeans go about creating the domestic
subject of Euroimperialism" (4), das ist die Frage, die sie in ihrem Buch über
den postkolonialen Blick aufwirft. Pratt diskutiert diese Frage an Hand der
Reisebeschreibungen Alexander von Humboldts und behauptet, dass Humboldt Südamerika überhaupt erst (für die europäischen Augen) erfunden habe –
und zwar als Landschaft und Natur (120), also in seinem dramatischen und
überwältigenden – gleichzeitig aber auch romantischen – Aspekt. Humboldt
redupliziert von daher die erste kolonialistische Bewegung Europas nach Südamerika, indem er auf der Idee eines Kontinents besteht, der nicht von bestehenden indigenen Gesellschaften bewohnt und bewirtschaftet wird, sondern
der als Siedlungskolonie von Europäern erobert werden kann.

Todd Herzog hat in einem Artikel über „Hybrids" als „Mischlinge" argumentiert, dass Homi Bhabhas Modell von kultureller Hybridität einen konzep-
tionellen Raum ermögliche, „that makes possible the emergence of interstitial
agency that refuses the binary representation of social antagonism" (1) und von
daher eine Möglichkeit biete, gegen die homogene Sicht von deutscher Kultur
zu polemisieren. Herzog weitet die Idee Mary Pratts über die Funktion postkolonialer Bindestrichidentitäten aus, die auf die parodistische Rolle dieser
Tropen aufmerksam gemacht hat. Herzogs Arbeit ist Teil einer Revision kul-
turtheoretischer Positionen, wie sie in den letzten Jahren innerhalb der Germanistik stattgefunden hat und unter anderem auch zur Produktion einiger wichtiger Studien über die deutsche koloniale Imagination geführt hat. Vor 1990 gab
es nur wenige Arbeiten, die sich mit der diskursiven Dimension des deutschen
Kolonialismus auseinandergesetzt haben. Seit 1990 sind einige wichtige Studien entstanden, die der Untersuchung der Strukturmuster der deutschen kolonialen Imagination ein neues theoretisches Niveau geben. Nina Berman liest
Orientalismus und Kolonialismus im Zusammenhang mit der Entstehung der

literarischen Moderne, wobei sie Texte in Bezug zum materiellen und politischen Verhältnis der deutschsprachigen Länder zum Orient (also zum Nahen Osten und zu Nordafrika) analysiert und dabei auf die mittelalterlichen Kreuzzüge, die osmanische Besetzung Europas im 14. und 15. Jahrhundert, Martin Luther und die orientalischen Charaktere in der Kultur des 18. und 19. Jahrhunderts zu sprechen kommt

> [...] ein Blick auf die Geschichte der Beziehungen zwischen deutschsprachigen Ländern und dem Nahen Osten/Nordafrika zeigt, daß – zusätzlich zum Kolonialismus – andere Formen der ökonomischen und politischen Interdependenz existierten und existieren. Diese anderen Formen der Abhängigkeit und Dominanz produzierten und produzieren kulturelle Diskurse, die strukturelle Ähnlichkeiten zu der Art des kolonialistischen Orientdiskurses, den Said analysiert, aufweisen. (18)

Nina Berman übernimmt somit das Modell Saids für die Diskussion des deutschen Orientalismus und erweitert es historisch und geographisch. Dabei schält sich die Grundstruktur des eurozentristischen Denkens heraus, das auf einer hysterischen Furcht vor einer Orientalisierung Europas (durch das Osmanische Reich beispielsweise) aufbaut und diese Furcht produktiv in Stereotypen umwandelt. Beispielsweise sei die Renaissance orientalischer Charaktere in der deutschsprachigen Literatur und Kultur des ausgehenden achtzehnten Jahrhunderts Berman zufolge nur vor dem Hintergrund der Tatsache eines politisch und militärisch geschwächten Osmanischen Reiches denkbar (siehe 29).

Russell Bermans Untersuchung zur Dialektik von Kolonialismus und Aufklärung weist hingegen auf die Besonderheit des deutschen kolonialen Diskurses hin, die die Möglichkeit von Alterität in der Begegnung mit dem Anderen ausschöpft: „The travel through space permits new experiences, even if those experiences and the reactions to them are repressed because of colonial ideology" (*Enlightenment or Empire* 5). Und diese Alterität des deutschsprachigen kolonialen Diskurses drücke sich, Russell Berman zufolge, in der größeren Offenheit des deutschen kolonialen Diskurses gegenüber der wie auch immer gestalteten (literarischen) Identifikation mit den Kolonisierten aus, die im englischen und französischen kolonialen Diskurs nicht in der Deutlichkeit anwesend sei. Diese These über die diskursive Alteritätsstruktur des deutschen Kolonialismus (gegenüber anderen europäischen Modellen) soll jedoch nicht über die Tatsache der brutalen deutschen Kolonialgeschichte hinwegtäuschen, die von Eliminationsdenken und Totalitarismus geprägt ist (siehe auch Russell Berman, „German Colonialism: Another *Sonderweg*?" 25ff.). Hannah Arendt hat in ihrer Studie zu Elementen und Ursprüngen totalitärer Bewegungen von 1951 bereits auf den Rassebegriff des zwanzigsten Jahrhunderts hingewiesen und auf dessen ursächliche Entstehung vor dem Hintergrund des europäischen Imperialismus in Afrika und Asien aufmerksam gemacht (siehe 406-7). Speziell der Rassenwahn, der sich in der Ausrottung der Nama (Hottentotten) durch die Buren, das wilde Morden von Carl Peters in Ostafrika, die Dezimierung der Hereros in Deutsch-Südwest und der Kongobevölkerung durch die belgische Krone gezeigt hat, öffnet, Arendt zufolge, der Bürokratisierung des Verwaltungsmassenmordes, wie ihn später die Nazis in den Konzentrationslagern durchgeführt haben, alle Tore. Von daher ist die koloniale Praxis, die das wilhelminische Deutschland durchgeführt hat, durchaus im Vergleich mit dem europäischen Kontext zu sehen, der ein Standardparadigma des europäischen Kolonialismus ausgebildet hat, wogegen auf der Ebene des Diskurses über koloniale Vorstellungen die deutsche Tradition eine Art „Sonderweg" bestritten hat.

II. Die Muster der deutschen Kolonialgeschichte

Sara Friedrichsmeyer, Sara Lennox und Susanne Zantop haben sich in dem Band *The Imperialist Imagination: German Colonialism and Its Legacy* mit der Bedeutung der anglo-amerikanischen postkolonialen Diskussion für die Konzeptualisierung der Geschichte des deutschen Kolonialismus kritisch auseinandergesetzt. Die deutsche Kolonialgeschichte zeichne sich – im Gegensatz zur englischen und französischen – durch einige Eckpfeiler aus, die hier kurz genannt werden sollen. Zunächst ist der verspätete Einstieg Reichsdeutschlands in die Liga der europäischen Kolonisatoren von Bedeutung. Als Bismarck sich 1884 endlich zu seiner Note an den deutschen Konsul in Kapstadt durchgerungen hatte, die die Gegend um Lüderitzbucht zu einem deutschen „Schutzgebiet" proklamierte – nachdem er zuvor jahrelang über die politische Nützlichkeit von Kolonien und über die Weisheit einer Haltung, die mit Sicherheit England als Gegner im europäischen Kräftespiel verärgern würde, nachgedacht hatte – war Afrika zum großen Teil bereits aufgeteilt (siehe Smith 27ff.). Wie die Kolonien dann tatsächlich entstanden sind, wie sie vielmehr erschwindelt wurden, dokumentieren ganz einsichtig und plastisch Manfred O. Hinz, Helgard Patemann und Armin Meier in ihrem ersten Kapitel des Bandes *Weiß auf Schwarz: 100 Jahre Einmischung in Afrika* (siehe 49ff.). 1884/85 in Berlin auf der sogenannten Kongo-Konferenz kamen die europäischen Kolonialmächte unter der diplomatischen Führung Bismarcks überein, die Strategien der kolonialen Eroberung unter sich abzusprechen. Durch die „Kongo-Akte" sollte die Möglichkeit einer Neutralisierung der afrikanischen Gebiete im Falle eines Krieges zwischen den europäischen Kolonialmächten geschaffen werden. Die Berlin Konferenz signalisierte somit „einen neuen Abschnitt in den Beziehungen zwischen der nördlichen und der südlichen Hemisphäre", der nach 1885 die Weltpolitik beherrscht hat (Hinz, Patemann, Meier 76). Wie es zu Bismarcks Gesinnungswandel gegenüber einer aktiven Kolonialpolitik in dieser Zeit kam, ist seit Jahrzehnten Gegenstand historiographischer Diskussion. Mary Townsend hat auf die Parallele zwischen Bismarcks und Hitlers zunächst zögerlicher Einstellung gegenüber der kolonialen Expansion hingewiesen, die ihrer Ansicht nach von der jeweiligen Einschätzung der Reaktion Englands abhängig war (*Origins of Modern German Colonialism 1871-1885* 406). Horst Gründer meint sogar, dass es im strengen Sinne gar kein Gesinnungswandel gewesen sei, der Bismarck zur Deklaration der afrikanischen Schutzgebiete geführt habe:

> Die finanziellen Belastungen formell-staatlicher kolonialer Gebietserwerbungen blieben Bismarck stets ebenso bewußt, wie er vor allem seine eurozentrische Außenpolitik vor den Zwängen und Risiken eines kolonialpolitischen Engagements in weltpolitischem Maßstab zu bewahren suchte; gehörte es doch zu seiner Strategie, innereuropäische Spannungen an der Peripherie auszubalancieren, wobei sich sein machtpolitisches Konzept umso erfolgreicher erwies, je weniger das Reich selbst in diesen Konfliktzonen engagiert oder interessiert war. (*Geschichte der deutschen Kolonien* 59)

Auf jeden Fall war der Druck der Handelsunternehmen groß genug, um die deutsche Politik für den Erwerb von Kolonien zu gewinnen.

Die Prinzipien der deutschen Kolonisierung, ganz besonders in Südwest, der einzigen deutschen Siedlerkolonie, waren zunächst die Enteignung der einheimischen Bevölkerung, dann der Verkauf des sogenannten „herrenlosen" Landes an die Siedler, wobei der strengen Herrschaft der neuen weißen Herren später dann die mildere Politik Bernhard Dernburgs und der Verzicht auf Zwangsarbeit und Peitsche zur besseren Integration der kolonisierten Bevölkerung in das Kolonialsystem folgte (vgl. Hinz, Patemann, Meier 80). Woodruff D. Smith hat zudem gezeigt, dass die Kolonialpolitik Deutschlands sich generell nach der leitenden politischen Überzeugung im Mutterland gerichtet hat: so wie die einzelnen deutschen Kommunen und Länder durch Selbstverwaltung regiert wurden, so sind auch die Kolonien nach diesem Prinzip verwaltet worden, besonders, was die Finanzhoheit betrifft (siehe 166). Südwestafrika wurde im April 1884 zum ersten deutschen „Schutzgebiet" erklärt, nachdem seit 1868 wiederholte Schutzgesuche der Rheinischen Mission an die britische und die preussische Regierung gestellt wurden und der Bremer Tabakwarenhändler Alfred Lüderitz bereits seit einiger Zeit im Westafrikahandel tätig war und die britischen Einfuhrzölle zu umgehen suchte (siehe Gründer, *Geschichte der deutschen Kolonien* 80). In Kamerun hatten bereits in den siebziger Jahren hanseatische Handelshäuser, allen voran das Handelshaus C. Woermann, eine überragende Stellung erworben und aktiv an der Kolonialagitation teilgenommen, um die deutschen Wirtschaftsinteressen in Westafrika zu schützen (siehe Hücking/Launer 85). Im Juli 1884 stellte der neu ernannte Reichskommisar von Kamerun, Dr. Nachtigall, zur Sicherung der deutschen Handelsinteressen in Togo das Gebiet unter kaiserlichen Schutz und England und das Deutsche Reich verständigten sich über die jeweiligen Grenzen ihrer Gebiete. Sowohl in Kamerun wie auch in Togo stieß die angestrebte Schutzbrief-Politik gegen den Widerstand der aufständischen einheimischen Bevölkerung und musste mit Kanonenbooten und der Entsendung von Reichsbeamten durchgesetzt werden. In Ostafrika verlief der Gebietserwerb nach einem anderen Muster, weil zunächst kein unmittelbarer Anlass zum Schutz von Handelsinteressen bestand. Erst als Carl Peters im Auftrag der „Gesellschaft für deutsche Kolonisation" in die spätere Kolonie auszog und mit den einheimischen Stämmen erfolgreich Verträge abschloss, wurde Bismarck 1891 geradezu vom Erfolg dieser Expeditionen zu der Einrichtung einer Reichskolonialverwaltung in Ostafrika gedrängt. Die ozeanischen und asiatischen Kolonien wurden dann wesentlich später (Samoa 1899, Kiautschou 1897) gegründet. Der DDR-Historiker Helmut Stoecker hat darauf hingewiesen, dass die Kolonialgründungen der achtziger Jahre in Afrika territoriale Ausgangspunkte für eine forcierte Kolonialexpansion schaffen sollten (27). Stoecker geht sogar so weit zu behaupten, dass die Kolonien gedacht waren als Ausgangspositionen für ein großes, territorial zusammenhängendes Kolonialreich von größerem wirtschaftlichen Wert, ein Gedanke, der im Nachhinein die erheblichen Steuerzuschüsse des Reichs legitimieren würde (159). Hier könnte man zustimmend die Beschreibungen der Binnenmeere und Großwasserstrassen in Afrika erwähnen, die die Schifffahrt vom Kongo zum Mittelmeer ermöglichen sollte (siehe *Köhler's* [sic] *illustrierter deutscher Kolonial-Kalender* von 1939). Resultat der deutschen Einmischung in die kolonisierten Gebiete war die Zertrümmerung der afrikanischen Gesellschaftsformationen und der langsame Aufbau einer Kolonialverwaltung, die auf dem Prinzip der Rassentrennung, einer Art Apartheitsystem, basiert (siehe Hinz, Patemann, Meier 113).

Die Muster der deutschen Kolonialherrschaft in Afrika, Ozeanien und in Asien waren von daher in erster Linie von wirtschaftlichen Interessen geprägt, obwohl lediglich Togo, Samoa und Kiautschou ökonomisch „erfolgreich" waren.[1] Langjährige Kämpfe mit Aufständischen – den Maji Maji in Ostafrika 1905-1907, den Herero und Nama in Südwest 1904-1907 – waren kostspielig, wie auch der Bau und die Verwaltung von Konzentrationslagern für politische Gefangene und sich der Zwangsarbeit widersetzende Afrikaner (siehe Stoecker 85). Die besitzlosen Afrikaner wurden während der Zeit der deutschen Kolonialverwaltung zu abhängigen Lohnarbeitern. Die Geschichte der deutschen Kolonialherrschaft ist zudem punktiert von ausgesuchter Brutalität, die heute gut dokumentiert ist und die die Ausrottung der Aufständischen wie auch die gnadenlose Durchsetzung von Zwangsarbeit, im Extremfall durch zu Tode prügeln, miteinschließt (siehe hier unter anderem Gründer, *Geschichte der deutschen Kolonien* 151-62, Entwicklungspolitische Korrespondenz 175-92). Stoecker erwähnt noch ein weiteres Element des Musters der deutschen Kolonialgeschichte, und zwar die Funktion der Kolonien als Mittel im ideologischen Kampf gegen die deutsche Arbeiterklasse, die von der bürgerlichen Geschichtsschreibung systematisch heruntergespielt worden sei (159).

Der verspätete Beginn der deutschen Kolonialgeschichte hat seine Entsprechung in dem verfrühten Ende des deutschen Kolonialismus durch den Ver-

---

[1] Auch diese Zahlen sind in der Literatur umstritten. Siehe beispielsweise Stoecker, der die Eigenfinanzierung Togos einen Mythos nennt, 71.

sailler Vertrag, wonach die ehemaligen deutschen Schutzgebiete teilweise aufgeteilt und in verschiedene Mandatsverwaltungen unter der Schirmherrschaft des Völkerbundes gestellt wurden (Teile von Togo wurden englisch, Kamerun und der andere Teil von Togo französisch, Südwest wurde der Südafrikanischen Union zur Mandatsherrschaft übergegeben und Ostafrika aufgeteilt zwischen England, Belgien und Portugal). Togo fiel August 1914, da nicht genügend Truppen zur Verteidigung dort stationiert waren, Südwest 1915, Kamerun 1916 und letztendlich Ostafrika im September 1916 mit der Besetzung von Daressalam, nachdem General von Lettow-Vorbeck lange diese Stellung gehalten hatte. Dieses Ende mit Schrecken hat einem mächtigen Revisionismus zugearbeitet, der in der Weimarer Republik und später dann im Dritten Reich (besonders nach 1936) zu einer regelrechten Kolonialpropaganda aufblühte, die die Revision der kolonialen Bestimmungen des Versailler Vertrages forderte.

Dieser neue Trend kann vielleicht exemplarisch an Hand der Studie Hugo Blumhagens über das Südwestafrika von einst und jetzt (1934) diskutiert werden, dessen Monographie in der Schriftenreihe der Deutschen Kolonialgesellschaft zu kolonialen Fragen im Dritten Reich erschienen ist (siehe auch Schmokel zum Kolonialrevisionismus im Dritten Reich 14ff). Dort wird zunächst der sogenannten Kolonialschuldlüge widersprochen und auf die angeblichen Errungenschaften von fünfzig Jahren deutscher Kolonialpolitik hingewiesen (siehe Blumhagen 3). Des weiteren wird auf die Einrichtung der deutschen Rechtspflege, die Herstellung von Sicherheit und Ordnung unter den Eingeborenen, die erfolgreiche Bekämpfung von Seuchen und die Einrichtung der Regierungs- und Missionsschulen hingewiesen und somit ganz systematisch an der Legende vom tüchtigen deutschen Kolonisator gearbeitet, die mit einer rassistischen Eingeborenenpolitik Hand in Hand geht und die auf den folgenden Überzeugungen fußt:

> Europäische Bildung dagegen wollte die deutsche Regierung den Eingeborenen nicht zugänglich machen. Sie wollten den Eingeborenen keine Neuerungen aufdrängen, die in ihre althergebrachten Sitten und Gewohnheiten unnötig eingegriffen hätten. Die Eingeborenen sollten Eingeborene bleiben, die Grenzen zwischen Weißen und Eingeborenen sollten nicht verwischt werden, die Rassen sollten rein erhalten bleiben. (Blumhagen 73)

Auch von anderen zeitgenössischen Historikern wird die Friedenswirkung der Europäer bei den Stammeskämpfen erwähnt (Thurnwald 420, Banse 35), werden die großen Taten „unserer Afrikaner" (Wißmann, Lüderitz, Peters, Lettow-Vorbeck) gelobt (Banse 40ff) und die Pflicht zu Pflege und Schutz der Eingeborenen erwähnt (Westermann, *Die heutigen Naturvölker im Ausgleich mit der neuen Zeit* vii).

Die historisch geringere Bedeutung des deutschen Kolonialismus im Kontext der europäischen Expansionsbestrebungen hat von daher zu einer ganz spezifischen Situation geführt, die auch die interne Auseinandersetzung

Deutschlands mit seiner kolonialen Vergangenheit im Wesentlichen geprägt hat: im Gegensatz zur englischen und französischen Kultur gibt es keine postkolonialen Texte, die auf deutsch verfasst wurden, weil es keine postkolonialen Subjekte, d.h. Menschen aus den früheren Kolonien, gibt, die in der Bundesrepublik ansässig sind und deutsch sprechen und schreiben. Parallel dazu gab es in den deutschen Kolonien keine Entkolonisierungsbewegung vergleichbar mit der in Algerien beispielsweise. Mittlerweile gibt es zwar eine ganze Reihe von Ausländergruppen – Türken, Marokkaner etc. – , die in zweiter und dritter Generation in der Bundesrepublik leben, deren nationale Identität aber nicht durch die Konfrontation mit dem deutschen Kolonialismus geprägt ist. Zudem war die Historiographie von Nachkriegsdeutschland hauptsächlich um den Zweiten Weltkrieg und den Holocaust zentriert und das Studium der deutschen Kolonialgeschichte hat von daher eher eine Nebenrolle gespielt (siehe hier Friedrichsmeyer, Lennox, Zantop 3ff). Die Erforschung der kulturellen und diskursiven Dimension der deutschen Kolonialgeschichte und dieser daraus resultierenden insularen und provinziellen nicht-postkolonialen Identität (ein Ausdruck Lora Wildenthals, siehe „The Places of Colonialism" 9 u. 13) ist aber seit einigen Jahren in der Forschung als Desiderat erkannt und zum Thema etlicher Studien geworden. Mehrere Sonderhefte deutscher Zeitschriften (*KultuRRevolution* 32/33, *Neue Rundschau* 107:1 und *Das Argument* 38:3) und laufende Dissertationsprojekte zeugen von der neuerdings erkannten wichtigen Beziehung zwischen imperialer Kultur und indigener kultureller Praktiken. Martin Bauer und Uwe Wittstock schreiben in ihrem Editorial zu dem Heft der *Neuen Rundschau* „Der postkoloniale Blick – Eine neue Weltliteratur?" von einem mittlerweile geschärfteren Bewusstsein für Differenz, von einem vorsichtigeren Umgang mit dem Unvertrauten: „Das Fremde wird nicht mehr als finstere Provinz betrachtet, in die das Licht unserer abendländischen Vernunft noch nicht vorgedrungen ist, sondern als rätselvolles Land, das im Glanz einer ganz anderen, aber dort ebenso legitimierten Vernunft liegt" (5). Dieser neue postkoloniale Blick auf die Welt sehe nicht nur Trennendes, „sondern auch neue Verbindungen und damit neue kulturelle Verbindlichkeiten" (*Neue Rundschau* 6). Ich meine nun, dass die Struktur des Masochismus ein solches Element darstellt, das die spezifisch deutsche koloniale Imagination metonymisch mit der Tradition der literarischen Venusdarstellungen verbindet.

III. Wegbereiter des Masochismus: Joseph von Eichendorffs Novelle „Das Marmorbild"

Diese Tradition des literarischen Masochismus wird paradigmatisch vorbereitet in Eichendorffs Novelle „Das Marmorbild" (1819), wo die antike Venus in ihrer selbstsüchtigen und besitzergreifenden Art agiert, so wie sie später auch in den Darstellungen des literarischen Masochismus erscheint. In Eichendorffs

Novelle reitet ein junger Edelmann, Florio, gen Lucca und begegnet dort dem Sänger Fortunato. Obwohl die Erzählung im Weiteren der Perspektive Florios folgt, ist Fortunatos erotisches Interesse an Florio doch entscheidend für den Ausgang der Handlung. Fortunato erzählt Florio auch von dem Spielmann, der die Jugend in der Gegend um Lucca in einen geheimnisvollen Zauberberg locke, aus dem es kein Zurück gebe. Florios Augen ruhen zunächst auf einer Reihe von sittigen Frauen und Mädchen beim Ballspiel, insbesondere auf einer fast noch kindlichen Gestalt, deren Anmut er bemerkt. Fortunato führt Florio zusammen mit der niedlichen Ballspielerin, die Florio zwar schüchtern, aber mit „dunkelglühenden Blicken" anschaut und „schnell auf die roten, heißen Lippen küßte" (Eichendorff 529). Wie James M. McGlathery richtig bemerkt hat, kann sich Florio an diese Begegnung mit seiner zukünftigen Braut später kaum erinnern, denn „although it appears that Florio does fall in love with her at first sight, he immediately has trouble remembering about that passion, even that she exists at all" (258). Nachdem Fortunato sein Lied von dem Sehnen nach Frau Venus gesungen hat, erscheint sein Gegenspieler Donati, der die wilde und ungebändigte Seite des erotischen Verlangens verkörpert, die Florio im weiteren Verlauf der Novelle erfahren wird.

Eichendorff arbeitet in den entscheidenden Szenen seiner Novelle mit der Technik des Bildergedächtnisses, die auch die literarische Tradition des Masochismus kennzeichnet, in der Bilder metonymisch aneinandergereiht werden und eine semiotische Kette bilden. In seiner Herberge in Lucca angelangt, wird die Phänomenologie von Florios Seelenleben geschildert, wie sie kurz vor dem Einschlafen in Wunschträume abgleitet:

> Florio warf sich angekleidet auf das Ruhebett hin, aber er konnte lange nicht einschlafen. In seiner von den Bildern des Tages aufgeregten Seele wogte und hallte und sang es noch immer fort. Und da die Türen im Hause nun immer seltener auf- und zugingen, nur manchmal noch eine Stimme erschallte, bis endlich Haus, Stadt und Feld in tiefe Stille versank, da war es ihm, als führe er mit schwanenweißen Segeln einsam auf einem mondbeglänzten Meer. Leise schlugen die Wellen an das Schiff, Sirenen tauchten aus dem Wasser, die alle aussahen wie das schöne Mädchen mit dem Blumenkranze vom vorigen Abend. Sie sang so wunderbar, traurig und ohne Ende, als müsse er vor Wehmut untergehn. Das Schiff neigte sich unmerklich und sank langsam immer tiefer und tiefer. – Da wachte er erschrocken auf (Eichendorff 535).

Im halb wachen Zustand des Einschlummerns überdecken sich die Bilder des Tages – die Erinnerung an das Mädchen mit Blumenkranz im Haar – mit Wunschbildern – wehmütig singenden Sirenen und der Sensation eines untergehenden Schiffs – zu einer psychoanalytischen Studie der erotischen Dimension von Florios Sehnen. Das unschuldige Mädchen (mit Natur assoziiert) wird darin erotisch attraktiv durch die Verknüpfung mit dem Bildbereich der singenden Sirenen, die, wie ich anderswo im Detail argumentiert habe, eine zahme Form der grausamen Venus darstellen (vgl. Wilke, „Die Zähmung der grausamen Frau" 145ff.). Nur durch diese Bildüberlagerung ist es möglich, dass sich Florios Erinnerung an das Mädchen „unmerklich und wundersam verwandelt in ein viel schöneres, größeres und herrlicheres, wie er es noch nirgend gesehen" (Eichendorff 536). Eichendorff gestaltet ästhetisch die Phänomenologie von dialektischen Bildern im Stillstand, so wie sie später Walter Benjamin beschrieben hat.

In diesem Zustand hat Florio seine erste Begegnung mit dem marmornen Venusbild, „das dort dicht am Ufer auf einem Steine stand, als wäre die Göttin soeben erst aus den Wellen aufgetaucht und betrachte nun, selber verzaubert, das Bild der eigenen Schönheit, das der trunkene Wasserspiegel zwischen den leise aus dem Grunde aufblühenden Sternen widerstahlte" (Eichendorff 536-37). Die Geburt der Venus aus den Wellen (wie bei Botticelli) wird in Florios Wunschtraum dargestellt durch eine schöne Sirene, die einer Wunderblume gleicht und deren lieblicher Gesang Florios Glieder entzückt, so dass er sich erst nach einigem Zögern traut, sie voll anzublicken. Dann aber, als er den direkten Blick wagt, scheint ihm alles „fürchterlich weiß und regungslos" und ein „nie gefühltes Grausen" überfällt ihn (Eichendorff 537). Am nächsten Tag kann Florio den Ort der Nacht selbstverständlich nicht wiederfinden, trifft stattdessen in dem Lustgarten auf eine „Dame von wundersamer Schönheit" mit einer Laute im Arm, die singend fortwandelt. „Florio stand in blühende Träume versunken, es war ihm, als hätte er die schöne Lautenspielerin schon lange gekannt und nur in der Zerstreuung des Lebens wieder vergessen und verloren, als ginge sie nun vor Wehmut zwischen dem Quellenrauschen unter und riefe ihn unaufhörlich, ihr zu folgen" (Eichendorff 541). Die Zerstreuung des Lebens, der Bianca auch angehört, ist unterlegt mit einem Wissen von einem ungeheuer mächtigen erotischen Verlangen, das vielleicht durch die Begegnung mit Bianca angestachelt wurde, aber erst in dem Gegenüber mit Venus voll aufblüht. Die Wiederbegegnung mit Bianca auf einem Maskenfest geschieht wiederum nur innerhalb dieser Bildikonographie: Bianca ist als niedliche Griechin verkleidet, die durch den Garten schweift, aber für Florio nur als Doppelbild zu erkennen ist: Die Griechin mutiert in einem Moment des Auslebens seiner masochistischen Phantasien in eine steinerne Najade, auf deren weißem Nacken sich der Mondschein spiegelt. Die schöne Dame, Bianca, und das weiße Marmorbild überlagern sich zu einer Konstellation von erotischer Qualität, die immer stärker wird.

Die Dame trägt bei dem nächsten Erblicktwerden einen Falken auf ihrer Hand, der an einer goldenen Schnur an ihrem Gürtel befestigt ist. Sie mutiert von daher von der steinernen Griechin zur mittelalterlichen Herrin. Florio folgt ihr in ihr Schloß und es kommt zu der denkwürdigen Begegnung, die im Folgenden hier näher analysiert werden soll. Das Schloss selbst ist Gegenstand einer Bildergeschichte, wo künstliche Verzierungen „sämtliche Geschichten aus einer fröhlichen, lange versunkenen Welt darstellend" erzählen (Eichendorff 553). Beim Eintreten in das Schloß sieht Florio die Herrin in folgender Situation:

Sie ruhte, halb liegend, auf einem Ruhebett von köstlichen Stoffen. Das Jagd-
kleid hatte sie abgelegt, ein himmelblaues Gewand, von einem wunderbar zierli-
chen Gürtel zusammengehalten, umschloß die schönen Glieder. Ein Mädchen,
neben ihr kniend, hielt ihr einen reichverzierten Spiegel vor, während mehrere
andere beschäftigt waren, ihre anmutige Gebieterin mit Rosen zu schmücken. Zu
ihren Füßen war ein Kreis von Jungfrauen auf dem Rasen gelagert, die sangen
mit abwechselnden Stimmen zur Laute, bald hinreißend fröhlich, bald leise kla-
gend, wie Nachtigallen in warmen Sommernächten einander Antwort geben. (Eichendorff 553-54)

Die metaphorische Dimension des Bildes überdeckt dabei die erotische Bri-
sanz dieses Bildes, in dem Venus in charakteristischer Pose auf dem Sofa liegt
– sich quasi dem Zuschauer anbietet – und von Mädchen bedient wird. Florios
masochistischer Blick kann aber ohne weiteres durch diese täuschende Fassade
brechen. Er ist bereits „wie geblendet über die bunten Bilder" (Eichendorff
554) und folgt der Dame in das Schloss hinein ohne zu zögern. Dort nimmt die
Blickdramaturgie des Masochismus freien Lauf: Florio meint die schöne
Hausherrin in einer Reihe marmorner Bildsäulen in verschiedenen Rollen wie-
derzuerkennen, wird durch die Übermacht des Bildlichen an verdrängte Bilder
aus seiner Kindheit erinnert, wo „eine wunderschöne Dame in derselben Kleidung, einen Ritter zu ihren Füßen, hinten einen weiten Garten mit vielen
Springbrunnen und künstlich geschnittenen Alleen" erscheint (Eichendorff
555). Diese Stelle muss traditionellerweise für die psychologische Interpretation dieser Novelle herhalten, nach der die Begegnung Florios mit Venus einer
Wunschdynamik bzw. Trauminhalten entspringt (siehe exemplarisch Mc-
Glathery 257). McGlathery meint, dass das Aufwallen der masochistischen
Bilder auf Florios Begegnung mit Bianca zurückgehe, die diese Regression zu
früheren, latent erotischen Träumen ausgelöst habe (262). Das mag sein, aber
mehr als die psychologische Dimension ist es meiner Ansicht nach die ästhetische und literarische Gestaltung der masochistischen Ikonographie, die diese
Szene bestimmt. Aufgeschreckt durch das Schlagen der Nachtigall, das heran-
nahende Gewitter und das Zischen einer Schlange mutiert für Florio das Antlitz der Venus zu einem weißen Marmorbild und ruft die bedrohliche Seite dieser Begegnung hervor. Die Figuren auf den sie umgebenden Marmorbildern
werden zu Leben erweckt und Florio flieht die Szene:

[…] bald erhoben sich alle die Bilder mit furchtbarem Schweigen von ihrem Ge-
stelle. Florio zog seinen Degen und warf einen ungewissen Blick auf die Dame.
[…] da erfaßte ihn ein tödliches Grauen. […] alle Ritter auf den Wandtapeten sahen auf einmal aus wie er und lachten ihn hämisch an; die beiden Arme, welche
die Kerzen hielten, rangen und reckten sich immer länger, als wolle ein ungeheu-
rer Mann aus der Wand sich hervorarbeiten, der Saal füllte sich mehr und mehr,
die Flammen des Blitzes warfen gräßliche Scheine zwischen die Gestalten, durch
deren Gewimmel Florio die steinernen Bilder mit solcher Gewalt auf sich los-
dringen sah, daß ihm die Haare zu Berge standen. (Eichendorff 557)

Durch diese schaudervolle Erfahrung und die Wiederbegegnung mit Bianca fühlt sich Florio wie neugeboren und von seinen masochistischen Phantasien befreit.

Der Leser soll mit Florio diese dunklen Teile der masochistischen Erotik durchwandern und dann ebenfalls am Ende religiös und moralisch geläutert werden, aber die exzessive Beschreibung der masochistischen Urszene gespiegelt durch die Wandbilder weist uns in eine andere, von Eichendorff so nicht intendierte Richtung. Mehr als eine erzählte romantische Komödie (McGlathery 265) oder die Ausgestaltung eines Wunschbildes aus schwülen Kinderträumen (Pikulik 131) geht es meines Erachtens um die literarische Konstruktion der masochistischen Grundstruktur, in der der männliche Held dem Bild der Venus begegnet. Die Elemente dieser Begegnung sind von Michiel Sauter wiefolgt benannt worden: „Ein Mond, der über die Wipfel der Bäume tritt, ein Marmorbild auf einer Wiese ,wie ein Spiegel, wie die Eisdecke eines Teiches, zuckende Sterne, eine schluchzende Nachtigall, der Mann, der den Weg verfehlt hat, ein Springbrunnen und eine Allee von Buchsbaum" (122). Natürlich ist es richtig zu behaupten, dass das Bild der Venus und dieses Szenarium der Phantasie des männlichen Helden entspringt, aber wichtiger noch ist meines Erachtens die Tatsache, dass diese Phantasie letztendlich – nach Meinung des Helden – überwunden wird, wenn sie auch später ausgepeitscht werden muss. Die bilderschaffende Tätigkeit des Unbewussten, die hier am Werk ist und die Pikulik detailliert geschildert hat, wird literarisch aufgefangen und voyeuristisch gestaltet (133).

Dieses so eindringlich geschilderte Szenarium der Begegnung des europäischen Mannes mit der verlockenden, aber auch bedrohlichen Venusfigur wird im Laufe der literarischen Produktion des neunzehnten Jahrhunderts überlagert von Bildern aus der Darstellungstradition von schwarzen Figuren. Noch in den achtziger Jahren des zwanzigsten Jahrhunderts konnte die These Martin Bernals, dass die Kultur des klassischen Griechenlands aus einer Mischung von europäischen und afrikanischen (ägyptischen und phönizischen) Elementen bestehe, auf Unglauben stoßen. Statt der arischen Theorie, die die Entwicklung der europäischen Zivilisation über die Achse der Sprachphilologie und der linguistischen Verbindung von Sprachfamilien durch ihre indo-germanischen Wurzeln konzipiert, schlägt Bernal eine revidierte Fassung dieses Modells vor, das die ägyptische und phönizische Kolonisation Griechenlands mit einbezieht und das bis zum achtzehnten Jahrhundert Ägypten als Quelle aller Philosophie und modernen Wissensformen bezeichnet. Bernal zufolge ist die Bedrohung des Christentums durch die Pfeiler der ägyptischen Philosophie dann erst überhaupt akut geworden und durch die Entwicklung von Eurozentrismus, Kolonialismus und Rassismus im neunzehnten Jahrhundert verstärkt worden (siehe 440). Die Rolle der „schwarzen Athene" in der europäischen Kulturgeschichte hat sich von daher grundlegend gewandelt. Peter Martin hat die für uns zentrale These von der Veränderung der Darstellung von schwarzen Afrikanern speziell in der deutschen Kulturgeschichte aufgestellt, die seines Ermessens nach zu jeder Zeit eine intensive Beschäftigung mit schwarzen Menschen aufweise (10). Interessant ist dabei die Beobachtung – hier im Grundgedanken auf Bernal zurückgreifend – dass die Wandlung des Bildes der schwarzen Afrikaner mit historisch-politischen Krisenzeiten in Zusammenhang gebracht werden muss: „Zu den erhellendsten Tatsachen gehört in diesem Zusammenhang die Beobachtung, daß der schwarze Afrikaner seine besondere Bedeutung offenbar immer gerade dann gewinnt, wenn sich ein tiefgreifender gesellschaftlicher Wandel vollzieht" (Martin 11). Der Schwarzafrikaner ist somit zunächst Projektionsfolie von utopischen Bildern einer erstrebten gesellschaftlichen Ordnung (der edle Mohr), später dann mit Zunahme des Merkantilismus von janusköpfigen Einstellungen gegenüber Bedrohlichem und gleichzeitig Begehrenswertem im Anblick der Afrikaner, schließlich dann zur Zeit der kolonialen Expansion von Konstruktionen des Primitivismus, die den „Neger" immer entschiedener in die Nähe des Tiers rücken. Wichtig für uns ist, dass dieses bis heute geltende Paradigma des Primitivismus, das mit der Legitimation von Kolonisierung und Ausbeutung entstanden ist, Resultat eines Wandlungsprozesses ist, der mit der Projektion vom „edlen Mohren" begonnen hat. Die literarischen Texte des neunzehnten Jahrhunderts, die den Kanon der kolonialen Imagination ausmachen und das masochistische Grundparadigma verfolgen, stehen von daher an der Kippe der Verhandlung eines Bildes von janusköpfiger Begehrlichkeit, die gleichzeitig aber auch Bedrohung durch die Schwarzen spiegelt und das Bild des „primitiven Negers", der keine Geschichte hat, prägt.

IV. Die Entstehung der schwarzen Venus:
Theodor Storms Novelle „Von jenseit des Meeres"

Theodor Storm gestaltet diesen Wandlungsprozess vom begehrlich/bedrohlichen Schwarzen zum primitiven Neger in seiner Novelle „Von jenseit des Meeres", die 1864 im Erstdruck erschien und die die Folgen der europäischen Kolonisation aus der Perspektive des männlichen Masochisten schildert. Als Quellen für den hier abgehandelten Stoff gelten die Tatsache eines Verwandtenbesuchs aus den Antillen, Storms Lektüre von Charles Sealsfields *Lebensbilder aus der westlichen Hemisphäre*, besonders des Kapitels über das Pflanzerleben und die Farbigen im Süden der USA, sowie die literarische Anregung durch das Studium von Eichendorffs Novelle „Das Marmorbild" und einer Geschichte von Turgenjew (siehe Storm 1190f, Fasold 15ff). „Von jenseit des Meeres" ist die Geschichte von Alfred und dessen Verbindung mit Jenni, die Alfred seinem Vetter kurz vor seiner Abreise erzählt. Dieser Erzählgestus wird zu einem wichtigen Bestandteil der masochistischen Phantasie, die bei Storm noch im Verborgenen bleibt, aber in ihrer Grundstruktur auch hier schon erkannt werden kann. Alfred erzählt als erstes seinem Vetter, dass er bereits als Knabe erotische Phantasien hatte, die sich auf Jennis „Schwarzheit" bezogen:

> Lange schon, ehe ich sie selber sah, war meine Phantasie von ihr beschäftigt worden, [...]. Denn es war ein Geheimnis um das Mädchen. Nicht nur, daß sie aus einem andern Weltteil kam und daß sie die Tochter eines Pflanzers war, die ich aus meinen Bilderbüchern nur als fabelhaft reiche und höchst grausame Herren hatte kennenlernen – ich wußte auch, daß ihre Mutter nicht die Frau ihres Vaters sei. [...] ich dachte sie mir daher am liebsten als eine schöne ebenholzschwarze Negerin mit Perlenschnüren in den Haaren und blanken Metallringen um die Arme. (Storm 650)

Alfreds Phantasie ist gespeist von Abbildungen in den zahlreichen Bänden, die in Europa zur Mitte des neunzehnten Jahrhunderts kursierten. Als er Jenni dann endlich gegenübersteht, scheint sie Alfred zwar „weißer als irgendein anderes Mädchen aus meiner Bekanntschaft" (Storm 650), aber er bemerkt auch ihre großen Augen, die kohlschwarzen Locken, das pelzbesetzte Reisemäntelchen um ihre Schultern und ihre Leidenschaftlichkeit. Jenni entpuppt sich schnell als ebenbürtig und regiert bald alle Jungen bei wilden Knabenspielen – sie wächst also früh in die Rolle der grausamen Frau hinein, die der masochistische Voyeur für sie vorgesehen hat, wobei die Insignien ihrer Schwarzheit auf das krause Haar und ihre Nägel zusammengeschrumpft sind, deren Anblick Alfred besondere Lust gibt:

> Die kleinen Halbmonde an den Wurzeln der Nägel waren nicht wie bei uns andern heller, sondern bläulich und dunkler als der übrige Teil derselben. Ich hatte damals noch nicht gelesen, daß dies als Kennzeichen jener oft so schönen Parias der amerikanischen Staaten gilt, in deren Adern auch nur ein Tropfen schwarzen Sklavenblutes läuft; aber es befremdete mich, und ich konnte die Augen nicht davon wenden. (Storm 655)

Was ist die Quelle dieser Faszination, der Alfred angesichts der Kennzeichen von Jennis Schwarzheit erliegt? Meiner Ansicht nach liegt die Ursache in der Überblendung von Alfreds erotischen Phantasien von schwarzer Weiblichkeit mit der Abbildtradition des Masochismus, wie sie im „Marmorbild" klassisch gestaltet wurde. Von daher nimmt es nicht Wunder, dass die Wiedererkennungsszene in einem Garten mit Marmorbildern stattfindet.

Nachdem sich eine neue Pension für Jenni gefunden hat und die wilden Knabenspiele ein Ende nehmen, treffen sich Alfred und Jenni nach vielen Jahren auf dem Anwesen von Alfreds Bruder unerwartet wieder. Das Gut hat einen großangelegten Lusthain mit „graziösen Statuen" (Storm 661). Alfreds Schwägerin hat ihm in einem Brief das Lesen von Kindergeschichten versprochen, wozu sie lebendige Bilder habe: „auf dem einen ist eine Räuberbraut; sie hat ein schönes blasses Gesicht und rabenschwarzes Haar. Den Kopf hat sie gesenkt und blickt auf ihren Goldfinger; denn dort hat der Ring gesessen, den sie einst dem treulosen Räuber geschenkt hat" (Storm 661). Grete hat neben Alfred auch ihre Freundin Jenni, die sie in der Pension kennengelernt hat, zu

Besuch geladen. Alfred bemerkt als erstes an Jenni die Zähmung des schwarzen, widerspenstigen Haares, das jetzt „in einem glänzenden Knoten gefesselt"
auf ihrem Nacken lag (Storm 663). Jenni erwartet ihren Vater, der sie als
Dame des Hauses in seiner neuerbauten Wohnung in Pyrmont einführen will.
Alfred wird in dem Zimmer Jennis untergebracht und macht sich dort voyeuristisch an die Untersuchung einiger von ihr dort vergessener Gegenstände, eines Toilettenspiegels, an dem noch ein glänzend schwarzes Haar hängt, ein
Poesiealbum, Sealsfields „Pflanzerleben" mit Jennis Unterstreichungen, was
auf ihre Identifikation mit dem darin Ausdruck findenden janusköpfigen Diskurs des Eurozentrismus hindeutet. Jenni jammert über den Verlust der Mutter
und verschwindet in dem Lusthain. Als Alfred ihr dahin folgt, betritt er eine
theatralische Landschaft der Imagination, in der es ihm ist, „als müsse aus dem
Schatten des gegenüberliegenden Ganges eine gepuderte Schöne in Reifrock
und Kontusche am Arm eines Stutzers von Anno 1750 in den Mondschein he-
raustreten" (Storm 672). Stattdessen sieht er am Rande des Wassers das Marmorbild der Venus, „[d]en einen der nackten Füße hatte sie ausgestreckt, so
daß er wie zum Hinabtauchen in die Flut nur eben über dem Wasser schwebte;
die eine Hand stützte sich auf ein Felsstück, während die andere das schon
gelöste Gewand über der Brust zusammenhielt" (Storm 672). Alfred macht sofort die assoziative Verbindung mit Jenni, an die er unwillkürlich denken
muss. Nach einer Zeit des Herumirrens trifft er auf die Überreste einer zweiten
Statue, einen muskulösen Männerfuß, einen Polyphem vielleicht, der eifersüchtig über seine Galatea wacht. Alfred kann erst nach langer Suche den ersten Ort wiederfinden und sieht statt der Marmorstatue eine weiße Frauenge-
stalt:

> Es war seltsam, daß ich den Ort so hatte verfehlen können. – Aber ich traute mei-
> nen Augen kaum; dort in der Mitte erhob sich zwar noch das Postament über dem
> Wasser; auch die Teichrosen schimmerten nach wie vor auf der schwarzen Tiefe;
> aber das Marmorbild, das dort gestanden, war verschwunden. […] Als ich mich
> näherte, erhob die Gestalt den Kopf, und Jennis schönes blasses Antlitz wandte
> sich mir entgegen; es war so hell vom Mond beleuchtet, daß ich den bläulichen
> Schmelz der Zähne zwischen den roten Lippen schimmern sah. (Storm 674)

An dieser Stelle findet die Überblendung der masochistischen Venusphantasie
mit der kolonialen Imagination statt und führt zu einer unwiderstehlichen Anziehungskraft für den männlichen Blickenden. Jenni verhält sich aber ganz
konträr zu der erwarteten Herrin, spricht von sich als einem armen, hilfsbe-
dürftigen Kind und erbittet sich Geld von Alfred. Alfred hält um ihre Hand an,
die abgeschlagen wird, weil sie „die Hand einer Farbigen" ist und ihn nicht
verlocken will (Storm 676). Alfred sieht Jenni in dieser Szene durch die masochistische Phantasie hindurch, die ihm das Gefühl gibt, von Schauern ange-
weht zu werden und die Angeblickte als „betörend schön" zu erleben (Storm
677).

Bei der Ankunft von Jennis Vater und der Auseinandersetzung über die Mutter betätigt sich Alfred wiederum als Voyeur, indem er die Schilderung von Jennis Vater über die Faszination, die ihre Mutter auf ihn ausgeübt hat, und Jennis Vorwurf, dass ihr die Mutter enthalten wurde, überhört:

> „Du kennst die Verhältnisse drüben in deinem Geburtslande nicht; du sollst sie auch nicht kennenlernen." Und als überkomme ihn, den alten Kaufherrn, plötzlich der Zauber der Erinnerung, fuhr er fort: „Sie war unglaublich schön, jene Frau; unglaublich! – wenn sie sich in ihrer Hängematte schaukelte, in ihren weißen Gewändern zwischen den grünen breiten Blättern der Mangrove, unten die Bai im Sonnenglanz, darüber der stahlblaue Tropenhimmel; wenn sie mit ihren Vögeln spielte oder die goldenen Bälle lachend in die Luft warf! – Aber man durfte sie nicht reden hören; der schöne Mund stümperte in der gebrochenen Sprache der Neger; es war das Geklapper eines Kindes. – Jene Frau, Jenni, war keine Gesellschafterin für dich, wenn du das werden solltest, was du geworden bist." (Storm 681)

Jennis Vater berichtet aus der Perspektive des Kolonialherren, wobei die Schönheit der schwarzen Frau mit ihrer Kindlichkeit einhergeht und von daher eine Verbindung mit ihr zwar erotisch tief befriedigend ist, aber auch der Sünde entspringt. Jennis Wunsch, ihre Mutter wiederzusehen, drängt sie zu der heimlichen Schiffsreise zurück zu den West Indies dank des Geldes, das Alfred ihr verschafft hat. An dieser Stelle bricht die Erzählung ab und kehrt zu der Ausgangsposition zurück, an der Alfred seinem Vetter die Geschichte seiner Begegnung mit Jenni berichtet.

Den Rahmen der Novelle beschließt die Erzählung des Vetters über die Ereignisse, die in den folgenden sechs Monaten passiert sind. Er hat einen Brief Jennis vor sich liegen, in dem sie über ihre Wiederbegegnung mit ihrer Mutter berichtet, wie ihr schaudert vor dieser Frau, die ein Logierhaus in der Nähe des Hafens bewirtschafte, in dem ein reicher Mulatte, der „das Zähnefletschen eines Hundes" hat, regiere (Storm 690) und Jenni begehre: „Oh, es ist alles furchtbar, was mich hier umgibt! Frühmorgens schon, denn meine Schlafkammer liegt nach der Hafenseite, wecken mich die Stimmen der schwarzen Arbeiter und Lastträger. Solche Laute kennt ihr drüben nicht; das ist wie Geheul, wie Tierschrei" (Storm 690), gesteht Jenni in diesem Brief an Alfred, in dem sie den Diskurs der eurozentrischen kolonialen Imagination verkörpert, mit dem sie vollkommen verwachsen ist. Der andere Brief ist von Alfred an Grete und berichtet von Jennis und Alfreds Wiederbegegnung und ihrer Beziehung, die von „elementarer Zärtlichkeit" (Storm 691) geprägt sei. Die Novelle schließt mit der Einladung des Vetters zu den Hochzeitsfeierlichkeiten auf dem Gut des Bruders.

Die Forschung hat sich, wenn überhaupt, mit dieser Geschichte entweder biographisch oder allegorisch auseinandergesetzt. Irmgard Roebling meint, dass Storm in diesem Text seinen Schwester-Komplex reproduziere, hinter dem Versagungen und Frustrationen durch die Mutter liegen und von daher Literatur insofern als Therapie zu betrachten sei (101ff). Eckart Pastor meint, in der Novelle ein dem Evangelium entlehntes Zeichensystem entdecken zu können, das von der Sehnsucht nach erfüllter Erlösung im Schoße der bürgerlichen Familie handele und von daher auch eine Johannes-Erzählung genannt werden könne (98ff). Nur David A. Jackson fällt in seiner Interpretation von Storms Gesamtwerk die Spannung zwischen der Erzählung des provinziellen bürgerlichen Lebens in Norddeutschland und den Szenen in der dänischen Kolonie auf. Jackson bemerkt, dass die ausbeuterische Seite des europäischen Kolonialismus in der Novelle gar nicht erwähnt wird, sondern dass „it is shown to benefit both the plantation owners and the Europe to which they return with their profits, which providing the ‚colored' population with a comparatively affluent, contented lifestyle commensurate with their primitive cultural and moral standards" (134). In dieser Welt können schwarze Frauen nur als Konkubinen fungieren und die Liebe einer schwarzen Frau kann nur auf einer sinnlichen Faszination beruhen. Das autoritäre ökonomische System auf den Plantagen spiegelt sich in den autoritären privaten Verhältnissen, wie bei der Figur des Vaters und der Beziehung zu seiner Tochter Jenni ersichtlich. Die norddeutsche Kultur sei jedoch „strong enough to channel into acceptable forms the negro elements in Jenni's make-up. Her wildness, her tom boy-like delight in climbing trees and her malicious mischievousness can be restrained, even if her litheness and physical vitality which smack of the jungle only heighten her sexual attraction for Alfred" (Jackson 135-36). Die schwarze Venus ist bei Storm in die respektable Zone einer bürgerlichen Familie des neunzehnten Jahrhunderts transferiert worden. Was passiert aber, wenn sie diese Zone verlässt?

V. Die masochistische Urszene: Sacher-Masochs „Venus im Pelz"

Die Grundpfeiler des masochistischen Szenarios werden 1869 von Leopold von Sacher-Masoch in seiner Novelle „Venus im Pelz" gelegt, die den Kern meines Studiums der masochistischen Phantasie im neunzehnten Jahrhundert bildet. Ähnlich wie bei Storm überlagert sich auch hier das „Marmorbild"-Modell mit der kolonialen Phantasie zu einem klassischen Ausdruck von männlichem Masochismus als Antwort auf Modernisierungstendenzen in der europäischen Industriegesellschaft. Der gebürtige Lemberger Leopold von Sacher-Masoch schreibt von einer geographischen Randzone im äußersten Osten des Habsburger Reiches, einem Ort, der in gewisser Weise innereuropäisch „kolonisiert" wurde, wenn man von einer internen Form der Kolonisation überhaupt ausgehen kann. Alle Geschichten Sacher-Masochs spielen in dieser Zwischenwelt, die noch von modernen Gesellschaftsstrukturen frei ist, wo unwahrscheinlich reiche, schöne, aristokratische und junge Witwen – oft auch orientalisierte Figuren – auf riesigen Gutshöfen über einen enormen Stab von Bediensteten auf grausame Art herrschen. *Katharina II., Zarin der Lust* oder die

Novellensammlung *Dunkel ist dein Herz, Europa* sind nur einige der offensichtlichsten Texte des promovierten und habilitierten Historikers Sacher-Masoch, die sich mit dem Thema der Grausamkeit und der männlichen masochistischen Lust thematisch auseinandersetzen. Die starken Frauenfiguren in diesen Textsammlungen nehmen sich Liebhaber als Sklaven, locken sie mit kostbaren Zobelpelzen und langen roten Locken über blendend weißen Schultern in immer gefährlichere Abenteuer und ergötzen sich an deren qualvoller Eifersucht und hündischer Anhänglichkeit. Auf den Leutnant Bredow aus der Geschichte „Eine Nacht im Paradies" beispielsweise wirkt der geheimnisvolle Zauber der türkischen Frauen in Gestalt der Sultanin Esma, die ihn im Pelz empfängt und nach einer Liebesnacht erdrosseln lässt. Er stirbt im Vollzug der masochistischen Phantasie, indem er sie bis zum letzten Augenblick betrachten kann (*Dunkel ist dein Herz, Europa* 57).

Anne McClintock hat zur Erklärung dieser Zusammenhänge wichtige Vorarbeit geleistet mit ihrer Behauptung, dass das Aufkommen der literarischen Beschreibung der masochistischen Szenarien in der zweiten Hälfte des neunzehnten Jahrhunderts ursächlich mit der Reaktion auf Modernisierungstendenzen in der Gesellschaft zusammenhängt. McClintock zieht eine Verbindungslinie von der Ikonographie des Masochismus, wie wir sie richtungsweisend in der Novelle Sacher-Masochs finden, zu der Ikonographie des Imperialismus mit seinen Ketten, Sklavenbändern, Kostümen und Uniformen:

> The paraphernalia of S/M (boots, whips, chains, uniforms) is the paraphernalia of state power, public punishment converted to private pleasure. [...] As theater, S/M borrows its décor, props, and costumery (bonds, chains, prisons, empire) from everyday cultures of power. At the same time, with its exaggerated emphasis on costumery, script and scene, S/M reveals that social order is unnatural, scripted and invented. (McClintock 143)

Aber nicht nur die Paraphernalien des Imperiums werden somit offen zur Schau getragen und fetischisiert, auch die Abneigung der viktorianischen Gesellschaft, die McClintock untersucht, gegen Schmutz und dessen Beseitigung, gegen die offene Validierung von Frauenlohnarbeit wird mit Protest untergraben: der Handfetisch als Reaktion auf die Spuren von Haushaltsarbeit, die verwischt werden sollen, der Stiefelfetisch als Reaktion auf den Kult der rationalisierten Haushaltssphäre usw:

> By the nineteenth century, a major transformation was under way as middle-class men laboriously refashioned architectural and urban space to separate, as if by nature, domesticity from industry, market from family. [...] Insufficient attention, however, has been given to the transformation of households during this period and to the powerful role that the cult of domesticity played in the boundary formation of the incipient middle class. [...] If women, as the first factory workers, were the first to be brought under the rule of rationality in the marketplace, women were also the first to participate in the rationalizing of the home. Nonetheless, excluded from public power by male classical liberal theory, as well as

> by legal and economic decree, women bore an uneasy and contradictory relation
> to the rationalizing of domesticity. (McClintock 167)

Diese Tendenz zur größeren Rationalisierung der Haushaltssphäre ging einher
mit einer obsessiven Tendenz zur Ordnung, ohne dass diese Tätigkeit jedoch
als Arbeit anerkannt wurde, ja teilweise sogar heimlich und hinter geschlosse-
nen Türen oder in der Früh stattfinden musste, um nicht offen zur Schau getragen zu werden.

> The middle class was preoccupied with the clear demarcation of limit and anxiety
> about boundary confusion – in particular, between private and public – that gave
> rise to an intense fetish for cleaning and a fetishistic preoccupation with what the
> anthropologist, Victor Turner, calls liminal, or boundary, objects. […] Victorian
> domesticity simultaneously embodied and belied the enlightenment myth of ra-
> tional progress. Small wonder that servants and the boundary objects of domestic
> servitude – boots, aprons, brooms, soap – became infused with intense fetishistic
> power. (McClintock 170-73)

Was McClintock hier an Hand der Entwicklungen im viktorianischen England
beobachtet, wird in der Novelle „Venus im Pelz" in die Ikonographie der grausamen Frau übersetzt, die dann weitgehend die Produktion kolonialer Literatur,
koloniale Erziehungsbücher und Werbung für koloniale Produkte im deutschsprachigen Kontext mitbestimmt. Ich möchte nun zunächst die Entfaltung des
masochistischen Szenarios Schritt für Schritt nachvollziehen und dann den
Sprung zur Lektüre dieser Szenen im Zusammenhang mit der präkolonialen
Phantasie machen.

Die Novelle „Venus im Pelz" ist eine Rahmenerzählung, in der ein Ich-Erzähler mit dem Bericht von einem Traum beginnt, in dem ihm eine marmorne
Venus an einem massiven Renaissancekamin gegenüber sitzt und ihr Antlitz
im Widerschein der roten Flammen blitzen lässt. Der Marmorleib ist in einen
großen Pelz gewickelt und sie hat sich zitternd wie eine Katze zusammenge-
rollt (siehe Sacher-Masoch, „Venus im Pelz" 9). Dieses Bild enthält bereits die
grundlegenden Elemente der masochistischen Phantasie – die marmorne Statue, den Pelz, die roten Flammen, den Vergleich mit einer Katze und die Assoziation mit dem Frauenbild der Renaissance – , wie sie im Folgenden in der
Novelle im Detail ausgefüllt werden wird. In dem Traum spricht Venus von
ihrer Grausamkeit und entfaltet die Logik des Masochismus, die die dargestellten Beziehungen in diesem Text strukturiert: „je hingebender das Weib
sich zeigt, um so schneller wird der Mann nüchtern und herrisch werden; je
grausamer und treuloser es aber ist, je mehr es ihn mißhandelt, je frevelhafter
es mit ihm spielt, je weniger Erbarmen es zeigt, umso mehr wird es die Wollust des Mannes erregen, von ihm geliebt, angebetet werden" (Sacher-Masoch,
„Venus im Pelz" 12). Diese Charakterisierung von Geschlechterbeziehungen
ist nicht so sehr als eine psychologische Erkenntnis zu nehmen, sondern einer
vormodernen, vor-psychologischen Zeit entnommen, die der Dialektik des
Herr-Knecht Verhältnisses, wie es bei Hegel als Paradigma der Subjektkon-

stitution in die Philosophie eingeht, noch entbehrt. Der Ich-Erzähler war nämlich bei der Lektüre eines Buchs von Hegel eingeschlafen (vermutlich der
Phänomenologie des Geistes) und erst von der schweren Schnapsstimme seines Kosaken aufgeweckt worden, „der in seiner vollen Größe von nahe sechs
Fuß vor mir stand" (Sacher-Masoch, „Venus im Pelz" 13). Dieser Kosak ist
der erste Hinweis in der Novelle auf die Gegenwart von nicht-europäischen
Figuren, die – alle in dienender Funktion – die vormoderne Welt des Karpa-
denbades bevölkern.[2] Hegels Dialektik wird in dieser Szene abgelöst von der
primitiven und rohen Anwesenheit des kolonialen Subjekts, das zwar dient,
aber doch mächtig einschüchternd wirkt.

Der auf die Erzählung des Trauminhalts folgende Besuch des Ich-Erzählers
bei seinem Besuch von Severin von Kusiemski bringt das Wiedererkennen des
Traumbildes im roten Widerschein des Kaminfeuers:

> Es war ein großes Ölgemälde in der kräftigen farbsatten Manier der belgischen
> Schule gemalt, sein Gegenstand seltsam genug.

> Ein schönes Weib, ein sonniges Lachen auf dem feinen Antlitz, mit reichem, in
> einen antiken Knoten geschlungenem Haare, auf dem der weiße Puder wie
> leichter Reif ruhte, auf den linken Arm gestützt, nackt in einem dunkeln Pelz auf
> einer Ottomane; ihre rechte Hand spielte mit einer Peitsche, während ihr bloßer
> Fuß sich nachlässig auf den Mann stützte, der vor ihr lag wie ein Sklave, wie ein
> Hund, und dieser Mann, mit den scharfen, aber wohlgebildeten Zügen, auf denen
> brütende Schwermut und hingebende Leidenschaft lag, welcher mit dem
> schwärmerischen brennenden Auge eines Märtyrers zu ihr emporsah, dieser
> Mann, der den Schemel ihrer Füße bildete, war Severin, aber ohne Bart, wie es
> schien um zehn Jahre jünger. (Sacher-Masoch, „Venus im Pelz" 14)

Die masochistische Bildregie wird mit immer deutlicheren Elementen ausgefüllt: das gepuderte in einen antiken Knoten geschlungene Haar der Renais-
sancefigur, der linke Arm auf der Ottomane, die Peitsche und der Mann als
Schemel zeugen von der vormodernen Herkunft dieses Szenariums, das Severin als (das grausame) Gegenstück zu Tizians „Venus mit dem Spiegel" bezeichnet, das das gleiche Thema in wesentlich zurückhaltenderer Weise ge-
stalte (Sacher-Masoch, „Venus im Pelz" 15). Ich möchte dabei ganz besonders
auf die bildliche Qualität der Vergegenwärtigung der grausamen Frau in der
masochistischen Ordnung wie auch auf die Blickdramaturgie hinweisen, die
diese Szene bestimmt. Wanda von Dunajew in Sacher-Masochs *Venus im Pelz*
ist ganz Bild; sie ist ein Phantasma. In Sacher-Masochs Novelle verdrängt das
Phantasma der männlichen Phantasie die Lektüre des philosophischen Systems, dem sich der Erzähler kurz vor dem Entschlummmern in diesen
Wunschtraum gewidmet hat. Hegels philosophische Ausführungen über die
Dialektik des Herr-Knecht Verhältnisses in der *Phänomenologie des Geistes*

---

[2] Zum psychoanalytischen Hintergrund für diese Szenen siehe Freud, „Das ökonomische Problem
des Masochismus", „Drei Abhandlungen zur Sexualtheorie", „Trauer und Melancholie" und „Zur
Einführung des Nazißmus."

weichen der bildlichen Darstellung der Venus im Pelz: „Genau an dem Punkt, wo das philosophische System das lesende Subjekt einschlafen läßt, tritt die grausame Frau in Szene als Desintegrationsmacht des Systemdenkens überhaupt. Ihr Auftritt an dieser Stelle markiert den Fall aus dem Systemdenken in die Welt des Partikulären, genauer: des Signifikanten" (Leventhal 149). Es gibt aber auch einige Merkmale aus der Ikonographie der grausamen Frau, die in Tizians „Venus mit dem Spiegel" nicht zu finden sind, die aber aus der langen und reichhaltigen ikonographischen Tradition der bildlichen Darstellung der grausamen Frau rekonstruiert werden können und die ebenfalls in dem Ölgemälde über Severins Kamin zu finden sind, wie zum Beispiel die Ottomane und der schwärmerische Betrachterblick des zu peitschenden Mannes auf das Objekt seiner masochistischen Lust. Ich möchte behaupten, dass dieses Gemälde eine Kondensierung und Zusammensetzung aller denkbaren Merkmale der Ikonographie der grausamen Frau darstellt. Diese Traditionslinie beginnt mit Tizians „Venus von Urbino" (1538; Florenz, *Uffizien*), das eine den Betrachter anblickende entkleidete Frauenfigur im Vordergrund auf einer rotbraunen Ottomane liegend zeigt, das rötlich-blonde Haar geflochten um den Kopf gebunden, und läuft weiter über Tizians „Venus und der Orgelspieler" (1548; Madrid, *Prado*), wo der männliche lüsterne Betrachterblick auf die entkleidete Venus auf der Ottomane liegend direkt ins Bild rückt. Als nächstes wäre Rubens, „Venus vor dem Spiegel" (1615; Wien, *Liechtenstein Museum*) zu nennen, wo uns das Spiegelbild anblickt, in goldenes offenes Haar gehüllt; hier sitzt Venus auf dem rötlichen Umhang und wird von einer schwarzen Sklavin bedient. Dieses Motiv wird weiterverarbeitet in Rubens, „Das Pelzchen" (1635; Wien, *Kunsthistorisches Museum*), das Venus von vorne zeigt mit offenem Haar und besagtem rötlich-braunen Umhang. Im neunzehnten Jahrhundert ist es dann Manet, der mit seiner „Olympia" (1863; Paris, *Louvre*) ein Bild konzipiert hat, das dieses Thema der Venusdarstellung ikonographisch zitiert und stilisiert. Severins Ölgemälde entstammt meiner Ansicht nach dieser Tradition von Venusdarstellungen, die es kondensiert und dadurch intensiviert. Es ist, wie der Erzähler bemerkt, in der Manier der belgischen Schule gemalt. Es macht die dezenten Andeutungen der machtvollen (als grausam empfundenen) weiblichen Sexualität, die in den Bildern vorhanden sind, noch expliziter durch die Hinzugabe der Peitsche und durch die schemelhafte und hündische Haltung des männlichen Betrachters, die von dem schmachtenden Betrachterblick in gewisser Weise negiert wird und dadurch eine Ambivalenz in das Bild einführt, die die Tradition aufschlüsselt.

In Sacher-Masochs Roman ist dieses Ölgemälde das einzige Indiz der Wahrhaftigkeit von Severins Geschichte, die dem Erzähler in Form eines Manuskriptes vorgelegt wird. In diesem Manuskript – wie auch in Sacher-Masochs Text selbst – wird das Bild der grausamen Frau in Schrift verwandelt. Diese Verwandlung des Bildes in Schriftlichkeit, die Sacher-Masochs Roman inszeniert, halte, nach Leventhal, eine Öffnung für eine Emanzipation der masochistischen Ordnung bereit, die jedoch nur zu Isolation und Kälte führen kann (siehe 151). Die Lektüre dieser Schrift aktualisiere die masochistische Ordnung, indem der Erzähler die Geschichte von Severins Verhältnis mit Wanda von Dunajew zu lesen bekomme, sie aber aktualisiere mit dem didaktischen Interesse, den Leser durch diese Lektüre von seinen masochistischen Phantasien zu befreien.

Als erstes weiß der Autor Severin von einem weiteren Zufall zu berichten, der ihm die Photographie des Tizianbildes in die Hände spielt, das er sogleich „Venus im Pelz" nennt (siehe Sacher-Masoch, „Venus im Pelz" 20). Der weitere Handlungsverlauf, der hier im Detail nicht rekonstruiert werden kann, führt Severin von der ersten Begegnung mit der russischen Fürstin zu ihrer Verwandlung in seine Liebhaberin, dann in eine grausame Despotin, die ihren Sklaven straft. Es braucht einiges an Überzeugungskraft, bis Wanda diese Rolle mit Lust übernimmt, aber nach einiger Zeit scheint sie sich, zumindest aus Severins Perspektive geurteilt, lustvoll dem Strafen und Peitschen hinzugeben. Letztendlich ist die Romanhandlung aus der Perspektive Severins erzählt und von daher können wir über die Gefühle Wandas nur Spekulationen anstellen. Wanda ist mit der Inszenierung der Rolle der strafenden Herrin somit lebendig gewordenes Phantasiebild, das ganz von dem männlichen Betrachterauge geschaffen wurde. Dieses Auge ist in der Tat unersättlich, es

> las fortan mit einer wahren Gier Geschichten, in denen die furchtbarsten Grausamkeiten geschildert, und sah mit besonderer Lust Bilder, Stiche, auf denen sie zur Darstellung kamen, und alle die blutigen Tyrannen, die je auf einem Throne saßen, die Inquisitoren, welche die Ketzer foltern, braten, schlachten ließen, alle jene Frauen, welche in den Blättern der Weltgeschichte als wollüstig, schön und gewalttätig verzeichnet sind, wie Libussa, Lucretia Borgia, Agnes von Ungarn, Königin Margot, Isabeau, die Sultanin Roxolane, die russischen Zarinnen des vorigen Jahrhunderts, alle sah ich in Pelzen oder hermelinverbrämten Roben. (Sacher-Masoch, „Venus im Pelz" 46)

Erst der Entwurf zu einem masochistischen Vertrag mit Wanda, worin Severin auf alle seine Rechte, sein Geld, seinen Pass und seinen Namen verzichtet, bringt eine Wende in die Handlung, denn nun beginnt Wanda am Peitschen (angeblich) mehr Vergnügen zu finden. Während Severin noch wähnt, dass seine Phantasie Wahrheit geworden ist, tritt die grausame Frau aus der für sie vorgesehenen und im Bild festgehaltenen Rolle langsam heraus. Es ist die Begegnung mit dem Spiegelbild, in der zum letztenmal die masochistische Wunschphantasie Severins sich erfüllt:

> Wanda hat es sich bequem gemacht, sie sitzt im Negligé von weißer Mousseline und Spitzen auf einem kleinen, roten Samtdiwan, die Füße auf einem Polster von gleichem Stoffe und hat ihren Pelzmantel umgeworfen, denselben, in dem sie mir zuerst als Göttin der Liebe erschien. Die gelben Lichter der Armleuchter, die auf dem Trumeau stehen, ihre Reflexe in dem großen Spiegel und die roten Flammen des Kaminfeuers spielen herrlich auf dem grünen Samt, dem dunkelbraunen Zobel des Mantels, auf der weißen, glatt gespannten Haut, und in dem roten, flammenden Haare der schönen Frau, welche mir ihr helles, aber kaltes Antlitz zu-

kehrt, und ihre kalten, grünen Augen auf mir ruhen läßt. (Sacher-Masoch, „Venus im Pelz" 78)

Der Spiegel artikuliert den Inhalt der masochistischen Wunschphantasie als theatralisches Tableau, in der Venus ihren Sklaven empfängt und in dem er diese Szene gleichzeitig beobachten und die Dramaturgie erst richtig genießen kann. Ein letztes Mal wird Wanda in diese für sie vorgesehene Rolle schlüpfen, nur um die Unterschrift des Vertrages zu forcieren, der ihr unbeschränkte Macht über ihren Sklaven gibt.

In dramatischer Zuspitzung erblickt Severin kurz vor Unterzeichnung des masochistischen Vertrages das Deckengemälde, dessen Thema des letzten Richters des Volkes Israel für Severin dem Gemälde ein geradezu unheimliches Gepräge gibt. Aus der Mythologie wissen wir von den sagenhaften Kräften Simsons, der sich mit Leichtigkeit seiner Fesseln entledigen und mit dem Kinnbacken eines Esels eintausend Mann erschlagen konnte. Nachdem seine Geliebte Delila ihm das Geheimnis seiner Kraft entlockt hatte, schnitt sie ihm jedoch nachts seine Haarlocken ab, so dass er seine Kraft verlor und ihn die Philister gefangen nehmen konnten. Nur mit der Hilfe Jahwes konnte er an den Philistern Rache nehmen, den Tempel ihres Gottes einstürzen und dabei dreitausend Menschen zu Tode bringen. Das Deckengemälde zeigt den gefesselten Simson, wie er von Delila belächelt wird:

> Delila, eine üppige Dame mit flammendem roten Haare, liegt halb entkleidet in einem dunklen Pelzmantel auf einer roten Ottomane und beugt sich lächelnd zu Simson herab, den die Philister niedergeworfen und gebunden haben. Ihr Lächeln ist in seiner spöttischen Koketterie von wahrhaft infernalischer Grausamkeit, ihr Auge, halb geschlossen, begegnet jenem Simsons, das noch im letzten Blicke mit wahnsinniger Liebe an dem ihren hängt, denn schon kniet einer der Feinde auf seiner Brust, bereit, ihm das glühende Eisen hineinzustoßen. (Sacher-Masoch, „Venus im Pelz" 88)

Der Anblick dieses Gemäldes und die Identifikation mit den dargestellten erotischen Gefühlen der lustvollen Hingabe treibt Severin zur Unterzeichnung des masochistischen Vertrages und er wird nach Abgabe von Pass und Geld und somit jeglicher Ausweismöglichkeit von drei jungen, schlanken Afrikanerinnen, die jede einen Strick in der Hand haben, zu Frondiensten entführt. An dieser Stelle treten also die schwarzen Dienerinnen aus der ikonographischen Tradition der Venusdarstellungen auf.

Als Gregor phantasiert sich Severin in masochistischer Lust immer wieder in Kampfszenarien hinein, ohne jedoch – und hier muß ich der Krafft-Ebingschen Sacher-Masochlektüre doch widersprechen, die in der Sekundärliteratur oft unhinterfragt übernommen wurde – die tatsächlichen Gewaltszenen lustvoll zu genießen. Stattdessen gibt ihm der Besuch der mediceischen Venus in den Uffizien von Florenz volle Befriedigung. In der folgenden Begegnung mit Wanda ist es wiederum ein Bild, das Severin zu einer lustvollen Reaktion hinreißt – nicht das tatsächliche Erleiden von Schmerzen.

Zufällig glitt mein Blick über den massiven Spiegel an der Wand gegenüber, und ich schrie auf, denn ich sah uns in seinem goldenen Rahmen wie im Bilde, und dieses Bild war so wunderlich schön, so seltsam, so phantastisch, daß mich eine tiefe Trauer bei dem Gedanken faßte, daß seine Linien, seine Farben zerrinnen sollen wie Nebel. (Sacher-Masoch, „Venus im Pelz" 107)

Dieses goldumrahmte Spiegelbild spiegelt die von Wanda inszenierte theatralische Szene, die auf dem oben genannten Ölgemälde abgebildet ist, das über Severins Kamin hängt und das der Erzähler gleich zu Beginn der Romanhandlung bei seinem Besuch Severins zu sehen bekommt. Wanda bestimmt ganz Pose und Gestaltung des Bildes, indem sie sich dementsprechend in Zobel kleidet, aber auch indem sie bewusst die masochistische Phantasie des Betrachters und des Malers anstachelt, der mit dem Pinsel des begehrenden Auges arbeitet.

Erst der Eintritt des grausamen Mannes zerstört den status quo, der zwischen Wanda und Severin bestanden hat und sich in der Serie von Bildern ausdrückt. Der grausame Mann tritt auf als Herr; er erzieht Wanda zur Grausamkeit gegenüber Severin und macht Severin zum ersten Opfer seiner exquisiten Grausamkeit. Gefesselt am Boden liegend blickt Severin auf das Deckengemälde von Simson und Delila, das ihm auch in dieser Situation noch wie ein Symbol erscheint für ewige Wollust und Leidenschaft, in der jeder Mann von dem Weibe, das er liebt, verraten wird. Aber Alexis' grausame Behandlung von Severin gleich im Anschluss an diesen Blick auf das Gemälde lässt nichts Symbolisches an der Situation übrig: Severin wird bis zur Ohnmacht zusammengeschlagen und dann in einer Ecke liegengelassen. Erst nach zehnjährigem Schweigen schickt Wanda aus Paris eine Kiste mit besagtem Ölgemälde an Severin. Damit beschließt das Manuskript das Projekt der „Verschriftlichung" der masochistischen Erfahrung, ohne allerdings auf den Authentizitätswert des Bildes ganz verzichten zu können.

Ich möchte nun weder auf die frühe Rezeption dieses Textes zurückkommen, die ihn in erster Linie als Schlüssel zum Verständnis der sexuellen Perversion seines Autors gelesen hat (siehe hier exemplarisch Eulenburg 306ff. und Cleugh 59ff.), noch die psychoanalytische Schiene, auf der Deleuze gefahren ist, weiter ausbauen. Wie der hier zur Darstellung gebrachte männliche Masochismus psychoanalytisch funktioniert, hat vor Deleuze bereits Theodor Reik erläutert, der ihn als soziales Verhalten definiert hat (siehe 4) im Gegenzug zu Bestrebungen wie der Robert Eislers, der noch 1951 von der anthropologischen Konstante der Gewalt in der männlichen Sexualität ausgegangen ist (siehe 51). Erst 1979 ist es möglich geworden, diese Anregung Reiks auf die Sadomasochisten und ihre Subkulturen auszuweiten und deren soziale Organisationsformen vorurteilsfrei zu studieren (siehe Spengler 114), deren vorgeschriebenes Rollenverhalten soziologisch zu beschreiben (Weinberg/Kamel 21ff.) oder soziologische Analysen der speziellen Codes vorzunehmen, die das sadomasochistische Szenario als ästhetischen Effekt verstehen (siehe Wetzstein/Steinmetz 135). Für uns ist es in erster Linie die Überlagerung der masochistischen Phantasie mit kolonialen Motiven, die in diesem Text stattfindet, die seine zentrale Stellung in der hier rekonstruierten Tradition ausmacht. Neben des bereits erwähnten Kosaken des Ich-Erzählers ist es die Entourage eines russischen Fürsten, der eines Tages in dem Karpatenbad auftaucht, die ebenfalls unmotiviert durch die Erfordernisse der Handlung, dennoch im Detail geschildert wird:

> Auf der Promenade erschien heute zum erstenmal ein russischer Fürst, welcher durch seine athletische Gestalt, seine schöne Gesichtsbildung, den Luxus seines Auftretens allgemeines Aufsehen erregte. Die Damen besonders staunten ihn wie ein wildes Tier an, er aber schritt finster, niemand beachtend, von zwei Dienern, einem Neger ganz in roten Atlas gekleidet und einem Tscherkessen in voller blitzender Rüstung begleitet, durch die Alleen. Plötzlich sah er Wanda, heftete seinen kalten durchdringenden Blick auf sie, ja wendete den Kopf nach ihr, und als sie vorüber war, blieb er stehen und sah nach ihr. (Sacher-Masoch, „Venus im Pelz" 65)

Bereits in dieser Szene können wir beobachten, wie der Text die kolonialen Figuren in einer metonymischen Reihung funktionalisiert: Der Blick der Damen gilt nicht nur dem Fürsten, sondern vor allem auch seinen Dienern, deren Anwesenheit den erotischen Phantasien der Damen freien Lauf lassen und gebieterische Schönheit und Strenge des Fürsten assoziieren. Eine ähnliche Dynamik reguliert auch die Szenen in Florenz, in denen Severin – als Gregor – von den afrikanischen Dienerinnen Wandas behandelt wird. Gleich nach Unterzeichnung des masochistischen Vertrages, nach Abgabe von Pass und Geld, und nach Anblick des Deckengemäldes von Simson und Delila treten die Afrikanerinnen auf:

> Ich ziehe meine Brieftasche hervor und reiche sie ihr [Wanda], sie blickt hinein, nickt und legt sie zu dem Übrigen, während ich vor ihr knie und mein Haupt in süßer Trunkenheit an ihrer Brust ruhen lasse. Da stößt sie mich plötzlich mit dem Fuße von sich, springt auf und zieht die Glocke, auf deren Ton drei junge, schlanke Negerinnen, wie aus Ebenholz geschnitzt und ganz in roten Atlas gekleidet, hereintreten, jede einen Strick in der Hand. [...] ehe ich noch recht weiß, was mit mir geschieht, haben mich die Negerinnen zu Boden gerissen, mir Beine und Hände fest zusammengeschnürt und die Arme wie einem, der hingerichtet werden soll, auf den Rücken gebunden, so daß ich mich kaum bewegen kann. (Sacher-Masoch, „Venus im Pelz" 89)

Die Insignien von Imperium und öffentlicher Bestrafung, wie sie von kolonisierten Völkern oft erfahren wurden, sind hier in parodistischer Form in Bestrafungsrituale des weißen Herren umfunktioniert. Der männliche Betrachterblick hat allerdings noch genug Zeit, über die Körper der „Negerinnen" zu reflektieren und ihre Kleidung zu bemerken, ehe er von ihnen zu einem Sklaven zusammengebunden wird, der danach wie ein Hund von Wanda, die für diese Szene in ein fließendes weißes Samtnegligé gekleidet ist, ausgepeitscht wird. Auch nach dieser Peitschszene treten die „schwarzen Weiber" wieder auf, um ihn loszubinden – wiederum eine Situation, in der der masochistische Betrachterblick Zeit und Energie genug hat, ihre weißen Zähne und ihr Lachen zu bemerken (siehe Sacher-Masoch, „Venus im Pelz" 91). Die schwarzen afrikanischen Dienerinnen fungieren also optisch als Kontrastfolie zu dem weißen Körper und dem weißen Samtnegligé Wandas und füllen die von vormodernen gesellschaftlichen Herrschaftsstrukturen gespeiste masochistische Phantasie aus. Gleichzeitig sind sie Blickfang der masochistischen Blickdramaturgie, die sich in der Regression auf vormoderne Kulturstufen gefällt – eine Tatsache, die die grausame Frau vergeblich zu unterbinden versucht, wie in der zentralen Szene dieser Novelle deutlich wird:

> Die Negerinnen banden mich an einen Pflock und unterhielten sich damit, mich mit ihren goldenen Haarnadeln zu stechen. Es dauerte jedoch nicht lange, so kam Wanda, die Hermelinmütze auf dem Kopf, die Hände in den Taschen ihrer Jacke, sie ließ mich losbinden, mir die Arme auf den Rücken schnüren, mir einen Joch auf den Nacken setzen und mich in den Pflug spannen.

> Dann stießen mich ihre schwarzen Teufelinnen in den Acker, die eine führte den Pflug, die andere lenkte mich mit dem Seil, die dritte trieb mich mit der Peitsche an, und Venus im Pelz stand zur Seite und sah zu. (Sacher-Masoch, „Venus im Pelz" 99)

An dieser Stelle können wir genau beobachten, wie sich die masochistische Phantasie mit kolonialen Bildern überlagert und verstärkt: die hündische Stellung des masochistischen Sklaven gegenüber der grausamen Herrin, vormoderne Gesellschaftsstrukturen reproduzierend, wird intensiviert durch das Hineinphantasieren dieser Stellung in die klassische koloniale Struktur der Agrarwirtschaft, nämlich als Ochsen vor dem Pflug, mit dem die Kolonien bearbeitet und bereist wurden. Die Macht dieses Bildes hat auch Nietzsche erkannt, als er stundenlang Salomé und Paul Rée auf dem eingangs erwähnten Photo vor der Kamera postierte, um genau an dieses Moment anzuknüpfen. Dieses Hineinphantasieren birgt nicht nur die Lust des Sklaventums in sich, sondern bringt auch – ganz in masochistischer Manier – den verbotenen Blick auf den schwarzen Körper ins Licht.

> Es will das Unglück, daß ich Haydée, welche statt mir die Gerichte bringt, etwas länger ansehe, als es vielleicht nötig ist; mir fällt erst jetzt ihre edle, beinahe europäische Gesichtsbildung, die herrliche, statuenhafte Büste, wie aus schwarzem Marmor gemeißelt, auf. Die schöne Teufelin bemerkt, daß sie mir gefällt, und blökt lächelnd die Zähne – kaum hat sie das Gemach verlassen, so springt Wanda vor Zorn flammend auf. (Sacher-Masoch, „Venus im Pelz" 99)

Auch die schwarze Dienerin wird nur in der Blickdramaturgie des männlichen Masochismus erfassbar, nämlich als schwarzes Marmorbild und als schwarze Teufelin. Und dieser Seitenblick auf die Nebenbuhlerin wird mit Peitschenhieben und Kerkerhaft bestraft, denn die grausame weiße Herrin duldet keine Dritte im Bunde, die die Psychodynamik des Masochismus beherrscht.

Noch duldet sie den erotischen Blick auf den grausamen Dritten, den Griechen, der als nächstes in der Novelle auftaucht, zunächst ohne Bart, mit we-

henden Locken und eiserner Muskulatur, so als „könnte man ihn für ein ver-
kleidetes Weib halten" (Sacher-Masoch, „Venus im Pelz" 113). Diese Figur ist
erotisches Objekt von Severins masochistischen Phantasien, wie man an der
detaillierten Beschreibung seines Äußeren erkennen kann, und der bekennt:
„Jetzt verstehe ich den männlichen Eros und bewundere den Sokrates, der einem solchen Alcibiades gegenüber tugendhaft blieb" (Sacher-Masoch, „Venus
im Pelz" 114). Die psychoanalytische Interpretation der Novelle liegt hier
falsch meines Erachtens, wenn sie behauptet, dass die Konfrontation mit dem
grausamen Vater den Masochismus aus Severin endlich herausgepeitscht habe.
Severin versucht vielmehr auch Alexis masochistisch zu beherrschen und in
eine theatralische Rolle zu zwängen. Der Grieche kann nämlich erotisch von
beiden Geschlechtern und beiden Rollen aus begehrt werden. In der Begegnung mit dem grausamen Alexis kann Wanda ironischerweise endlich wieder
in die traditionellere und ihr vertrautere dienende Rolle schlüpfen, die ihr in
der Rolle als grausame Frau in der Beziehung mit Severin so lange vorenthal-
ten worden war: „Das Weib verlangt nach einem Manne, zu dem es aufblicken
kann, einen – der so wie du – freiwillig seinen Nacken darbietet, damit es seine
Füße darauf setzen kann, braucht es als willkommenes Spielzeug und wirft es
weg, wenn es seiner müde ist" (Sacher-Masoch, „Venus im Pelz" 127).

Aber noch bei der letzten, fatalen Peitschszene, in der Alexis Severin grausam straft, fällt der Blick des Masochisten zunächst auf dessen attraktive Kleidung und athletische Glieder, dann auf das Deckengemälde, das ihm in dem
Moment zu einem Symbol der Leidenschaft wird. Severin behauptet zwar in
seinem Manuskript, dass Apollo ihm die Poesie herausgepeitscht habe (Sacher-Masoch, „Venus im Pelz" 136), aber von der Rahmenhandlung wissen
wir, dass sein erster Gedanke nach Beendigung dieser Szene ist, Soldat zu
werden „und nach Asien [zu] gehen oder Algier" (Sacher-Masoch, „Venus im
Pelz" 136). Severin ist von daher von seinen masochistischen kolonialen
Phantasien noch lange nicht geheilt. Er lässt sich zwar auf dem Gut seines
Vaters nieder, knüpft aber dort wieder eine Herr/Knecht Beziehung mit einer
Frau an und lebt nach dem Motto: „Daß das Weib, wie es die Natur geschaffen
und wie es der Mann gegenwärtig heranzieht, sein Feind ist und nur seine
Sklavin oder seine Despotin sein kann, *nie aber seine Gefährtin*. Dies wird sie
erst dann sein können, wenn sie ihm gleich steht an Rechten, wenn sie ihm
ebenbürtig ist durch Bildung und Arbeit" (Sacher-Masoch, „Venus im Pelz"
138). Dieses Motto hat feministische Leserinnen dieser Novelle zu der Meinung angeregt, dass es sich hier um ein Einklagen eben solcher gesellschaftlichen Bedingungen handele, die eine Gleichheit zwischen den Geschlechtern
ermögliche und dass die in der Novelle geschilderten Herrschaftsverhältnisse
durch ihre übertriebene Darstellung angeklagt würden (siehe Gerstenberger
81ff.). Dem kann ich nicht zustimmen. Die in der Novelle auf der Handlungsebene dargestellten gesellschaftlichen Strukturen sind Projektionsflächen masochistischer Phantasien, nicht Abbildung realer Herrschaftsstrukturen. Sie
entspringen dem psychischen Bedürfnis nach vormodernen Strukturen, die als

Antwort auf die Komplexität der modernen Welt empfunden werden und deren erotische Anziehungskraft sich durch die Verschmelzung mit kolonialen Themen intensiviert. Die masochistische Interaktion mag zwar private Lösungsmodelle für destruktive Aggressionen darbieten im Sinne von Wetzstein und Steinmetz, die behaupten, „sadomasochistische Interaktionen bedeuten nicht das ‚wilde‘ Ausleben von Affekten, sondern deren ‚gezähmte‘ Inszenierung in einem zivilisatorischen Rahmen", in dem letztendlich aber die universellen Werte der Moderne bestätigt werden (148). Die aufgeschobene Handlung des Vorspiels, das idealiter nie zur klimaktischen Auflösung der Spannung führt, ist die ästhetische Grundstruktur dieser Lustphantasie (siehe hier Silverman 185ff. und Studlar 9ff.).

John Noyes hat die masochistische Situation als performative Modalität interpretiert, in der kulturelle Kodes inszeniert werden (siehe *The Mastery of Submission* 29). Masochismus sei von daher als „a staged acting out of agression, a strategy of recodification" zu verstehen (Noyes, *The Mastery of Submission* 30), die eine Reaktion auf die soziopolitischen Entwicklungen in Mitteleuropa in der Mitte des neunzehnten Jahrhunderts sei (Noyes, *The Mastery of Submission* 53). Im Gegenzug zur psychoanalytischen Interpretation des masochistischen Szenarios, die von Krafft-Ebing eingeleitet wurde, liest Noyes dessen literarische Darstellung als Parodie der liberalen Gesetzgebung. Der Masochismus entsteht so als kodiertes Rollenspiel, das in der Tradition des europäischen Liberalismus steht und im Kontext der Kolonie sadistische Aggression gegen Afrikaner sanktioniert, während die demokratische Kultur zu Hause diese Gefühle nicht zulasse: „In the context of colonialism, the problem of masochism acquires dimensions that resist the standard models of conflict. […] Instead, it focuses on the eroticization of social relations and cultural stereotypes, and on the way eroticization can be used as a strategy of resistance" (Noyes, *The Mastery of Submission* 114). Die Erotisierung der schwarzen Körper, wie wir sie in Sacher-Masochs Novelle gesehen haben, trägt zur Intensivierung der masochistischen Lust bei, die in der kolonialen Situation deplaziert und dadurch potenziert wird. Gleichzeitig überlagern sich in der masochistischen kolonialen Situation die Ängste des Europäers vor der emanzipierten europäischen Frau. Der masochistische Europäer blickt von daher nicht nur lüstern auf die ihn umgebenden schwarzen Körper, sondern ist im kolonialen Kontext konfrontiert mit der grausamen Frau, die er verzweifelt beherrschen will und an deren Herrschaft er scheitert (siehe Carl Niekerks und Michael C. Finkes Sammelband zum Masochismus).

Wie das auf der bildlichen Ebene funktioniert, hat Peter Martin in seinem Band *Schwarze Teufel, Edle Mohren* gezeigt, worin die wichtigsten Paradigmen der Abbildungstradition von schwarzen Menschen in der europäischen Ikonographie untersucht werden. Dabei fällt auf, dass die Afrikaner zunächst in dienenden Stellungen porträtiert werden, dann aber auch in die Ikonographie der Venusdarstellungen Eingang finden und dort sexualisiert, teilweise tierähnlich abgebildet werden. Die schwarzen Diener und Dienerinnen, denen wir bei Tizian und Rubens unter anderem begegnen, werfen bereits einen lüsternen (obwohl immer noch domestizierten) Blick auf die weiße Frau oder geben sich dem voyeuristischen Betrachterblick hin. Diese Blickdramaturgie wird nun von Seite des masochistischen Mannes ausgebeutet und soweit radikalisiert, dass die Beziehung zu der grausamen Frau nur noch durch den gemeinsamen Blick aufrecht erhalten wird. John Noyes hat sogar behauptet, dass man sich fragen müsse, „ob nicht jedes Gespräch dazu dienen soll, den Blick zu verewigen: ihn von der Person, dem Körper, dem Auge des Quälers oder Leidenden zu befreien, bloß um ihn dann in dieser verklärten Schwebe als an der Person haftend wieder festzuschreiben" („Der Blick des Begehrens" 11-12). Aber genau dieses Begehren kann nur immer wieder den Mangel der Berührung mit dem gesehenen Objekt und die Substanzlosigkeit des eigenen Seins bestätigen, denn das „gesehene Objekt ist eben dasjenige, das nie zueigen gemacht werden kann" (Noyes, „Der Blick des Begehrens" 17). Der schwebende Blick muss immer wieder neu hergestellt werden durch neue Dramatisierungen, die diesen Mangel der Berührung mit dem Objekt und die Substanzlosigkeit des Subjekts von transzendentaler Stelle aus zu überspielen sucht, denn „[d]as sich bei Severin ausdrückende Begehren des Blicks ist also das Begehren nach einer transzendentalen Position, von der aus die Frage des Seins gestellt werden kann" (Noyes, „Der Blick des Begehrens" 25). Severin hat Interesse daran, diese transzendentale Stelle aufrecht zu erhalten und schreibt seine Bekenntnisse letztendlich aus dieser Motivation heraus: es geht ihm darum, die transzendentale Stellung des sich-selbst Betrachtens beim Geschlagen-Werden vertraglich und schriftlich zu fixieren und dadurch seine Rolle als Erzieher Wandas zu festigen.

Die Perspektive Wandas auf diese Beziehung bleibt dadurch systematisch ausgeklammert. Auch die Feminisierung des Helden, der als Ästhet Hypersensitivität ausstrahlt, erlaubt keine Öffnung der Beziehung in Richtung auf eine Darstellung weiblichen Begehrens. Obwohl der feminisierte Mann die konventionelle Grenze zwischen bürgerlicher Männlichkeit und sogenannter natürlicher Weiblichkeit überschreitet, wird durch diese selbstbewusste Ästhetisierung der weibliche Körper dennoch verdinglicht, wie Rita Felski festgestellt hat (siehe 1102). Der Grund dieser Verdinglichung liegt in den verdrängten Ängsten begraben, die mit der immer deutlicheren Profilierung der Frauenfrage im späten neunzehnten Jahrhundert aufgekommen sind: „Such anxieties about sexuality, of course, are frequently projected onto woman, so that the female body functions as a primary symbolic site for confronting and controlling the threat of an unruly nature" (Felski 1102):

> The demonic femme fatale of the late-nineteenth-century cultural imagination is revealed as a projection of the male fantasy; the writer's identification with the „deviant" woman denies her identity and agency in the very process of idealizing her. The narcissistic vision of the aesthete negates the possibility of female self-consciousness; women can only function as the other of a male subject, a stimulus to his pursuit of the ideal. The representations of despotic, phallic women that

permeate the literature and art of the period (Salomé, Judith, Delilah) can be seen in this context as yet another facet of the anxiety with which the male European intelligentsia responded to contemporary debates about the „woman question" and the increasing urgency of feminist demands. (Felski 1104)

Was Felski feministisch umformuliert, hängt mit der von mir im Kontext der kolonialen Phantasien als Antwort auf Modernisierungsängste artikulierten Reaktion zusammen und bildet einen wichtigen Teil davon. Ein anderer Teil ist das Verständnis der psychoanalytischen und kulturgeschichtlichen Dynamik des Masochismus, der ebenfalls historisch begriffen werden sollte. Ein als historisch-politisches Phänomen verstandener Masochismus zeichnet sich von daher nicht nur als Antwort auf die Frauenfrage ab, sondern fungiert noch allgemeiner als Antwort auf die Krise des Liberalismus, die durch die Begegnung mit den Menschen in den Kolonien verschärft wurde. Frantz Fanon hat ebenfalls von dieser Verschärfung durch den Masochismus als politischem Phänomen gesprochen, das den europäischen und den afrikanischen Mann in einer homoerotischen Beziehung, die voller Gewaltsamkeit sei, begreife (zit. in Noyes, „Imperialist Man" 43): in Freudscher Terminologie wird in diesem Argument die unbewusste Schuld des weißen Mannes an der Gewalt, mit der kolonisiert wurde, auf die erotischen Objekte übertragen: „The structure of relations between European and African men makes eroticism violent and violence erotic. Violence becomes passive and ends in masochism, since the ideology of liberalism demands restraint where erotic relations are homoerotic, and where relations of exploitation are openly sadistic" (Noyes, „Imperialist Man" 44). Severins Blick auf die schwarzen Dienerinnen Wandas ist von daher nicht als neutral und wertfrei zu lesen: als weißer Mann, der mit der Schuld der Gewalt belastet ist, die die Kolonisierung Afrikas kennzeichnet, nimmt das Begehren des schwarzen weiblichen Körpers eine politische Bedeutung an, weil in seiner Phantasie diese latente Gewalt als masochistische Gewalt manifest erotisiert wird. Gleichzeitig wird die dem Masochismus innewohnende latente Homoerotik in dem begehrenden Blick auf den schlagenden Dritten manifest.

Deleuze hat die Szenen mit den drei Afrikanerinnen in seinem berühmten Nachwort zu der Novelle psychoanalytisch, aber auch kulturgeschichtlich ausgelegt als Radikalisierung des Vertrags in Hinsicht auf das Ritual: wenn die Afrikanerinnen Severin vor den Pflug spannen und mit der Peitsche antreiben, wird er der Nachstellung eines matriarchalischen Ackerbauritus' unterzogen, „der eine vergrabene Empfindsamkeit, geschützte Fruchtbarkeit, aber auch strenge Ordnung der Landarbeit fordert; und schließlich die Strenge selbst, diese Härte, die den Regenerationsprozeß durchsetzt" (siehe Sacher-Masoch, „Venus im Pelz" 243). Die archaische Strenge dieser Szene bindet sie zurück an masochistische Regressionsphantasien, die von matriarchalischen Bildern geprägt sind und die Ängste vor der absolut herrschenden Mutter, die Rolle, die Severin für Wanda vorgesehen hat, dramatisiert. Der Text ist von daher nicht frei von Konfliktstellen, an denen sich der Mangel an Sublimierung zeigt, der dem masochistischen Projekt eingeschrieben ist. Die obsessive Rückkehr zum fetischistischen Detail kann psychoanalytisch mit der Dramatisierung der ödipalen Triade erklärt werden (Lenzer 302ff), oder man kann kulturgeschichtlich argumentieren, „daß hier die Figur einer Frau phantasiert wird, die aufgrund bestimmter Merkmale dazu prädestiniert ist, die dominante Position innerhalb der masochistischen Inszenierung einzunehmen" (Treut 127) und deren Ausstattung dem masochistischen Phantasma sein Material liefert:

> In der masochistischen Phantasie ist der Fetisch jedoch weder Hinweis auf einen realen Gegenstand (auf das männliche Geschlechtsorgan), noch Symbol im strengen Sinn: es wird eben nicht die Macht des Vaters symbolisiert; vielmehr wird die gesellschaftliche Ohnmacht der Frau verneint in einem schwebenden Augenblick, in dem es möglich ist, an ihre Macht zu glauben. (Treut 155-56)

Die Machtstellung der Frau über den Mann, wie sie in der masochistischen Phantasie imaginiert wird, existiert ja gerade eben nicht in der Realität, was ganz besonders zutrifft auf die schwarzen Dienerinnen der weißen grausamen Frau. Die strukturellen Merkmale dieser Phantasie, wie sie von Monika Treut identifiziert werden, haben ihr gesellschaftlich-geschichtliches Pendant in den zeitgenössischen Spekulationen über Matriarchatsphasen, etwa Bachofens Beschreibungen über einen regellos-sinnlichen Urzustand – sind also wieder über Texte vermittelt. In diesem Kontext ist die Szene, in der Severin von den Afrikanerinnen vor den Pflug gespannt wird, integrativer Teil der masochistischen Phantasie, die die Metaphorik des Ackerbaus literarisiert (siehe Treut 186), worin sich die mutterrechtlichen Verhältnisse kulturgeschichtlich spiegeln: „Die ambivalente Einschätzung der Frau als sinnliche Hetäre, als eisig-empfindsam-grausame Mutter und als apollinische ‚Sadistin,' lebt aus der Spannung, in der das Bild matriarchaler Zeichen in den Köpfen der modernen Patriarchen weiterlebt, gemischt aus Sehnsucht und Angst, Bewunderung und Abscheu" (Treut 191). Die imaginierte Verbindung mit der „schwarzen Teufelin" dramatisiert diese Ambivalenz und lässt die Verbindung von den unterdrückten Gefühlen dieser Abscheu mit erotischen Phantasien zu. Der männliche Masochist des späten neunzehnten Jahrhunderts durchlebt von daher in seinen imaginierten erotisierten Szenen des qualvollen Genusses die ambivalente Haltung des europäischen Mannes gegenüber der emanzipierten gleichgestellten (und machtvollen) Frau, gegenüber der kolonisierten (ebenfalls machtvoll imaginierten) schwarzen Frau, deren sexuelle Reize sich unter anderem aus der Verbindung mit Regressionsphantasien speisen, und gegenüber anderen feminisierten Männern, die zum Objekt der homoerotischen Begierde werden.

VI. Literarisierung des Projektionsraums Kolonie

Am Ende des neunzehnten Jahrhunderts schreibt Theodor Fontane an einem
Roman, der das Thema des europäischen Kolonialismus als Teilaspekt des
zugrundeliegenden Stoffs verarbeitet und der hier paradigmatisch für die vielen Texte einstehen soll, die an dieser Bewegung teilhaben. In *Unwiederbring-
lich* (1891) gestaltet Fontane die Geschichte des Grafen Holk, der zunächst in
glücklicher Ehe mit der schönen Baronesse Christine Arne verheiratet ist, deren Ehe aber an unterschiedlichen Einstellungen zu Erziehungs- und Glaubens-
fragen mehr und mehr krankt. Die Geschichte, die zur Zeit des Schleswig-Hol-
steinischen Aufbegehrens gegen die dänische Krone spielt, führt den Grafen
Holk nach Kopenhagen, wo er bei der Witwe Hansen logiert, deren Tochter
ihm wegen ihrer Schönheit auffällt und als Nachbild in seiner Erinnerung haf-
ten bleibt (siehe Fontane 629). Die Begegnungen mit Brigitte Hansen sind jeweils aus der Perspektive Holks erzählt und so hören wir nur über die projektive Ebene dieser Beziehung, dass sie Holk wie eine „Mischung von Froufrou
und Lady Macbeth" vorkommt, dass sie sehr schön ist und dass Holk unheim-
lich wird in ihrer Gegenwart (Fontane 638). Bei ihrer ersten Begegnung fällt
Holk auch auf, dass die junge Frau Hansen in der Hand „eine Lampe von am-
pelartiger Form" trägt, „wie man ihnen auf Bildern der Antike begegnet"
(Fontane 638). Das masochistische Gedächtnis ist immer ein Bildergedächtnis,
in diesem Fall von Nachbildern, die die ikonographische Tradition von Venus-
abbildungen zitieren.

Die Überlagerung der masochistischen Phantasie mit kolonialen Motiven
findet in der Figur der Witwe und der Tochter Hansen statt, denn Holk lernt als
nächstes, „dass ihr Seliger ein Chinafahrer war, und Ihr Schwiegersohn [...] ist
es auch und heißt Hansen; derselbe Name, derselbe Titel, so daß es einem pas-
sieren kann, Mutter und Tochter zu verwechseln" (Fontane 639). Die Witwe
Hansen erzählt Holk von Brigittes Ehe mit dem „Chinafahrer" und ihrer gemeinsamen Zeit im Fernen Osten, als sie nach Siam fuhren und dort von dem
Kaiser in Empfang genommen wurden:

> Und sie kam auch wirklich und nahm einen erhöhten Platz ein, der vor dem Por-
> tal des Schlosses und gerade so, daß das Portal ihr Schatten gab, eigens für sie er-
> richtet worden war, und auf diesem Throne saß sie mit einem Pfauenwedel,
> nachdem sie vorher der Kaiser mit einer Perlenkette geschmückt hatte. Die Kette
> soll wunderschön gewesen sein. Und nun zogen alle feinen Leute von Bangkok
> und dann das Volk an ihr vorüber und verneigten sich, und zum Schluß kamen
> die Frauen, und als die letzte vorüber war, erhob sich Brigitte und schritt auf den
> Kaiser zu, um den Pfauenwedel und die Perlenkette, womit sie sich bloß für die
> Zeremonie geschmückt glaubte, vor ihm niederzulegen. Und der Kaiser nahm
> auch beides wieder an, gab ihr aber die Kette zurück, zum Zeichen, daß sie die-
> selbe zum ewigen Gedächtnis tragen solle. Und danach kehrte sie, während die
> Minister sie führten und die Leibgarde Spalier bildete, bis an die Landungsbrücke
> zurück, von der aus Hansen Zeuge des Ganzen gewesen war. (Fontane 644)

In der masochistischen Phantasie, die Hansen (wie auch der Kaiser von Bang-kok) in dieser Szene auslebt und die ihn von seiner Eifersucht kuriert, wird die schöne Brigitte in die grausame Frau verwandelt und mit Pfauenwedel (statt Peitsche) und Perlenkette geschmückt. Danach handelt die Figur nur noch aus dieser Rolle heraus und weist kalt und gleichgültig alle Werbungen ein-schließlich der des Ehemanns zurück. Fontane gestaltet in diesem Roman in Umrissen das masochistische Dreiecksszenarium mit der kalten und grausa-men Frau (zunächst Brigitte, dann Ebba) und dem abwesenden Dritten (dem „Chinafahrer" Hansen und dem britischen Diplomaten), und er zeigt, wie sich die masochistische Phantasie und die koloniale Imagination überlagern und gegenseitig füttern. Brigittes kalte Schönheit ist durch das koloniale Erlebnis erschaffen worden. Sie ist in der Begegnung mit dem Kaiser von Siam und vor allem in dem voyeuristischen Blick Hansens auf sie zur grausamen Frau ge-worden. Diese Struktur überträgt sich dann in dem Theater der masochisti-schen Projektion auf Ebba, die nur noch durch sie hindurch erkennbar wird. Das Schlüsselerlebnis in der Kolonie wird damit zum Subtext für erotische Be-setzungen.

In den folgenden Kapiteln möchte ich in chronologischer Reihenfolge ei-nige Fallszenarien untersuchen, die diese behauptete Wahlverwandtschaft zwi-schen kolonialen Diskursen und masochistischen Inszenierungen zu verschie-denen Zeitpunkten dieser Entwicklung und in verschiedenen Genres beleuch-ten. Das erste Kapitel untersucht die Funktion des Masochismus als Prinzip deutscher Kolonialpädagogik während und nach der deutschen Kolonialzeit. Meiner Meinung nach waren es nicht nur literarische Diskurse, wie die in der Einleitung behandelten, sondern ebenso pädagogische, die an der Konstruktion der Mitspieler des masochistischen Szenariums teilhatten. Entsagung und Op-ferleben für die Nation war die offizielle Rhetorik, die die koloniale Pädagogik prägte. Dass aber dahinter die Befriedigung tiefer masochistischer Wünsche stand, möchte ich anhand der Analyse dieser pädagogischen Diskurse aufzei-gen. Die Paradigmen der Kolonialliteratur, die im zweiten Kapitel entfaltet werden, folgen dann diesem Muster, indem sie das masochistische Szenarium des neunzehnten Jahrhunderts in die Kolonie versetzen und die Konsequenzen dieser Veränderung literarisch ausschmücken. Das dritte Kapitel untersucht die Funktion des exzessiven Gebrauchs kolonialer Bilder, Figuren und Requisiten in der Weimarer Zeit bis hin zur endgültigen Verabschiedung des kolonialen Projekts im Verlauf des Zweiten Weltkriegs. Das vierte Kapitel problematisiert dann die Wiederaufnahme kolonialer Themen in der Nachkriegsliteratur, ins-besondere der Literatur der 68-er Generation. Es zeigt sich, dass trotz positiv intendierter Einstellung der Autoren gegenü ber der Dritten Welt, die literari-schen Muster – insbesondere die masochistischen Szenarien – doch immer wieder an die Paradigmen der Kolonialliteratur anschließen und dass von da-her die Wahlverwandschaft von kolonialen Diskursen und masochistischen In-szenierungen weiterbesteht. In einem fünften Kapitel möchte ich eine verglei-chende Perspektive eröffnen, die das Modell der Kolonisierung Afrikas – womit sich dieses Buch in erster Linie auseinandersetzt – mit dem Modell der Kolonisierung der Südsee vergleicht. Dabei ergibt sich, dass masochistische Impulse weiterbestehen, aber größtenteils kanalisiert werden durch die Überschneidung der Bildbereiche „Eliseum", „Selige Insel" und „Paradies." Das Schlusskapitel bringt dann noch einmal die hier aufgestellten Thesen zur Diskussion und bemüht sich darum, neue Forschungsperspektiven zu entwerfen.

„Kolonialarbeit heißt Entsagung und Opferleben": Masochismus und Kolonialpädagogik

Seit Erschließung der afrikanischen Gebiete in Togo, Kamerun, Ostafrika und Südwestafrika sowie einiger kleinerer Stützpunkte in China und der Südsee für den deutschen Handel in der Mitte des neunzehnten Jahrhunderts, der dieser Bewegung oft schon vorausgegangenen missionarischen Durchdringung dieser Landstriche und der dann zunächst zögerlich folgenden politischen Annexion dieser Gebiete zu sogenannten deutschen „Schutzgebieten" durch Bismarck ab Mitte der achtziger Jahre, war es die vordringliche Aufgabe zunächst der neugegründeten Kolonialgesellschaften, danach des Reichskolonialamtes, das „Mutterland" und dessen Bewohner von dem Wert dieser kostspieligen Unternehmungen zu überzeugen. Diese nicht so einfache und recht komplexe Aufgabe hat sich über die Jahre des aktiven deutschen Kolonialismus (1884-1918) und darüber hinaus in eine regelrechte Kampagne entwickelt, die die deutsche Bevölkerung in kürzester Zeit zu Kolonialherren vergleichbar mit den europäischen Nachbarn England und Frankreich umerziehen sollte. Dabei konnte hier auf die Muster der präkolonialen Phantasie, wie sie in der Literatur des achtzehnten und neunzehnten Jahrhunderts entwickelt und in ihrer masochistischen Grundstruktur in der Einführung freigelegt wurde, zurückgegriffen werden. Meiner Ansicht nach ergänzt das Studium dieser großangelegten Kolonialerziehung des deutschen Volkes unser allgemeines Verständnis von der historischen Bedeutung des deutschen Kolonialismus (siehe zur historiographischen Aufarbeitung Wehler, Voeltz, Schrecker, Schmokel, Townsend, *Origins of Modern German Colonialism* u.a.). Ich möchte in diesem Kapitel die Umrisse des deutschen Kolonialprojekts, wie es in der pädagogischen Progaganda von der Jahrhundertwende bis zum Ende der kolonialen Idee im zweiten Weltkrieg entstanden ist, skizzieren und die zentrale Verbindung zur Pädagogik des Masochismus aufzeigen, die meines Erachtens dem gesamten Projekt unterliegt. Der deutsche Kolonialismus – besonders ausgeprägt in Südwestafrika, die einzige vom Klima her geeignete Siedlungskolonie – war ein Kolonialismus der weißen Siedler, Pflanzer und Schutztruppler, die fremdes Land in deutsche Anbaugebiete umwandelten und die Idee der deutschen Kultur in diesen Gebieten auf ihre eigene Art reproduzierten. Die dort vorgefundene indigene Bevölkerung war – wenn überhaupt – in erster Linie zum Arbeitseinsatz in den Siedlungen und Pflanzungen vorgesehen, was das Studium der deutschen Eingeborenenpolitik, deren wichtiger Teil die Kolonialpädagogik war, bestätigen wird.

In dieser Kolonialpädagogik ging es in erster Linie um die Herstellung eines ganz bestimmten Persönlichkeitstyps von deutschen Männern und Frauen, die ausgebildet wurden, um in die entfernten Kolonien geschickt zu werden und dort das sogenannte „Deutschtum" zu verbreiten. Dabei entstanden Bilder von den deutschen Kolonien als nur spärlich bevölkerte Landstriche (unter anderem dank der Ausrottungskriege gegen die aufständischen Maji-Maji in Ostafrika und die Herero in Südwestafrika), in die die deutschen Kolonisten, Missionare und Pflanzer problemlos einziehen und dort als Stellvertreter des „Volks ohne Raum" weiterwirken konnten. Dieses Erziehungsprojekt der deutschen Bevölkerung zur Kolonialmacht wurde auf offizieller Ebene unterstützt durch die Gründung von Kolonialschulen, Umerziehungsstätten und Kolonialinstituten an deutschen Hochschulen im Mutterland, indirekt durch die Gründung von Kolonialmuseen, durch Kolonialausstellungen, Filme und Theateraufführungen, die das Thema behandelten, wissenschaftliche Kolonialkongresse, politische Kolonialveranstaltungen der Deutschen Kolonialgesellschaft, eine koloniale Ausrichtung in der Jugendfürsorge (beispielsweise bei den Pfadfindern) und nicht zuletzt durch die Lektüre von Kolonialromanen. Von dieser umfangreichen Kolonialerziehung möchte ich mich punktiert in erster Linie mit der Schulpropaganda beschäftigen als Kern der Gesamterziehung des deutschen Volkes zur Kolonialmacht. Meine These lautet, dass die Herstellung des Typs des deutschen Kolonisten auf der Erziehung zum Masochismus beruht, die für den weißen Mann eine kontrollierende Stellung über die starke, aber (notwendig) grausame weiße Frau vorsieht, die in der Rolle der strafenden Mutter und Überfrau, wie sie von Leopold von Sacher-Masoch in der Novelle „Venus im Pelz" beschrieben wurde, erstarrt. Der Masochist reserviert für sich aber gleichzeitig den erotisierenden Seitenblick auf die schwarze Sklavin. Die weiße Frau in den Kolonien findet sich von daher in einer Stellung, wie sie für sie daheim im Mutterland oft gar nicht so vorgesehen war: meistens aus bürgerlichen oder kleinbürgerlichen Verhältnissen stammend, wurde sie dafür ausgebildet, in den Kolonien an der Seite ihres Mannes einen Haushalt zu führen, der auch die Herrschaft über schwarze Arbeiter miteinschloss und sie gewollt oder ungewollt in die Position der Strafenden geschoben hat. Der masochistische Mann, der die Kontrolle über die strafende weiße Frau nicht erfolgreich etablieren kann, hat in diesem Szenarium dann die alternative Möglichkeit, seine erotischen regressiven Phantasien durch den verbotenen Seitenblick auf die schwarze Frau zu befriedigen.

An dieser Stelle ist interessant zu erwähnen, dass der deutsche Kolonialismus sich gegenüber dem englischen und französischen gerade durch sein absolutes Verbot der Rassenvermischung auszeichnet, die das größte Tabu der deutschen Kolonialpädagogik ist und zu wilden Auswüchsen auf der Ebene der kolonialen Phantasien, dokumentiert in Literatur und Malerei, geführt hat. Das Durchbrechen dieses Tabus führt auf psychologischer Ebene zur Befriedigung regressiver masochistischer Sexualwünsche, die die Vereinigung mit der schwarzen Frau einer (sehnsüchtig erwünschten) Regression auf die Ebene der agrarisch organisierten archaischen Kultur gleich macht, statt die grausame Fuchtel der allmächtigen und strafenden Mutter in dem masochistischen Szenarium mit der weißen Frau zu ertragen.

I. Erziehung des Volkes zu Kolonialherren

Im Folgenden möchte ich in einem ersten Schritt die Elemente der allgemeinen Kolonialpädagogik anführen, die außerhalb der Schulen zu einer Erziehung des deutschen Volkes zu Kolonialenthusiasten führen sollte. Als Zeitspanne für diese Bewegung gilt insgesamt der Zeitraum von etwa 1896, an dem die erste deutsche Kolonialausstellung stattfand, bis in die frühen vierziger Jahre hinein, wo dann wegen des Kriegsverlaufs die Kolonialpropaganda langsam in sich zusammengefallen ist. Sibylle Benninghoff-Lühl hat hier wichtige Vorarbeit geleistet. Sie leitet die Notwendigkeit eines sozusagen von staatlicher Seite verordneten Kolonialenthusiasmus von Hans-Ulrich Wehlers These des Sozialimperialismus ab, die besagt, dass der wirtschaftliche Hintergrund nur einen Teil der Antriebskräfte des deutschen Imperialismus ausgemacht hat und dass vielmehr der gesellschaftliche Status Quo des neugegründeten Kaiserreichs und das damit entstandene politische Machtgefüge durch eine erfolgreiche Kolonialpolitik legitimiert werden sollte.

> Im Sinne eines solchen Sozialimperialismus bestand die Intention und Funktion namentlich der deutschen überseeischen Expansion auch darin, als konservative Ablenkungs- und Zähmungspolitik systemgefährdende Reformbestrebungen – wie sie die emanzipatorischen Kräfte des Liberalismus oder der organisierten sozialistischen Arbeiterbewegung verkörperten – nach außen abzulenken. (Wehler zit. in Benninghoff-Lühl 16)

Benninghoff-Lühl erwähnt in diesem Zusammenhang die auf 60.000 Quadratmeter angelegte, von erfolgreichen Firmen organisierte erste große deutsche Kolonialausstellung von 1896 in Berlin. Neben der Ausstellung von Firmenprodukten, Ölgemälden, Elefantenzähnen und Kolonialschriften waren es in erster Linie die Völkerschauen, die das Publikum anzogen: „Insgesamt 103 Einwohner aus Neuguinea, Kamerun, Togo, Südwest- und Ostafrika waren aus teilweise noch umkämpften Gebieten nach Berlin transportiert worden, wo sie – trotz klimatisch unverträglicher Verhältnisse – in ihrer ‚typischen' Kleidung und in nachkonstruierten Hütten ‚Eingeborenenkultur' demonstrieren sollten" (Benninghoff-Lühl 19). Roland Richter und Stefan Arnold berichten weiterhin, dass die eingeborenen Schauobjekte in erster Linie aus Besuchern von Missionsschulen rekrutiert wurden, also deutsch wie zumeist auch englisch lesen und schreiben konnten, jetzt in Berlin aber „primitive Wilde" mimen mussten (Richter 29, Arnold 13). Es war das Ziel dieser Gewerbeausstellung, dem deutschen Bürger die wirtschaftliche Bedeutung der Kolonien sinnfällig vor Augen zu führen in einem Monumentalstil, wie er den Besuchern von den Weltausstellungen bekannt und dessen Wirkung von den Veranstaltern bewusst miteinkalkuliert war (vgl. Luschans Band, daraus den „Amtlichen Bericht über die erste deutsche Kolonial-Ausstellung in Treptow 1896")[3]:

---

[3] Ulrich van der Heyden berichtet zudem von der Transvaal-Ausstellung in Treptow im gleichen Jahr, die zum erstenmal kolonisierte Menschen im großen Stil zur Schau stellte und dabei mit den

Die selbstbewußt präsentierten Ergebnisse naturwissenschaftlicher Forschung degradierten die Lebensweise einer „früheren entwicklungsgeschichtlichen Stufe" zum Kuriosum. In ihnen manifestierte sich ein „Fortschritt", der vom Publikum als quasi naturgesetzlich und unausweichlich erlebt werden musste, da die Isolierung der einzelnen Produkte im Ausstellungszusammenhang ein Harmonisieren von befruchtender Modernität und zu verbessernder Rückständigkeit vortäuschte. Offensichtlich war nicht, dass die industrialisierte Zivilisationskraft in den Kolonien zur Zerstörung und Machtausdehnung beitrug, sondern, dass die friedliche Nutzung (Eisenbahn- und Schiffsverkehr) ihr Hauptzweck sei. (Benninghoff-Lühl 21-22).

Dieser ersten deutschen Kolonialausstellung folgten weitere, unter anderem die 1898 vom Deutschen Export-Verein organisierte Allgemeine Ausstellung von Neuheiten und Erfindungen im Messplatz zu Berlin und die Deutsche Armee-, Marine- und Kolonialausstellung ebenfalls in Berlin von 1907, die durch die „Vorführung einer großen Anzahl von Kolonialprodukten [...] die praktischen Erfolge unserer Kolonien vor Augen führen" sollte, um auch dem eingefleischtesten Kolonialpessimisten- und kritiker eines Besseren zu belehren (Anon. „Deutsche Armee-, Marine- und Kolonialausstellung Berlin 1907", 38). Gerade diese Ausstellung hat wegen ihrer anschaulichen Bildhaftigkeit überzeugt, wo Informatives großen Tafeln zu entnehmen sowie eine große Anzahl von Produktproben zu sehen war und photographische Abbildungen die Besucher in die fremde Welt der Kolonien versetzten. 1914 fand sogar eine Landesausstellung in Daressalam, der damaligen Hauptstadt von Deutsch-Ostafrika, statt, die mit der Eröffung der großen Mittellandbahn zusammenfiel und über alle Erzeugnisse des Landes informierte. Die Präsentation des Ausstellungsgeländes ist ganz dem stereotypen Tropenbild nachgeraten, mit Palmenhainen und Sandstrand im Hintergrund, einer angrenzenden „echten Inderstraße" sowie einem Eingeborenenviertel, „das in seiner absoluten Naturtreue ein treffendes Bild fast sämtlicher Eingeborenenstämme der Kolonie gibt" (Anon., „Deutsch-Ostafrika und die Landesausstellung in Daressalam" 2). Die Kolonie sollte also auf kleinem Raum abgebildet und gleichzeitig deren wirtschaftlicher Wert betont werden.

Insgesamt 41 Ausstellungen folgten zwischen der ersten Deutschen Kolonialausstellung 1896 in Berlin und der letzten Kolonialausstellung 1939 in Dresden. Stefan Arnold hat die Hintergründe für den „Erfolg" der Kolonialausstellungen untersucht und behauptet, dass zwar ökonomische Motive und wissenschaftliche beziehungsweise pseudowissenschaftliche Neugier und Unterhaltungssehnsüchte befriedigt wurden, dass deren tatsächlicher Erfolg aber mit hochlobenden Reportagen und frisierten Besucherzahlen geschönt wurde, um das tatsächlich abflauende Interesse an Kolonialausstellungen zu verwischen (21). Unter der Schirmherrschaft des Reichsstatthalters General Ritter von Epp sollte diese letzte große Kolonialausstellung „einen vollkommen

Problemen eines solchen Unterfangens sich auseinandersetzen musste (Van der Heyden/Zeller 135-42).

Einblick geben über die kolonisatorischen Leistungen des deutschen Volkes –
angefangen vom Zeitalter der Wikinger über die kolonialen Taten der Hanse-
aten, Fugger und Welser, des großen Kurfürsten bis zum Erwerb der deutschen
Kolonien im 19. Jahrhundert" (Anon., „Die deutsche Kolonialausstellung
Dresden 1939" 197). Auch hier wurde mit Dioramen gearbeitet, um den Be-
trachtern einen umfangreichen Einblick in die Landschaft und die klimatischen
Bedingungen der Kolonien zu geben und der „heldenhaften Kämpfe der deutschen Schutztruppe" zu gedenken, über die Tätigkeit der deutschen Kolonial-
institute und -schulen zu informieren und das koloniale Schrifttum auszustellen
(Anon., „Die deutsche Kolonialausstellung Dresden 1939" 197). Es ging also
darum, mit Hilfe der Wissenschaften etwas Entferntes und Verlorenes so wunderbar wie möglich und gleichzeitig aber als erreichbar darzustellen. Die drei
großen Dioramen zu Deutsch-Ostafrika beispielsweise wollten „in weitestge-
hend naturgetreuer Darstellung [...] einen Ausschnitt aus diesem großartigen
Tierleben geben, das mit zum wertvollsten Besitz Deutsch-Ostafrikas gehört"
(Anon., „Rassen, Völker und Tiere auf der Kolonialausstellung Dreden 1939"
218) – die Kolonie permutierte damit zum ultimativen Jagdrevier, als das sie
noch bis heute dank der Arbeiten Bernhard Grzimeks und anderer weiterfun-
giert. Weiterhin schmückt die Ausstellungssektion über Südwest ein charakte-
ristisches Bergmassiv – die Kolonie als Wandergebiet –, die Deutsch-Südsee-
Gruppe versucht das „auf die Steinzeit verweisende Eingeborenenleben innerhalb dieser reizvollen tropischen Gebiete zu fesseln, denen mehr als je die – oft
romantisch verklärte, aber deshalb nicht weniger berechtigte – Sehnsucht vieler deutscher Menschen von Tatenlust und Lebensfreude gilt" (Anon.,
„Rassen, Völker und Tiere auf der Kolonialaustellung Dresden 1939" 218) –
die Kolonie als Spektakel von Primitivität. Robert Debusmann spricht von einer eigentümlichen Objektbezogenheit dieser Phänomene, wo die typisch deutsche Sammelleidenschaft und Klassifiziersucht so richtig durchschlagen
konnte (ix). Desweiteren wurde mit Wandkarten, Großphotos und Vitrinen gearbeitet, um die (insgesamt positiv konnotierte) Auswirkung der europäischen
Zivilisation auf die Eingeborenen illustrieren zu können und damit der sogenannten „Kolonialschuldlüge" entgegenzuarbeiten. Insgesamt wurde also
durch die Dioramen und die monumentale Präsentation der Exponate an die
koloniale Phantasie der Besucher appelliert, verborgene Sehnsüchte geweckt
und mit entsprechenden Bildern versehen. Debusmann listet hier die folgenden
Bilderstereotypen auf, die in verschiedenen Varianten immer wieder wiederholt werden: die verführerische exotische und erotische Frau, der servile Boy,
der animalische Afrikaner, der primitive und arme Afrikaner, der Europäer als
Herr in Afrika und der/die Weiße als Herr/Herrin der Schwarzen (x). Meiner
Ansicht nach überschneiden sich diese Elemente zu einem großen Teil mit der
Ikonographie des Masochismus, die sich dem Herr/Knecht Diskurs (Boy, ani-
malisch, primitiv, weißer Herr) bedient, traditionelle Geschlechterrollen in
Frage stellt (weiße Frau als Herrin) und koloniale Motive verarbeitet (exoti-
sche Frau). Diese Überschneidung leistet eine Steigerung des erotisierenden

Effekts, wie wir ihn nicht nur in der Pädagogik vorfinden, sondern auch in der Literatur und Kunst abgebildet sehen. Auch in den Schulen wurden in den dreißiger Jahren von Schülern Kolonialausstellungen organisiert und selber aufgebaut. Die praktische Anleitung zum Aufbau einer solchen schulischen Kolonialausstellung klärt zunächst über den Sinn und das Ziel eines solchen Unterfangens auf, das zur eindringlichen Schulung in kolonialer Wissensbildung anregen möchte, die die Charakterbildung der einzelnen Schüler prägen soll und das Ziel hat, „in möglichst viele Volksgenossen außerhalb der Schulgemeinde den kolonialen Gedanken hineinzutragen, sie zu überzeugen von der Notwendigkeit der Rückgabe unserer Kolonien und ihnen zu zeigen, daß das Streben danach eine nationale Pflicht ist" (Lietz 6). Diese schulischen Kolonialausstellungen sollten Ausstellungsgegenstände zeigen, für die koloniale Sache werben, Dioramas und Modelle vorstellen, an Einzelbeispielen den Nutzen der Kolonien aufzeigen und koloniale Landschaften rekonstruieren, von daher also an die nationale Überzeugung appellieren wie auch gleichzeitig die landschaftliche Schönheit und den Pflanzen- und Tierreichtum plastisch darstellen und von daher für die jungen Schüler und zukünftigen Kolonisten das verlorene exotische Paradies als Objekt sehnsüchtiger Phantasien wiederherstellen. Diese Tendenz wurde durch einen kolonial ausgerichteten Erdkundeunterricht verstärkt. Heinrich Harms' *Erdkundliche Hilfsbücher für Lehrerbildungs-Anstalten* von 1916 bieten eine reichlich illustrierte Landeskunde der Kolonien, „handelt es sich hier doch um deutschen Grund und Boden, für den ein immer regeres Interesse zu erwecken eine nationale Notwendigkeit ist" (3). Über diese Präparandenhefte konnte man auch Kolonial-Wand-Bilder (60 x 100 cm) für Schule und Haus bestellen, die die Kolonien im einzelnen vorstellen und von dem Afrikamaler Ernst Vollbehr angefertigt wurden. Weiterhin wurden als staatspolitisch wertvoll und volkslehrbildend eingestufte Filme wie *Deutsches Land in Afrika* gezeigt, dessen Aufgabe die Unterstützung der kolonialen Erziehung war.

Die Bilder der sogenannten Afrikamaler, die einige Zeit in den Kolonien verbracht und deren Bilder dann durch Deutschland geschickt und im Kontext von Kolonialausstellungen oder auch einzeln gezeigt wurden, sind in erster Linie romantische Landschaftsbilder ohne Menschen in der Tradition der niederländischen Landschaftsmalerei. Die *Deutsche Kolonialgesellschaft* und andere kolonialfreundliche Vereine veranstalteten jährliche Tagungen und Kolonialtage, die dem Ziel dienten, Kolonialfreunde aus dem ganzen Reich zusammenzubringen, den jeweiligen Austragungsort in das beste Licht zu rücken und das Thema wieder in allen Zeitungen abzuhandeln. Beispielsweise fand jeden Juni der Kolonialtag in irgend einer der großen Städte des Deutschen Reiches statt (siehe hierzu Anon., „Zum kolonialen Frauentag in Berlin", Anon., „Zum kolonialen Frauentag in Münster" und Anon., „In der Freien und Hansestadt Hamburg"). Kolonialpioniere wie Oberst von Deimling gaben jeweils dazu Vorträge über Land und Leute und den Wert der Kolonien. Die *Deutsche Kolonialgesellschaft* tagte davon unabhängig einmal im Jahr und machte mit Resolutionen zur Mischlingsfrage und ähnlichen umstrittenen Fragen von sich hören (siehe Anon., „Die Hamburger Kolonialtagung" 5). Auch der Frauenbund der *Deutschen Kolonialgesellschaft* rief jährlich zu einem kolonialen Frauentag zusammen, wobei die Rolle der Frau und Fragen der Erziehung im Vordergrund der Diskussion standen. Willy Bolsingers und Hans Rauschnabels Kolonialbuch der Deutschen, *Jambo Watu*, beispielsweise informierte die breite Bevölkerung über die Schätze und Vorzüge des Besitzes von Kolonien. Bildbücher wie das von Ilse Steinhoff präsentierten den Schaulustigen eine ganz spezielle Perspektive, die oft in nostalgischer Romantik sich gründet. Afrika wird unter der Hand zu einem Wirkungsort deutscher Heimat, ist mit deutschen Schildern ausgestattet, praktiziert deutsche Bräuche, strotzt vor Sauberkeit und Ordnung und hat seine primitive Wildheit unter Kontrolle. In ihr wirkt der deutsche Kolonist als freundlicher Lehrer, Arzt und Reisender. Romantische Schilderungen der Taten der deutschen Kolonialpioniere ergänzten diese Propaganda. Besagte Kolonialgesellschaften unterhielten ebenfalls eine ganze Reihe von Zeitschriften, die zur Verbreitung des kolonialen Gedankens führen sollten. Hier können exemplarisch lediglich eine kleine Reihe von Schriften angeführt werden: *Der Kolonialdeutsche*, die Halbmonatsschrift der Deutschen Kolonialgesellschaft, der Kolonialen Reichsarbeitsgemeinschaft, des Kolonialen Kriegerdanks e. V., des Deutschen Kolonialkriegerbunds, des Reichsverbands der Kolonialdeutschen und Kolonialinteressen, sowie des Frauenbunds der Deutschen Kolonialgesellschaft von 1921 bis 1928, die nachfolgende Publikation *Übersee- und Kolonial-Zeitung* von 1929 bis 1932, die dann aufgegangen ist in der *Deutschen Kolonialzeitung*, die ab 1932 bestand, *Kolonie und Heimat*, die Zeitschrift des Frauenverbandes der Deutschen Kolonial-Gesellschaft, das *Deutsche Kolonialblatt* von 1890 bis 1921, die *Afrika-Nachrichten* von 1920 bis 1943, *Der Tropenpflanzer* von 1900 bis 1928, die *Afrika Rundschau*, *„Jambo"*, die koloniale Monatsschrift der jungen Deutschen, die *Kolonial-Post* des Verlags Kolonialkriegerdank, die wissenschaftliche Zeitschrift *Koloniale Rundschau*, *Köhler's* [sic] *illustrierter deutscher Kolonialkalender* von 1926 bis 1940, die Reihe „Koloniales Schrifttum" herausgegeben von der Deutschen Kolonial-Bibliothek, *Das deutsche koloniale Jahrbuch* von 1938 bis 1941 und der *Deutsche Kolonial-Atlas* von 1893. Dies ist nur ein grober Überblick über das Schrifttum, das einem Kolonialbegeisterten zu Anfang des zwanzigsten Jahrhunderts zur Verfügung stand.

Ein weiteres Element in der umfassenden Erziehung des deutschen Volkes zur europäischen Kolonialmacht war die Einrichtung von Kolonialmuseen. Das Deutsche Kolonial- und Überseemuseum in Bremen, das heute noch existiert, führt im Rahmen der Kolonialpropaganda den szenischen Zusammenhang der in den Kolonialausstellungen einzeln gezeigten Dioramen vor handgemalten Kulissen vor Augen. Auch hier ist der Inszenierungscharakter der nachgestellten Szenen aus den Kolonien offensichtlich und wissenschaftlich fundiert. Das Ziel der kolonialen Museumspädagogik war, „die Wesenheit der fremden Länder [...] in ihrem inneren Zusammenhang" zu zeigen (Abel 202).

Die Exponate wurden in kostspieligen – zum Teil von der Industrie finanzier-
ten – Sammelreisen erstanden, wie Direktor Herbert Abel bestätigt in seiner
Danksagung an Lloyd (siehe 203). Dank der Vollständigkeit und Qualität der
Exponate ist es, zumindest nach Einschätzung des Museumsdirektors, gelun-
gen, die Exemplare „in ihrer lebenswahren Aufstellung in großen Panoramen"
zu zeigen, zusätzlich zu den Sammlungen „Schautruppen" auftreten zu lassen
und in den „überall angebrachten Erläuterungstexten zahlreiche Photographien" miteinzubeziehen, die den Eindruck von Authentizität vermittelten
(siehe Abel 204). Dabei ist zu beachten, dass das Exponat – besonders das afrikanische Kunst- und Kulturobjekt – nicht in seiner spezifischen Multifunktio-
nalität, die für die afrikanische Kunst charakteristisch ist, gezeigt, sondern dass
die Rezeption des Exponats statisch ist und von daher in völlig neu konstruierten Zusammenhängen stattfindet, die bei jedem Blick Macht und Glanz des
Kolonialismus sowie die Unterlegenheit der kolonisierten Völker demonstrieren. Die bis heute geltenden Grundfunktionen des europäischen Museums –
Sammeln, Erforschen, Präsentieren und Bilden – werden somit in den Dienst
der europäischen Expansion, ja sogar zur propagandierenden Unterstützung
des Kolonialismus gestellt (siehe Rejholec 23ff).
    Das Deutsche Kolonialmuseum in Berlin wurde 1897 gegründet und 1899
eröffnet. Das Museum für Völkerkunde in Bremen hatte eine sehr stattliche
Sammlung, in der die Kolonien in hervorragender Weise vertreten waren. Das
Städtische Museum für Völkerkunde in Leipzig feierte 1922 sein 50-jähriges
Bestehen. Das besondere Aufstellungsprinzip in diesem Museum war die geographische Geschlossenheit: „jedes Volk ist in sich geschlossen aufgestellt, so
dass seine Sonderkulturen sich auch geschlossen von den übrigen abheben",
damit „das fast scharfe Hervortreten des ursächlichen Zusammenhangs zwischen der menschlichen Kultur und der natürlichen Umwelt" deutlich wird
(Weule, „Fünfzig Jahre Leipziger Völkermuseum" 107-8). Eingebüßt in dieser
Aufstellungsweise wird die geschichtliche Dimensionen der kulturellen Entwicklung (ein typisches Merkmal des Orientalismus). Diese Museen stehen in
enger Verbindung mit der Völker-Forschung, die nach Direktor Weules Er-
messen zur damaligen wissenschaftlichen Spitze der Welt zählt: 1922 verfügt
Deutschland über nicht weniger als 16 ethnographische Museen, die vorbildliche Sammlungen zu den deutschen Kolonien besitzen, „ein unvergleichlicher
Schatz zur Belehrung der weitesten Kreise, noch mehr aber eine kulturge-
schichtliche Dokumentensammlung" (Weule, „Unsere Kolonien und die Völker-Forschung" 54). Diese enge Verbindung von musealer Pädagogik und
Wissenschaft ist nicht nur für die völkerkundlichen Sammlungen zentral, sie
dringt auch in angrenzende Gebiete wie die Kolonialgeographie beispielsweise, oder die „Eingeborenen-Psychologie" ein, die die Grundlage für die
„Eingeborenenpädagogik" spielen wird, wie wir im letzten Teil dieses Kapitels
sehen werden.
    Alle diese Elemente der großangelegten Erziehung des deutschen Volkes,
die Ausstellungen, die Museen, die Zeitschriften, die Kolonialtage und die Bil-

der wirken idealiter auf die Gestaltung der Phantasie der Betrachter durch die Bezähmung und gleichzeitige Exotisierung und Erotisierung des Beschauten, die die wesentliche Grundlage zur Einfühlung in das masochistische Rollendreieck bildet.

II. Die kolonialen Wurzeln der Jugendpädagogik

Als nächstes möchte ich die koloniale Ausrichtung der Jugendarbeit von der Jahrhundertwende bis in die dreißiger Jahre hinein in ihren Grundzügen darstellen und die Brücke schlagen zur masochistischen Kolonialpädagogik, die in den Schulen gelehrt wurde. Jürgen Fiege und R. Huthemann haben ein interessantes Dokument verfasst, das sich aus der Sicht der abtrünnigen westdeutschen Pfadfinderbewegung nach dem Krieg mit den imperialistischen Wurzeln des Weltpfadfindertums kritisch auseinandersetzt. Der Beginn der Pfadfinderbewegung in Deutschland (analog zu anderen industrialisierten Ländern Europas) muss ihrer Ansicht nach in der Militärfrömmigkeit, der allgemeinen Autoritätsgläubigkeit und dem Obrigkeitsdenken der wilhelminischen Gesellschaft gesehen werden. Obwohl die zeitgenössischen Dokumente diese Ausrichtung verschleiern und lediglich von körperlicher und sittlicher Weiterbildung sprechen (siehe Anon., „Die deutsche Pfadfinder-Bewegung" 2), wird die Verbindung zum Kolonialismus ganz offen ausgesprochen: „die Ausbildung des Pfadfinders ist so recht eine Vorbildung für die Kolonien", heißt es in dem Beitrag „Die deutsche Pfadfinder-Bewegung" in der Zeitschrift *Kolonie und Heimat* von 1912. Die Einführung der Pfadfinderidee in Deutschland hat selbst eine koloniale Dimension: Stabsarzt Dr. Alexander Lion und Hauptmann Maximilian Bayer waren beide Schutztruppenveterane in Südwest, was sich in dem ursprünglichen Pfadfinderbuch von 1909 so auswirkt, dass das Scouting als Modell für die hygienische Erziehung und Jugendertüchtigung angesehen wird (siehe Schubert-Weller 91). Später kamen dann Verweise auf die Rittertradition und die vaterländische Erziehung hinzu. Als Gesetz galt der unbedingte Gehorsam, der Ausschluss bei Wortbruch oder bei Verstößen gegen Kameradschaftlichkeit, Rauch- und Alkoholverbot, sowie das Verbot des Singens von Trink- und Liebesliedern (siehe Schubert-Weller 102). Die Pfadfinderpädagogik vor dem ersten Weltkrieg betont immer wieder die Idee der Fremdbestimmung und den Nutzen von Soldatenspielen.

Fiege und Huthemann sehen nun einen ursächlichen Zusammenhang zwischen der Entstehung der Pfadfinderei und den Erfordernissen imperialistischer Politik. Sie weisen darauf hin, dass bereits der Ursprung des Scoutismus, nämlich der Einsatz von Kadetten zu Erkundungszwecken, zum Besorgen von Nachschub etwa, oder zum Wacheschieben und ähnlichen paramilitärischen Handlungen bei der Belagerung von Mafeking während des Burenkrieges von 1899-1902 mit kolonialer Kriegspolitik unmittelbar zusammenhängt, was zu einem System von Internalisierungsmechanismen und Riten geführt hat, die ein Konkurrenz- und Leistungssystem hervorgebracht haben: „Was bleibt, ist ein das Kind übertölpelndes und ihm sich entfremdendes Probensystem, dessen Konsequenzen in der Stabilisierung eines sado-masochistischen Charakters zu sehen sind, der der ständigen Manifestation durch die Repressalien militärischer Hierarchie nicht mehr bedarf" (Fiege/Huthemann 13). Die pädagogischen Grundlagen des Scouting sind von daher nicht nur das Gesetz, sondern ebenfalls das Versprechen, das Patrouillensystem, das Zelten und das Spiel und damit die Verinnerlichung von Fremdbestimmung, von einer dienenden Haltung, die in karikativen Einsätzen gefördert wird, insgesamt eine Kanalisierung von jugendlichen Energien in ganz bestimmte (Gesellschaft stützende und affirmierende) Aktivitäten. Als interessanten Nebengedanken weisen Fiege und Huthemann darauf hin, dass es die amerikanischen und die britischen Besatzungsoffiziere waren, die im Nachkriegsdeutschland die Pfadfinderbewegung wieder aufgebaut haben und dass auch hier ein Bezug zum modernen Neokolonialismus und Antikommunismus hergestellt werden kann (siehe 36ff.). Insgesamt geht es in der Jugendpädagogik und Pfadfinderbewegung also um die Herstellung einer ganz bestimmten Persönlichkeit, die sich der Gruppe unbedingt verpflichtet, die ausgebildet ist, ganz bestimmte paramilitärische Aufgaben durchzuführen, dabei körperlich in guter Form ist, keine Strapazen scheut und der Sache dient. Diese Erziehungsziele sind dann später nahtlos in die „harte Schule der nationalsozialistischen Erziehung" eingeflossen, die den Daseinskampf auf kolonialem Boden als eine regelrechte Lebens- und Charakterschule angesehen hat, in der die deutsche Jugend sich ihrer Herrenpflichten und Herrenrechte bewusst werden kann. Diese allgemeinen Tendenzen können an Hand der Lektüre von Jugendzeitschriften des Deutschen Kolonial- und Pfadfinderbuches, *Kreuz und Lilie*, beziehungsweise des darin aufgegangenen Jugendblattes des Bundes Deutscher Kolonialpfadfinder e.V., *Der Kolonialspäher*, erhärtet werden, die Berichte über Pfadfinder in der Wildnis, über die Philosophie des Scoutismus, Mutproben und Expeditionen, Lagerbilder und Berichte über den allgemeinen Opfergeist enthalten.

Die Betonung der Fremdbestimmung, der dienenden Haltung wie auch ganz bestimmter Fertigkeiten, wie sie in der Jugenderziehung, speziell in der Scouting-Bewegung zu Tage treten, macht auch den Kanon der Kolonialerziehung aus, wie an Hand des Erziehungsprogramms Bernhard Dernburgs und durch Matthias Erzbergers *Ratgeber für Kolonial-Berufe* ersichtlich wird. Dernburg, der 1906 Kolonialdirektor im Auswärtigen Amt wurde, fordert in seinem Kolonialprogramm anlässlich des Wahlkampfs von 1906 einen „Kreuzzug der Erziehung zum kolonialen Verständnis", das auf den Prinzipien von Entsagung, Anpassung und besonderer Vorbildung beruht (Schiefel 60). Am 21. Januar 1906 hielt Dernburg in München eine Rede über die Grundzüge der „Kolonialen Erziehung", in der er die Schulung von Kolonialbeamten zu charakterfesten Menschen gefordert hat. Konkret hieß das: Entsagung, die Aufgabe vieler heimischer Gewohnheiten sowie das Studium der Psychologie des

Schwarzen, ein Sicheinleben in kaufmännische Begriffe und Anschauungen und das Studium der Sprachen und religiösen Anschauungen der Eingeborenen (siehe Benninghoff-Lühl 33). In seiner späteren Funktion als Staatssekretär des Reichskolonialamtes ist Dernburgs Politik gleichzeitig federführend für die nun angesteuerte koloniale Reformpolitik, die die Gründung eines kolonialen Lehrinstitutes in Hamburg und in Berlin vorsieht, die Schaffung einer leistungsfähigen Beamtenschaft fordert, einen wirtschaftlichen Entwicklungsrahmen entwirft und den Schutz und die humane Behandlung von Eingeborenen vertritt (siehe Schiefel 108). Einige dieser Punkte sind direkt in Erzbergers Ratgeber für diejenigen, die einen Kolonial-Beruf ergreifen wollen, geflossen. Dieses Dokument ist für das hier entfaltete Argument der Durchdringung und Bildüberlagerung von Masochismus und Kolonialismus von zentralem Wert und soll von daher an dieser Stelle genauer untersucht werden.

Die Bedeutung der Wahl eines Kolonialberufes liegt Erzberger zufolge (Erzberger war Abgeordneter im deutschen Reichstag) in der Verdopplung der Schwierigkeiten der heimischen Berufswahl. Von daher stehen die Kolonialberufe nur ganz bestimmten Charakteren offen: „Kolonialdienst bedeutet nicht: Sichausleben! Genußsucht und Sittenlosigkeit, sondern Kolonialarbeit heißt: Entsagung und Opferleben" (5). Dies ist die knappste und schlagendste Zusammenfassung des Wesens masochistischer Kolonialpädagogik, die ich bisher gefunden habe. Auf jeden Fall sollen Abenteurer, die der Enge des bürgerlichen wilhelminischen Deutschland entfliehen wollen, von der Wahl eines Kolonialberufs abgeschreckt werden. Ein Kolonist ist nicht ein reisender Weltenbummler oder gefahrensüchtiger Löwenjäger, sondern ein Kolonist – besonders ein Siedler und Pflanzer – ist ein in sich fest ruhender und in seinem Volkstum aufgehender Masochist. Er soll sich „als volles Glied der deutschen Nation fühlen, das für alle seine Taten verantwortlich ist. Darum darf der Deutsche sich nicht mit schwarzen Frauen einlassen, darf sie nicht zu geschlechtlichen Ausschweifungen mißbrauchen, selbst wenn es an einzelnen Orten eingebürgerte Unsitte sein sollte. Der Verkehr mit schwarzen Frauen bedeutet den inneren Verlust des Deutschtums" (Erzberger 5-6). Hier ist im Kern das Verbot der Rassenmischung, das so charakteristisch ist für das Modell des deutschen Kolonialismus, enthalten, ohne dass die Verbindung zur Theorie und Praxis des Masochismus ausformuliert wird. Den Ratgeber durchzieht dabei die zentrale Metapher der körperlichen und seelischen Gesundheit, die durch Rassenvermischung gefährdet würde. Als allgemeine Bedingung für den Kolonisten, ganz gleich welchen Ranges und Geschlechts, gilt der geschlossene Charakter, Willensstärke und Befehlsgewalt im Umgang mit Eingeborenen (Erzberger 8).

In speziellen Ausbildungsinstituten sollen die zukünftigen höheren Kolonialbeamten ihre Ausbildung erhalten (ein Überblick gibt Anon., „Die kolonialen Bildungsstätten Deutschlands"): im Seminar für orientalische Sprachen in Berlin werden Studenten für den Auslandsdienst „in den Sprach- und Realienfächern" ausgebildet (Erzberger 10). Das Berliner Seminar für orientalische

Sprachen wurde bereits 1887 eröffnet und sollte nicht in erster Linie der wissenschaftlichen Forschung dienen, sondern der Vermittlung von Sprachen zum praktischen Gebrauch. Es wandte sich von daher an Studenten, die eine Dolmetscherausbildung erwägen oder anderswie kundig werden wollten. Holger Stoecker berichtet, dass zunächst sieben asiatische und afrikanische Verkehrssprachen sowie einige Realienfächer angeboten wurden (Van der Heyden/Zeller 116) und dass das Seminar dafür eingeborene Lektoren unterhielt, die „keineswegs von Diskriminierungen und Schikanen seitens der Seminarleitung und der deutschen Ämter" verschont blieben (Van der Heyden/Zeller 118). Im Hamburgischen Kolonialinstitut war dagegen ein wissenschaftliches Studium möglich und es wurde ein „Informationsarchiv über wirtschaftliche und wissenschaftliche Verhältnisse der Kolonien" eingerichtet (Erzberger 12). Ein Studium der Vorlesungsverzeichnisse des Wintersemesters 1908/09 bis zum Sommersemester 1914 ergibt, dass das wissenschaftliche Angebot rasch von einer relativ begrenzten Fächerzahl (Kolonialgeschichte, Kolonialrecht, Kolonialpolitik, Landeskunde, Eingeborenenkunde, Islamkunde, Tierwelt, Tropenhygiene, Kisuaheli, chinesische Umgangssprache und ein Kochkurs) in wenigen Jahren zu einer umfassenden Abdeckung der ganzen Bandbreite von Studienfächern, die sich mit den deutschen Kolonien beschäftigen, anwuchs. Das Lehrinstitut war von vornherein interdisziplinär angelegt und auf ein zweijähriges Studium, das zu einem Zertifikat führte, ausgerichtet. Bereits 1910 konnte man mehrere afrikanische Dialekte erlernen und Sprachübungen „mit eingeborenen Sprachgehilfen" belegen. Das Institut betreute eine Abhandlungsreihe. Die Dozentenzahl stieg von 19 1908/09 auf 67 1913; analog stieg die Anzahl der wissenschaftlichen Seminare von 66 1908/09 auf 222 1913. Die wissenschaftlichen Vorlesungen, Seminare und Sprachübungen wurden ergänzt durch Unterricht in Photographie, Reiten, wie auch durch eine ganze Reihe von Vorlesungen und Einzelvorträgen von Experten aus Wissenschaft und Praxis (siehe die Publikationen des Hamburgischen Kolonialinstituts).

Das Deutsche Institut für ärztliche Mission in Tübingen bildete Ärzte für die Arbeit in den Kolonien aus, um dem Aussterben der Rassenvielfalt und dem Ausbreiten von verheerenden Seuchen entgegenzuwirken (Anon., „Das Deutsche Institut für ärztliche Mission in Tübingen"); an der Realschule Windhuk wurden akademisch ausgebildete Lehrkräfte eingestellt. Einen Überblick über die koloniale Anwendung der Sprachforschung gibt Carl Meinhof in *Die neuere Sprachforschung in Afrika*. Für die Länderkunde zeichnet sich exemplarisch verantwortlich Hans Meyer mit *Das deutsche Kolonialreich: Eine Länderkunde der deutschen Schutzgebiete* von 1909. Mittlere Kolonialbeamte wurden zur Landvermessung oder als Volksschullehrer in den Kolonien gebraucht, einfache Beamte wurden als Gehilfen in allen möglichen Berufsbranchen eingesetzt. Anders sieht es aus bei dem Beruf des Koloniallandwirts, wo eine spezielle Vorbildung unbedingt erwünscht war. In diesem Zusammenhang erwähnt Erzberger die Kolonialschule Witzenhausen, auf die ich im nächsten Teil dieser Arbeit im Detail eingehen möchte (siehe Anon., „Die Deutsche

Kolonialschule Witzenhausen [Werra]"). Der Punkt, den Erzberger macht, ist, dass die Kolonialschule Witzenhausen wegen ihres nicht unbedeutenden Pensionspreises den unteren Schichten nicht offengestanden habe, dass aber für die, die sich die Ausbildung leisten konnten, unabdingbare Fertigkeiten erworben wurden. Erzberger empfiehlt auch für den Landwirt und Pflanzer die Unterstützung durch eine tüchtige Hausfrau: „Die weiße Frau schützt den Farmer vor dem sittlichen Ruin und auch dem materiellen Untergang" (45). Er geht sogar so weit zu behaupten, „Ansiedlungskolonien ohne weiße Frauen sind unhaltbar; da bietet die Frau die beste Stütze der Religion, der Sitte und des Volkstums" (Erzberger 68). Dabei geschieht die Ausbildung der weißen Frau als Stütze des Siedlungskolonisten nach den gleichen Kriterien, wie die der Männer: „gesunder, kräftiger Körper, Energie, und eine spezielle koloniale Ausbildung" seien die besten Vorbedingungen für eine erfolgreiche Vorbereitung für die koloniale Arbeit (Erzberger 68). Wie diese Erziehungsprinzipien in konkrete Ausbildungsmuster übersetzt wurden, soll im nächsten Teil dieses Kapitels zur Erkundung der masochistischen Prinzipien der deutschen Kolonialpädagogik erörtert werden.

III. Deutsche Kolonialschulen

Hier müssen wir zunächst die Funktion von Kolonialschulen und diversen Ausbildungsinstituten während der Kolonialzeit (1884 bis 1918) unterscheiden von der Funktion weiterbestehender Institute während der Zeit der Kolonialpropaganda (1918 bis etwa 1942). Bereits 1893 wird die Klage um das Fehlen einer Schule für Tropenpflanzer laut, wo zukünftige Pflanzer in die Tropenbotanik eingeweiht werden sollten und gleichzeitig den Umgang mit eingeborenen Aufsehern und Arbeitern erlernen konnten (siehe Anon. „Eine Schule für Tropenpflanzer" 142-51). Direktor Fabarius von der Witzenhausener Kolonialschule fasst in seinem Rückblick und Ausblick zur Jahrhundertwende die wichtigsten Prinzipien dieser seit 1898 bestehenden Ausbildungsstätte für Siedler zusammen, indem er an den Elitecharakter und den Erziehungsanspruch dieser Schule appelliert:

> Leider war wieder die Ausweisung zweier ungeeigneter Glieder nötig, eine schmerzliche Erfahrung, die uns von neuem den ernstlichen Wunsch nahe legt: möchte doch bei der Anfrage um Aufnahme mit peinlichster Genauigkeit seitens des Anmeldenden alle Thatsachen des Vorlebens der Anzumeldenden angegeben werden, um beiden Teilen hernach die dann bittere Feststellung der Thatsache zu ersparen, daß die deutsche Kolonialschule keine Besserungsanstalt ist, vielmehr im Gegenteil an Eifer und Ehrgefühl, sittliche Haltung und Leistungsfähigkeit der jungen Herren die höchsten Anforderungen stellt. (*Der deutsche Kulturpionier* 5)

Diese Anstalt bildet von daher nicht nur nützliche Fertigkeiten aus, sondern ist vor allem anderen Charakterschulung für eine kleine Anzahl von bürgerlichen

Söhnen, die sich durch die Kolonialerfahrung veredeln und stählen wollen. Von daher ist die Kolonialschule Witzenhausen auch eine „Eliteschule mit Internatscharakter", wie sie Sibylle Benninghoff-Lühl genannt hat mit dem Hinweis auf das dort angewandte Drill-Programm, den kontrollierten Tagesablauf und die Einhaltung der strikten sozialen Ordnung durch Kasernierung und Bestrafungsrituale. In einer Informationsanzeige im *Kolonial-Handels-Addressbuch* von 1900 stellt sich die Schule wie folgt vor:

> Die deutsche Kolonialschule bereitet praktische Wirtschafts- und Plantagenbeamte, Landwirte, Viehzüchter und Gärtner für die Deutschen Kolonien und überseeischen Ansiedlungsgebiete tüchtig und vielseitig vor, damit sie möglichst in allen Sätteln gerecht werden. Durch diese praktische und theoretische, körperliche und geistige, sittliche und nationale Schulung soll ihnen der Übertritt und Weg zur Kolonialarbeit gebahnt und erleichtert sowie ein Teil der überseeischen Lehrzeit erspart werden. (110)

Der Stundenplan sah wenig Freizeit vor: der Vormittag war von morgens bis mittags Vorlesungen und Unterricht in Völkerkunde, Religionsgeschichte, technischer Chemie für Tropenpflanzer, Pflanzenphysiologie, Drogenkunde, Mineralogie, Tierheilkunde, sowie Tropengesundheitslehre und kolonialer Agrarpolitik gewidmet (siehe Fabarius, *Der deutsche Kulturpionier* 9). Der Nachmittag war mit praktischen Laboratorien, Privatstunden in Sprachübungen und Reitunterricht ausgefüllt. Zusätzlich mussten die Schüler tägliche Arbeiten in Feld, Garten und Stallung verrichten.

Neben der Ausbildung von praktischen Fertigkeiten und einer Charakterschulung zu einer allgemeinen Verzichthaltung schlossen die an der Heimatschule orientierten pädagogischen Prinzipien auch das Studium der Umgebung mit ein, denn „der kolonisierende Kulturpionier, Pflanzer, Ansiedler und Landesvertreter hingegen ist im täglichen Leben, im Großen, Kleinen und Kleinsten seiner Berufsarbeit so sehr abhängig von seiner eingeborenen Umgebung, daß er sich den Luxus souveräner Nichtbeachtung und selbstgewisser Nichtachtung seiner Landsleute nicht leisten kann" (Fabarius, *Der deutsche Kulturpionier* 45). Das Studium der Völkerkunde ist von daher Voraussetzung für den erfolgreichen Umgang mit einheimischen Arbeitern und den erfolgreichen Handel mit Eingeborenen, so wie es Bernhard Dernburg 1906 gefordert hat. Weiterhin bildet es den zukünftigen Siedler in seiner Rolle als „Erzieher" von Mitgliedern eines „Naturvolkes" aus, das sich „wie die Kinder" benimmt:

> Unter dem Gesichtspunkt bekommt die Völkerkunde für unsere Kulturpioniere gerade zu die Bedeutung einer Pädagogik, die ihm erwünschte Fingerzeige gibt für seine angewandte Pädagogik, für seine praktische Erziehungsthätigkeit in seiner Erziehungskunst an seinen Arbeitern, und nicht zum wenigsten an den „Naturkindern", die er gerne für seine Dienste erst noch gewinnen möchte. (Fabarius, *Der deutsche Kulturpionier* 46-47)

Dabei soll der künftige Arbeitgeber und Erzieher ein Mittelmaß einnehmen und weder zu schroff und hart noch zu schlaff und nachgiebig seinen Arbeitern gegenüber auftreten. Anschauliche Berichte von ehemaligen Schülern über die Wildheit und Grausamkeit der Eingeborenen in ihren jetzigen Wirkungsgebieten beschließen den Ratgeber (siehe Fabarius, *Der deutsche Kulturpionier* 59-60).

Aus der frühen Kolonialzeit stammt auch die Gründung der von den Franziskanernonnen von Nonnenwerth zu Gasthaus bei Trier geleiteten Kolonial- und Haushaltungsschule, die den Zweck hat, „junge Mädchen, die den Wunsch haben, sich in den überseeischen Kolonien eine Existenz zu suchen, für ihren Beruf vorzubereiten" (Erzberger 68). Hier wird also bei der Ausbildung von Frauen schon von professionellen Kriterien ausgegangen, die die Selbstständigkeit und Fertigkeit der Frau in den Kolonien garantieren sollen. Aber auch hier geht es um mehr als nur das, denn „[b]ei Ausbildung der jungen Mädchen wird unser Streben vor allem dahin gerichtet sein, ihnen eine gute religiöse Bildung zu verschaffen, sie zu charaktervollen Jungfrauen heranzubilden, die imstande sind, den Gefahren, die in den Kolonien leicht an sie herantreten können, die Stirne zu bieten und ihrer Umgebung Liebe zu Religion und Tugend einzuflößen" (Erzberger 68). Die spezielle Ausbildung der Frau für die Kolonien sieht von daher eine Kombination von Wissensvermittlung und Charakterschulung vor, die von der Ausbildung der Männer nicht grundverschieden ist. Zudem soll die Frau als Hausherrin vorbildlich sein in der Praxis religiöser Tugend.

Auch die Kolonial- und Frauenschule Bad Weilbach bei Frankfurt, die 1911 gegründet wurde, zielt darauf, die Schülerinnen dazu vorzubereiten, „sich in den deutschen Kolonien als Farmgehilfinnen, Stützen der Hausfrau usw. nützlich zu betätigen oder auf eigenem Besitz durch Hauswirtschaft, Gartenbau, Kleinvieh-, Geflügel- und Bienenzucht sich eine Lebensstellung zu schaffen" (Erzberger 69). Dass hierfür eben gerade „Frauen und Mädchen der gebildeten Stände" herangezogen wurden, ist außergewöhnlich und weist auf die Verbreitung der Professionalisierung des Frauenberufs im Kontext des Kolonialismus hin, eine Denkweise, die im Mutterland bei weitem noch nicht so ausgeprägt war, wo die höheren Töchter zwar auch im Haushaltswesen unterrichtet wurden, aber nicht so umfassend zur Selbstständigkeit heranwuchsen, wie die Hausfrau, die einem kolonialen Haushalt vorstand:

> Die Pflichten einer afrikanischen Hausfrau sind viel umfassender als die der heimischen, trotzdem in Südwestafrika die Lebensweise einfacher ist. Man verlangt dort von ihr nicht nur, daß sie kochen, waschen, nähen und den Haushalt führen kann, sondern sie muß auch Bescheid wissen in landwirtschaftlichen Arbeiten und Geflügelzucht, in Kranken- und Säuglingspflege; auch muß sie imstande sein, sich ihre einfache Garderobe selbst herzustellen. Erst durch das Walten der deutschen Hausfrau wird der Farmer den Segen eines schönen Familienlebens schätzen lernen. Noch eine wichtige Aufgabe fällt der deutschen Hausfrau in Südwestafrika zu, das ist die Erziehung der Eingeborenen zur Arbeit. Sie ist ganz besonders dazu geeignet, hier vermittelnd aufzutreten und den Eingeborenen christliche Religion und Sitten beizubringen, denn sie sehen zu der weißen Frau

wie zu einem höheren Wesen auf und lassen sich daher von ihr willig führen und leiten. (Erzberger 73)

Andere Aufgaben umfassen unter anderem auch die Kindererziehung in Anbetracht fehlender schulischer Infrastruktur.

Die Funktionen von deutschen Kolonialschulen nach Verlust der Kolonien ist zwar weiterhin die Ausbildung von Schülern, die in den ehemaligen Kolonien als Siedler ansässig werden wollen, aber nun kommt noch ein Propagandaelement hinzu, das die Schulen zu Brutstätten einer Idee macht. Nun ist in Witzenhausen beispielsweise nicht mehr in erster Linie die Rede von fachspezifischer Ausbildung und Charakterschulung, sondern von „Reichsberufswettkampfarbeit", worin der staatspolitische Gesichtspunkt, besonders nach 1936, stark betont wird. Jakobus Onnen fasst die Mission der Kolonialschule Witzenhausen in den Jahren des Nationalsozialismus mit folgenden Worten zusammen:

> Der Gesamtcharakter unserer Arbeit ist auf diese Grundtendenz von der Notwendigkeit der Totalität des Volkslebens abgestimmt. [...] Die Volkswerdung der Deutschen durch die nationalsozialistische Weltanschauung ist der Ausgangspunkt zu einer Betrachtung der Aufgabe, die sich vom staatspolitischen Gesichtspunkte für eine künftige Kolonialpolitik auf wehr- und bevölkerungspolitischem Gebiet ergibt. Ein deutsches Kolonialreich wird ein organisch gewachsener Teil Großdeutschlands sein. (*Deutsche Kolonialprobleme* 8)

Im Kontext der aggressiven Kolonialpropaganda des Nationalsozialismus vermittelt die Deutsche Kolonialschule Witzenhausen zwar immer noch praktische Kenntnisse, eine technische Ausbildung, das Studium afrikanischer Sprachen etc., aber zu der vorherigen Charakterschulung tritt nun auch noch die „klare kolonialpolitische Willensbildung" hinzu (Koch 11; siehe auch Baum). Nach dem Vorbild der kolonialen Ausbildung in Frankreich wird jetzt darauf gezielt, den Kampf um die Verbreitung des Deutschtums in überseeischen Ländern zu unterstützen. Von daher werden „nur besonders wertvolle, starke Persönlichkeiten für die Ausbildung in Frage kommen" und das Internat in erster Linie dazu benutzt, den Charakter abzuschleifen und starke Persönlichkeiten zu formen: „Nur feste Menschen können als Vertreter des neuen Deutschland hinausgeschickt werden und sich unter fremdem Volkstum erhalten" (Onnen, „Die deutsche Kolonialschule in Witzenhausen" 50).

Die Ausbildung der kolonialen Frauenschulen wird unter dem Druck der Kolonialpropaganda noch weiter angeglichen an die Ausbildung der männlichen Kolonisten, denn die Aufgaben der Frau im kolonialen Kampf umfassen nicht nur haushälterische und landwirtschaftliche Fähigkeiten, sondern auch die Wahrung des Volkstums im kulturellen und ethnischen Sinn (siehe Körner 51 und Kratzer): Von der deutschen Frau im kolonialen Kampf wird „Opfermut, Einsatzbereitschaft, Hingabe und Treue" gefordert (Anon., „Aufgaben der Frau im kolonialen Kampf" 284, Anon., „Aus dem Leben einer Pflanzersfrau in Deutsch-Ostafrika", Anon., „Die deutsche Frau als Kulturfaktor und Trägerin des Deutschtums im Auslande", Anon., „Die Frau in den Kolonien", Anon., „Die Liebestätigkeit der deutschen Frauen für die Kolonie"). Die Frau ist vor die schwere und verantwortungsvolle Aufgabe der Erhalterin und Trägerin des Deutschtums im Ausland gestellt. Die Frau als Mutter ist Mittelpunkt des gesamten Hauswesens, Erzieherin der Kinder und einziger Kamerad und Helferin ihres Mannes (siehe Lorenz 13): „Harmonisch ergänzt die Natur den werteschaffenden Wagemut und Tatendrang des Mannes durch die werterhaltenden Eigenschaften der Frau", die in der Kolonie wegen der fehlenden Arbeitsteilung viel größere Arbeitsgebiete hat, als in der Heimat (Anon. „Aufgaben der Frau im kolonialen Kampf" 285). Agnes von Boemcken erinnert sich gerne an ihre Zeit in Südwest, als Frau wie Mann „zur Waffe greifen" mussten, als Frau „allein in dunkler Nacht durch das unwegsame Buschveldt hastete, um die Nachbarsfrauen zu warnen, oder, schlimmer noch, wenn der Mann erschlagen war und sie mit den kleinen Kindern manchmal tagelang durch den Busch flüchten mußte, bis sie sich zurecht fand" („Die Frau in der Kolonialarbeit" 112). Eine solche Frau erschrecke nicht die Kochstelle im Freien, „die Unzulänglichkeiten der farbigen Leute, der Kampf mit großem und kleinem ‚Getier,' die Unbequemlichkeiten des ersten kleinen Gras- oder Wellblechhäuschens" (Boemcken, „Die Frau in der Kolonialarbeit" 113). Cornelia Carstens und Gerhild Vollherbst schreiben in ihrem Bericht über den Frauenbund der Deutschen Kolonialgesellschaft über die Gründerin dieser Idee, Adda Freifrau von Liliencron, wie sich die Bewegung zum konservativen Flügel der bürgerlichen Frauenbewegung im deutschen Kaiserreich orientierte (Van der Heyden/Zeller 50), wie sich dadurch die Bewegung verbreitete und die Ziele der kolonialen Schulausbildung sich immer mehr auf die Vorbereitung auf ein Ehe- und Familienleben als Farmersfrau zuspitzte (Van der Heyden/Zeller 52). Koloniale Pionierinnen wie Maria Karow, Margarethe von Eckenbrecher, Helene von Falkenhausen, Klara Brockmann, Else Sonnenberg, Hedwig Heyl und später dann Hedwig von Bredow und Agnes von Boemcken haben über diese ambivalente Situation gesprochen, in der „es gebildeten bürgerlichen Frauen möglich [war], aus ihren vorgeschriebenen Lebensbahnen in Deutschland auszubrechen und sich in der Kolonie ein selbständiges Leben, aufzubauen" (Van der Heyden/Zeller 55).

Die erst 1927 gegründete Koloniale Frauenschule Rendsburg situiert sich zwischen romantischen Phantasien und der Psychologie eines härteren, schicksalsreichen Lebens:

> Die vom Presse-Photographen bevorzugten Bilder unserer Schule wecken vielleicht den Verdacht, wir ließen uns durch eine Romantik leiten, die in einem großen Teil unserer Kolonialliteratur blüht und allerdings auch oft in den Köpfen der jungen Mädel, die zu uns kommen: als sei es uns in erster Linie darum zu tun, Mädel zu erziehen, die auf abenteuerliche Fahrten und Jagden gerne wollen oder die wie Männer drüben als selbständige Siedler auftreten möchten. Das ist nicht unser Ziel. Wir möchten den deutschen Frauen da drüben tüchtige Helferinnen zur Seite geben, und wir wissen, daß diese Helferinnen zunächst einmal im

Haushalt gebraucht werden. [...] Damit ist alle angelesene Literatur in den Hintergrund geschoben; es bleibt dann immer noch genügend Romantik übrig, um einen jungen Menschen zu locken, ganz anderer Art freilich und viel härter: die eines schicksalreichen Lebens. (Anon. „Koloniale Frauenschule Rendsburg" 78)

Die Ausbildung zur Tüchtigkeit umschließt von daher nicht nur die Erfordernisse eines Haushalts gemessen an heimischen Ansprüchen, sondern auch Schustern, Tischlern, Schmieden, Glasern, Anstreichen, Polstern sowie auch Reiten, Schießen und Autofahren. Mit anderen Worten, die kolonialen Frauenschulen bieten eine Ausbildung zur Selbständigkeit, wie sie in den heimischen Schulen so radikal nicht praktiziert wird, um die koloniale Aufbauarbeit zu sichern. Die Aufgabe der deutschen Frau in den Kolonien geht also um ein wesentliches über die Aufgabe der Frau in der Heimat hinaus. Im staatspolitischen Kontext der Nazijahre umformuliert gestaltet sich die Hauptaufgabe der Kolonialen Frauenschule in Rendsburg – hier exemplarisch diskutiert für die Frauenausbildung und -pädagogik – als Zelle der Festigung und Entwicklung ganz bestimmter Charaktereigenschaften und politischer Willensbildung, wobei die eigentliche Fachausbildung in den Hintergrund tritt. Die Frauenfrage wird somit zur Rassenfrage: „Das einzige Heilmittel gegen das ‚Verniggern,' ‚Verkaffern' oder ‚Verkanakern' liegt im Einfluß der weißen Frau" (Külz 62), die zur erhöhten Selbstkontrolle aufgerufen wird und den Kolonialbeamten so zu einer höheren Leistungsfähigkeit anspornt. „Nervöse Frauen" sind somit nicht erwünscht: „Ein gleichmäßiges, heiteres Temperament und die Gabe, auf einen Teil des gewohnten Komforts der Heimat stillschweigend zu verzichten, sind eine Grundbedingung des seelischen Wohlbehagens in den Tropen" (Külz 64, siehe auch Arriens 2-3). Lora Wildenthal hat die spätere Orientierung der Schule an nationalsozialistischen Prinzipien analysiert im Zusammenhang ihrer Hinterfragung der Funktion von Frauen in der Kolonialpropaganda des Kaiserreichs. Sie hat herausgefunden, dass die nationalsozialistische Propagierung des kolonialen Gedankens zu höheren Einschreibquoten in Rendsburg führte (*German Women for Empire* 198) und inwiefern die Ausbildungsziele des Instituts nationalsozialistische Erziehungspolitik widerspiegelten. Ihrer Meinung nach fungierten deutsche Frauen grundsätzlich als Symbole und Agenten der gesellschaftlichen Entwicklung, was sich im kolonialen Aktivismus vieler Frauen auswirkte und das Bild einer neuen kolonialen Weiblichkeit entstehen ließ, dass dann allerdings unter den Nazis zu einem konservativen Bild von der Frau als Mutter und Kulturbringerin mutierte (siehe *German Women for Empire* 200ff.).

Dieses Bild von der Aufgabe der Frau in den Kolonien geht auf eine lange Tradition zurück, die vor allem in der Frauenzeitschrift des Frauenbunds der deutschen Kolonialen Gesellschaft *Kolonie und Heimat* seit der Zeit ihrer Gründung 1907 gepflegt wurde. Bereits in dem ersten Jahrgang finden sich Berichte über den Pflichtenkreis der Frau, die davon sprechen, dass in den Kolonien nur eine Frau, die in ihrer Häuslichkeit wurzelt und in der Betätigung häuslicher Pflichten ihre Befriedigung findet, sich auf die Dauer wohlfühlen kann, sich für die Kolonien also nur solche Frauen eignen, die auf kulturelle Anregungen, Theater, Konzerte usw. verzichten können. Dieser Hinweis auf die masochistische Struktur des Lebens in den Kolonien, wo der Mann sich durch Tatenkraft bewähren kann, die Frau aber an die Pflege von Hausstand und Garten gebunden ist, kommt nicht selten in Tandem mit dem Aufruf zur rassischen Verpflichtung der Frau als Mutter (siehe Kütz-Bückeburg 9). Clara Brockmann gibt 1909 eine Übersicht über die verschiedenen Frauentypen in Südwest, die dieses Thema ebenfalls ausbaut: da ist die Farmersfrau, die „auf alles, was ihr bisher Freude und Amüsement bot", verzichten und stattdessen Pionierarbeit leisten muss, die Beamtenfrau und die Kaufmannsfrau, die nur vorübergehend sich in den Kolonien aufhalten und nur selten mit dem Land und der Bevölkerung verkehren und stattdessen die Annehmlichkeiten des Lebens in den Kolonien genießen kann, die Missionarsfrau, die als Mitarbeiterin ihres Mannes fungieren muss, die Kleinsiedler- und Handwerkerfrau, die ebenfalls mitarbeiten müssen, und die Stellung der alleinstehenden Frau, die der Gerüchtemeierei ausgesetzt sei (siehe „Deutsches Frauenleben in Südwest" 3 und Dorn 2-3). Der Umgang mit den einheimischen Dienstboten wird ebenfalls in Stereotypen abgehandelt, wobei verschiedenen Stämmen unterschiedliche Willigkeit und Fähigkeit zum Dienen zugesprochen, eine Neigung zum Klauen bezeugt, und zu Zucht und Strenge geraten wird. Es handelt sich also im Entstehen der Eingeborenenpädagogik um die Übertragung der damalig gültigen Erziehungsnormen für Kinder auf die Einheimischen, die „wie Kinder" behandelt werden und „als Wilde" zu Sauberkeit, Pünktlichkeit, etc. erst einmal gebracht werden müssen. Brockmann problematisiert weiterhin die Zwitterstellung, die die alleinstehende Frau, das deutsche Dienstmädchen, in einem afrikanischen deutschen Haushalt einnimmt, wo sie zwar als Angestellte der Hausfrau Respekt zollt, aber gleichzeitig einen Stab von afrikanischen Dienstboten unter sich hat (siehe Brockmann, „Deutsche Frauen in Südwest" 2). Das Profil der Rolle der Frau in den Kolonien zeichnet sich also aus durch eine unerschrockene Haltung gegenüber Schicksalsschlägen, einer gewissen Abenteuerromantik, einer Neigung zu Grausamkeit, die dort frei ausgelebt werden kann, einer ideologischen Einstellung gegenüber Familienbund und Rassefragen, die sich in der Kindererziehung auswirken, und einer allgemeinen Verzichthaltung gegenüber Luxus und Vergnügung (siehe die Arbeiten von Klotz, „White Women and the Dark Continent" and „Memoirs from a German Colony").

Seit 1888 besteht der Deutsche Frauenverein vom Roten Kreuz für die Kolonien, der sich hauptsächlich um die Entsendung von Krankenschwestern zur Pflege der in den Tropen lebenden und erkrankten Europäer kümmert. Von diesen Schwestern wird ein besonders ausgebildetes Sendungsbewusstsein erwartet, das sich in zahlreichen Veröffentlichungen dokumentiert, aber auch Durchhaltevermögen bei den oft recht beschwerlichen Reisen von Farm zu Farm, ein hoher Opfermut und ungewöhnliche Ausdauer im Ertragen von Beschwerden verlangt (siehe Mamozai 100). Der Frauenverein unterstützt ebenfalls die Einrichtung von Regierungskrankenhäusern, Erholungsheimen und

Kindergärten, wie auch die Pflege der Eingeborenen. Seit 1907 besteht auch
ein Frauenbund der Deutschen Kolonialgesellschaft mit dem Ziel der Unter-
stützung der Kolonialarbeit, speziell der Erziehung der weißen Kinder in den
Kolonien, der Festigung des Heimatgefühls und Rassebewusstseins, dem
„Schutz der physischen und sittlichen Unversehrtheit" und der Erhaltung der
Nachkommenschaft (siehe *Von der Heydts Kolonial-Handbuch* 1914: 371).
Die Legende von Adda von Liliencron vereint dabei alle Elemente der maso-
chistischen Phantasie, indem die „Freifrau von Afrika" im Kampf gegen die
Hereros mitwirkte und sie bald die Sage umwob, „sie könne wilde Tiere zäh-
men" (Frobenius 266).

Diesen „Kolonialdamen" wurden nicht nur eine schulische Ausbildung,
sondern auch ganz neu definierte Berufschancen gewährt, die sie in der Kolonie realisieren konnten, wo sie als Herrinnen über einen afrikanischen Haushalt
oder in anderen Stellungen, als Lehrerin, oder gar als selbständige Farmerin
walten konnten. Martha Mamozai macht in diesem Kontext auf eine von ihr
beobachtete Tendenz aufmerksam, die ebenfalls auf die Wirkung masochistischer Strukturen hinweist. Mamozai beobachtet eine gewisse Abneigung der
weißen Frau gegenüber weiblichem schwarzen Dienstpersonal, die sie auf Se-
xualneid gegenüber der schwarzen „wilden" Frau zurückführt und einer vielleicht nicht eingestandenen Attraktivität des schwarzen Mannes für die weiße
Frau zuschiebt (150ff). Mamozai spekuliert, „daß die Siedlerinnen in den einheimischen Frauen potentielle Rivalinnen sahen. Rivalinnen nicht nur um alle
weißen Männer, sondern auch um die ‚farbigen' Männer" (180) und dass sie
von daher die Konkurrenzsituation ausschalten wollten, indem sie sich mit
schwarzen Dienstboten umgaben, was gleichzeitig den Nebeneffekt hatte, dass
sie unbemerkt ihre masochistischen Neigungen voyeuristisch ausleben und
sich in eine verbotene erotische Beziehung mit einem schwarzen Mann hineinphantasieren konnten. Wie diese Psychodynamik funktionieren könnte, werden
wir an Hand des Studiums der Kolonialliteratur in dem folgenden Kapitel genauer herausfinden.

Wir werden zunächst sehen, inwieweit sich diese masochistischen Tendenzen in der deutschen Kolonialpädagogik auf die Situation der Schulen in den
Kolonien ausweiten.

IV. Deutsche Missions- und Regierungsschulen in den Kolonien

Ein letzter Aspekt der Erziehung des deutschen Volkes zu einer vorbildlichen
Kolonialmacht, die England und Frankreich um weniges hintansteht und die
hier am Beispiel der Kolonialpädagogik untersucht wird, ist die, wenn auch
spärlich existierende, aber dennoch von der Propaganda her zentrale Ausbildung der deutschen Schulkinder in den Kolonien sowie die Übertragung der
Rassenpolitik auf pädagogische Prinzipien in den Missions- und Regierungs-

schulen (siehe Hardach 73). Die Hauptfunktion dieser Schulen, insofern sie Regierungsschulen waren, bestand in der Unterstützung der Kolonisierungsbestrebungen wie zum Beispiel der Einrichtung von Lokalverwaltungen nach dem Muster der deutschen Landgemeinden, der Verbesserung der medizinischen Versorgung und hygienischen Verhältnisse durch schulische Aufklärung, der Erziehung zur Arbeit, zu Verdienen und zu Sparen. Insgesamt wurde durch die Schulen das Bestreben, ein Neu-Deutschland über See in einer Art abhängiger Variante einzuführen, gefördert und durch sie das deutsche Recht und die deutsche Wirtschaftspolitik eingeführt.

Es ist interessant zu beobachten, wie sich die deutschen Schulen in der Diaspora definierten. Agnes von Boemcken berichtet von der deutschen Schule in Ostafrika beispielsweise, wie sie verzweifelt versucht, das Deutschtum der Schüler aufrechtzuerhalten, indem sie Internatscharakter hat, vom Gedanken der unlösbaren Verbundenheit mit der Heimat getragen ist, „in deren Schulatmosphäre keine völkisch anders geartete Umgebung Mißton oder Zweifel hineintragen kann" („Aus Alltag und Festtag unserer deutscher Schulkinder in Ostafrika" 204), wo die Schüler und Schülerinnen „frisch gewaschen und gezöpft" zum Unterricht erscheinen („Aus Alltag und Festtag unserer deutscher Schulkinder in Ostafrika" 205), wo alle nationalen Riten und Feiern (inklusive Führers Geburtstag) peinlichst eingehalten werden und die Kinder ganz in der nationalsozialistischen Konstruktion ihres Deutschtums aufgehen (siehe Pentzel 32ff). Die wenigen in der Diaspora noch existierenden Schulen für deutsche Kinder definieren sich also als (Re)Produktionsstätten der völkischen Idee, die im Mutterland Fuß gegriffen hat. Die zweigleisige Erziehung der deutschen Jugend getrennt von der Schulung der einheimischen Bevölkerung begann bereits vor der offiziellen Einschulung der Kinder im deutschen Haushalt, wo die Kinder (im Gegensatz zu ihren afrikanischen Spielgenossen) mit kondensierter Milch, Kindermehl und Haferschleim aufgezogen wurden und sich einem täglichen Baderitual unterziehen mussten. Maria Karow rät in dem Kontext: „Jede deutsche Mutter wird – wenn sie ihr Kind zeitweise der Wartung eines schwarzen Kindermädchens überträgt – es nie unterlassen, dieses in steter Beobachtung zu behalten. Hierdurch wird verhindert, dass die Farbige, trotzdem sie in sehr netter Weise mit dem Kind umzugehen weiß, es vielfach sogar lieb hat, verderblichen Einfluss gewinnt, oder es unbeobachtet mit Eingeborenenkindern in Berührung bringt" (6). Resultat dieser Erziehungspraktiken ist, dass die deutschen Kinder im Umgang mit den einheimischen Kindern oft ein „ausgesprochenes Herrschertum" ausbilden.

Noch viel aufschlussreicher ist es, die Erziehungsprinzipien und den schulischen Alltag der deutschen Eingeborenenschulen, Regierungsschulen und Missionsschulen zu untersuchen, denn hier sehen wir, wie die rassistisch definierte Eingeborenenpolitik sich in konkrete Behandlungsweisen übersetzt, die zur viel gerühmten „Erziehung des Eingeborenen zur Arbeit" führen. Der Kolonialpionier Hermann von Wißmann hat 1895 ein Pamphlet zur „Behandlung des Negers" herausgebracht, das diesen Punkt auf eindringlichste Weise darstellt. Sein Ausgangspunkt ist die Idee, dass der Europäer selbst erst einmal erzogen werden muss, um den Afrikaner richtig erziehen zu können. Was er damit meint, ist die strenge Einübung in die militärischen Tugenden des Geduld-übens und des klugen Führers von Untergebenen: „Wer jahrelang Rekruten ausgebildet hat, lernt sich in Geduld-üben, der Individualität seiner Untergebenen Rechnung tragen und auch dem intellektuell tiefer Stehenden gerecht zu werden. Er wird bald erkennen, daß er in den Negern eine noch in den Kinderschuhen steckende Rasse vor sich hat" (Zache 39). Dieser Topos vom „Neger als Kind" durchzieht die Pädagogik der Erziehung des „Negers" zur Arbeit, die, das soll hier behauptet werden, in erster Linie eine Erziehung zum Masochismus ist. Wenn von Wißmann zu einer gewissen Anerkennung der Afrikaner im täglichen Umgang rät, wenn er sagt, dass man die individuellen Eigentümlichkeiten der Untergebenen anerkennen sollte, dann ist das letztendlich taktisch gemeint. Mit diesen Erziehungsprinzipien kann der Arbeitgeber „die guten Eigenschaften, die in [dem Afrikaner] schlummern, zur Entwicklung bringen, er kann ihn entflammen zu hohen Leistungen, ja zur Selbstverleugnung" (Zache 39). Die Achtung der religiösen Bräuche und das geduldige Ohr für Klagen haben also letztendlich als Resultat die Herstellung des willigen Arbeiters zur Folge. Die koloniale Eingeborenenpolitik ist dann zunächst den Prinzipien Wißmanns, dann den milderen Dernburgs gefolgt, indem zunächst streng geherrscht und auch körperlich gezüchtigt, dann erst die Erziehung zur Arbeit aufgenommen wurde.

Zur Arbeiterfrage in den deutschen Schutzgebieten meint Hans Zache, dass das eigentliche Problem kolonialer Eingeborenenpolitik eben diese Erziehung zur Arbeit darstelle: „Der Eingeborene ist nach unseren Begriffen faul, weil er nicht wie wir alle in ihm steckenden Energien ausnützt zur Produktion über den Eigenbedarf hinaus" (60), dass der Afrikaner also keinen Überschuss produziert und von daher gar nicht an einer Ökonomie der Ersparnis teilhaben kann, wie sie für den europäischen Arbeiter charakteristisch ist. Die Einführung der Besteuerung war ein solches Erziehungsmittel, das die Erziehung zum Aufschub fördern sollte:

> Es ist ein nicht hoch genug anzuerkennendes Verdienst unserer kolonialen Verwaltungen, daß sie bei der Einführung der Eingeborenen-Steuer den Erziehungszweck von Anfang an nicht weniger im Auge hatte als den Finanzzweck, indem sie wahlweise Arbeitsleistung neben die Zahlung stellte. [...] Die Erhebung der Hüttensteuer erforderte ein des Lesens und Schreibens kundiges farbiges Personal. Den Regierungsschulen erwuchsen daraus ernste und dankenswerte Aufgaben. (Zache 61)

Die Erziehung zur Arbeit führt von daher nicht nur zur Erziehung zum Masochismus, sondern auch zur Produktion von Konsumenten und der „Angewöhnung von Bedürfnissen" (Zache 62), indem die Naturwirtschaft allmählich von der Geldwirtschaft in den Schutzgebieten abgelöst wurde. Um die Produktion masochistischer Konsumenten zu garantieren, wurde die Schultätigkeit der

Missionsschulen durch eine Reihe von Regierungsschulen erweitert, deren Aufgabe es war, eine deutschsprechende afrikanische Elite herzustellen, die in der Verwaltung der Schutzgebiete eingesetzt werden konnte. 1925 gab es schon rund 70 Missionsschulen in Südwest. Seit 1866 bestand das Augustineum, das von der Rheinischen Mission zur Ausbildung eingeborener Lehrer errichtet worden war. Unter der Mandatsverwaltung wurde dann ein gesonderter Lehrplan für die Schulen in Südwest ausgearbeitet, der als Unterrichtsfächer „Religion, Lesen und Schreiben der Muttersprache, Rechnen im Zahlenkreis von 1-1000 mit der Einschränkung, daß im Zahlenkreis von 100-1000 Divisionen und Multiplikationen nicht geübt werden brauchen, ferner Handfertigkeitsunterricht in allen Schulen für die Knaben und Nähunterricht für die Mädchen" vorsah (Vedder 183). Trotz der schulischen Erfolge bestehen aber weiterhin große Vorurteile gegenüber der Leistungskraft einheimischer Lehrer: „Leider hat der Nama nur geringe Anlagen zum Schulmeister. Der Herero, der Bergdama und Ovambo ist für diesen Beruf durchschnittlich noch weniger begabt. Es fehlt dem eingeborenen Lehrer die Beweglichkeit des Geistes, die ein Lehrer in einer mehrklassigen Schule haben muß. Beim Rechnen steht ihm sein konkretes Denken zu sehr im Wege, das auf abstraktem Faden sich nicht bewegen kann" (Vedder 185). Weiterhin wird mangelndes Einfindungsvermögen und fehlender Sinn für gute Schulbildung moniert, die allesamt dem Ziel, „die Eingeborenen von Südwest zu brauchbaren Gliedern der menschlichen Gesellschaft zu erziehen", im Wege stehen (Vedder 186). Lothar Engel hat detailliert dargestellt, inwiefern Kolonialismus und Nationalismus im deutschen Protestantismus in Südwest zusammenwirken und dass die Christianisierung der Afrikaner und die Rechristianisierung der weißen Siedler (nach den Herero Unruhen) als Bedingung der Konsolidierung des kolonialen Systems anzusehen sei (35). Die schulische und medizinische Tätigkeit der Mission wurde durch die Kolonialverwaltung anerkannt und von daher die Mission zum Teilhaber der nationalen Aufgabe herangezogen.

In Deutsch-Ostafrika gab es zirka dreißig Schulen, in denen Deutsch gelehrt wurde. Die Schule in Tanga, die bereits 1892 von der Deutschen Kolonialgesellschaft gegründet wurde, lehrt den afrikanischen Schülern die Fertigkeiten der Druckerei und Buchbinderei – es wird dort ein für die Eingeborenen gedachtes illustriertes Monatsblatt gedruckt –, ebenfalls der Tischlerei, der Schmiede und der Schlosserei. Der pädagogische Schwerpunkt ist aber die Erziehung zur Genauigkeit, zur Sorgfalt und zur Pünklichkeit: „Mit der Freude am Schaffen, der Liebe zum eigenen Werk wächst auch bei dem Eigeborenen die Lust zur Arbeit, und damit ein gesundes Bedürfnis nach höherer äußerer Kultur, das er sich nun selbst befriedigen kann" (Blank 378). Der Lehrplan der eigentlichen Schule sieht Unterricht auf der Unter- und Mittelstufe durch einheimische Lehrkräfte und Unterricht auf der Oberstufe durch deutsche, am orientalischen Seminar in Berlin ausgebildete Lehrer vor. Ausgebildet wurden Handels- und Bürogehilfen jeglicher Art, Handwerker wie auch zukünftige Lehrkräfte an Dorfschulen. „Nach ihrer Ausbildung in die Heimat zurückgekehrt, wurden sie ihren Vätern zu wertvollen Hilfen in der Erledigung des schriftlichen Verkehrs mit den deutschen Behörden – dies um so mehr, als auch eine Verordnung herauskam, die verfügte, dass alle Schriftstücke in Suaheli mit lateinischen Buchstaben zu schreiben seien" (Anon., „Die Regierungsschule in Tanga" 6). Die Betonung bei allen Unterrichtszweigen bleibt aber die Eintrainierung der Afrikaner in europäischen Ordnungssinn und Disziplin, sei es beim Sport, beim Zeichnen oder beim Gesangsunterricht, der dank der „Opferwilligkeit der Deutschen" in einem Konzert in dem neuerbauten Musikpavillon am Bismarckplatz in Tanga auf die Probe gestellt wurde (siehe Anon., „Die Regierungsschule in Tanga" 6). Gerade diese öffentlichen Erziehungsanstalten in Ostafrika haben Pionierstatus unter den angrenzenden Kolonialgebieten, wo die Engländer bisher die Schularbeit ganz den Missionen überlassen haben.

Die Bilder aus der Mittelschule in Bonaberi, Kamerun, die dortige Hauptbildungstätte für afrikanische Jungen, bestätigen die Pädagogik des Masochismus, die wir an Hand des Beispiels der Schule in Deutsch-Ostafrika beobachtet haben. Ausgangspunkt ist grundsächlich die Annahme von der Faulheit, des „vom heimatlichen Busch her gewohnten dolce far niente" der „Negerjungen", die durch strenge Hygienevorschriften und Arbeitsgebote ausgetrieben werden muss (Dinkelacker 46): „Harte Arbeit des Lernens, erste, christliche Erziehung, stramme Zucht, Gehorsam, Selbstüberwindung und Pünktlichkeit wird gefordert und geleistet. Nach der Arbeit ein frohes Fest, Wettkämpfe, Ruderfahrten, Ausflüge, auch ab und zu ein fetter Schmaus, erhalten die Freude zum Aushalten" (Dinkelacker 47). Diese Freude zum Aushalten ist die quintessentielle masochistische Dynamik, die hier eintrainiert werden soll, die durch das Muster der christlichen Entsagung gefiltert wird: „Staunend erleben sie das Unbegreifliche, daß es eine Welt gibt, wo nicht die Magenfrage, nicht die Weiberpalaver, nicht die nackte, grausame Selbstsucht im Vordergrund des Daseins stehen, sondern eine selbstlose, aufopfernde Liebe, die ihre Quelle in Gott hat und in der Person des Heilandes offenbar wird" (Dinkelacker 48). Die Erziehung zum Masochismus mündet dann direkt in der Erziehung zur Arbeit, wobei es gilt, „die Negerjungen an produktive und regelmäßige Handarbeit zu gewöhnen und ihnen die Idee beizubringen, daß ehrliche Handarbeit nicht schändet, sondern adelt" (Dinkelacker 50). „Die Erziehung der Papua zu Arbeitern" verläuft ebenfalls auf steinigem Weg, da diese zwar Bodenbebauer – also wenigstens nicht nomadisch – gewesen seien, aber trotzdem „von der Hand in den Mund leben und keine Reichtümer sammeln" (Dempwolff 2) und zudem einen quasi wirtschaftlichen Kommunismus praktizierten. Von daher empfiehlt sich den Kolonisten die Schaffung von Abhängigkeiten, um die Notwendigkeit von billiger Lohnarbeit zu garantieren: „von seinen [des Papuas] Produkten muß man die Stationen möglichst emanzipieren, umgekehrt aber seine Bedürfnisse ausnutzen und allmählich zu steigern suchen" (Dempwolff 10). Beispielsweise müsse die Missionsstation als alleiniger Umsatzort von Tabak und dergleichen gelten: „Solche Gewohnheiten muß man pflegen, und dabei vornehmlich die täglichen Konsumartikel im Auge haben, Reis, Tabak, Streichhölzer u.s.w." (Dempfwolff 11).

Nach der systematischen Durchsicht der verfügbaren Quellen entsteht folgendes Bild, was die Kolonialpädagogik in den Regierungs- und Missionsschulen anbetrifft: Die Funktion der Regierungsschulen für Eingeborene betraf vor allem die Ausbildung einer kleinen ausgesuchten Elite, die dann nach erfolgreichem Abgang in den Gouvernementsdienst zur Verwaltung der Kolonien herangezogen wurde. In Duala beispielsweise wurden 1912 14 Schüler entlassen, die alle im Gouvernementsdienst Beschäftigung fanden (Königs 1912: 258). Den politischen und ökonomischen Hintergrund für diese Situation zeigt die abschließende Bewertung Königs deutlich:

> Die Ziele der Regierungsschulen sind in mancher Hinsicht andere als die der Missionsschulen. Wenngleich ebenfalls zum besten der Eingeborenen selbst wirkend, müssen die Regierungsschulen auch politische Rücksichten in Betracht ziehen. Insbesondere steht ihre Begründung in engster Verbindung mit dem Bedürfnis der Verwaltung, geeignete Kräfte für die unteren Beamtenstellen, die Schutztruppen und die Polizei, die örtliche Verwaltung (Dorfschulzen etc.) sowie für technische Betriebe der Regierung oder Privater zu gewinnen und dort den Europäer mehr und mehr durch den physisch widerstandsfähigeren und weniger kostspieligen Eingeborenen zu ersetzen. (1913: 7)

Diese Funktion der Regierungsschule als Produktionsstätte von einfachen Verwaltungsbeamten bestätigt auch der Jahresbericht über die Entwicklung der deutschen Schutzgebiete von 1900/1901, worin es heißt, „die Regierungsschule verfolgt vor Allem den Zweck, aus den Eingeborenen geeignetes Personal zur Verwendung im Dienst des Gouvernements (als Zollaufseher, Dolmetscher oder Kanzlisten) heranzubilden. Insbesondere wird angestrebt, die Söhne aus Häuptlingsfamilien auch des Binnenlandes herbeizuziehen" (49). Der Unterricht war von daher ganz der Vermittlung von praktischen und technischen Fähigkeiten zur Ausbildung dieser kleinen Elite zu einfachen Verwaltungsbeamten gewidmet, wogegen die Funktion der zu überwältigender Mehrheit von Missionen geleiteten Dorfschulen die Schaffung von Plantagengehilfen etc. war. Königs fasst in seiner Abschlussbetrachtung wie folgt zusammen

> Das Bestreben der Verwaltung geht dahin, einer verhältnismäßig kleinen Zahl auserlesener Schüler eine möglichst gründliche Ausbildung, namentlich im Deutschen, zu geben, die große Masse der Dorfschulbesucher aber nicht durch Belastung mit einigen unzureichenden Kenntnissen im Deutschen ihrer angestammten landwirtschaftlichen Berufstätigkeit zu entfremden. (1913: 17)

Dieser „angestammte Beruf" ist in der Einschätzung Königs der des landwirtschaftlichen Gehilfen, der in der kolonialen Plantagenwirtschaft nützliche Dienste tun kann, eventuell eines Lazarettgehilfen mit beschränkten Aufgaben. Wichtig ist,

> daß bei der Erziehung der Eingeborenen alles aus dem Unterricht auszuschalten ist, was mit sozialen, philosophischen, klassischen, politischen und religiösen

Studien und Spekulationen zusammenhängt. Der Unterricht muß auf das Positive und Praktische gerichtet sein und dem Eingeborenen insbesondere diejenigen technischen Fertigkeiten verschaffen, die er zu seinem eigenen Nutzen und gleichzeitig im Interesse des Gouvernements nötig hat. [...] Die Ausbildung farbiger Ärzte erscheint uns nicht erforderlich, Lazarettgehilfen dürften genügen. Nach den gelehrten Berufen haben sich unsere Schwarzen bisher nicht gedrängt und wir haben keinen Grund darüber unzufrieden zu sein." (Königs 1913: 8/9)

Die Unterrichtssprache in den Regierungsschulen war von daher das Deutsche, in den Missionsschulen wurde in der Landessprache unterrichtet. In den Regierungsschulen lehrten weiße Lehrer, in den Dorfschulen dagegen oft afrikanische Hilfslehrer, die eine solche Schule erfolgreich abgeschlossen haben. Insgesamt können wir hier also behaupten, dass die Funktion der Missionsschulen, die ja die überwältigende Mehrheit an Schülern unterrichtet hat, in der Produktion von christlichen Arbeitern für die verschiedenen Aspekte der tropischen und subtropischen Kolonialwirtschaft gelegen hat.

Interessant ist es, einen genaueren Blick in den Tagesablauf und die Regeln des schulischen Alltags zu werfen. Da begegnet man beispielsweise der Frage einer spezifischen Mädchenausbildung. Es scheint, dass die Mädchenerziehung nach einigen gescheiterten Versuchen ganz den Missionen überlassen wurde und dass sie dort in erster Linie zu Haus- und Handarbeiten erzogen wurden. Königs informiert uns, dass die Mädchenabteilung der Regierungsschule in Victoria/Kamerun „wegen wenig befriedigender Lehrerfolge und Bedenken in sittlicher Hinsicht aufgelöst" wurde (1912: 259) und dass afrikanische Mädchen stattdessen besser in Nähschulen aufgehoben seien, wo sie zu Gehilfen des kolonialen Haushalts herangezogen werden. Der Jahresbericht von 1900/01 gibt nähere Auskunft über die Umstände der Entlassung aller Mädchen aus den Regierungsschulen, indem dort betont wird, dass es die Hauptaufgabe der Regierungsschule sei, „brauchbares farbiges Hilfspersonal für die amtlichen Dienststellen heranzubilden. Es wurde den Schülerinnen anempfohlen, sich in die Missionsschulen aufnehmen zu lassen, wo sich der Unterricht in weiblichen Handarbeiten für sie doch wohl zweckmäßiger erweisen wird" (57). Weiterhin ist interessant, dass die Internatsschüler, aber oft auch die Tagesschüler, ihr Schulgeld selber aufbringen mussten, beziehungsweise für Unterkommen auf einer Schulfarm arbeiten mussten und so auch in ihrer Freizeit bereits den Dienst des Plantagengehilfen einübten. Der Jahresbericht von 1900/1901 berichtet von einer Volksschule auf Neu-Guinea, wo wegen der „niedrigen Kulturstufe der Eingeborenen" nur ganz primitiver Lehrstoff vermittelt wird und wo die Schüler außerhalb des Unterrichts zur Gartenarbeit angehalten werden, „um so durch ihre Mitwirkung die zu ihrem Unterhalt nothwendigen Feldfrüchte zu gewinnen" (77). An anderen Schulen werden die Schüler zu Reinigungsarbeiten und Rodungszwecken benutzt (Königs 409) und bilden den Kern einer Polizeitruppe, die in dem Dorf für Ordnung sucht (Jahresbericht 1900/1901 93).

Der schulische Alltag zeichnet sich allgemein durch strenge Durchorganisation und Reglementierung aus. Eine nach und nach auf allen Kolonien sich durchsetzende Schulordnung macht zunächst den Schulbesuch für eingeschriebene Schüler obligatorisch. § 5 der Schulordung für Kamerun von 1910 beispielsweise regelt Schulbesuch wiefolgt

> Ordnungsgemäß zum Schulbesuch angemeldete Schüler sind verpflichtet, die Schule bis zum Ablaufe der festgesetzten Ausbildungszeit zu besuchen. Ein vorzeitiges Verlassen der Schule ist nur mit Einwilligung des Schulvorstandes zulässig. Bei unberechtigter Versagung der Einwilligung kann der Bezirksleiter sie an Stelle des Schulvorstandes erteilen. (Königs 1912: 265)

Der Lehrplan für die Missionsschulen sieht neben der Einübung ins Lesen und Schreiben der deutschen Sprachlaute in deutschen oder lateinischen Schriftzeichen Anschauungsunterricht zum Nutzen der Haustiere, die deutsche Maß-, Münz- und Gewichtsrechnung, das Lesen von Karten, Landeskunde, aber auch das Auswendiglernen von vaterländischen Gedichten, die Geschichte des Kaiserhauses und die Geschichte des Deutschen Reiches seit 1870/71 vor. Der Lehrplan enthält von daher eine Mischung von Lehrinhalten, die sich auf die Ausbildung von nützlichen kolonialen Hilfsarbeitern bezieht, aber auch einen gewissen Anspruch an patriotischen Inhalten vermitteln will.

Der Schulbericht aus der Regierungsschule in Duala abgedruckt in dem Jahresbericht von 1907/8 spricht davon, dass die Schüler militärische Übungen während der Turnstunde vollbringen mussten, dass sie als zukünftige Pflanzungsarbeiter ein gewisses Mass an Heimatkunde ableisten, bürgerliche Rechnungsarten beherrschen, an der Schreibmaschine Übungen machen, vierstimmige Vaterlands-, Natur- und Wanderlieder singen und den Geburtstag seiner Majestät feiern mussten (Jahresbericht 1907: 55ff). Neben militärischen Übungen im Sport, dem Singen von deutschen Liedern, und dem täglichen Lehrplan wurden die Schüler der Regierungsschulen in verschiedene Klassen aufgeteilt mit getrennten Klassen für farbige Beamte des Zoll- und Postdienstes, Boys (Diener) und Kinder. Der Lehrplan für Fortbildungsschulen schloss Kurzschrift, Vermessen, Skizzen zeichnen und Kartographieren ein. Darüber hinaus gab es weitere Arbeits- und Beschäftigungspläne, die in erster Linie die Schüler an Pünktlichkeit und Ordnung gewöhnen sollten (siehe Königs 1912: 536) mit der Idee, dass „allein schon die Gewöhnung an Pünktlichkeit und Gehorsam, an exaktes Zusammenarbeiten und vor allem die Förderung der Kameradschaftlichkeit zwischen den sich bisher fremd gegenüberstehenden Stämmen [...] als ein nicht zu unterschätzender Gewinn dieser Einrichtung" erscheint (Jahresbericht 1900/1901 93). Während des Schultages war jede Minute in irgendeiner Weise ausgefüllt, wie der Stundenplan der Kaiserlichen Schule zu Lome zeigt: von 6 Uhr mogens Aufstehen bis zur Arbeitszeit 9 Uhr am Abend war jede Minute verplant mit Unterricht, Essen, Arbeitszeit, gemeinsamen Ausflügen, Spielen etc.

Die Darstellung der einzelnen Facetten der schulischen Kolonialpädagogik hat somit ergeben, dass das Muster der Entsagungs- und Opferhaltung zur Herstellung von Kolonialpionieren geltend war. Diese schulische Kolonialpädagogik erweist sich als ein Außenposten der allgemeinen Erziehung des deutschen Volkes zu Statthaltern einer europäischen Kolonialmacht, die von ihren Mitgliedern Entsagung und Opferhaltung verlangt als Beitrag zur Steigerung des nationalen Willens. Diese Kolonialkampagne der Erziehung der deutschen Bevölkerung zu Kolonialherren legt die Grundstruktur des Masochismus frei. In der Pädagogik schlägt sich das in einer Herstellung eines ganz bestimmten Persönlichkeitstyps nieder. Diese Erziehung des Volkes zu Kolonialherren fand aber nicht nur in Schulen statt, sondern auch auf Ausstellungen, in Gesellschaften, auf Tagungen, Kolonialtagen, Büchern, Zeitschriften, Museen, Kunstausstellungen und in der Jugendpädagogik. In den deutschen Kolonialschulen wurden feste Charaktere gebaut und mit Fertigkeiten ausgerüstet, die ein Überleben im Busch ermöglichen sollten. Dabei wird der zukünftige Kolonist auch zum Erzieher von Naturvölkern berufen. Die kolonialen Frauenschulen bildeten Tüchtigkeit, Selbständigkeit, Charakterstärke, Entschlussbereitschaft und eine feste politische Bildung aus. Die Schulen in den Kolonien reproduzierten diese Pädagogik in dem Maße, als auch die Kolonialschüler in Verzichthaltung und Arbeitsethos eingeführt werden müssen, der ihre Doppelfunktion als willige Arbeiter und Konsumenten von Luxusgütern fördert.

Das nächste Kapitel wird sich mit der literarischen Ausschmückung dieser Ideologie beschäftigen und darstellen, inwiefern das Szenarium des literarischen Masochismus, das wir aus dem neunzehnten Jahrhundert kennen, in der sogenannten deutschsprachigen Kolonialliteratur weiterwirkt und was es dort für Paradigmen formt.

Topographische Lektüren deutscher Kolonialliteratur

Die in dem vorangehenden Kapitel diskutierten Szenarien der masochistischen Pädagogik werden in der kurzen Periode der aufblühenden deutschen Kolonialliteratur um die Jahrhundertwende und bis in die dreißiger Jahre des zwanzigsten Jahrhunderts hinein mit Inhalt gefüllt und weiter spezifiziert. Meines Erachtens hat die koloniale Pädagogik die Mitspieler in dem masochistischen Szenarium geschaffen, das wir in der literarischen Verarbeitung in seiner vollen Entfaltung erkennen können. Die Herstellung eines bestimmten Persönlichkeitstyps ist für die Zellen der Charakterbildung, wie die deutschen Kolonialschulen es waren, entscheidend gewesen. Dort wurde eine Ausbildung zum Verzicht erprobt, eine Erziehung zur Ersparnis eingeübt und die Pädagogik des Aufschubs praktiziert. So wie ich die Untersuchung von amtlichen Quellen und anderen Dokumenten als Hauptquelle für die Analyse der kolonialen Pädagogik angesehen habe, möchte ich auch im Falle der Kolonialliteratur von einem sehr breit gefassten Literaturbegriff ausgehen, um das Phänomen „Kolonialliteratur", das seit Beginn des zwanzigsten Jahrhunderts bis in die zwanziger und dreißiger Jahre hinein bestanden hat, in seiner ganzen Bandbreite erfassen zu können. Gerade der Effekt der Massenverbreitung und, wie einige Studien behaupten, auch der Massenwirkung der endlos vielen Geschichten, Tatsachenberichte, Feldzugsberichte, Memoiren, Schlachtbeschreibungen usw. aus den deutschen Kolonien ist für einen Literaturwissenschaftler, der sich neu in die Materie einarbeitet, immer erstaunenswert. Wie kann eine Literatur, die zum großen Teil mit trivialen Schablonen arbeitet, in ihrer späteren Inkarnation in den dreißiger Jahren dann eindeutig faschistische Töne anschlägt, auf so großes Interesse bei einem breiten Lesepublikum gestoßen sein, dass sie eine so enorme Verbreitung fand nicht nur in Schundveröffentlichungen, sondern auch in etablierten Reihen und Zeitschriften? Immerhin galt der fiktive Feldzugsbericht Gustav Frenssens, *Peter Moors Fahrt nach Südwest,* als auflagenstärkste Publikation unmittelbar nach seinem Erscheinen 1908. Die Kolonialliteratur ist von daher nicht in erster Linie für ihre ästhetische Qualität bekannt, aber doch von vielen Historikern und Literaturwissenschaftlern als zentrales zeitgenössisches Phänomen gewürdigt worden, dessen Studium wichtige Anhaltspunkte geben kann für die Bestimmung der Parameter der kolonialen Bewegung, ihrer diskursiven Gestaltung und Rezeption in der allgemeinen Bevölkerung.

Ich möchte nun nicht eine extensive Studie aller existierenden Texte aus der Kolonialzeit vorlegen, die sich thematisch mit den verschiedenen Aspekten der Erfahrung der Expatriation auseinandersetzen; das hat – zumindest was Afrika anbelangt – Joachim Warmbold erschöpfend und überzeugend geleistet. Ich möchte stattdessen gezielt auf die Entwicklung der Elemente des theatralischen

Szenarios des literarischen Masochismus achten, die sich meines Erachtens in den einzelnen Phasen der Kolonialliteratur unterschiedlich entfalten und die Ergebnisse des Kapitels über die Kolonialpädagogik komplementieren. Meine Fragestellung ist von daher dezidiert an ästhetischen Momenten orientiert, nicht so sehr im Sinne von Qualitätsbewertung, sondern im Sinne der Beschreibung von figurativen Konstellationen, rhetorischen Elementen und strukturellen Phänomenen, die sich aus der Textlektüre ergeben.

Die Idee einer der Kolonialliteratur unterliegenden masochistischen ästhetischen Struktur ist im Ansatz in Sara Friedrichsmeyers, Sara Lennox' und Susanne Zantops Einführung zu dem Band *The Imperialist Imagination* bereits zur Sprache gekommen (hierin Warmbold folgend), worin behauptet wird, dass die Kolonialliteratur ganz bestimmten grundsätzlichen Mustern folge, nach denen der männliche Held neues Land entdeckt, es besiedelt und bebaut und dadurch immer wieder seine physische, geistige und auch kulturelle Überlegenheit zur Schau stellt (22-23). Während die Ausgestaltung präkolonialer Phantasien sich auf die Beschreibung kolonialer Begegnungen im Nachzug der spanischen Conquista hauptsächlich in der neuen Welt konzentriert, handeln die Geschichten aus der deutschen Kolonialzeit eher von der Härte des Lebens in Afrika und den Herausforderungen, die das Land und die dort lebenden Menschen den Kolonisten entgegenstellen. Diese Begegnung wird nicht selten als befreiend erlebt, weil sie die Herrschaft des weißen Mannes und der weißen Frau über als zurückgeblieben empfundene Menschen bestätigt. Friedrichsmeyer, Lennox und Zantop machen auch auf die nationalistischen und rassistischen Aspekte dieses Kolonistenprojekts aufmerksam

> In the works of both male and female writers, the question of German identity in international competition continued to form an integral part of the colonialist imagination: as *Musterknabe* among the European nations, Germany could produce only *Musterkolonien* – models of German probity, cleanliness, and industry. (23)

Die Darstellung der Beziehung zwischen weißen Siedlern und Militärs auf der einen Seite und Afrikanern auf der anderen entwickelt sich im Kontext dieses Wettbewerbs ganz nach dem Muster der masochistischen Theatralik, wie wir später sehen werden. Statt einer „Ehe" zwischen Abenteurern und Eingeborenen, wie sie als Muster noch die präkoloniale Phantasie bestimmt hat, wird eher die Andersartigkeit des Gegenüber betont und die Romanze auf die Beziehung des Kolonisten mit dem zu erobernden Land verschoben: „In German accounts, the colonial ,romance' took place between colonizer and land, with the indigenous peoples functioning only as a useful labor force, to be contained yet hardly desired" (Friedrichsmeyer, Lennox und Zantop 23). Wie sich diese Romanze entfaltet, wird Hauptthema des folgenden Kapitels sein.

Joachim Warmbold hat auf den Propaganda-Aspekt der Kolonialliteratur aufmerksam gemacht und von daher die patriotische Ausrichtung der Prosa erklärt. Seiner Meinung nach haben die nationalistischen und rassistischen

Aspekte der Texte eine negative Auswirkung auf deren ästhetische Qualität. Warmbold unterscheidet dabei drei Phasen, beziehungsweise drei Modalitäten von Kolonialliteratur, die ich mit meinem Erkenntnisinteresse wie folgt zusammenbringen möchte: die erste Phase, in der Reiseberichte und Tagebücher über die Pionierzeit entstehen und worin Aufstände, kriegerische Feldzüge und Entscheidungsschlachten thematisiert werden. Diese Phase beziehungsweise Modalität, in der detaillierte Berichte von Schlachten überwiegen, bedient die masochistische Lesephantasie, indem sie Lust an der Erzählung (und damit mimetischer Erfahrung) von Gewalttaten fördert und diese Lust durch immer weitere Ausgestaltung und masochistische Verzögerung steigert. Durch die Darstellung und Thematisierung von Feldzügen, Eisenbahnfahrten, Reisen zu Pferd oder mit dem Ochsenkarren, der von schwarzen Treibern angeführt wird, findet aber auch das Element der (erotisch besetzten) Verbindung des Kolonisten und Militärs mit dem Land seine Ausgestaltung. Das Land Südwest beispielsweise wird durch diese Erotisierung zur grausamen Frau, deren Durchdringung nie ganz gelingt und die somit zu dem immer entfernten, aber begehrten Ziel des masochistischen Verlangens wird. Der Versuch der Durchdringung dieses Landes gewährt aber auch, ganz dem masochistischen Szenario folgend, den (verbotenen) Blick auf den schwarzen Körper, der von dem Blickenden voyeuristisch betrachtet wird.

Die zweite Phase bzw. Modalität der Kolonialliteratur stellt, was Warmbold „the literature of the racial homestead destiny" nennt, dar: „Its origins are in the reports of German emigrants and their families who endeavored to depict the initial impressions of their new homeland as vividly as possible" (143). Hier finden sich beispielsweise Schilderungen der glücklichen oder unglücklichen Beziehung zwischen einer Gouverneurstochter und einem Offizier der Schutztruppe, oder der Beziehung zwischen Siedlern und Farmern, die melodramatisch ausgestaltet werden. Meiner Ansicht nach werden in dieser entscheidenden Phase die Elemente und Typen des masochistischen Dreiecks neu bestimmt, indem nicht nur der weiße Mann letztendlich Kontrolle zu fassen sucht über die starke, grausame weiße Frau und den voyeuristischen Blick auf die schwarze Frau sich vorbehält, sondern auch der Blick des weißen Mannes auf den schwarzen Mann, wie auch der Blick der weißen Frau auf den schwarzen Mann etabliert wird und das urspüngliche Szenario sich somit verkompliziert. Oft sind diese Szenarien und die Wunschökonomie, die sie bestimmen, durch die thematische Konzentration auf das Problem der „Verkafferung" und den damit einhergehenden nationalistischen und rassistischen Diskurs überlagert und von daher schwer zu erkennen. Warmbold beispielsweise schreibt,

> [F]riendships or any closer relationships between colonists and Africans were tabued, since it was feared that the structure of domination in the colonies could hereby be altered. [...] Also the thought of a settler woman establishing a relationship with a „native" was not unknown to colonial writers but was considered as too horrifying to be thought through logically. (189)

Diese Beobachtung von thematischen Oberflächenstrukturen muss meines Erachtens von ihrer masochistischen Bedeutung her neu durchdacht werden.

Die dritte Phase bzw. Modalität der Kolonialliteratur ist wiederum von Reiseberichten und Tagebüchern bestimmt, nun über die Durchdringung der – mittlerweile verlorenen – Kolonien. Hier ist für uns interessant, dass sich ein neues Muster etabliert, das die Begegnung der reisenden weißen Frau – im Gegensatz zu dem in offizieller Mission reisenden Eroberer oder Schutztruppengeneral – mit dem afrikanischen Land und den Afrikanern bestimmt. Die Analyse dieses erneuten Durchdringungsversuchs wird die Forschungsdiskussion über koloniale Räume wiederaufnehmen und zeigen, wie die Räume, durch die weiße Frauen reisen, schon so vorbestimmt sind, dass sie dem Land Afrika und den Afrikanern nur in dieser einen Funktion begegnen können.

Um meinen Fallstudien zu den jeweiligen Phasen in der Entfaltung des masochistischen Szenariums einen thematischen und geographischen Zusammenhang zu geben, werden in den ersten zwei Unterabteilungen dieses Kapitels in erster Linie Texte ausgewählt, die sich mit der Kolonialgeschichte Südwestafrikas (des heutigen Namibias) beschäftigen (die Geschichten und Romane Frieda von Bülows aus Ostafrika bilden hier in gewisser Hinsicht eine Ausnahme und werden der Diskussion von Siedlungstexten vorangestellt). Die Geschichte Namibias im kolonialen Zeitalter ist bestimmt von weißer Herrschaft seit der Mitte des neunzehnten Jahrhunderts, als die Missionare anfingen, die politische Macht an sich zu reißen und „in den von ihnen kontrollierten Stationen Machtverhältnisse herbeizuführen, die ein möglichst ungehindertes ‚Heben,‘ ‚Erziehen‘ und ‚Entwickeln‘ der zu missionierenden Objekte ermöglichten" (Kamphausen 177). Die deutsche Kolonialregierung vertrat dann zunächst erfolgreich die Politik des „divide et impera", indem sie verschiedene Schutzabkommen mit einzelnen Stämmen traf und die hergebrachte Konkurrenz- und Kampfsituation zwischen den Stämmen für sich ausnutzte. Von daher dauerte es eine Zeit, bis sich die in dem „Schutzgebiet" ansässigen Afrikaner zum Widerstand organisierten. Kamphausen betont die wirtschaftlichen Gründe für diese Entwicklung, nämlich „die Begierde deutscher Farmer, die nach 1900 immer zahlreicher in die Kolonie Südwest strömten und die afrikanischen Ländereien für sich beanspruchten" (183) und die die Behörden zu Land- und Viehraub veranlasste, der die Afrikaner systematisch in die Lohnabhängigkeit trieb. Hinz, Patemann und Meier haben ebenfalls die Prinzipien der deutschen Kolonisierung in der Enteignung, dem Verkauf des „herrenlosen" Landes an die Siedler, der nachfolgenden Zertrümmerung der afrikanischen Gesellschaftsformationen und dem schrittweisen Aufbau der Kolonialverwaltung nach dem Gesetz der Apartheit gesehen (siehe 80, 113). Am systematischsten zeigen sich diese Prinzipien vielleicht in Hans Blumhagens Studie von 1934, *Südwestafrika: einst und jetzt*, in der die Koloniallegende von den tüchtigen Deutschen, die die deutsche Rechtspflege eingeführt, für Sicherheit und Ordnung unter den Eingeborenen gesorgt, Seuchen bekämpft und Schulen gegründet haben, wissenschaftlich verfestigt wurde (3). Patemann rekonstruiert die

Frühgeschichte der deutschen Kolonisation Südwestafrikas in seinem Beitrag „Wie ‚Grundsteine,' ‚Kerne' und ‚Keimzellen' deutscher Kolonien entstanden" (Hinz/Patemann.Meier 49-52) anhand der Reproduktion authentischer Dokumente wie der ersten Urkunden über diverse Landverkäufe. Der DDR-Historiker Helmuth Stoecker hat diese ökonomische Perspektive auf die Gründe und den Verlauf der deutschen Kolonisation insofern ergänzt, indem er ebenfalls auf die enge Verbindung zwischen der Landfrage und den Aufständen hingewiesen, aber eine politische Begründung hinzugefügt hat, indem er behauptet hat, dass die Kolonialgründungen der achtziger Jahre territoriale Ausgangspunkte schaffen sollten für eine später geplante forcierte Kolonialexpansion (27).

Die von Horst Gründer zusammengestellten Exzerpte aus den wichtigsten Quellen, die den Herero-Nama Aufstand von 1904/07 betreffen, bestätigen das Muster der „postprimären Widerstände", das die Entwicklung der deutschen Kolonien kennzeichnet im Zuge der Verwaltung nach dem Aufstand (siehe „... *da und dort ein neues Deutschland gründen*" 103): die Stammesverbände waren zerschlagen, das Stammesvermögen konfisziert, Passpflicht und Dienstbuch eingeführt. Mit Wucher, Branntwein und Vergewaltigung wurde die Widerstandskraft der Afrikaner systematisch gebrochen. Wie die tagtägliche Durchsetzung dieser Prinzipien funktionierte, verraten uns die literarischen Dokumente, die zwar nicht aus der Perspektive der kritisch-analytischen Durchdringung verfasst wurden, die aber das Zusammenleben und die Begegnung mit den Afrikanern ausführlich schildern. Die Kolonie nach der Zerschlagung des Aufstands wurde drakonisch verwaltet und Ordnung mit Brutalität durchgesetzt, wie die britische Regierung (sicher nicht ohne eigene Motivation) in ihrem Blaubuch zusammengetragen hat

> Nach der Niederschlagung der afrikanischen Befreiungsbewegungen der Herero und der Nama wurden drakonische Gesetze erlassen, die den Afrikanern untersagten, Land oder Vieh zu erwerben und sie zwang, Pässe bei sich zu führen; sie hatten Bestrafung wegen Landstreicherei zu befürchten, wenn sie nicht für die weißen Farmer arbeiteten. (Kamphausen 191)

Ironischerweise hat die systematische Ausrottungspolitik General von Trothas zu einem Arbeitermangel geführt, was wiederum seinerseits eine teilweise Lockerung der strengen Innenpolitik, angeregt durch die mildere Kolonialpolitik Bernhard Dernburgs (siehe Stoecker 113), erwirkt hat.

Helmut Bley hat die wohl gründlichste Studie von Südwestafrika unter deutscher Herrschaft vorgelegt, worin er von einem wachsenden Totalitarismus spricht, der nicht nur die politische, sondern vor allem auch die moralische Vernichtung der Afrikaner verfolgte (siehe *South-West Africa under German Rule* 223), deren koloniale Identität dann wiederum nach den Aufständen mit Hilfe der Reservate und der oben genannten ordnungspolizeilichen Maßnahmen ganz systematisch wieder aufgebaut wurde, aber eben auf grundsätzlich anderer Basis. Aus freien nomadischen Viehzüchtern, die von ihren angestammten Gebieten vertrieben wurden, wurden Lohnabhängige und Hausbedienstete. Die literarischen Texte, die sich mit der Frühgeschichte der deutschen Kolonie in Südwest bis einschließlich der Herero und Nama-Aufstände zu Anfang des Jahrhunderts beschäftigen, sind allesamt projektiv (weil propagandistisch) und versetzen die exzessive Gewaltausübung der sich zur Wehr setzenden Afrikaner in die Perspektive der deutschen Siedler und Militärs, was aber den ironischen und wohl nicht intendierten Effekt hat, dass die weißen deutschen Leser zuhause nicht nur über die „Tatsachen" in der fernen Kolonie unterrichtet werden, sondern sich auch in die emotionale und triebökonomische Situation der Weißen hineinversetzen und an der Schilderung lebhaften Anteil nehmen können.

I. Nachträgliche Feldzugsberichte und Schlachtbeschreibungen: Frenssens *Peter Moors Fahrt nach Südwest*

Gustav Frenssens *Peter Moors Fahrt nach Südwest: Ein Feldzugsbericht* (1906) ist ein literarischer Versuch einer Annäherung an die Schilderung von Kriegsereignissen. Sibylle Benninghoff-Lühl hat Frenssens rein fiktive Erzählung in den Kontext der zahlreichen Kriegsschilderungen aus der Perspektive von Augenzeugen gerückt, die allesamt den Kampf „als höchstes Glück und Sinnerfüllung soldatischen Daseins" vorstellen (113), woraus Lustgewinn entstehe und worin Tötungs- und Sterbevorgänge detailliert orchestriert und ausführlich beschrieben seien: die strategische Bedeutung dieser Schilderungen liege „eher in der Triebabfuhr unter soldatischen Männern, d.h. in der Verwandlung von Restenergie in Hilfeleistungen, die sich gezielt auf Vorgesetzte, Untergebene oder ‚Kameraden' richten und nicht primär auf Frauen bzw. ‚Feinde.' Zur Aufrechterhaltung der Truppenmoral ist diese Konzentration wesentlich" und wird in Nahkampfbeschreibungen abgewehrt, die die körperlich nahe und bedrohende Begegnung mit kämpfenden Afrikanern schildern (Benninghoff-Lühl 117). Die Ästhetisierung von Tötungs- und Sterbevorgängen weist meines Erachtens aber auch auf die masochistische Struktur dieser Schilderungen hin, die dem kämpfenden Helden (und damit dem sich mit ihm identifizierenden Leser) momentane Lustbefriedigung verspricht. „Eigene sexuelle Nöte, abgedrängt auf erlaubte Gedanken an ‚entsexualisierte' Frauen wie Mütter, Schwestern oder die entbehrten, weil daheimgebliebenen Bräute, aufgefangen auch durch die libidinöse Besetzung der jeweiligen Kameraden und Vorgesetzten, finden im Töten der Feinde eine momentane Befriedigung" (Benninghoff-Lühl 122). Diese hier skizzierte Psychodynamik funktioniert aber nicht nur, weil die zerstörerischen Ambitionen gegen den eigenen lustfeindlich erzogenen Körper auf den Feind projiziert werden (siehe Benninghoff-Lühl 123), sondern weil die Logik des Masochismus greift und aus dem Aufschub von Lustversprechen Lustgewinn zieht. Nur, wenn wir diese Kriegs-

schilderungen durch die Brille der masochistischen Theatralik sehen, wird die
Vorrangstellung des kämpfenden Helden und die Befriedigung seines maso-
chistischen Verlangens nach Aufschub und gleichzeitigem voyeuristischen
Blick auf den lustbesetzten Körper des schwarzen Feindes deutlich.

Neben der Ästhetisierung von Feldzugsberichten und der Projektion von
zerstörerischen Tendenzen gegen den eigenen Körper auf den Feind im
(Nah)kampf hat Benninghoff-Lühl auch auf Frenssens umfangreiche Recher-
chierarbeit hingewiesen, die den tatsächlichen Mangel an Erfahrung vor Ort
kompensieren sollte (124), den Realismus in der Beschreibung der soldatischen Gefühlswelt erwähnt (125) und das spezifisch afrikanische Feindbild,
das in der Erzählung entsteht, charakterisiert: Moors Körperlichkeit werde
durch die sinnenfreudigeren Afrikaner bedroht und seine Angst vor Dreck und
Unordnung geschürt. „So bekämpft er die Hereros nicht dafür, daß sie – wie er
vordergründig erklärt – deutsche Farmen überfallen haben, sondern weil sie
alle Eigenschaften in sich vereinigen, die in seiner Kindheit aberzogen worden
sind" (Benninghoff-Lühl 127). Dies mag auch die Popularität des Buches erklären, das im Erscheinungsjahr bereits 44.000 Exemplare, im zweiten Weltkrieg dann bis zu einer halben Million Exemplare jährlich abgesetzt hat (Benninghoff-Lühl 133). Peter Moors Erfahrungen sind, dieser Theorie zufolge,
zwar exotischer Natur, was den Schauspielort anbelangt, aber psychologisch
treffen sie auf viel Verständnis in einer Generation, die sich mit der
(klein)bürgerlichen Herkunft und Erziehung des Helden zum großen Teil
identifizieren kann.

John Noyes hat zudem auf die narrative Diskrepanz zwischen dem Ort der
Erfahrung (Afrika) und dem Ort der Erzählung (Hamburg) hingewiesen, der in
dem letzten Absatz der Erzählung – quasi wie ein Nachgedanke – angehängt
wird („National Identity, Nomadism, and Narration" 89ff). Dort ist die Rede
von der Begegnung Moors mit einem „Mann in mittleren Jahren", der ihn so
dies und das fragte.

> Im Laufe des Gespräches kam es heraus, daß ich schon oft im Elternhause von
> ihm gehört hatte; denn er war von Kind an mit meinem Vater bekannt gewesen.
> Ihm habe ich alles, was ich gesehen und erlebt und was ich mir dabei gedacht
> habe, erzählt. Er hat dies Buch daraus gemacht. (Frenssen 209-10)

Diese merkwürdige Einführung einer Erzählerfigur im letzten Absatz, die ungenannt bleibt durch das ganze Buch hindurch und keine Konturen bekommt,
hat John Noyes zufolge den Effekt, dass Moors Reflexionen über den Feldzug
in Südwest der Eindruck der Authentizität genommen wird und stattdessen das
Thema des Nomadentums und Heimkehrens in den Mittelpunkt rückt

> I will attempt to show that the contradiction expressed in the final sentence has to
> do with the vital function the book accords to the idea of returning home and nar-
> rating. It has to do with this moment when narrative is cashed in for reality.
> When the witness returns to tell his story, he reassembles the fragmented wan-

dering subject, the nomadic subject, as a stable national subject. (Noyes, „National Identity, Nomadism and Narration" 89-90)

Hiernach ist das angehängte Ende mit der unmotivierten Einführung einer Erzählerfiktion funktional, denn es garantiert die neue Zusammensetzung der Erzählung in einem nationalen Kontext, der gegen Nomadentum (als das ewige Wandertum, aber auch als Produktionsweise) ausgespielt wird:

> As the novel progresses, home becomes increasingly important as the place that authorizes subjective mobility while retaining the integrity of national identity. This is possible only because home is the place where narration is possible. (Noyes, „National Identity, Nomadism, and Narration" 102)

Man könnte vielleicht sogar von dieser Episode aus verallgemeinern und behaupten, dass die handlungstechnische Konstruktion dieser Erzählung im allgemeinen recht künstlich gehalten ist: wie Peter Moor nach Südwest kommt ist einer Reihe von Zufällen zu verdanken, die nur am Rande erwähnt werden (das Treffen des Jugendfreundes, der auf Reichskosten nach Übersee fahren will), der Feldzug und warum Moor sich an einigen Patrouillen beteiligt, bleibt ebenfalls recht unklar, und warum er dann heimgeschickt wird (angeblicher Herzschaden) und sein zufälliges Treffen mit dem Autor auf dem Hamburger Jungfernsteg sind alles Momente, die sehr konstruiert erscheinen und unsere Aufmerksamkeit von der Handlung auf strukturelle Momente lenken, die den Text durchziehen. Ich möchte hier ergänzend zu Benninghoff-Lühl und Noyes, die beide auf zentrale Themen hingewiesen haben, auf die Struktur der Erzählung zu sprechen kommen und untersuchen, was erzählt wird und was nicht erzählt wird, um auf die Kompositionstechnik des Textes zu sprechen zu kommen und dessen Beitrag zur Literarisierung masochistischer Szenarien beurteilen zu können.

Zunächst ist auffällig, dass die Eltern und die Schwestern, die in den ersten Kapiteln erwähnt werden, immer wieder sporadisch in der Erzählung auftauchen, sei es als Erinnerungsbilder oder in Gesprächen mit Kameraden, dass aber die Braut Maria Genthien, die Moor kurz vor seiner Abreise kennenlernt, mit keiner Silbe mehr Erwähnung findet.

> Am Anfang meines zweiten Dienstjahres, in den Weihnachtstagen 1903, war ich auf Urlaub bei meinen Eltern in Itzehoe und tanzte am zweiten Weihnachtstage auf dem Ball mit Maria Genthien. Ich kannte sie ein wenig von meiner Kindheit her; aber ich hatte sie nachher niemals wieder getroffen; ich wußte auch nicht, daß sie seit zwei Jahren in Kiel in der Holtenauer Straße diente. Als wir zum drittenmal miteinander tanzten, lachten wir uns an und sagten beide zu gleicher Zeit: „Das geht schön!" Wir dachten aber mit keinem Gedanken daran, daß es eine ernste Sache werden könnte. Am Tage nach Neujahr ging ich wieder nach Kiel in den Dienst. (Frenssen 5-6)

Warum wird diese Episode erwähnt, wenn die Beziehung zu Maria Genthien von da ab keine Rolle mehr spielen sollte? Warum wird in einem auf realistische und psychologische Motivierung angelegten Text erzählt, dass beide mit keinem Gedanken daran dachten, dass es eine ernste Sache werden könnte, wenn es nicht genau so kommen sollte? Was mit der Erwähnung dieser Episode erreicht wird, ist die Bestätigung der Lustbesetzung, die später im Text sich an Hand anderer Objekte genau nach diesem Muster wiederholen wird. Peter Moor wird somit nicht als sexuell aktiver Protagonist in den Mittelpunkt gestellt, der sich seine Hörner in dem afrikanischen Busch abstößt, sondern gleich zu Anfang als masochistischer Genießer von Lustaufschub vorgestellt, der sich an der Betrachtung bildlicher Szenarien weidet. Warum wird erst im letzten Absatz erwähnt, dass Peter Moors „Ich" von einem anderen Autor retrospektiv zusammengesetzt wurde? Nicht nur, um das Thema der Heimkehr in einem nationalen Kontext anklingen zu lassen, sondern auch, weil die masochistische Lust (hier von den Lesern projektiv nachempfunden) immer eine indirekte ist. Der Ich-Erzähler von „Venus im Pelz" bleibt ebenfalls ungenannt, wogegen der Autor der Lebensbeichte, Severin von Kusiemski, lebhaft in Erinnerung bleibt. Die masochistische Konstruktion, die der männliche Protagonist erfährt, ist immer eine erzählte (bzw. eine gelesene).

Das masochistische Gedächtnis ist ein Bildergedächtnis. Die Grundstruktur von *Peter Moors Fahrt nach Südwest* ist die Abwechslung von berichteten Dialogen und Bildbeschreibungen. Peter Moor fungiert somit als Berichterstatter von anderen Stimmen wie auch als Kommentator von Bildern, die ihm gedanklich entgegenkommen und deren Ästhetik er masochistisch liest. Wie sich diese Grundstruktur der Erzählung entfaltet, möchte ich als nächstes vorstellen. Die erste Stelle, an der die Vermischung von Dialog und Bildbeschreibung stattfindet, ist die entscheidende Begegnung mit dem Jugendfreund Heinrich Gehlsen, von dem Moor als erstes über den Aufstand in Südwest hört:

> Vierzehn Tage später, am Abend des 14. Januar, ging ich mit Behrens und einem anderen Kameraden durch die Dänische Straße; da kam Gehlsen uns entgegen, der nun wirklich als Einjähriger diente und bei meiner Kompanie stand, und sagte zu mir: „Hast Du schon gelesen?" Ich sagte: „Was denn?" Er sagte: „In Südwest haben die Schwarzen feige und hinterrücks alle Farmer ermordet, samt Frauen und Kindern." Ich weiß ganz gut in der Erdkunde Bescheid; aber ich war erst doch ganz verwirrt und sagte: „Sind diese Ermordeten deutsche Menschen?" „Natürlich", sagte er: „Schlesier und Bayern und aus allen andern deutschen Stämmen, und auch drei oder vier Holsteiner. Und nun, was meinst Du, wir vom Seebataillon […]." Da erkannte ich plötzlich in seinen Augen, was er sagen wollte. „Wir müssen hin!" sagte ich. Er hob die Schultern: „Wer sonst?" sagte er. Da schwieg ich eine kurze Weile; es ging mir sehr viel durch den Kopf. Dann war ich damit fertig und sagte: „Na, denn man zu!" Und ich freute mich. Und ich sah im Weitergehn die Leute an, die des Weges kamen, ob sie vielleicht schon wüßten und uns anmerkten, daß wir nach Südwest gingen, um an einem wilden Heidenvolk vergossenes deutsches Blut zu rächen. (Frenssen 6)

Zunächst ist es wichtig zu erkennen, dass die Informationsvermittlung wiederum indirekt geschieht und auf einen mit der Weltgeschichte nicht sonderlich vertrauten Peter Moor trifft. Noyes hat darauf aufmerksam gemacht, dass es Gehlsens Übersetzung der Information in den Diskurs der Regionalidentität ist, die Moor positiv umschwingt, wonach er willig die Rolle des Rächers von vergossenem deutschen Blut zu spielen bereit ist („National Identity, Nomadism, and Narration" 93). Es ist zwar richtig, dass die Betonung von regionaler Identität in diesem Text quasi fetischistisch eingesetzt wird und den allgemeinen Ton des nationalen Diskurses unterstreicht, aber ich glaube nicht, dass Peter Moor an dieser Stelle so überzeugt von der nationalen Sache ist, wie ihm das unterstellt wird. Sein „Wir müssen hin!" könnte genauso der Ausdruck eines großen Schreckens sein wie ein Begeisterungsruf, denn es kommt etwas auf ihn zu, das ihn aus seiner gewohnten Umgebung herauslöst und in ganz unbekannte Bahnen lenkt. Die Schweigeminute nach diesem Ausruf ist Ausdruck von Unsicherheit, die kompensiert wird durch die Annahme einer neuen Rolle, die er als Bild ausgestaltet. Der Aufbruch nach Südwest wird von Peter Moor als Gefahr seiner (klein)bürgerlichen Sicherheit empfunden. Er wird noch vor der Abfahrt „von dem Gedanken bedrückt, daß ich fortgebracht würde und mich nicht dagegen wehren könnte und in der Fremde vielleicht Furchtbares erleben müßte" (Frenssen 12). Diese Angst wird jedesmal überspielt durch die Aktivierung von Moors Bildergedächtnis. Beispielsweise stellt er sich bei der Vorbeifahrt an den schroffen englischen Felsen – in Analogie zu Odysseus' Reise – die Überfahrt der friesischen Vorfahren nach England vor und malt sich „die wilden Kämpfe aus, die sie bestanden hatten, ehe sie oben auf diesen hohen, starken Ufern Hütten gebaut und Heimat gefunden hatten" (Frenssen 14). Als Bild kann das abgebildete Thema der wilden Kämpfe durchaus lustvoll nachempfunden werden. In seiner Ästhetisierung kann der masochistische Betrachter die bedrohende Erfahrung von Realität filtern und sein Verlangen nach Steigerung dieser Lust vermehren.

Das Thema der Bildbetrachtung zieht sich, wie gesagt, durch den gesamten Text. Moor betrachtet das Bild seiner Eltern auf dem Schiff (Frenssen 15), er malt sich vor der Ankunft in Südwest ein romantisches Afrikabild aus mit Urwäldern, Affen und Antilopen, so wie es die Afrikamaler vermitteln (aber eben keinen Giftschlangen oder rebellischen Einheimischen) (Frenssen 19), die Insel Madeira erscheint ihm wie aus einem Bilderbuch (Frenssen 22), an der Küste Afrikas sieht er die lieblichen Hütten (Frenssen 27), auf der Zugfahrt zu ihrem ersten Einsatzort und bedingt durch Wassermangel sieht er Nebelbilder (Frenssen 40), bei seiner ersten Begegnung mit dem Feind betrachtet er ausführlich die halbnackten Körper (Frenssen 43) und langsam aber sicher verfestigt sich in ihm eine Beziehung zu der Landschaft, die immer mehr erotisch besetzt ist:

> Mir gefiel diese Landschaft, durch die wir an diesem vierten Tag fuhren, ziemlich gut. Eine kleine und größere Art von Antilopen, Rehen ähnlich, liefen zuweilen allein oder in Rudeln, behende über die Blößen im Busch. Fremdartige Vögel, etwas größer als Rebhühner, grau und weiß gesprenkelt, flogen über die Büsche hin und ließen sich nieder. Baumgruppen standen stattlich und schön in

dem weichen Grün, von fern schauten grüne Bergabhänge nicht unfreundlich herüber. (Frenssen 44)

Die Landschaft wird als zwar nicht unfreundliche, aber immer mehr undurchdringliche Natur erfahren und wie die Oberfläche eines Körpers beschrieben, der erobert werden muss. Auch die zentralen Momente des Feldzugs werden für Moor als Bild erfahrbar, beispielsweise wenn verlassene Hütten der Herero gefunden und in Brand gesteckt werden: „Obgleich wir so müde waren, nahmen wir uns doch Zeit, sie anzustecken, und standen nachher auf einer Steigung unseres Weges und sahen zurück. Die Glut färbte weiterhin den Abendhimmel" (Frenssen 62). Erst in dieser ästhetisierten Form als Bild wird die Feindbegegnung für Moor erfahrbar.

Eine andere zentrale Stelle, an der die Wechselwirkung zwischen berichtetem Dialog und nachfolgendem Bildgedächtnis wirksam ist, sind die Szenen, in denen Moor sich einer Gruppe „alter Afrikaner" anschließt, die unter sich die Gründe des Aufstands debattieren und erstaunlich kritische Einsichten in die wirtschaftlichen Ursachen der beiderseitigen Grausamkeit zeigen. Der Erzähler berichtet alle diese verschiedenen Perspektiven detailliert, lässt aber Moor nicht kommentieren. Stattdessen spekuliert er darüber, dass er in den Wochen der endlosen und heißen Marschtage, des gnadenlosen Sonnenbrands, des Hungerns und vor allem des Durstens „das wunderliche, endlose Land lieb gewonnen" habe (Frenssen 69). Die Landschaft ist somit emotional besetzt und gleichzeitig in eine masochistische Struktur gezwungen, die Verlangen steigert durch ihre Endlosigkeit und letztendliche Undurchdringlichkeit. Die Textpassagen, die dialogisch verschiedene Stimmen wiedergeben, und die Stellen, an denen Moors innere Bilder erzählt werden, sind im Text unmotiviert nebeneinander gestellt. Eine Erzählform folgt abrupt der anderen.

Die Erzählung der ersten Nahkampfbegegnung folgt ebenfalls dem Muster der Verbildlichung: „Wie war da alles friedlich und rein und schön. Und ich zog hier in fremdem Land, weit fern von der Heimat, mitten unter wilden, heidnischen Feinden, müde, hungrig und in schmutzigen Lumpen" (Frenssen 82). Unmittelbar danach fällt Moors Kamerad Behrens und er fühlt „etwas Fremdes" herankommen: „In Klumpen lag und kniete und schlich es zwischen den Büschen. Ich sah keinen einzelnen: Nur eine Masse. Es kam ganz nah" (Frenssen 84). Als sich die fremden Menschen „wie Schlangen" aus dem Gras erheben, sieht Moor „eine schwarze, halbnackte Gestalt, wie einen Affen, mit Händen und Füßen, das Gewehr im Maul, auf einen Baum klettern, und zielte nach ihm, und schrie auf vor Freude, als er am Stamm herunterfiel" (Frenssen 85). Trotz der immanenten Bedrohung erlaubt die Beschreibung dieser Begegnung doch die Analyse von Moors Gefühlen im Moment des Angriffs: er fühlt – nicht lustlos – wie eine bedrohliche Masse auf ihn zukommt, wie sie sich erhebt „wie Schlangen" und wie ein Einzelner „halbnackt" und „wie ein Affe" auf einen nahen Baum klettert. Warum schreit Moor auf vor Freude, als er diesen „Affen" vom Baum herunterschießt? Natürlich ist die immanente Bedro-

hung dadurch abgewehrt, aber sein Schreien zeigt auch die emotionale Besetzung des Objekts an, das abgeschossen wird. Die Bedrohung durch die
schwarze Masse, die schwarzen Körper ist eine ganz essentielle, nicht nur militärische. Benninghoff-Lühl hat bereits auf die projektive Bedrohung der lustfeindlich erzogenen weißen Körper durch die (angeblich) lustbetonteren
schwarzen Körper hingewiesen, ein Moment, das sicherlich in dieser Szene
eine wichtige Rolle spielt. Aber entscheidend ist meiner Ansicht nach der
Bildcharakter der Szene, die militärisch gesehen unwichtige Details wie den
Vergleich mit Schlangen und Affen und den wilden Freudenschrei Moors in
den Vordergrund rückt. Zusammengelesen mit der Szene, in der Moor lange
den Körper eines der Treiber studiert, können wir die strukturelle Funktion des
masochistischen Betrachterblickes erkennen, der von der Ferne auf das verbotene Schauobjekt blickt: „Ich aber konnte meine Augen nicht von dem Treiber
abwenden, der, die lange Peitsche über der Schulter, mit langen, würdevollen
Schritten neben seinen Ochsen herging" (Frenssen 181). Der (verbotene) Blick
auf den schwarzen Körper versichert dem weißen Masochisten eine perverse
Form von Herrschaft.

Anhand der nächsten Szene können wir sehen, inwiefern das Abgleiten in
die Landschaftsbeschreibung unterdrückte erotische Gefühle kompensiert. In
Windhuk trifft Moor auf eine deutsche Farmersfrau, die so recht seinen Vorstellungen von Ordnung und Reinlichkeit entspricht und bei deren Familie er
abends zu Tisch sitzt. Dagegen regt er sich über die Kameraden auf, die „mit
den Weibern der Hottentotten reden und lachen": „Da ärgerte ich mich und
ging auf die lange Veranda, die nach Westen hin liegt. Dort stand ich lange
und sah nach den fernen Bergen, welche die sinkende Sonne vergoldete, und
dachte mit heftiger Sehnsucht nach Hause" (Frenssen 113). Dieses sich immer
steigernde Verlangen nach der Heimat wird gefiltert durch das immer größer
werdende Gefühl der Verbundenheit mit der Landschaft, die Heimat wie auch
Maria Genthien ersetzen muss. Mithilfe seines Bildergedächtnisses kommt
Moor das Land bei der zweiten Durchquerung immer bekannter vor, so als
hätten bereits seine Vorväter ihre Wagen durch dieses wilde Land gezogen
(Frenssen 122). Sogar Wolken von großen Heuschrecken, die zunächst wie
Gewitterwolken aussehen, werden Teil dieser emotionalen Besetzung: „Ich
aber schüttelte mich vor Entsetzen über dieses schreckliche, wunderlich
fremde Land, und kam durch sie hindurch" (Frenssen 169). Von hier aus ist
Moors Entschluss zum erneuten Besuch dieses Landes in nicht zu langer Ferne
verständlich, obwohl wir darüber, wie auch über die Beziehung zu Maria
Genthien, nichts weiter erfahren.

Die masochistische Struktur der Erzählung dieses Feldzugsberichts zeigt
sich natürlich auch da, wo man sie am ehesten erwarten würde, nämlich in den
ausgedehnten Schilderungen der endlosen Wanderungen durch die Wüste.
Statt des romantischen Afrikas mit seinen lieblichen Hütten am Strand gestaltet sich Moors Durchdringung des ungastlichen Landes als äußerst schwierig.
Er trifft nicht nur auf schwere Verluste bei den Gefechten, Typhus und quälen-

den Durst, sondern auch auf grausame Schlachtungen von deutschen Farmern durch die Einheimischen, zerstörte Haltestellen (Frenssen 41), zerstörte Farmhäuser (Frenssen 50), das Geheul wilder Tiere (Frenssen 51), die Körper von gefallenen Kameraden (Frenssen 53) und erschlagenen Farmern (Frenssen 62), nackte, verstümmelte und zerfressene Leichen (Frenssen 77), verbrannte Weiden (Frenssen 120), zerstörte Missionsstationen (Frenssen 120) und ausgetrocknete Wasserlöcher. Obwohl diese Erfahrungen Moors Gedenken an die Heimat immer mehr anstacheln, halten sie ihn dennoch nicht davon zurück, sich bei freiwilligen Patrouillen zu melden, um beim Siegen dabei zu sein, wie Moor sich selbst gegenüber diese Einsätze legitimiert (siehe Frenssen 108). Tatsächlich haben wir aber gesehen, wie die Erfahrung des schwierigen und stockenden Feldzugs gegen die Herero in Südafrika immer mehr aufgefangen wird in der lustbesetzten Erfahrung der Landschaftsdurchdringung, die Moors verdrängte erotische Wünsche projektiv verarbeitet und an die Stelle der sexuellen Begegnung mit seiner Braut rückt. Der gelegentliche voyeuristische Blick auf den schwarzen Körper seines Treibers und der ihm im Kampf begegnenden Feinde fungiert innerhalb des masochistischen Dreiecks als Bestätigung der Herrschaftsrolle des masochistischen Mannes, der die grausame Frau (hier: die Landschaft) zu manipulieren versucht und sich an der wiederholten Lustverschiebung und den quälenden Strapazen weidet.

II. Masochismus und Raumgestaltung in Gabriele Reuters *Kolonistenvolk*

Die zweite Phase und Modalität, die die deutsche Kolonialliteratur bestimmt, ist die literarische Beschreibung der Art und Weise, wie sich (im Nachvollzug der postprimären Konflikte) die Siedler und ehemaligen Militärs in der Kolonie einrichten, wie sie ihren Raum definieren, wie sie mit anderen Siedlern und Missionaren umgehen, wie sie die einheimische Bevölkerung behandeln und wie sie ihre Schicksale mit der Geschichte der Nation verweben. Von John Noyes haben wir bereits im letzten Abschnitt dieses Kapitels gehört, wie zentral die Frage der Raumverteilung war, nicht nur im praktischen ökonomischen Sinn, sondern auch im Zusammenhang von Konstruktionsaspekten, die das koloniale Projekt diskursiv bestimmen (vgl. „The Capture of Space" 53). Die nomadische Beziehung zum Raum, die von vielen einheimischen Stämmen Afrikas praktiziert wurde, wurde in der Begegnung der weißen Siedler mit diesen Stämmen und deren Notwendigkeit zur Landvermessung und zu Landbesitz wesentlich eingeschränkt, in einigen Fällen ganz ausradiert, in anderen Fällen vollkommen neu gestaltet. Ein Text, der die Frage der Raumgestaltung durch die Kolonisten im Argentinien der Jahrhundertwende behandelt, ist Gabriele Reuters wenig gelesener, heute nur noch in Bibliotheken erhältlicher Roman *Kolonistenvolk: Roman aus Argentinien* von 1897. Über die Erzählung von Raumerfahrung hinaus begegnen wir hier ebenfalls einem schematischen Gebrauch von Stereotypen, der masochistischen Gestaltung der Schicksale von deutschen Kolonisten und ihren Beziehungen zu der einheimischen argentinischen Bevölkerung, dem Primat der Landschaftsbeschreibung wie wir ihn bereits aus der Auseinandersetzung mit *Peter Moors Reise nach Südwest* kennen, sowie dem Versuch der Verwebung der Erzählung mit dem nationalen Diskurs.

Der Roman erzählt die Geschichte eines deutschen Geschwisterpaars Else und Paul Röver, die als Kolonisten im argentinischen Tucaman leben, wo Paul die Zuckerrohrfabrik eines reichen Argentiniers führt. Die Raumgestaltung ist durchgängig bipolar gehalten, wobei streng zwischen der Beschreibung der Estanzien der vornehmen spanischen Grundbesitzer und der schmutzigen Ranchos der Ureinwohner des Landes unterschieden wird. Im Gegensatz zu den literarischen Berichten aus Afrika folgt die deutsche Kolonisation eines Landes wie Argentinien, das bereits von den Spaniern kolonisiert und besiedelt wurde, einem ganz anderen Muster. Hier haben wir es mit einer doppelten Stereotypisierung zu tun: der Beschreibung der südamerikanischen Spanier auf der einen Seite und der Beschreibung der Lebensweise der Gauchos auf der anderen. Die Kultur und Lebensweise beider Bevölkerungsgruppen wird vollkommen durch die Fremdperspektive gefiltert und nicht als in sich funktionierendes kulturelles System erkannt. Die südamerikanischen Spanier werden von Else und Paul Röver (und dem Erzähler, der ihre Perspektive wiedergibt) als reklamesüchtig empfunden (Reuter 3), die jedoch bei jeder kleinsten Anstrengung in „Geseufze und Geklage und Zukunftssorgen" ausbrechen (Reuter 5); „der Südamerikaner pflegt stets einen weiteren Bogen um den zunächst liegenden Gedanken zu machen" (Reuter 113), er besitzt im Gegensatz zu dem typischen Deutschen wenig Sinn für die Schönheit der Natur an sich (vgl. Reuter 174), hat dafür einen stürmischen Freiheitsdrang, gleichzeitig einen Hang zum schroffen Despotismus wie auch einen kindlichen Lerneifer und einen finsteren Aberglauben (Reuter 230); äußere Sinne herrschen über seinen Verstand (Reuter 231) und er pflegt einen hochmütigen und neidischen Hass gegenüber Neulingen wie den deutschen Kolonisten (Reuter 244).

Mit dieser Einstellung gegenüber den sie umgebenden südamerikanischen Spaniern ist es kein Wunder, dass die Geschichte der Geschwister Röver sich hauptsächlich inzestuös innerhalb der kleinen deutschen Kolonie abspielt. Die Jugend von Paul und Else war von steter Aufopferung und Entsagung bestimmt (Reuter 18), was sie beide als masochistische Persönlichkeiten brandmarkt. Else, die an Gudrun erinnert, „jene sagenhafte germanische Königstochter, die zu den Diensten einer Magd verdammt wurde" (Reuter 8), wird begehrt von dem Aufseher Heinrichsen, der, wie es sich herausstellt, als Hans Heinrich von Ottenhausen der Bürde seiner adligen Familie mitsamt Frau und Kind entflohen ist und in Argentinien ein neues Leben angefangen hat. Diese Beziehung ist aus mehreren Gründen nicht realisierbar, obwohl Else ihm durchaus zugetan ist: zunächst ist Heinrichsens ausschweifende Lebensweise nicht passend für die deutsche Gudrun, die still den Haushalt ihres Bruders führt und von ihm wie ein Augapfel gehütet wird; dann steht letztendlich Heinrichsens Ehe mit Sylvia im Wege. Beide Gründe schicken Else in die masochistische Theatralik des willigen Aufschubs eigener Wünsche. Auf dem langen Ritt, auf dem Heinrichsen Else begleitet, entfaltet sich ein Verhältnis zwischen den beiden, das von „spontanem Mitleid und unwilliger Unterwerfung" gekennzeichnet ist (Reuter 42). Die wilde Natur, die durchdrungen wird, die gegenseitige Furcht, die überkommen werden muss und die „gewaltige Herde junger Stiere, die von ihren wilden Hirten über den Andenpass nach Chile getrieben wurden" (Reuter 56), dienen als Bilder der Verschiebung von Elses und Heinrichsens sexueller Anziehung, die mühsam bezwungen werden muss. In der klimaktischen Szene, in der sich Else und Heinrichsen vor den rasenden Stieren in eine nahe Höhle flüchten müssen, fällt Else vor Erschöpfung in Ohnmacht, Heinrichsen trinkt den letzten Tropfen Cognak aus ihrer Riechflasche und macht sich daraufhin verschämt aus dem Staub. Auch Heinrichsens Verzicht auf das Ausleben seiner Phantasien mit Else wird als masochistisches Leiden dargestellt, an dem er dann letztendlich zerbricht und sein Leben wegwirft. Heinrichsens Bruder, Joachim von Ottenhausen, der Else liebt, muss mit der Erfüllung seines Wunsches seinerseits warten, bis Heinrichsen tot aufgefunden wird und sie sich gebührlich von ihm verabschiedet hat. Else muss sich erst durch die Anziehungskraft der ihr zugeschriebenen Rolle als weiße Frau im masochistischen Szenario der Kolonie durcharbeiten, bevor sie Verzicht üben und sich den Verhältnissen anpassen kann.

Paul dagegen unterhält neben der inzestuös gefärbten Beziehung zu seiner Schwester ein heimliches, offen masochistisches Verhältnis mit einer Argentinierin aus Buenos Aires:

> In der ersten Reihe der Damen stand die Fremde aus Buenos Aires, die porteña. Wenn Röver das Auge erhob, sah er das matte Weiß ihrer Schultern und ihrer Arme aus dem schwarzen Spitzenkleide leuchten. Und sie bewegte ihre Glieder zuweilen mit einer langsamen, weichen Nachlässigkeit, deren Reiz den feurigen, jungen Direktor völlig gefangen nahm. (Reuter 28)

Donna Lastenio Indalacio ist eine reiche und schöne Witwe, die sich nur innerhalb der Blickdramaturgie der grausamen Frau bewegt und von daher ihre Anziehungskraft speist. Pauls nächste Begegnung mit ihr entstammt dieser Blickdramaturgie: Donna Lastenio präsentiert sich innerhalb des von ihr und ihrem Vater bewohnten Hauses, inmitten von Blumen, Kakteen und Marmor: „Aus dieser heiteren Farbenpracht hob sich die Gestalt der schönen Frau in ihren schwarzen, fließenden Spitzengewändern wirkungsvoll hervor. Nachlässig die Füße übereinander geschlagen, damit die rosa Seidenstrümpfe bis über die Knöchel sichtbar wurden, lag sie in einem langgestreckten Fauteuil und rauchte kleine Zigaretten" (Reuter 79). Sie wird oft mit einer Tigerin verglichen (Reuter 112) – damit Bezug nehmend auf die Tradition der Venus Ikonographie –, die den Mann in einen Bereich hinabzieht, in dem sich die Ich-grenzen auflösen und wonnevoll vermischen. In Gedanken an eine Begegnung mit Donna Lastenio ist Paul voller Hoffnung, „daß er mit ihr allein in die Nacht der Wälder hinabtauchen sollte und die grünen Wogen hinter ihnen zusammenschlagen würden, wie die Wellen des unermeßlichen, geheimnisvollen, schrecklichen Ozeans" (Reuter 115). Ihre Macht erhält diese grausame Frau aber nicht nur durch das immer wieder verschobene Versprechen der Auflösung der Ichgrenzen in einer vorgestellten wilden Vereinigung mit ihr, sondern eben durch ihre grausame Kälte gegenüber ihren Anbetern. Die Beziehung von Donna Lastenio und dem jungen Argentinier Rodrigo Maziel, die im zweiten Teil des Romans geschildert wird, zeichnet sich durch ausgesuchte Grausamkeit ihrerseits und extreme Abhängigkeit seinerseits aus (Reuter 158): „Unter dem Schatten ihrer Wimpern beobachtete sie dabei den armen Knaben, der zitternd vor ihr stand und sich hätte foltern – rädern – hängen – verbrennen lassen, wenn er dafür fünf Minuten lang der Vogel an ihrem Halse, an ihrem Munde hätte sein dürfen" (Reuter 161); Donna Lastenio, die allgewaltige Mutter, scheucht ihn aber wiederholt wie ein lästiges Insekt vondannen. Auch Paul kann sich erst von Donna Lastenio abwenden, als Sylvia, die Frau Heinrichsens, eintrifft und mit ihrer kleinen Tochter Munterchen auf Suche nach ihrem verschollenen Mann geht, bei der ihr Paul zur Seite steht.

Der zweite Teil des Romans konzentriert sich vom Handlungsablauf her auf Sylvias Suche nach ihrem Mann, die mit einem Aufruf in den Zeitungen, den Paul organisiert, beginnt und mit dem Auffinden des toten Hans Heinrich von Ottenhausen endet. Else weiß die ganze Zeit hindurch, dass Sylvias Mann sich in der Kolonie Heinrichsen nennt, da sie ihn auf der Photographie, die Sylvia ihr gezeigt hat, erkannt hat, behält aber diese Nachricht für sich und leidet still unter der Unmöglichkeit ihrer Verbindung mit Heinrichsen. Auch Heinrichsen, der mittlerweile versteckt und völlig verkommen in der Höhle haust, in der er sich mit Else vor der trampelnden Stierherde zurückgezogen hat, gibt sich Sylvia nicht zu erkennen. Er gibt nur dem kleinen Munterchen die zweite Hälfte des goldenen Herzens mit Sylvias Bild, was die Mutter nur noch zu weiteren unsinnigen Hoffnungen anstachelt. Mittlerweile wächst in Paul „ritterliches Mitleid" für Sylvia (Reuter 174), der „lieben, jungen, deutschen Frau" (Reuter 174), für die er „wehmütige Verehrung" empfindet (Reuter 175), die bald einer „heißen, quälenden Sehnsucht" weicht (Reuter 250), die – so will es das masochistische Paradigma – in Verzicht mündet angesichts ihrer Entscheidung, zurück nach Deutschland zu gehen und dort als Erzieherin zu wirken. Der überraschende Fund von Ottenhausens Abschiedsbrief an Sylvia, der sie zunächst in eine Ohnmacht, dann in wochenlange Qualen mit Malaria schickt, führt zu einer dramatischen Abschiedsszene, in der sie ihre Entscheidung zurücknimmt und sich für ein Leben mit Paul in der Kolonie entscheidet. Beide Geschwister müssen sich also zunächst durch die masochistischen Verlockungen, die in der Kolonie auf sie warten, durchkämpfen, bis sie zu dem Punkt gelangen, wo sie zu einer ruhigen und erfüllenden Beziehung finden. Von Paul und von Joachim von Ottenhausen heißt es zum Schluss: „Sie haben beide geheiratet. Und beiden Männern wurde das seltene Glück zu teil, dass sie Frauen ihr eigen nennen durften, um die sie lange hoffnungslos, in echter Liebe geworben" (Reuter 340). Von den Frauen hören wir nicht. Der Schluss des Romans verknüpft – unmotiviert – die Erzählung des Schicksals der zwei Paare mit dem nationalen Diskurs.

> Paul und Sylvia wissen, daß sie auf deutschem Boden nicht wieder festwurzeln können und doch sollen ihre Kinder Deutsche bleiben. [...] Else und ihr Gatte betrachten nach wie vor ihren Aufenthalt in Argentinien nur als einen Übergang. Ihre Zukunftsträume schweben fortwährend um eine gesicherte, bescheidene Existenz im Vaterlande. [...] Auch leben sie nicht in einer unberührten Wildnis, der jede kräftige Faust ihren Stempel aufzudrücken vermag. Sondern umgeben von der Halb-Kultur einer ihnen im tiefsten Grunde feindlichen, lebenskräftigen Masse, die nach eigenen Gesetzen vorwärts strebt und sich die Herrschaft um keinen Fuß breit rauben lassen wird. (Reuter 341-42)

Die emotionale Dimensionen dieser Erzählung ist durch die Erzählung von Raumgestaltung und Raumdurchquerung metaphorisch aufgefangen, wobei die Gegenwart von stereotyp erfassten Außenseitern (argentinischen Spaniern, Gauchos) als Kontrastfolie dient zum Durcharbeiten der masochistischen Grundstruktur, die die Begegnung von Menschen in der Kolonie kennzeichnet.

III. Paradigmen weiblicher Kolonialarbeit: Frieda von Bülows Ostafrika-Romane

Dieser frühe Roman aus der argentinischen Kolonie führt auf geniale Weise in die Verstrickungen von Masochismus und Raumgestaltung ein, die in der kolonialen Literatur aus Afrika dann wenig später zur Blüte kommen wird. Das semiotische Studium von Raumstrukturen ist eines der wenigen Beiträge, die die spärliche Sekundärliteratur zu diesem Thema geleistet hat. John Noyes beispielsweise hat die nomadische Beziehung zum Raum, die das Raumverständnis vieler afrikanischer Stämme charakterisiert, mit der europäischen Idee von Raumvermessung und Grenzziehung verglichen, die besonders die Anfangszeit in der Kolonie bestimmt hat und die das koloniale Projekt mit der ökonomischen Ausbreitung des Kapitalismus verknüpft:

> Initially in the process of colonization, the earth is divided and owned by the despot, marked with the despot's desire, charted by his explorers, and inscribed with the knowledge he authorizes, – but when capitalism engulfs this system, the earth is developed. Where the despot colonizes, the capitalist ,develops'. (,,The Capture of Space" 54)

> I would like to suggest that 19th century colonization (as opposed to the invasions, conquests and genocides of, for example, the Spaniards in South America) is characterized by this material capture and metaphysical totalization of nodal points by scientists, missionaries and administrative officials, with the armies

only intervening subsequently, when the new equilibrium becomes threatened by forces of resistance. The army is not only or no longer in the sole service of the despot. The army appears as the necessary companion of knowledge, simply because knowledge is only possible within the bounds of the law, but the role it plays will be determined by the constitution of this law as either the despot's desire, or else a unifying and self-defining principle projected onto the form of individual desire. („The Capture of Space" 58)

Dieser Gedanke führt Noyes dann zu der These Bhabhas, dass „the eventual aim of colonization is always the establishment of a machine whose ‚predominant strategic function' is the creation of a space for a ‚subject people' through the production of knowledges in terms of which surveillance is excercised and a complex form of pleasure/unpleasure is incited" („The Capture of Space" 54). Diese Stratifizierung von Raum wird in der Kolonialliteratur erzählt, wie wir an dem obigen Beispiel gesehen haben. Erzählte Kolonisierung ist immer verbunden mit der Einrichtung von Raum für die Kolonisten wie auch für die einheimischen Stämme, durch die sich die erzählten Körper hindurch konstituieren. Die erzählte Herrschaft über Räume schafft Orte, die nach innen wie nach außen abgeschottet sind durch ihre hierarchische Organisation. Thomas Nolden beruft sich in diesem Zusammenhang auf Henri Lefebvre, der zwischen Raumpraxis, Raumdarstellung und repräsentativen Räumen unterschieden hat:

In colonial politics and discourse, the element of space and the structure of spatial relationships are among the features that define the hierarchical organization of the imagined community and that differentiate between those who are within it and those who are not, between those at its center and those at – or beyond – its margins." (Nolden 127)

Die Erzählung solcher Raumaufteilung kann aber ihre ganz eigene Dynamik entwickeln und muss sich durch die verschiedenen Lagen von Raumstrukturen und Raumgeschichte durcharbeiten, um dann wiederum die Raumpraxis selbst zu kommentieren.

Die Möglichkeiten der Raumdurchschreitung, wie wir sie bei Peter Moor gesehen haben, wird in den Geschichten Frieda von Bülows und, später dann, Hans Grimms zur Erzählung von Selbstentfaltung. Die Geschichten und Romane Frieda von Bülows sind sozusagen die Gründungstexte der Modalität von Kolonialliteratur, die in dieser Sektion behandelt wird. Sie stammen aus den neunziger Jahren des achtzehnten Jahrhunderts und spielen allesamt in der Zeit, als Ostafrika durch die wagemutigen und nicht nur daheim recht kontroversen Eroberungszüge Carl Peters in den achtziger Jahren des neunzehnten Jahrhunderts zu einer deutschen Kolonie wurde. Frieda von Bülows Texte, angefangen mit dem Roman *Der Konsul* von 1891, den *Deutsch-ostafrikanischen Novellen* von 1892, *Ludwig van Rosen* ebenfalls 1892, *Tropenkoller* von 1895 und *Im Lande der Verheißung* von 1899 sind in letzter Zeit wegen ihrer Vermischung von Kolonialthemen und Frauenproblematik in den Schnittpunkt der Kritik gekommen. Friederike Eigler hat den ersten und den letzten Roman aus den neunziger Jahren als Fundgrube angesehen zur Darstellung einer komplexen Beziehung zwischen der privaten und der öffentlichen Sphäre im kolonialen Kontext. Obwohl Frieda von Bülow in ihrer Zeichnung der weiblichen Hauptfiguren eindeutig mit stereotypen Schablonen arbeite, würde in den Romanen selbst aber auch ein Raum beschrieben, in dem sich diese Frauenfiguren entfalten können, wo die Kolonie als eine Art *locus amoenus* im emanzipatorischen Sinne fungiert. Diese Perspektive sei in Bülows Texten allerdings immer gleichzeitig auch gekoppelt an die Bindung dieser Emanzipation an das (durchaus auch blutige) nationale Kolonialprojekt, indem einheimische afrikanische Stämme umgesiedelt, bekriegt, teilweise ausgerottet oder in Konzentrationslager gesteckt werden:

> What appears to be the novel's demand for emancipation, I argue, is inextricably linked with the protagonists's romanticized vision of colonial conquest, a vision that does not merely ignore but helps to legitimize the subjugation of the indigenous. Rather than searching for representations of colonial „reality" [...] I explore how the gendered and racialized identities Bülow constructs in the „personal" realm relate to the „political" realm, that is, the realm constructed by the colonial and nationalist discourses that inform her novels. Specifically, I discuss how her representation of the „personal" realm of gender and race relations is pervaded by the colonial/nationalistic practices of appropriation and exclusion and, conversely, how her representation of the „political" realm, via colonialist and nationalist discourses, relies on racial and gender stereotypes. (Eigler 71)

Von Bülows Texte werden somit zu Zeugen einer lebhaften Diskussion, in der Fragen der Frauenemanzipation mit Fragen des nationalen Interesses sich überkreuzen. Gleichzeitig findet in ihnen aber auch eine literarische Idealisierung der männlichen Erobererfigur (aka Carl Peters) statt, die wiederum beides in Frage stellt (siehe auch Wildenthal, *German Women for Empire* 59). Von Bülows Texte sind von daher eine reichhaltige Fundgrube zur Analyse verschiedener Diskurse, die zu Beginn der Kolonialbewegung miteinander in Konflikt getreten sind.

Russell Berman hat in dem Kapitel zur Kolonialliteratur in seinem Buch *Enlightenment or Empire* insbesondere von Bülows Novellen nicht so sehr als literarische Darstellungsorte von Frauenemanzipation interpretiert, sondern als Kritik an der patriarchalischen Verhaltensweise der kolonialen Verwaltung, als Kritik an der Internalisierung patriarchalischer Normen durch die Frauenfiguren wie auch als Charakterisierung des utopischen Potentials der Feminisierung des männlichen Kolonisten (siehe 180). Berman liest die Texte nicht wortwörtlich, wie Wildenthal, sondern behauptet, dass es sich um Parodien handelt, die die Darstellung der emanzipierten Frauen in den Kolonien einer sublimen Zeichnung des feminisierten Kolonisten opfert: „The hidden story of colonialism [...] is the metamorphosis of the Prussian officer into a female companion" (Berman, *Enlightenment or Empire* 184).

> Ultimately, for von Bülow the colony promises a radical queerness, a perpetual transgression of gender and, perhaps, racial separation, and this hybridizing uto-

pia is thwarted only by the conservative resistance and the authoritarian imperiousness of the German bureaucracy. (Berman, *Enlightenment or Empire* 174)

Von dieser offen geäußerten Kritik der deutschen Kolonialpolitik sind in der Tat alle Texte von Bülow durchzogen. *Der Konsul* bietet noch zusätzlich eine scharfe Modernitätskritik aus konservativer Perspektive, die ein trauriges Bild der europäischen Großstadt als Slum zeichnet:

> Mit Grauen dachte Sylffa der Armen seiner Vaterstadt Berlin. Er sah Arbeiter, deren Mark und Hirn der Branntwein verzehrt, die Gassen entlang schwanken und taumeln, viehische Rohheit in den Zügen, er hörte sie mit krächzender Stimme lästern und fluchen. Jammervoller noch und nicht weniger abstoßend waren die schattenbleichen, ausgehungerten Frauengestalten, die der Druck einer übermäßigen Arbeitslast zu vorzeitigen Greisinnen gemacht hatte, wie sie mühselig daherschlichen, die strophelkranken Kinder schleppend, hohläugig, hohlwangig, Angst, Haß und Gier im Blick! Das ist die Kultur der europäischen Großstadt! Das ist der Fortschritt! (Bülow, *Der Konsul* 37)

Diese Zeichnung der modernen Großstadt fungiert allerdings lediglich als Hintergrund für die eher utopisch gestaltete Beschreibung der Verhältnisse in der Kolonie, die sich demgegenüber als aristokratischer Raum aus vergangenen Zeiten darstellt, worin – mit wenigen Ausnahmen – lediglich Europäer höherer Klassen miteinander verkehren und wo statt Fabriken Plantagen stehen, die zwar auch mithilfe von einheimischen Lohnarbeitern funktionieren, die aber ihrerseits unsichtbar sind und deren Armut hinter der ethnischen Differenz verschwindet.

Ich möchte jetzt auf der Grundlage von Eiglers und Bermans Beobachtungen die Frage der masochistischen Inszenierung weiterdenken, die auch bei von Bülow eine zentrale Rolle spielt. In *Der Konsul* geht es von vornherein um Blickinszenierung. Konsul Sylffa regiert in seiner Kolonie mit Blicken: bei Tisch verschafft er sich Respekt dadurch, dass er demjenigen, der aus der Rolle fällt und Vertreter anderer Nationen beleidigt, einen scharfen Blick zuwirft (siehe Bülow, *Der Konsul* 55). Seine Gegenspielerin, Nelly Donglar, die er im Verlauf der Handlung dieses Buchs gewinnen und, das heißt, deren Blick er erobern muss, erscheint ihm zunächst als „zu kalt und klug" (Bülow, *Der Konsul* 74). Nelly Donglar ist die Inkarnation der grausamen Frau, die zunächst eher feindselig gegenüber Sylffa gesinnt ist, „denn er hatte sie links liegen lassen, hatte ihr vor der ganzen Gesellschaft gezeigt, daß er sich nichts aus ihr machte" (Bülow, *Der Konsul* 91). Ihre Kleider trägt sie „wie eine Fürstin" (Bülow, *Der Konsul* 94) und wenn sie ihn mit Blicken ruft, kommt er (Bülow, *Der Konsul* 108). Gegenüber der Dienerschaft ist sie herrisch, aber gegenüber der kranken Frau Gabelsberger, die mit ihrem Mann und Kind neu in die Kolonie gekommen ist, ist sie außerordentlich großzügig. Sie besucht sie und kümmert sich um ihr gesundheitliches Wohl. Den kleinen Franzel nimmt sie zu sich und kümmert sich mütterlich um ihn. Sogar mit Josefa, der böhmischen Begleiterin des jüdischen Schankwirts Nathanael Lindenlaub, befreundet sie sich. Erst durch diesen Prozess der Feminisierung der grausamen Frau gerät Nelly immer mehr in den nun erotisch geladenen Blick Sylffas. Bei einem seiner häufigen Besuche in der Donglarschen „Schamba" begegnet Sylffas Gegenspieler und Konkurrent, der Engländer St. Clair, zum erstenmal dem jungen Franzel Gabelsberger und sieht dann erst Nelly in der Pose der gezähmten grausamen Frau auf dem Diwan liegend, wie wir sie so gut aus der Kunstgeschichte kennen: „Nelly lag am entferntesten Ende des Raumes auf einem Diwan und las. Sie trug noch ihr loses weißes Morgenkleid und sah überwacht, blaß und leidend aus" (Bülow, *Der Konsul* 162). St. Clair nennt sie „grausam", als sie den Jungen wegen einer Unartigkeit fortschickt, aber Nelly antwortet, wie aus der Rolle gesprochen: „Kinder und Hunde müssen Apell haben, […] sonst sind sie unausstehlich" (Bülow, *Der Konsul* 164). Der Masochist St. Clair ist von dieser Grausamkeit angezogen, wogegen Sylffa Nelly nicht als Masochist erobern will, sondern ihr Herr sein möchte. In Bülows Texten ist es die Feminisierung der grausamen Frau, die die masochistische Inszenierung weitertreibt, indem sie selbst in die Rolle des Masochisten schlüpft.

In ihrer neuen Mutterrolle erscheint Nelly dem blickenden Sylffa immer anziehender (siehe Bülow, *Der Konsul* 173), jedoch dadurch auch wiederum entrückter. Hier macht sich die Dialektik des Masochismus bemerkbar: als grausame Frau war Nelly für Sylffa uninteressant, als selbstkasteiende Märtyrerin ist sie ebenfalls weit distanziert: „der Heiligenschein ihrer selbstkasteienden Opferwilligkeit und Entsagung rückte sie in unerreichbare Ferne, weit mehr als der Unterschied des geistigen Standpunktes" (Bülow, *Der Konsul* 175). Diese Distanzierung gilt es nun durch eine neue Blickdramaturgie zu ersetzen. Dies gelingt durch den unverwandten Blickaustausch, der die erotische Spannung zwischen Sylffa und Nelly offen zur Schau trägt:

> Er hatte noch nie so weich und freundlich zu ihr gesprochen. Sie sah auf in seine Augen und etwas unendlich Zartes, Süßes schlich sich in ihr Herz; es war sehr schön und ruhig und unbegreiflich! Sie verlor die Herrschaft über sich selbst.
>
> Einige Sekunden blickten sie einander unverwandt an; plötzlich beugte er sich über die Hand, die er noch festhielt, und preßte einen leidenschaftlichen Kuß darauf.
>
> Er hatte sie begriffen. (Bülow, *Der Konsul* 190)

Diese entscheidende Szene wird, wie überhaupt der ganze Roman, aus Sylffas Perspektive geschildert, weil es in erster Linie um seine Verwandlung in einen gebietenden und dominanten Mann geht, womit die Verwandlung Nellys in eine ihm ergebene Sklavin Hand in Hand geht, die beim ersten leidenschaftlichen Kuss eine „nicht einmal geahnte Lustempfindung dem Schmerz ähnlich" hat (Bülow, *Der Konsul* 211). „Seine Sklavin zu sein, würde mich glücklicher machen, als Euch anderen Alle miteinander zu regieren" (Bülow, *Der Konsul* 212), kann sie jetzt laut verkünden.

Wie alle von Bülowschen Helden wird auch Sylffas Tatendrang und Erfolgskurs von der deutschen Kolonialbürokratie gebremst. Als es zum Gegenstand von journalistischen Kampagnen gegen ihn kommt, verlangt er von Nelly, dass sie ihn aufgibt. Er selbst sieht sich als Märtyrer für die koloniale Sache; „dem Gesetz gehorchend, das er nicht verstand, wollte er das Haupt beugen und den Kelch des Leidens leeren, bis auf den Grund" (Bülow, *Der Konsul* 284). Nur ein von den Vertretern der deutschen Kolonie überraschend überbrachtes Anerkennungsschreiben vermag ihn aus dieser tiefen Depression herauszuholen. Lora Wildenthal hat behauptet, dass dieses Ende des Romans aufgesetzt wirkt:

> In Bülow's second novel, *The Consul* (1891), it is the Berlin Foreign Office, not the hero, Max von Sylffa, who is at fault; the Foreign Office wrong-headedly recalls him and thereby stymies his romantic happy ending with the heroine, Nelly Donglar. Yet Nelly Donglar has undergone a colonial education and becomes an exponent of the best kind of German nationalism, and so a nationalist happy ending is substituted for personal erotic gratification. (*German Women for Empire* 61)

In ihrer privaten Beziehung nähern sich Max Sylffa und Nelly Donglar quasi einander an: sie begegnen sich zunächst kommandierend, wobei ein jeder die Blickdramaturgie beherrschen will. Nelly stellt sich Sylffa gegenüber als grausame Frau dar, die kalt ist und klug urteilt. Die Texte der männlichen Kolonialschriftsteller werden dieses Szenario detailliert ausfüllen, die Perspektive des Voyeurismus ausweiten und die Frage des (verbotenen, aber dennoch erwünschten) Blickes des weißen Mannes auf die schwarze Frau und der weißen Frau auf den schwarzen Mann problematisieren. Frieda von Bülow versucht dieses Territorium zu verlassen mit einer anders konzipierten Figurenkonstellation. Im Laufe des Romans wird Nelly Donglar die Züge der grausamen Frau, die durch finanzielle Unabhängigkeit und räumliche Entfernung von einschränkenden Verhaltensnormen eine äußerst emanzipierte Stellung einnimmt, verlieren und mehr und mehr die der Sklavin annehmen, die zum Objekt der Blickinszenierung Sylffas wird. Gleichzeitig wird Sylffa von Leidenschaft überkommen, er erfährt persönlichen Triumph, aber berufliche Niederlage. In beiden Figuren können wir eine Art Feminisierung beobachten, wie sie Berman an Hand der Analyse der Figurenkonstellationen in den Novellen festgestellt hat und die dieser Dynamik des Masochismus eine besondere Note gibt.

Der Band *Deutsch-ostafrikanische Novellen* versammelt drei Texte, die alle am Rande der Kolonie spielen in einsamen Stationen, weit entfernt von der europäischen Zivilisation. Russell Berman hat hier bereits interpretatorische Vorarbeit geleistet, die ich ergänzen möchte um die masochistische Perspektive. Er hat „Der Heilige von Kialmasi" interpretiert als Dreiecksgeschichte von dem Reserveleutnant Reginald Witmann, dem Missionar Christian Forstner und seiner Frau Hedwig Forstner, die zwar eine gehorsame Frau ist, die sich unabhängig in der Kolonie entfaltet und den Afrikanerkindern das Nähen beibringt, aber gleichzeitig auch dem Angebot der verzehrenden Liebe, das ihr Witmann macht, nicht widerstehen kann. Diese Frau muss um der Möglichkeit der homoerotischen Beziehung zwischen Witmann und Forstner willen im Text geopfert werden (sie zieht sich absichtlich das Fieber zu und stirbt). Die latente Homoerotik ist bereits bei der aufopfernden Pflege Witmanns durch Forstner bei seinem ersten schlimmen Fieberanfall zum Vorschein und dann nach dem Begräbnis Hedwigs in der nun gefestigten engen Männerfreundschaft offen zum Ausdruck gekommen. Witmann ist der grausame Mann, der zu Beginn der Geschichte seine Arbeiter mit der Nilpferdgerte züchtigt, der Hedwig Forstner leidenschaftlich besitzen will, der beim Anblick eines Bildes der heiligen Cäcilie ein wirres Durcheinander von Lust und Pein empfindet (Bülow, *Deutsch-ostafrikanische Novellen* 74), der letztendlich Herrschaft über Hedwig gewinnt und sie damit in die Lagune treibt. Nach Hedwigs Tod wird Witmann heimisch, er baut sein Haus aus und wird zum „wahren Freund und getreuen Nachbarn" Forstners (Bülow, *Deutsch-ostafrikanische Novellen* 119). Bermans Beobachtung der Feminisierung Witmanns muss ergänzt werden durch den Kommentar von dessen neuer Stellung in der Blickdramaturgie des Masochismus: Witmann wird nach Ausradierung der Frau zum Blickobjekt Forstners. Beide kontrollieren jetzt gegenseitig den Voyeurismus des jeweils anderen auf die schwarzen Körper, die sie umgeben.

In „Mlinga Goni" wird ebenfalls ein zuverlässiger und zäher Mann, Gerhard Rüdiger, auf einen verlassenen Außenposten abgeordnet, wo er eine Tabaksplantage anlegt, nur um von der störrischen Kolonialbürokratie daran gehindert zu werden. Die „unerhörte Begebenheit" dieser Novelle ist, dass sein Jugendfreund Felix Landolf (wieder eine Carl Peters Figur) ihn aufsucht, um seine jung angetraute Ehefrau Sophie bei Rüdiger abzuliefern, während er auf eine abenteuerliche Expedition geht. Die Haupthandlung der Novelle entfaltet dann die Komplikationen, die durch die wachsende gegenseitige Anziehung, die zwischen den beiden besteht, entstehen. Rüdiger hat Landolf versprochen, dass er Sophie nie den Hof mache (Bülow, *Deutsch-ostafrikanische Novellen* 143). Bereits ihre Ankunft wird als gegenseitige Blickdramaturgie inszeniert:

> Unter der großen, die Landungsstelle bezeichnenden Palme standen zwei Frauen, eine schlanke, weißgekleidete Europäerin und eine Goanesin, als solche durch die dunkle Olivenfarbe des romanisch geschnittenen Gesichts erkennbar. Letztere tauschte in dem weich klingenden Kisuaheli Bemerkungen mit den Trägern aus, während die Europäerin, unbekümmert um das Treiben in ihrer Nähe, die Augen mit der Hand beschattend, in die Landschaft hineinsah. Als sie sich der Landseite zuwandte, bemerkte sie die imposante Gestalt Rüdigers, die sich unter einem großen Sonnenschirm wandelnd, ihr näherte.
>
> Sie ging ihm rasch ein paar Schritte entgegen. Beider Augen begegneten sich forschend, doch überwog in dem Blick des Mannes eine freundliche Theilnahme, während der ihre nicht frei von unruhiger Spannung war. (Bülow, *Deutsch-ostafrikanische Novellen* 145-46)

Die gesamte Annäherung zwischen Rüdiger und Sophie Landolf läuft über die Verschiebung in der Dynamik solcher Blickdramaturgien. Während Sophie zu Beginn noch schwärmerisch ein Miniaturbild ihres Mannes betrachtet, wird sie später zur aktiv Blickenden und wirft erotisch besetzte Blicke auf einen jungen Araber „von ungewöhnlicher Schönheit" (Bülow, *Deutsch-ostafrikanische Novellen* 166), nur um kurz danach festzustellen, dass es sich um den Neffen des Wali und Geheimsekretärs Achmed handelte. Sophie wird somit auch als Blickende in die Handlung eingeführt. Dass die Leidenschaft zunimmt zwischen Sophie und Rüdiger, erfahren wir durch vermehrte Beschreibung von Rüdigers Betrachterblicken seinerseits und wiederholte Äußerungen über den Zusammenhang von Lust und Qual ihrerseits. Sophie meint, auf Mlinga Goni Glück zu empfinden, was sie als „Abwesenheit des Schmerzes" definiert. Ihre Ehe mit Landolf dagegen bezeichnet sie als Höhepunkt von lustvollen Qualen. Als die gegenseitige Anziehung zwischen Rüdiger und Sophie so stark wird, dass es sie zueinander zieht, leistet er heroischen Verzicht, um sein Versprechen an den Freund einzulösen, aber in diesem Verzicht ist ebenfalls ein Rollenwechsel angezeigt. Berman hat bereits die Überkreuzung der Geschlechtsmerkmale, der männlichen Qualitäten der klugen Sophie und der weiblichen Qualitäten Rüdigers bemerkt, die im Laufe der Novelle zunimmt. Sophie wählt die Fortführung des lustvollen Qualverhältnisses zu Landolf (und damit des Vaters) über die emanzipatorischen Verwirklichungsmöglichkeiten in der Kolonie jenseits von Schmerz und verkennt damit die Möglichkeiten, die für sie als tätige Frau bestanden hätten. Rüdiger verzichtet auf Leidenschaft, um allerdings kathartisch aus dieser Erfahrung herauszukommen als „besserer" feminisierter Kolonist und froh in die Zukunft sehen zu können.

Auch Leutnant von Derendorff in „Das Kind" ist Stationsvorsteher und legt Pflanzungen an. Auch er wird in einer Art Spiegelszene eingeführt, die seine entscheidende Männlichkeit bestimmt, der er sich entledigen muss, um das Kind zu retten, das er vor abergläubischen Praktiken bewahrt hat. Mit anderen Worten, Derendorff muss zur Mutter werden, oder zur afrikanischen Königin, wie Berman sagt (*Enlightenment or Empire* 191), was in einer eindrucksvollen Schilderung eines Fiebertraums geschieht, wo die Schmerzen der Geburt symbolisch simuliert werden. Alle drei Novellen stehen kritisch vis à vis der auf der Oberfläche erzählten Handlung. Was die Zeitgenossen und dann die Leser der neuen Ausgaben im Dritten Reich als Beschreibung von Frauenpionierarbeit sahen – die Spiegelung der Biographie Frieda von Bülows in den Frauenfiguren ihrer Texte, das heißt die aristokratische Herkunft, das Aufwachsen in der Kolonie, die Begegnung mit Carl Peters, dann die koloniale Frauenarbeit, die Beziehung zu ihrem Bruder, die Errichtung von Krankenstationen in Ostafrika sowie auch die Rückkehr nach Ostafrika auf die Pflanzung ihres Bruders – , entpuppt sich als Verschiebung der masochistischen Problematik auf die Frauenfigur, die der Aufgabe der kolonialen Pionierarbeit sich nicht stellt und stattdessen patriarchalen Lustangeboten wie der Reginald Witmanns, Gerhard Rüdigers und Konsul Sylffas nachgeht.

Tropenkoller (1895) gestaltet die Geschichte der Beziehung Eva Birons zu Ludwig van Rosen. Eva Biron ist von vornherein eine Blickende. Sie „hatte im Grunde ihres Herzens den Drang zu herrschen und zu bestimmen" (Bülow,

Tropenkoller 127), der durch die voranschreitende Zähmung und allmähliche Feminisierung dieser grausamen Frau durch die Krankenpflege abgedämpft wird. Auch van Rosen ist nicht masochistischen Phantasien abhold. Er erinnert sich an seine Kindheit und Jugend, die standesgemäße, aber arme Erziehung, seine Geldheirat. „Die Leidenschaft zu einer schönen, aber unmoralischen Frau war die nächste Episode. Er hatte die Ehe gebrochen, hatte sich selbst verloren, fortgeworfen, zum Schleppträger und Sklaven erniedrigt" (Bülow, *Tropenkoller* 145-46). Mit zunehmender Abschwächung von Eva Birons Grausamkeit wächst Rosens Sehnsucht, „vor ihr in die Knie zu sinken und den Saum ihres Kleides zu küssen" (Bülow, *Tropenkoller* 178). In dem Moment, wo Evas Bruder stirbt und sie sich endgültig abwendet von Rosen „kam er auf sie zu, sank vor ihr in das feuchte Gras, umklammerte sie und küßte ihr Kleid, ihre Knie, ihre Hände, wie nur schmerzlich zurückgedrängte Liebe küßt" (Bülow, *Tropenkoller* 289). Dieser Roman, der die Stereotypen des Kolonialromans (die Schilderung des Zaubers der Landschaft, die exzessive voyeuristische Schilderung von Tanzritualen, die Erzählung von Bildergedächtnis, die Wiedergabe des weitverbreiteten Diskurses über „den Neger" als faules Kind und die Vernetzung der Geschehnisse in der Kolonie mit nationalen Interessen) weitertreibt, zeigt die gegenseitige Überkreuzung von Feminisierungstendenzen in den Protagonisten besonders schematisch an.

Der Roman *Im Lande der Verheißung* schreibt die Geschichte der deutschen Kolonie in Ostafrika, wie sie in *Der Konsul* begonnen wurde, weiter und schlägt vom Genre her die Brücke zwischen Siedlungstexten und Reiseberichten. Dieser Text wurde im Zuge des Aufschwungs der kolonialen Bewegung der Nazizeit wieder aufgelegt und hat, wenn man den Berichten Glauben schenken kann, eine breite Leserschaft gefunden. Zu Beginn des Romans wartet der Pflanzer Baron Dietlas auf seine frisch angetraute Frau, Baronin Maleen Waltron, die mit dem Postdampfer nach Ostafrika unterwegs ist. Bereits vor der Ankunft von Maleen ist der Diskurs der Emanzipation mit dem der Nation und der Entbehrung eng verknüpft in den Tischgesprächen der Kolonie, wo Engländer und Franzosen stolz die Erfolge ihrer Kolonialarbeit preisen. Maleens Zuneigung zu ihrem Mann ist eindeutig verknüpft mit dessen kolonialer Arbeit im Namen Deutschlands, der sie sich willig unterwerfen will:

> Ich habe dich liebgewonnen, weil du hier für die deutsche Zukunft arbeitest und dein Geld daran gibst. Ich habe dich geheiratet, weil ich dir helfen wollte und dir ein Ersatz sein für das viele, was du freiwillig entbehrst. [...] Etwas schaffen wollen wir – das heißt, du sollst durchsetzen und schaffen, und ich will dir dabei ein wenig helfen, so gut ich kann. Nichts, nichts sonst lockt mich. (Bülow, *Im Lande der Verheißung* 22-23)

Georg Dietlas ist zart und gütig mit ihr, er verwöhnt sie, aber er behandelt sie wie ein Kind und eben nicht wie eine Partnerin in der kolonialen Arbeit, so wie sie sich das vorgestellt hat. Neben emanzipatorischer Kolonialarbeit für die Zukunft Deutschlands hegt Maleen aber auch wenig unterdrückte Gefühle für eine andere Art von Beziehung, die sie zu einem anderen Mann haben könnte und die von Masochismus durchsetzt ist:

> Ihre Gedanken verwirrten sich. Sie dachte sich an der Seite eines anderen, der nicht zart und gütig war und sie nicht verwöhnte, sondern hart und kühl mit ihr umging und immer neue Beweise ihrer Hingebung beanspruchte, immer neue Opfer [...] Und dem diente sie und opferte. Sie warb um sein Lächeln, um einen kleinen zärtlichen Blick. (Bülow, *Im Lande der Verheißung* 19)

Diese Art von Beziehung, die ihr im Halbschlaf vor Augen kommt, wird sie mit Ralf Krome (der Carl Peters-Figur in diesem Text) durchleben – wenn auch nur in sublimierter Form. Aber die Anlage zu dieser Art von weiblichem Masochismus, der vom Szenario her gesehen parallel zu dem Krisensubjekt des männlichen europäischen Masochisten konzipiert ist, wird auch durch die Zeichnung von Maleen als Blickende validiert. Maleen blickt gleich zu Ankunft ihre schwarze Zofe an, die „mit anmutiger Schönheit" ihre ganze Aufmerksamkeit in Anspruch nimmt (Bülow, *Im Lande der Verheißung* 10); Maleen schaut auch „belustigt auf die wilden schwarzen Gestalten der Packträger, die als einziges Kleidungsstück einen schmutzigbraunen Lendenschurz trugen" (Bülow, *Im Lande der Verheißung* 12). Ralf Krome ist der grausame Mann von Maleens heimlichen Tagträumen. Er kommt nach Ungudja, um eine Kolonie zu schaffen. Für Krome ist Maleen zweckmäßig, denn sie könnte in ihrem Salon die Stimmung machen, die für eine solche Tatkraft notwendig wäre. Krome fragt nicht nach Liebe, sondern nach der Figur einer grausamen Frau, die die Männer auszeichnen, aber auch strafen kann. Maleen schlüpft langsam in diese Rolle, was im literarischen Text durch das Zitat der masochistischen Bildtradition angezeigt ist. Analog einer Szene aus dem „Marmorbild" hält Maleen mit sich selbst Rücksprache und wägt die verschiedenen Liebesangebote ab:

> „Der Gute! Der Brave!" fühlte Maleen. Und dann dachte sie: „Er muß schützen und sorgen können, um zu lieben, und die er liebhat, mag er nur als schwach und schutzbedürftig empfinden."

> Im Nachbargarten sang ein Schwarzer ein Liebeslied. Ein unbeschreibliches Gefühl von Wohlsein und heimlichem, dunklem Weh umfing die einsam in die Nacht lauschende Frau. Glück und Leid untrennbar verschlungen. Untrennbar!

> Sie umklammerte den steinernen Mittelpfeiler des Fensters und murmelte wieder wie aus schwülem, schwerem Traum: „Lieber Gott! Lieber Gott!" (Bülow, *Im Lande der Verheißung* 46-47)

Wie auch die Frauenfiguren aus den Novellen nicht zu einem Verhaltensmodell finden, das koloniales Schaffen mit schmerzlosem Glück verwebt, ist Maleen ebenfalls von dem Angebot der Verquickung von Glück und Leid, das ihr Ralf Krome vorlebt, angezogen.

Die Beziehung zwischen Ralf Krome und Maleen Dietlas, die in der ersten Hälfte des Romans sich entfaltet, wird aus Maleens Perspektive geschildert, die offen über ihre eigenen Gefühle spricht, aber auch die Gefühle Kromes interpretiert. Die Anziehung zueinander wird als Machtkampf geschildert. Krome gibt zu, dass Maleen Macht über ihn gewonnen hat (Bülow, *Im Lande der Verheißung* 78) und im Text ist von einem Lustgefühl die Rede, dem Angst beigemischt ist. Beide Figuren entfliehen dieser aufkeimenden Leidenschaft (siehe Bülow, *Im Lande der Verheißung* 99), bis die politische Situation sie auseinanderreißt. Krome beschließt, der Beziehung ein Ende zu machen, weil sie sie beide zugrunde richtet und er noch wichtige Aufgaben vor sich hat. In Abwesenheit von Georg Dietlas vollbringt Maleen „wie ein Mann" eine heroische Leistung, indem sie die Mitarbeiter ihres Mannes auf der Plantage vor dem Aufstand rettet und sie zurück in Sicherheit bringt. Als Georg nach seiner Rückkehr davon erfährt und gegen sie zürnt, so dass sie sich vor seinen Schlägen ängstigt, gesteht sie, „diese Empfindung war ihr gar nicht unangenehm" (Bülow, *Im Lande der Verheißung* 135). Dietlas sieht Maleen als seinen Besitz und seine Erholung, nicht aber als seine Partnerin in der Kolonialarbeit, die zu mutigen Taten schreiten und die als Sklavin dem grausamen Mann dienen will. Krome ist mittlerweile untergetaucht, um der Anweisung der Zurückbeorderung nach Berlin nicht Folge leisten zu müssen.

Nach Dietlas' Tod kehrt Maleen nach Deutschland zurück und korrespondiert mit dem in den Kolonien tätigen Bruder, der eine Plantage kauft. Krome taucht eines Tages auf ihrem Besitz auf, wendet sich aber kalt ab, als sie, um das Andenken Georgs willen, zurückweicht (siehe Bülow, *Im Lande der Verheißung* 158). Nachdem Maleens Großmutter stirbt, kann sie ihr Bruder Rainer überzeugen, wieder nach Afrika zu kommen und ihn in Kairo zu treffen. Maleens Reise nach Kairo und ihr Aufenthalt in dieser Stadt ist nun das Modell einer Reise in die Kolonie, woran sich alle später reisenden Frauen messen müssen, insbesondere auch Ingeborg Bachmanns Franza. Maleen hat sofort eine emotionale Bindung an Kairo, an das Leben dort, an die Farbenglut und an die Menschen, die dort leben. Wie sie am Arm ihres Bruders durch die Straßen Kairos wandelt, beobachtet sie mit Vergnügen, „wie ihr Bruder die Blicke der im Hotel wohnenden und verkehrenden Engländerinnen auf sich zog" (Bülow, *Im Lande der Verheißung* 167) und wie die Pariser und Londoner Modeneuheiten von britischen „Saisonschönheiten" hier zur Schau getragen werden. Das Verhältnis der Geschwister Waltron mit der Kolonie ist ungezwungen und eng, treffen sie doch in Kairo auch Konsul Sylffa und Baronin Sylffa und hören von Leutnant Derendorffs Expedition. Maleen findet sich allerdings alleine bei der Verteidigung von Kromes Tatendrang. Man beachtet das interessante deutsche Paar, man unterhält höfliche, wenn auch oberflächliche Beziehungen zur englischen Kolonie und man beobachtet die lokale Bevölkerung aus einem Augenwinkel.

Nach dem Fall des Bruders reist Maleen erneut nach Ostafrika, um auf dem von ihrem Bruder erworbenen Grundstück in Kioni koloniale Arbeit zu leisten und endlich das zu schaffen, wozu sie ursprünglich nach Ostafrika gekommen war. Obwohl die Begrüßung durch die Vertreter der deutschen Kolonie recht kühl ist, sie also völlig auf sich selbst angewiesen ist, kann sie dennoch ihre Verwöhntheit abstreifen und gegen „stilles Leiden und stilles, mutiges Handeln" austauschen (Bülow, *Im Lande der Verheißung* 187). Dieses stille Leiden und mutige Handeln führt nun zum Erfolg, während Kromes Tatendrang sanktioniert wird. Ihm wird parallel zur Handlung in Ostafrika in Deutschland der Prozess gemacht, „wegen seiner Gewalttätigkeit gegen die Schwarzen" (Bülow, *Im Lande der Verheißung* 189) und wegen seiner eigenmächtigen Kriegsführung, bei der er „wie s'n richtiger Räuberhauptmann das Land durchzogen: gesengt, geplündert, abgemurkst" (Bülow, *Im Lande der Verheißung* 190). Zeitgleich mit diesem Prozess gedeiht die Plantage Maleens dank der Hilfe ihres schwarzen Dieners, arabischen Verwalters, ihrer vierzig Tagelöhner und Waldo Fabricius, die alle ausgesuchte Ergebenheit und Dienstfertigkeit zur Schau stellen, die in ihrer Idylle nur durch das Tragen des festen Buschmessers im Gürtel untergraben wird. Hier wird eine erotisch besetzte Beziehung zum Land hergestellt, Guaven zu Marmelade eingekocht, ein Haus mit offener Küche gebaut, so wie es klimagerecht und landesüblicher Brauch ist, und medizinische Hilfe geleistet. Diese kleinen und lokalen Erfolge führen auch mit der Zeit zu der Aussöhnung mit den Vertretern der deutschen Kolonie. Mit Krome trifft sich Maleen nur noch einmal in Ungudja, wo er sie erfolglos dazu überreden will, mit ihm in englische Dienste zu treten. Maleen hat sich durch den Erfolg in ihrer Pflanzung von dem Modell der Leidenschaft, bei der Glück und Schmerz untrennbar verbunden sind, freigemacht. Wildenthal nennt sie eine „painfully disappointed woman who faces the future without illusions" (*German Women for Empire* 61).

Friederike Eigler hat die Entwicklung Maleens als umgekehrte Veranschaulichung des Prozesses der Feminisierung des Orients gedeutet:

> From the point of her first encounter with Krome, Maleen fights off a tropical infection that stands in metaphorical relation to her desire for Krome. When Maleen eventually „succumbs" to a severe fever, she welcomes the release from moral responsibility that accompanies the tropical disease. Maleen's unconditional surrender to her desire for Krome mimics the sexual permissiveness she projects onto the woman of „mixed race." As a consequence, her fever can be read as the orientalization of her (feminine) desire. (Eigler 76)

Statt der Eroberung des Raumes, die in den Texten der männlichen Kolonialschriftsteller zur Entfaltung kommt, geht es hier um die Eroberung des Körpers der Frau, die durch die Malaria-Bazillen stattfindet. Maleen kann aber, nachdem sie sich durch das masochistische Szenarium ihrer Tagträume durchgearbeitet hat, eine weibliche Komponente dieser Eroberungsphantasie ausleben, indem sie sich der Bebauung des Bodens auf ihrer Pflanzung widmet: „The ending foregrounds a liberating tendency that had been present in the novel throughout but that was enmeshed with the representation of traditional gender roles" (Eigler 78). Zu Beginn des Romans war Maleens sexuelles Wünschen noch ganz auf die masochistische Struktur der Grausamkeit und des Dienens gerichtet. Am Ende kann sie glücklich sein – was Sophie in „Mlinga Goni" nie geschafft hat – ohne diese traditionelle Besetzung ihrer sexuellen Phantasie.

IV. Die Entfaltung des masochistischen Szenariums in Hans Grimms Erzählungen aus Südwest

Als typologische Überleitung von den Geschichten Frieda von Bülows zu den Erzählungen Hans Grimms möchte ich eine kurze Diskussion des Romans *Die Frau von Afrika: Roman aus den Tropen* (1921) von Norbert Jacques einschieben. Dieser Erfolgsautor, dessen Vorlage des *Dr. Mabuse* durch Fritz Lang verfilmt wurde, hat sich überhaupt viel mit kolonialen und exotischen Themen beschäftigt. In *Die Frau von Afrika* schildert er die Beziehung zwischen dem ostafrikanischen Pflanzer Christian Thoß und seiner Frau Frigg, die am Beginn ihrer Ehe und dem Aufbau einer afrikanischen Pflanzung stehen und in der afrikanischen Einsamkeit „im Mondgebirg" ihr Glück suchen. Der Roman setzt ein mit der Schilderung einer Unterhaltung zwischen Christian und Frigg, die von einer hohen sexuellen Spannung geladen ist. Sie haben sich gerade zu dem Pflanzerleben entschieden und beschließen, ihr erstes Kind zu zeugen. Frigg zeigt sich Christian im afrikanischen Mondlicht in der folgenden erotischen Szene:

> Ihre schweren blonden Haare wallten um ihre Schultern und die Nacht schillerte darauf. Ihre schmalen Hüften zogen sich schlank und hoch und waren wie eine junge Esche an einem heimatlichen Bach. Und alle Süßigkeit, Mann und Gatte zu sein, stieg an in Christian Thoß. Und alle Glückseligkeit, geben zu können, im Zweisein der Zukunft anzugehören, schwoll durch die Blutgefäße der blonden schlanken Jugend Friggs, in der Europa ertrank und verschmolz. […] Aus seinem Leib strudelten die tausend Süßigkeiten wild auf, die er für diese Stunde der Erfüllung erahnt hatte […] die er mit seinem Gehirn erdacht hatte, wenn dieser Augenblick kommen sollte. […] Da kniete Christian auf sein Bett, faltete die Hände zusammen, als wollte er beten und sagte ruhig und ernst, und doch saugte sich alles Blut in ihm empor: „Ja, Frigg, jetzt wollen wir unser erstes Kind!" […] All seine Mannessehnsucht beugte sich jäh über der Frau auf, wie ein Hengst über einem Steppenhügel. (Jacques, *Die Frau von Afrika* 7-9)

Das Siedlungsprojekt ist vollkommen aufgeladen mit erotischen Bedeutungen. Frigg wird zur Allegorie Afrikas, das sexuell bezwungen wird. Europa „ertrinkt" in ihr und verschmilzt mit Afrika. Diese „Überfrau" ist eine Nummer zu groß für den deutschen Siedler, der zum Kriegsdienst aufgefordert wird, dessen Frau sich aber in dem Moment nicht nur als Venus in Afrika entpuppt, sondern auch von ihrer kämpferischen Seite zeigt. Sobald Krieg ausbricht entschließt sich Frigg ohne zu zögern, bei ihm zu bleiben, zieht sich den Reitanzug an und legt den Patronengürtel um. Nachdem Christian erschossen wird, weil er sein Haus verteidigt, verwandelt sich Frigg in die grausame „Mamaz Malia", die knappe und harte Befehle gibt (Jacques, *Die Frau von Afrika* 32), sich mit einheimischen Gewährsleuten umgibt, als einsame weiße Zauberin und Hexe mit der Nilpferdpeitsche umherläuft (Jacques, *Die Frau von Afrika* 44) und dadurch einen Mythos schafft von der grausamen weißen Frau, die alle schwarzen Jungens frisst, die an ihr vorbeigehen. Die weißen Männer, die kriegerisch gegen sie kämpfen und gleichzeitig als ihre Diener sich anbieten, begegnen ihr als Walküre, die erobert werden muss und deren Eroberung unwahrscheinlich anregt. Das Bild der grausamen Frau ist nicht nur erhöht durch ihre kalte Distanziertheit und ihre „Leidenschaft, die in die Einsamkeit hineinraste" (Jacques, *Die Frau von Afrika* 116), sondern vor allem durch die Vermischung mit Urwald und wilder Natur. Das Ende des Romans bringt dann noch einmal eine versöhnliche Szene, in der Frigg sich von einem ihrer dienenden Anbeter erbittet, das Haus, in dem sie mit Christian gewohnt hat, wieder aufzubauen und die Pflanzung weiterzuführen. Insofern ist Frigg entfernt mit Maleen verwandt, obwohl ihre projektive Stellung als grausame weiße Frau wesentlich deutlicher zum Tragen kommt. Am Schluss heißt es, „Frigg blieb jung, schön und stark", so wie alle grausamen Frauen der Zeit und dem Alterungsprozess entrückt sind.

Wir sind von der Semiotik der Raumdurchschreitung bei Frenssen ausgegangen und haben gesehen, wie bei von Bülow das masochistische Szenarium uminterpretiert wird und zu einer weiblichen Variante der Bodenbearbeitung mutiert. „Wenn Raum für Grimm Freiheit bedeutet", meint Gunther Pakendorf, „so wird damit nicht die Persönlichkeitsentfaltung *des* Menschen gemeint, sondern die Möglichkeit zur Selbstrealisierung der Starken und Überlegenen" und damit die Affirmation einer sozialdarwinistischen Überzeugung („Mord in der Steppe" 64). Das ist sicher richtig, muss aber meiner Ansicht nach qualifiziert werden, denn die Selbstentfaltung eines Schutztrupplers oder eines Wachtmeisters auf seiner eigenen Wachstation ist nicht gleichzusetzen mit der Möglichkeit der Entfaltung seiner deutschen Frau und Familie. Hans Grimms Erzählung „Dina" aus den *Südafrikanischen Novellen* von 1913, anhand deren Analyse ich die Diskussion von Raumerzählung in der afrikanischen Kolonialliteratur beginnen möchte, bezieht sich in vielfacher Hinsicht auf die Erzählung von Peter Moors Feldzugsbericht: ein Wachtmeister aus Holstein dient bei einer kolonialen Polizeitruppe, allerdings nach den Herero und Nama-Aufständen und während der Zeit der Diamantenfunde in der Lüderitzbucht:

> Es war in der deutschen Zeit als die Lüderitzbuchter ihre Diamanten fanden. Nicht die bequemen an der Bahnlinie, von denen Dernburg dem Reichstag erzählte, sondern die anderen in der südlichen Namibwürste, wo es um Dursttod und Hungersnot ging und Verirren und Qualen und übermenschliche Strapazen Selbstverständlichkeiten bildeten. Da die Glücksjäger Norddeutsche waren mit der niederdeutschen Ordentlichkeit im Leibe, schlugen sie sich trotz Geldhunger und Not in dem verschlossenen Wildlande, von dem sogar die Engländer nichts hatten wissen wollen und weggelaufen waren, weder tot noch blutig, sondern

machten die seltsamsten Funde auf ruhige Weise und vertrauten im Zweifel auf die fernen Gerichte. (Grimm, *Südafrikanische Novellen* 11)

Warum werden diese Umstände erzählt? Sie haben wenig mit der Handlung des Textes zu tun, höchstens damit, dass wir den Wachtmeister in eine bestimmte Zeit, einen bestimmten Ort und eine bestimmte Mentalität einordnen können. Weiterhin wird aber durch diese Passage gleich zu Anfang der Rahmen des Masochismus etabliert, der dann im Verlauf der Geschichte eine wichtige Wendung erfahren wird. Diese ordentlichen norddeutschen Masochisten sind ebenfalls sehr systematisch im Durchkämmen der Durstlandschaft auf der Suche nach Diamanten und von daher klassische Raumvermesser und Raumverteiler.

Die Geschichte beginnt mit einem Absatz, in dem der holsteinische Wachtmeister der Titelfigur ihren Namen gibt: „Sie nannte sich gar nicht Dina, aber dem Wachtmeister der Polizeitruppe, der sie fand und fragte, klang es ähnlich aus dem Kauderwelsch heraus, und von seiner Schwägerin daheim in Holstein war er an den Namen gewohnt. Er sagte also, sie heiße Dina, und schrieb es auch in seinen Rapport, da hieß sie Dina" (Grimm, *Südafrikanische Novellen* 11). Der deutsche Wachtmeister hat nicht nur die Fähigkeit zur Raumvermessung und -durchschreitung, sondern auch zur Namensgebung und zum Besitz „gefundener" Afrikaner. Eroberung ist Besitzergreifung – diese Grundkonstante des europäischen Kolonialismus bewährt sich auch hier. Wie Peter Moor erliegt dieser Wachtmeister dem Charme der Landschaft, die ihn gefangen hält (Grimm, *Südafrikanische Novellen* 12) und in der er sich seit längerer Zeit aufhält. Wie Peter Moor äußert er sich ebenfalls über die Afrikaner um ihn herum in Stereotypen und wiederholt die Standardformel, die die Schwarzen (und ihre Sprache) in die Nähe von Tieren rückt. In einem der ersten Artikel zum deutschen Kolonialroman überhaupt hat Sander Gilman bereits auf diese Grundtendenz der Reduzierung der Afrikaner zu unproduktiven Tiergestalten hingewiesen (siehe „The Image of the Black" 4). Andreas Mielke hat diese Idee dann später weiter untersucht und auf die Tradition der Bestialisierung der Hottentotten in Reisebeschreibungen und Satiren aus fünf Jahrhunderten hingewiesen, die alle Tiervergleiche als eine der bevorzugten Methoden der Beschreibung von Sprache und Manieren benutzen (366). Diese Bestialisierungstendenz ist natürlich auch in Grimms Text operativ, besonders in der Beschreibung des „Bambusen" Willem:

Willem redete dies und das in der Sprache seines Volkes, in irgend etwas, das ein Buschmanndialekt sein mochte und klang, als wenn ein Knabe lebendige Käfer und Grillen und Wespen zusammen in ein Einmachglas gepfercht hat, in Küchenenglisch und Küchendeutsch und Kapholländisch und hauptsächlich in seiner persönlichen Sprache, die sich aus all diesen Elementen zusammensetzte. (Grimm, *Südafrikanische Novellen* 15)

Diesem tierischen Kauderwelsch wird die Macht der Namensgebung gegenübergestellt. Der Wachtmeister bringt durch diesen Akt Ordnung in das
Sprachchaos:

> Da fragte der Wachtmeister die beiden in dem Kauderwelsch, das ihm das rich-
> tige schien für solche Fälle, und das er sich aus dem heimischen Platt und dem
> geläufigeren Teil von Willems Privatsprache zusammengesetzt hatte. Nach einer
> Weile erklärte er: „Sie heißt Dina, und der Junge heißt Isak." (Grimm, *Südafrika-
> nische Novellen* 16)

Dieser Akt setzt ihn de facto zu dem Herren von Dina und Isak ein, die seine
Herrschaft auch unhinterfragt akzeptieren. Das kolonisierte Subjekt muss also
zunächst einen europäischen Namen erhalten und einen Herren bekommen.
Dieser Herr muß sich ebenfalls selbst als solcher einsetzen, bevor es zur Erzählung ihrer Beziehung kommen kann.

Als nächstes muss das kolonisierte Subjekt vermessen werden so wie das
Land selbst systematisch in Besitz genommen werden muss. Dina und Isak
werden vom Bezirksarzt vermessen (Grimm, *Südafrikanische Novellen* 19)
und gleichzeitig kommen die Landvermesser und Ingenieure nach Lüderitzbucht, es wird gebaut und Polizeistationen werden eingerichtet. Auf einen von
diesen Posten wird dann unser Wachtmeister versetzt und sein Gefolge folgt
ihm dorthin. Dort entwickelt sich dann das Alltagsleben zwischen dem
Wachtmeister, dem Sergeanten, dem Unteroffizier und Gefreiten auf der einen
Seite und dem schwarzen Personal Dina, Isak, Willem und einem „alten Hottentott" auf der anderen. Es folgt die Beschreibung einer Idylle, der sogenannten „Arche Noah", wo durch die Anwesenheit Dinas die Station „fast wie bei
der Mutter zu Hause" (Grimm, *Südafrikanische Novellen* 23) in Schuss gehalten wird. Dina zeichnet sich dabei durch außergewöhnliche Anstelligkeit aus
und bedient den Wachtmeister von hinten bis vorne: „da kam es daß sie ihm
oft im Wege stand und erst recht alles nach seinen Wünschen tat, und nach einer Weile schien ihm, als habe er von jeher ihren Nutzen erkannt, und er wun-
derte sich nicht über ihre Art" (Grimm, *Südafrikanische Novellen* 23-24). Der
Wachtmeister und Dina gehen also ein dialektisches Herrschafts- und Skla-
venverhältnis ein, das proto-masochistisch angelegt ist, indem der Wachtmeister symbolisch Dina die Herrschaft über sein Reich überlässt und sich in dieser neugefundenen „Sklavenstellung" glücklich weidet. Gleichzeitig ist es aber
Dina immer gegenwärtig, dass sie seine Sklavin ist und er mit ihr machen
kann, was er will. Als sie den Sergeanten nachts bei sich empfängt und der
Wachtmeister davon durch Zufall erfährt, erwartet sie Schläge von ihm. Stattdessen wendet sich der Wachtmeister von ihr ab und sucht bei seinem nächsten
Heimaturlaub nach einer deutschen Frau in der Realisierung, dass „sonst laufen die Wünsche allmählich verkehrte Wege" (Grimm, *Südafrikanische Novellen* 25). Der Wachtmeister hat also durch die stete Bedienung durch Dina
endlich den Blick auf sie als erotisches Objekt geworfen, den er ihr zu Beginn
ihrer Beziehung nicht gewähren wollte. Die Konstitution der schwarzen Frau

durch Namen- und Herrschaftszuweisung wird ergänzt durch ihre Objektwer-
dung im Blick des männlichen Masochisten, wo sie aber lediglich in der Dreiecksbeziehung zur grausamen weißen Frau existieren kann. Von daher ist es
ganz konsequent, dass der Wachtmeister jetzt eine solche Frau holt.

Der mittlere Teil der Geschichte ist die parallele Erzählung von dem Heimaturlaub des Wachtmeisters und dem graduellen Verfall der Verhältnisse auf
der Arche Noah während seiner Abwesenheit. Bei seiner Rückkehr nach Holstein erkennt der Wachtmeister, wie sehr er die südafrikanische Landschaft,
den Buntveldschuh, den Sand und die Freiheit, die ihm dort zur Verfügung
steht, vermisst, und zwischen die Bilder der Namib mischen sich immer mehr
Erinnerungsbilder an Dina, „wie sie schnell ausschreitend dem willigen Boden
dort die Spuren aufdrückte" (Grimm, *Südafrikanische Novellen* 28). Das masochistische Gedächtnis ist ein Bildergedächtnis und der Wachtmeister wird
sozusagen überflutet mit Bildern von Dina, die seinen Heimataufenthalt und
seine Pläne durchkreuzen. Auf dem Schiff zurück nach Südwest trifft der
Wachtmeister dann eine Frau, die ebenfalls auf Partnersuche war, und sie verbinden sich: „Der Wachtmeister, weil er eine richtige weiße Frau brauchte, und
sie – ja, weil er sie begehrte. Im übrigen waren sie sich am Tage der Hochzeit
wie am ersten Tage ihrer Bekanntschaft nur in der Schwere des Blutes und einer geraden Gesinnung ähnlich, in ihren Wünschen und Freuden aber ganz
verschieden" (Grimm, *Südafrikanische Novellen* 30). Der Holsteiner und seine
Frau verbringen zunächst ein paar Wochen in Lüderitzbucht, wo sie bereits
vollkommen fehl am Platze scheint. Aber als er wieder auf seine Station soll,
zeigt sich die Fehlplatzierung der grausamen weißen Frau deutlich an:

> Gerade drei Wochen nach dem Holsteiner brachte der Kutter die weiße Frau. Sie
> konnte sich nicht beklagen über den Empfang. Es war nicht das Lachen dabei wie
> bei ihres Mannes Wiederkehr, aber um so mehr förmliche, scheue Ehrerbietung,
> denn den paar Menschen war die weiße Frau an diesem Orte seltener und beson-
> derer als den Menschen zu Hause eine Fürstin. Wenn die Fremde ihr Handwerk
> verstanden hätte, um den gewöhnlichen Ausdruck zu gebrauchen, hätte sie wir-
> ken können wie eine gute Fürstin der alten Zeit. Das Aussehen und die Gestalt
> war ihr dazu gegeben. [...] Ist Königin sein bei vierzehn harten deutschen Vorpo-
> sten eine so kleine Sache? Doch das geschah nicht. (Grimm, *Südafrikanische No-
> vellen* 38-39)

Die Frau des Holsteiners ist eine von vielen Frauen in Grimms Geschichten
aus Südwest, die nicht in die Namib passen, deren Handlung oft, wie Gunther
Pakendorf behauptet hat, auf einem binären Schema aufgebaut ist, „das man
als *positive vs negative Einstellung zur Landschaft* bezeichnen könnte" („Mord
in der Steppe" 75). Des Wachtmeisters Frau sieht nur die Sandwüste um sich
herum und kann im Gegensatz zu ihrem Mann kein positives Raumerlebnis
darin entfalten. Sie herrscht stattdessen durch ihre exquisite Kälte, was in erster Linie durch die Erzählung der Veränderung in des Wachtmeisters Persönlichkeit klar wird, der immer mehr die Station meidet, abends bei der Heimkehr nur noch ein verzerrtes Lächeln über die Lippen bringt und die Hände vor

die Brust drückt wie ein Betender. Peter Horn hat festgestellt, dass die weißen Frauen bei Grimm „sich fast ausnahmslos als anpassungsunfähig [erweisen]. Sie zeigen kein Verständnis für die Faszination, mit der dieses exotische Land ihre Männer gefangen nimmt. Sie sehen nur Wüste und Steppe, Öde und Verlassenheit, unerträgliche Fremde, in der leben zu müssen sie als Zumutung auffassen" („Die Versuchung durch die barbarische Schönheit" 321). Die grausame weiße Frau ist „(von wenigen Ausnahmen abgesehen) sexuell unnahbar, frigide, unfruchtbar. Gerade, weil sie in der Wildnis eine ‚Fürstin' ist (oder sein könnte), entspricht sie genau jenem unnahbaren Jungfrau-Mutter-Idol, das, von eisiger Kälte umgeben, Anbetung verlangt, ohne eine menschlich-animalische Regung zu erlauben" (Horn, „Die Versuchung durch die barbarische Schönheit" 321). Lotte ist grausam nicht nur gegenüber ihrem Mann, sondern registriert auch die erotische Anziehung zwischen ihrem Mann und Dina, die sich wiederum ihrerseits an ihr rächt, lügt und Ungehorsam zeigt gegenüber Lotte und Willigkeit gegenüber dem Wachtmeister. Dina war „ihm eine so vorzügliche Dienerin wie seinem Weibe eine Qual" (Grimm, *Südafrikanische Novellen* 45). Um den Blick des Wachtmeisters immer mehr auf sich zu richten, fängt Dina ein sexuelles Verhältnis an mit dem Gefreiten. Die koloniale Erzählung schiebt von daher immer die Schuld an dem physischen und moralischen Verfall der Verhältnisse der schwarzen Frau und ihrer Verdrängung der weißen Frau als Garant von Ordnung in die Schuhe. Thomas Nolden hat sogar behauptet, dass die Erzählung „condemns the usurpation of the white woman's space by the female native as a violation of a most basic, categorical law – that of the spatial order of life" (136). Die weiße Frau als Garant für Ordnung und Ordentlichkeit (in körperlicher wie auch in moralischer Hinsicht) soll nicht deplaziert werden, was nur zur „Verkafferung" von Raum und Menschen führen kann.

Der letzte Teil der Geschichte enthält die entscheidende Szene, in der der Wachtmeister einen frischen Gaul zureiten soll, lange damit zögert, dann sich endlich zu dieser gefährlichen Unternehmung durchringt und der Hengst scheut. Während der langen Abwesenheit des Wachtmeisters sonnt sich Lotte ohne Hemd im warmen Sand und wird von Dina, die den schönen weißen Körper bewundert, willig bedient. Als der Hengst alleine zurückkommt und dann der Hottentott den Wachtmeister trunken taumelnd zurückbringt, entfaltet sich die entscheidende Szene, die uns zum Ausgangspunkt der Teilhabe dieser Geschichte an der Grundstruktur des kolonialen Masochismus zurückbringt. Der Wachtmeister ist derart vom Pferd gefallen, dass die Hand gebrochen ist und abgenommen werden muss zur Vorbeugung von Sepsis. Durch diese Amputation, die Dina vornehmen muss, hat er seine Herrschaftsstellung verloren und ist zu einem Kind geworden. Als willige Dienerin folgt Dina auch diesem Befehl, verlässt ihn aber daraufhin mitsamt der schwarzen Dienerschaft, weil er weder kämpfen, noch bauen kann und ein Kind geworden ist. Wir sehen hier wie der verbotene erotische Blick auf die schwarze Frau in Verschiebung auf die Hand gewaltsam abgehackt und somit unterdrückt werden muss. Die „Versuchung durch die barbarische Schönheit" entsteht durch den Kontrast mit der grausamen weißen Frau, denn der Blick auf die schwarze Frau ist vollkommen projektiv und entsteht in der narzistischen Selbstspiegelung des Masochisten, der an der fehlenden Macht über die grausame weiße Frau gebricht:

> Als „Herrin" gehört sie [die grausame weiße Frau] in den Bereich der Öffentlichkeit, des Bewußtseins, der Herrschaft, dem der Mann bei Grimm gerade entfliehen will: wie er aus dem zivilisierten Europa ins ‚wilde' Afrika entfloh und sich nur noch dort zu Hause fühlt; wie er symbolisch aus der Enge der Herrschaft in das Offene, den freien Raum entfloh, so versuchte er auch aus der Gesellschaft, die seine infantilen Wünsche negierte, in ein Land zu entfliehen, das, außerhalb dieser Negation liegend, jene narzißtischen Wünsche zu erfüllen verspricht. Die weiße Frau ist nichts anderes als die Mutter, die schon einmal vor dem Gesetz des Vaters, seiner Strenge, seinem Verbot versagt hat; die schwarze Frau dagegen ist, obwohl Unterworfene und Dienerin, diejenige, die das Verbot des Vaters subversiv zunichte macht, die das kindliche Glück zu schenken vermag, die Befreiung von dem Zwang, herrschen zu müssen, leisten zu müssen. (Horn, „Die Versuchung durch die barbarische Schönheit" 325)

Was Peter Horn an dieser Stelle formuliert ist die masochistische Dialektik des kolonialen Diskurses, der hier in seinen Einzelelementen entfaltet wird. Grimms Lotte ist in der Tat eine solche grausame, kalte weiße Frau, die eine Fürstin sein könnte, wie wir gesehen haben. Stattdessen ist sie die Negation der männlichen Wunschprojektion in Person, die den Mann wieder aus der Freiheit zurückholt und den befreienden projektiven Blick auf die schwarze Frau sanktioniert. In dieser Geschichte verbietet sich der Wachtmeister den Blick eigenhändig und mit brutaler Gewalt. Die Brutalität dieser Geste zeigt die Tragik des Masochisten an, der das, „was er in den Kolonien eigentlich sucht, die Freiheit, die Ungebundenheit vom Gesetz, das Paradies, die Erfüllung seiner infantilen Wünsche, morden, vernichten, dem Gesetz unterwerfen muß, um als Eroberer überleben zu können" (Horn, „Fremdheitskonstruktionen weißer Kolonisten" 410). Es bleibt ihm nichts anderes übrig, als die erotischen Wunschprojektionen auf die schwarze Frau gewaltsam zu unterdrücken, abzuhacken und gemeinsam mit der grausamen weißen Frau zu vernichten.

Der Körper muss gewaltsam davor geschützt werden, die räumliche Rassentrennung aufzuheben. Hans Grimms „Wie Grete aufhörte ein Kind zu sein" zeigt ebenfalls die Logik der masochistischen kolonialen Situation und fügt noch einen Mischlingskörper hinzu, der diese wichtige Grenze potentiell überschreitet. Die Geschichte spielt auf einer Farm in Südwest, Stylplaats, die in den Aufständen von den Einheimischen gemieden wurde. Die Erzählung beginnt wieder, wie auch „Dina", mit der Beschreibung der trockenen Landschaft und, wie *Peter Moors Reise nach Südwest*, ist sie auch von dritter Hand und wird chronologisch berichtet. Karl von Troyna kommt 1903 nach Stylplaats mit seiner jungen schottischen Frau Mary, „die kein Wort Deutsch verstand und sehr hübsch und sehr fein und ebenso kühl gewesen sein soll" (Grimm, *Südafrikanische Novellen* 130-31). Bald wird die Tochter Grete geboren, die schon gleich ein starkes und kräftig entwickeltes Kind ist. Da die Mutter bei der nächsten Geburt stirbt, wird Grete in einem Nonnenkloster in Südafrika erzogen, von wo man bald Anekdoten von „dem tollen kleinen Klostermädel in Schottentracht" hört (Grimm, *Südafrikanische Novellen* 134). Troyna vereinsamt allmählich und lässt Haus und Garten verkommen. Im Traum erscheint ihm das schöne kühle Gesicht seiner verstorbenen Frau, aber „wenn er sich dann voll Sehnsucht vorbeugte, es zu küssen, wandte es sich hastig ab, und er fuhr gequält aus dem Schlafe auf und ärgerte sich über sich selbst" (Grimm, *Südafrikanische Novellen* 138). Die Beziehung zwischen Troyna und Mary Percy basiert also auf den traditionellen Rollen des literarischen Masochismus, in der die grausame weiße Frau und der masochistische Mann theatralische Szenen nachstellen. Troyna trifft auf seinen Ritten auf eine Schmugglerbande und erschießt in Selbstverteidigung einen großen und älteren bärtigen weißen Mann, dessen Mischlingstochter sich Troyna anschließt. Wichtig ist hier, dass Troyna die schwarze Frau erblickt: er sah „vor der Polizeistation ein mattbraunes junges Weib stehen, das ihn erstaunte, so viel wilde Schönheit war in dem Gesicht und solch prächtigen Körper verrieten die wenigen phantastischen, aber nicht unreinen Kleider" (Grimm, *Südafrikanische Novellen* 139). Obwohl uns der Erzähler versichert, dass es ein „kurzer, kühler Blick" war, denn „weder Engländer, Holländer, noch Deutsche in Südafrika, es seien denn Landesfremde, sind gewohnt, farbigen oder halbfarbigen Frauen nachzusehen", kommt es doch zu einer Blickbegegnung (Grimm, *Südafrikanische Novellen* 139). Wir erinnern uns, dass der Wachtmeister Dina zunächst überhaupt nicht sah, dann aber bei seinem Heimaturlaub sehnsüchtige Erinnerungsbilder von Dina hatte. Dieser begehrende Blick des weißen Mannes auf die schwarze Frau, der in der masochistischen Szene angelegt ist, führt in den Grimmschen Erzählungen zu Gewaltszenen, wo die sexuelle Begierde des weißen Mannes nach der schwarzen Frau gewaltsam vernichtet werden muss, wie bei der Schlußszene in „Dina." Ellen ist eine Sundasi und von daher im Diskurs der weißen Militärs „heiß und schön und schön und heiß und falsch wie die Sünde" (Grimm, *Südafrikanische Novellen* 143). Als Troyna Ellen mitsamt ihrem Bruder Alfred mit nach Stylplaats nimmt, treffen ihn die rivalisierenden Blicke der schwarzen Männer auf die schöne schwarze Frau.

Ellen macht sich anstellig im Hause, bedient Troyna wie einen König und regiert des Nachts, fängt aber hinterrücks heimlich einen Handel mit den umgebenden Stämmen an. Troynas „Verkafferung" nimmt soweit zu, dass er fast vergisst, dass er ein Weißer war, bis Grete wieder auftaucht. Grimm beschreibt nun detailliert den begehrenden Blick, den der achtzehnjährige Alfred auf Grete wirft und das wachsende Begehren, das in Grete aufkeimt. Zunächst ist sie jedoch entsetzt von der Impertinenz, die sich Ellen und Alfred im Hause ihres Vaters erlauben. Sie holt sich den Reitstock ihrer Mutter und setzt durch, dass sie im Herrensattel reitet. Der erste Zusammenstoß erfolgt, als Ellen drei Gedecke auflegt und Grete sie vom Tisch weist. Grete wiederum muss entdecken, dass sie in die Gastkammer am anderen Ende des Hauses einquartiert wurde. Troyna lehrt Grete Schießen und weiht sie in die Geheimnisse Styl-plaats ein, ohne ihr allerdings von seiner Beziehung zu Ellen zu berichten. Zur Vermeidung dieses Themas bleibt er nach einiger Zeit immer länger weg, geht auf die Jagd, spielt Poker und dient an der Grenze. Grete verbringt also viel Zeit mit Alfred, der ihr Gespiele geworden ist, und der ihr „fast hündisch" er-geben ist (Grimm, *Südafrikanische Novellen* 172):

> Sah sie den Jungen an, dann war ein weicher Glanz in ihren Augen, und es ver-wischte sich ihr zum ersten Male, daß er zu einer anderen Rasse gehöre als sie, und auch das merkte sie nicht, daß seine Augen klein und heiß und stechend wurden in Erwiderung ihrer Blicke, und daß seine Hände zögernd aber gierig nach ihr zu greifen wagten im Spiel, denn diese Hände störten sie nicht mehr.
> (Grimm, *Südafrikanische Novellen* 172)

In Andeutungen wird das wachsende gegenseitige Begehren des schwarzen Mannes und der weißen Frau geschildert, das am Ende in die Katastrophe füh-ren muss.

Als der Aufstand beginnt und die Dienerschaft bis auf den alten Samuel die Farm verlässt, muss Grete allein ohne ihren Vater die Situation lösen. Sie reitet um Hilfe zur nächsten britischen Missionsstation, begegnet dort aber nur deutsch-feindlichen Einstellungen und bekommt ungebetenen Rat wegen ihrer Tracht. Zurück auf der Farm verlangt sie von Ellen, dass das Haus rein ge-macht werden soll in Erwartung ihres Vaters und sie selbst bewaffnet sich mit den versteckten Gewehren in Vaters Schlafzimmer. Grete verfällt in einen Halbschlaf und hat zwei Träume mit sexuellem Inhalt. Der erste handelt von ihrer Beziehung mit Alfred, der Wasser aus ihren Brüsten trinkt „in gierigen Zügen. Sie neigte sich ihm zu, daß er es leichter hätte, und weil er so durstig war, faßte sie jetzt selber ihre linke Brust und drehte sich ein wenig und reichte ihm auch die, und es tat ihr wohl, und in ihres Herzens stiller Seligkeit fiel ihr ein: Du mußt ihn doch ansehen" (Grimm, *Südafrikanische Novellen* 199). Ob-wohl der Traum die sexuellen Gefühle sublimiert in eine Mutter/Sohn Bezie-hung, wird eindeutig auch die körperliche Lust geschildert, die Grete in diesem Moment verspürt. Es ist diese Lust, die verboten ist und die gewaltsam unter-bunden werden muss. In dem zweiten Traum tanzt ein weißer Mann eng um-schlungen „mit einem halbfarbigen, verwilderten Weibe, und hinter beiden drein stießen sich und fielen betrunkene Bondel- und Bastard-Paare" (Grimm, *Südafrikanische Novellen* 200). Als Grete erkennt, dass es sich um ihren Vater und Ellen handelt und dass sie die Wahrheit über diese Beziehung immer schon gewusst hat, kommt Ekel in ihr auf. Alfred und Ellen betrinken sich derweil in der Küche und Grete überhört deren Gespräch, das den Trauminhalt bestätigt, und Ellens Plan, Grete aus dem Haus zu treiben, offenbart. In der Schlussszene schlägt Begierde in Ekel um, Alfreds Stimme ist für sie jetzt nur noch tierisch, wenn er von ihr spricht, und sie geht hinaus und erschießt Ellen. Alfred taxiert Grete noch einmal voller Begehren, er kommt näher, ihm läuft das Wasser aus dem Mund. „Und sie bebte und wich zurück. Er griff nach ihr und erfaßte das Hemd und zerrte. Das schoß Grete zum ersten Male" (Grimm, *Südafrikanische Novellen* 208). Hinterher ekelt ihr so sehr, dass sie sich die Hände waschen muss. Danach verrammelt sie alles und wartet bewaffnet auf die Ankunft ihres Vaters.

Der Vater nimmt sie von der Farm fort, sie trägt Mutters Kleider und schlüpft ganz in deren Rolle als grausame weiße Herrin über ihn, nur über Alfreds Grab bricht sie weinend zusammen. Seit dieser Nacht herrscht die Meinung, dass auf Stylplaats jedem Farbigen der Tod drohte, „denn die Rache der weißen Frau währe ewig" (Grimm, *Südafrikanische Novellen* 213). David Kenosian hat die sexuelle Dynamik, die hinter dieser Gewalt herrscht, erkannt. Seiner Meinung nach wird die Gewalt dieser Schlussszene legitimiert in der Ezählung als notwendig, damit der weiße Körper nicht das Begehren des Anderen verspüren muss: „In this situation, violence is not presented as wanton aggression but as a necessary step to restore the naturalized oppositions that constitute the manichean allegory. [...] Violence restores power relations between the races while redeeming a white who has lost his racial identity" (Kenosian 192). Und diese wiederhergestellten Machtverhältnisse sind die des Masochismus. Grete schlüpft in die Rolle ihrer Mutter, Troyna betet sie an wie eine Königin und bedient sie. Die weiße Frau tritt in die Rolle der strengen Mutter und verdrängt die Erinnerung an die schwarze Frau, die den Mann aus dem masochistischen Szenario, in dem er herrschen muss, befreien konnte. Grete (und ihr Vater) erhält am Schluss dieser Geschichte den kolonistischen Blick wieder, für den der schwarze Mann im allgemeinen hässlich, schmutzig und verwildert ist. Die Grenze zwischen weiß und schwarz, die in der Geschichte teilweise verwischt wurde, wird somit wieder eingesetzt. Grete hörte dann auf ein Kind zu sein, als sie im Traum ihre eigene Verstrickung mit körperlicher Lust erfährt. Grete muss vernichten, was sie begehrt. Der Wachtmeister muss sich verstümmeln (kastrieren).

VI. Schilderungen von Eroberungszügen

In der dritten Phase bzw. Modalität der Kolonialliteratur kehren wir zu einem Paradigma zurück, das Elemente der ersten und der zweiten Phase verbindet. Zum einen sind diese Schilderungen Reiseberichte, aber – wie auch bei Frenssen – gleichzeitig aufgeladen und verwoben mit dem Diskurs der nationalen Identität. Gleichzeitig handelt es sich aber auch nicht um touristische oder gar militärische Schilderungen, sondern um die konstruierten „Erinnerungen" oder fiktiven Fallstudien von Individuen, die fremde Länder durchquert haben mit der Absicht, sie für Deutschland zu erobern, wieder zurückzugewinnen, zu bebauen oder in irgend einer anderen Art und Weise fruchtbar zu machen. Von daher ist diesen Texten immer auch eine Siedlungsperspektive eingeschrieben. Steve Clark, der die Beziehung zwischen Reiseberichten und nationaler Politik systematisch aus postkolonialer Perspektive untersucht hat, kommt zu folgenden Ergebnissen, die für unsere Untersuchung einen Rahmen abstecken sollen: Reiseberichte richten sich immer an die zurückgelassene Heimat (siehe 1). In der Tat finden sich in unseren Texten relativ wenige Beschreibungen lokaler Kultur und Bräuche. Die reisenden und siedelnden Figuren unterhalten sich in erster Linie untereinander und mit anderen Figuren aus der Kolonie. Afrikaner existieren nur in ihrer Funktion als Diener, Plantagenarbeiter und höchstens als Missionsschüler. Ansonsten werden sie nicht richtig wahrgenommen. Weiter behauptet Clark, dass die Glaubwürdigkeit des Berichts auf einer Art Hyper-Empirizismus beruht, wobei interessanterweise eine Vereinfachung der Verhältnisse vor Ort selten stattfindet, sondern öfters die Erfahrung von Lust in der neuen Umgebung Schilderung findet: „Travel books tell us something about something, and while structurally one might argue for a constitutive misrecognition, there is at the very least an ethical surplus" (Clark 4). Dieses Mehr besteht nicht selten in der, vielleicht nicht intendierten, aber dennoch durchkommenden Beschreibung der lokalen Kultur. Das Reisen wie auch das Siedeln werden als fortwährendes Opfer dargestellt und die Schilderung von Aggressionshandlungen gegenüber Einheimischen kann durchaus ihren Ursprung haben in der Repression der erotischen Anziehungskraft auf das nicht-europäische Gegenüber (Clark 23).

Als Kontrastfolie zu den Schilderungen von reisenden und siedelnden Frauen, möchte ich einen kurzen Blick werfen auf die Berichte von zwei „großen Afrikanern", General von Lettow-Vorbeck und Carl Peters, die beide Teile von Afrika zu Pferd oder zu Fuß in mehr oder weniger offizieller Funktion durchquert und dann im Nachhinein ihre Erlebnisse aufgeschrieben haben. Lettow-Vorbeck war zunächst in China stationiert und hat dort die Boxerunruhen mitbekommen als Offizier der ostasiatischen Infanteriebrigade. Seine Beschreibung ist durchsetzt von stereotypen popularethnologischen Beobachtungen einerseits (über Rikschas, gebundene Füßchen, Kulis, chinesisches „Parfüm" etc.) und ausgedehnten Schilderungen von der Qual der Märsche andererseits. Zentral ist die innereuropäische Perspektive, die sich dem europäischen Rivalen freundlicher nähert als den Einheimischen, es sei denn sie sind auf einer chinesischen Militärschule von einem deutschen Lehrer unterrichtet worden und können fließend lateinisch reden (siehe Lettow-Vorbeck, *Heia Safari* 60). 1904 wird Lettow-Vorbeck dann nach Südwest versetzt und beschreibt detailliert die Anfahrt zunächst auf der Eleonore Woermann, dann auf der gerade eingerichteten schmalspurigen Kolonialbahn. Zunächst ist von interessanten Ritten die Rede, von der Jagd auf Springböcke, dann aber auch von den ersten militärischen Auseinandersetzungen, von Morenga und den ersten Problemen, von den Strapazen der langjährigen Auseinandersetzungen und von der Notwendigkeit der Verschickung deutscher Frauen in die Kolonien. Bei seiner Rückreise besucht Lettow-Vorbeck die Statue der Maddalena von Guercino, „wie sie in ergreifendem Schmerz auf die Dornenkrone in ihrer Hand blickt, zugleich aber auch schon Ergebung und Trost in ihrem Ausdruck leben" (*Heia Safari* 101). Dieses Bild des schmerzleidenden Verzichts be-schließt Lettow-Vorbecks Schilderungen aus Südafrika und beginnt seine Re-flexionen auf seinen neuen militärischen Einsatzort wenige Jahre später, Deutsch Ostafrika. Die masochistische Ikonographie ist also der Verbindungs-punkt für die Erzählung dieser zwei Afrikareisen.

Der Bericht dieses zweiten afrikanischen Aufenthaltes als Schutztruppenge-neral ist nach demselben Muster gestrickt wie die Reise nach Südwest: ausge-dehnte Bahnfahrt mit Halt in Neapel, detaillierte Betrachtung der Statue, Schiffsreise, dann die Uganda-Bahn und die obligatorische Beschreibung des Zaubers der Tropen, die ich hier als Leseprobe wiedergeben möchte:

> Erwähnt sei, daß ich auf meinen unausgesetzten Reisen den Zauber der Tropen voll genoß, das Untertauchen im endlosen Busch, fern aller Kultur, die herrliche Jagd auch auf gefährliches Wild, die Nächte unter dem strahlenden Sternenhim-mel bei dem dröhnenden Jagdruf der Löwen. In den Eingeborenen erkannte ich meist recht kluge Leute, die in ihrer Kultur gegen uns Europäer wohl um einige Jahrtausende zurückstanden, aber aus sich selbst heraus doch Beachtliches entwi-ckelt hatten: ein meist inniges Familienleben, Zusammenschluß in Stammesge-meinschaften unter manchmal recht intelligenten Dorfältesten und Häuptlingen, auch ein beachtliches Handwerk. (Lettow-Vorbeck, *Heia Safari* 121)

Diese Passage verbindet die Beschreibung der exotischen Vorzüge des Auf-enthaltes in den Tropen mit popularanthropologischen Reflexionen über Pri-mitivismus und zeigt auch die erotisch besetzte Verbindung zwischen Exotis-mus und Primitivismus. Die Ferne der europäischen Kultur wird durchaus als lustvoll und befreiend empfunden, die Jagd auf wilde Tiere als abenteuerlich und das Schlafen unter freiem Himmel als ästhetisch reizvoll. Die Schilderung des zähen Rückzugskrieges, die in dem Ost-Afrika Bericht allerdings keine zentrale Rolle spielt, ist dann aber wiederum von Masochismus gekennzeich-net mit Hinweis auf die Strapazen, das Klima und die Tropenkrankheiten. Die (weiblich besetzten) Tropen Lettow-Vorbecks sind also ein zutiefst ambiva-lenter Ort, der den Europäer verführerisch lockt mit seinen Vorzügen, sich der Durchdringung durch den erobernden Mann anbietet, aber sich dann doch letztendlich der totalen Eroberung verweigert und kalt zurückschlägt. Dies ist die Erfahrung eines Mannes, der in offizieller Rolle in die Kolonien reist, mit der Bahn transportiert wird, zu Pferd große Strecken ablegt, sich seinen Pro-jektionen überlässt und mit vielen Erfahrungen gestählt wieder zurückkehren kann. Mit anderen Worten, eine Männergeschichte.

Es gibt interessante strukturelle Parallelen zu dem Bericht des Abenteurers Carl Peters, dessen Geschichte während der ersten drei Jahrzehnte des zwan-zigsten Jahrhunderts das Publikum in Deutschland gespalten und in Bann gehalten hat und in dem gleichnamigen UFA Film aus den vierziger Jahren festgehalten wurde. Die Schilderungen Carl Peters sind meines Erachtens pa-radigmatisch für das Muster des kolonialen Reisens, wie es zeitgleich in den literarischen Texten Frieda von Bülows debattiert, dann in den dreißiger Jahren nach dem Verlust der Kolonien wieder hergestellt wird und in der Nachkriegszeit als Negativfolie fungiert. *Wie Deutsch-Ostafrika entstand!* ist der persönliche Bericht des Gründers von 1940 über die Zeit von 1884 bis 1890, in der sich Peters in Ostafrika aufhielt und mehrere Expeditionen zur Inbesitznahme der Gebiete tätigte. Der Blick zurück auf eine Zeit, die mehr als 55 Jahre verstrichen war, ist teilweise einer im Zorn – weil ihm die fehlende Anerkennung nicht gleich zuteil geworden ist – , teilweise aber auch nostalgisch verbrähmt. Peters, der als Historiker und Geograph ausgebildet ist, spricht lang und breit von seinen Kindheitsphantasien und Vorbildern, die Helden der europäischen Geschichte, denen er „immer schon" nachgeeifert habe und nennt dann noch nationalpolitische wie auch ökonomische Gründe für die Notwendigkeit der Eroberung Ostafrikas (siehe Carl Peters 8ff.), aber die Verankerung des Eroberungsprojekts in dieser Phantasiewelt ist doch entscheidend. In seinem Handeln richtet sich Peters nach eigener Aussage nach Stanleys *Through the Dark Continent*.

> Ich wußte aus der Weltgeschichte, daß alte und neuere Konquistadoren ihre Rechtstitel auf Verträge stützten, welche sie mit eingeborenen Häuptlingen abschlossen, sogenannte Abtretungsurkunden. Die Schwierigkeit bei solchem Rechtsverfahren lag auf der Hand. Sie bestand darin, daß die Häuptlinge in Afrika weder lesen noch schreiben konnten. Dies ließ sich durch Dolmetscher und Zeugen zum guten Teil beseitigen; vor allem auch durch das Zeugnis einwandfreier anwesender Weißer. Freilich war es nicht möglich, auf diese Weise notariell unanfechtbare Dokumente zu schaffen. (Carl Peters 28-29)

Aus diesem Grund entschließt sich Peters zu einer zweigleisigen Methode, und zwar gleichzeitig Abtretungsverträge abzuwickeln als auch die deutsche Flaggenhissung zu vollziehen, um auf Nummer sicher zu gehen. Das Interessante bei Peters' Schilderungen seines Werdegangs ist, dass immer wieder die Geschichte und die historischen Vorbilder eine zentrale Rolle spielen als Leitbilder seiner Vision.

Auch die dann folgenden Schilderungen der Eroberungsreisen ins Innere Afrikas erfolgen nach diesem Schema: zunächst die Beschreibung der Karawane (persönliche bewaffnete Diener, Träger, ein Koch und die Kameraden), die meistens gepaart ist mit der tief erotisch besetzten Schilderung des Zaubers der Tropen, wie in der folgenden Passage ersichtlich:

> Ich werde niemals die eigentümliche Schönheit dieses ersten Marschtages vergessen. Wir stiegen vom Meere aus langsam bis auf die Höhe von dreihundert Fuß. Hinter uns das Meer begann sich allmählich in jene unsagbar reizvollen Farbtöne der Tropenwelt zu kleiden, und vor uns flammte der westliche Himmel nach und nach in der Glut der untergehenden Sonne. […] Die Luft war warm und durchsättigt von all den eigentümlich berauschenden Düften der Tropen; […] Ich fühlte mich wie hinausgeworfen auf einen anderen Planeten, wo das Leben noch glühender durch die Natur pulsiert. Ein unaussprechliches Sehnen und eine Melancholie überkam mich. (Carl Peters 36-37)

Die Anziehungskraft des Exotischen, die hier deutlich herauskommt, überschattet alle Unbequemlichkeiten und allen Mangel an Komfort, der bei Lettow-Vorbeck immer mal, wenn auch unterdrückt, angedeutet wurde. Hier ist jemand völlig im Einklang mit der Umgebung, von seiner Mission überzeugt und mit grenzenloser Energie ausgestattet, der sich höchstens dann und wann einmal eine lustvolle Halluzination leistet, die sich quasi programmatisch durch den freiwilligen Verzicht auf Wasser während der ersten zwei Stunden des Marsches einstellt (siehe Carl Peters 40).

Von Interesse in dem Kontext, der hier verfolgt wird, ist die Darstellung der Szenen, in denen sogenannte Abtretungsverträge geschlossen werden. Diese Szenen sind komplett durchinszeniert und laufen nach dem folgenden Schema ab: Einzug mit Pomp, um Eindruck zu schinden, Fahne aufziehen, Gerüchte von Peters Macht in Umlauf setzen, auf alt schminken, den Sultan kordial in die Arme nehmen, Grog trinken und vergnügliche Stimmung machen, Ehrengeschenke austauschen und süßen Kaffee ausschenken. Nach dieser sorgfältigen Inszenierung der Begegnung von Carl Peters mit dem Sultan, dessen Gebiet er als Schutzgebiet unter deutschen Einfluss stellen will, erfolgt die Verhandlung des Vertrages und dessen Abschluss, die wiefolgt abläuft:

> Alsdann begannen die diplomatischen Verhandlungen, und aufgrund derselben wurde der Kontrakt abgeschlossen. Als dies geschehen war, wurden die Fahnen auf einer die Umgegend beherrschenden Höhe gehißt, der Vertrag in deutschem Text von Dr. Jühlke verlesen, ich hielt eine kurze Ansprache, wodurch ich die Besitzergreifung als solche vornahm, die mit einem Hoch auf Seine Majestät den deutschen Kaiser endete, und drei Salven, von uns und den Dienern abgegeben, demonstrierten den Schwarzen ad oculos, was sie im Fall einer Kontraktbrüchigkeit zu erwarten hätten. (Carl Peters 43)

Der Abschluss des Vertrages wird also durch einen Sprechakt vorgenommen. Einige Inbesitznahmen werden sogar durch die Vollziehung des Rituals der Blutsbrüderschaft bekräftigt. Eine solche dramatische Szene war in dem Kaiserdiorama auf der Berliner Kunstausstellung abgebildet, wo die theatralische Inszenierung in der Detailtreue der Landschaft und der dramatischen Pose der Hauptdarsteller, die von Schwarzen und Expeditionsmitgliedern umringt sind und beim Vollzug der Blutsbrüderschaft gezeigt werden, angezeigt ist.

Der Vertragsinhalt selbst sichert Peters als den Vertreter der Gesellschaft für deutsche Kolonisation unbestrittene Rechte für ewige Zeiten, insbesondere das Recht der landwirtschaftlichen Nutzung, der Minenausbeutung und der eigenen Justiz und Verwaltung. Als Gegenleistung verspricht Peters den Schutz des Gebietes durch die Gesellschaft „gegen jedermann, soweit es in ihren Kräften steht" (Carl Peters 48) sowie eine jährliche, mündlich vereinbarte Rente zu zahlen. Damit ist es Peters aber noch nicht getan. Wie in dem masochistischen Urtext, aber hier parodistisch überspitzt, folgt ein zweiter, kürzerer Vertrag, der die uneingeschränkte Nutzung der Arbeitskraft, die sich in diesem Land findet, zum Inhalt hat. Hierin setzt der „Blutsfreund" Carl Peters gegenüber dem regierenden Sultan die Gesellschaft „auf ewige Zeiten als alleinige, aber ausschließliche Oberherrin seiner selbst und seines Volkes" ein und nimmt dem Sultan das Versprechen auf „Arbeitsleistungen und militärische

Gefolgschaft gegen jedermann" ab (Carl Peters 51). Was der tatsächliche Zweck dieser Vertragsabschlüsse sein soll, liegt somit offen auf der Hand, nämlich die juristisch abgesicherte uneingeschränkte Nutzung von Grund und Boden wie auch der Arbeitskraft des jeweiligen Gebietes. Dass zur Absicherung dieses Zieles der Weg über den Vertrag gewählt wurde, ist auch nicht ohne Präzedenz. Ganze Kontinente wurden so erschlossen, wenn man einmal an die Westexpansion im Nordamerika des neunzehnten Jahrhunderts denkt. Die Einbindung in die Ökonomie des Masochismus, die die bürgerliche Vertragskultur parodiert, ist meines Erachtens nach aber doch ein Element, das ganz besonders das deutsche Kolonialprojekt mitbestimmt. Einen solchen Vertrag auszustellen nach dem Muster des masochistischen Vertrages, der die Rollen und Verpflichtungen der beiden Partien ganz genau vorschreibt, der einen Seite völlige Nutzungsrechte zuschreibt und die andere Seite auf masochistischen Verzicht und Arbeitsleistungen (von der Art des Pflügens etc.) bindet, heißt, das deutsche Kolonisationsprojekt einzubinden in die ambivalente Kritik an Modernisierungsbestrebungen, die dem Masochismus eigen ist, wobei zwar einerseits die Technologie der Moderne voll ausgenutzt, aber die damit einhergehende Demokratisierungstendenz äußerst kritisch gesehen wird. Das Kolonisationsprojekt Carl Peters ist somit tief mit der ambivalenten Haltung des Masochismus gegenüber der Entwicklung der modernen Gesellschaft verbunden.

Als ausgedehnte Schilderung des masochistischen Ertragens von Schmerz und Krankheit kann auch die Passage gelten, in der Peters die Rückreise der Expedition mit mehreren Verträgen in der Tasche beschreibt. Peters leidet während dieser Reise an seinem ersten Fieberanfall und muss in einer Hängematte getragen werden, von ängstlichen und wilden Träumen geplagt. Sein Begleiter, Graf Pfeil, stirbt, und er muss sich trotz Schwäche mit Reitpeitsche und gezücktem Revolver gegen die Träger durchsetzen, die ihn mehrfach auf die Erde fallen lassen und von ihm Geld erpressen wollen (siehe Carl Peters 55-56). Die unerträgliche Sonnenglut wie auch die Dornen der Mimosen runden das Bild des Qualen erleidenden Kranken ab, dessen „Körper blutete aus vielen kleinen Wunden, und Tausende von blutgierigen Insekten aller Art" abwehren musste (Carl Peters 58). Die kalten Nächte rufen dann wiederum fieberhaft visionäre Zustände auf, von denen wir bereits wissen, dass Peters sie sich auch bewusst zufügt und offenbar lustvoll erlebt. Bezeichnend ist dann auch die Rettung durch eine nahende Missionsstation, durch das Kreuz sozusagen, für Peters in diesem Moment „ein Symbol, dass wir uns der europäischen Kulturwelt wieder näherten" (Carl Peters 63), das aber auch metonymisch auf die Verbindung zwischen der Welt des Christentums und den martyrischen Qualen der getragenen Kranken hinweist.

Peters hat von daher seine Expeditionsreisen in das Innere Ostafrikas und seine ganzen Bestrebungen um die Schaffung eines zusammenhängenden deutschen Kolonialreiches nicht nur immer schon in einem historischen Kontext gesehen (indem er sich in die Tradition der europäischen Eroberungshelden einreiht), sondern auch ökonomisch (Ausbeutung der Bodenschätze und des Arbeitspotentials), national und kulturell. Die Carl Peters Geschichte ist immer gleichzeitig auch eine Geschichte des erwachenden deutschen National-stolzes, gehört also von daher in die Gründerzeit und in das Kaiserreich:

> Wir Deutsche kamen spät in die kolonialpolitische Arena. Um so mehr hielt ich es für meine Pflicht, den anderen Völkern der Erde zu zeigen, daß wir entschlos-sen waren, nach Kräften einzulenken in eine große und stolze Kolonialpolitik, uns alles Land zu nehmen, was zunächst in Ostafrika freilag. (Carl Peters 82)

Die Besetzung, die Peters mit „den Deutschen" hat, ist eine durch und durch erotische, wie auch die Beziehung zu dem tropischen Land eine erotische ist. In Abwesenheit von Frauen in diesem männlichen Projekt (nicht tatsächlicher Abwesenheit – es gibt mehrere Berichte von Peters ausschweifendem Verhal-ten auf seinen Expeditionen – aber völligem Fehlen im Diskurs), muss die Na-tion die rhetorische Funktion der Besetzung übernehmen. Das Land gilt es zu durchdringen mithilfe von sexuell gesteigerter Energie. Die Einheimischen gilt es durch masochistische Verträge zu befrieden. Die Nation gilt es zu gewinnen durch Eroberungszüge. Peters' Kolonialprojekt vereint diese drei Dimensionen wie kein anderes. Von daher hat es auch seine Grenzen in der fehlenden Aner-kennung durch die Nation. Peters zieht sich aus der aktiven Kolonialpolitik zu-rück, sobald er auf massive Widerstände durch die Bürokratie stößt. Seine Gründe dafür skizziert er im neunten Kapitel seiner Aufzeichnungen. Ein letz-ter Versuch ist die Expedition an den oberen Nil, ein Gebiet, wo seiner Ansicht nach das deutsche Volk „an vier bis fünf Millionen seiner Auswanderer dort ansiedeln könnte" (Carl Peters 151-52). Diese Expedition hat noch einmal alle die Elemente, die Peters zu dieser Art von Abenteurertum gezogen haben: ge-fährliche Kämpfe gegen Tausende von Schwarzen, strapazierende Märsche, insgesamt jedoch großartige Perspektiven und Zukunftsaussichten (aus politi-scher und ökonomischer Perspektive). Das Deutschland, das auch diesen letz-ten Eroberungsversuch ablehnt, mutiert für Peters damit zur grausamen Frau, die seine Opfer abschlägt:

> Ich selbst muß meinen Lohn für das Opfer meiner eigentlichen Lebenskraft in der Tatsache von Deutsch-Ostafrika erblicken. […] und von den Schicksalen, welche ich beklage, bleibt das herbste die Aufopferung meiner Arbeit in den Kenia-Di-strikten, am oberen Nil und in den Somaliländern. Den Schaden hatte letzten En-des Deutschland zu tragen; denn für das hatte ich gearbeitet. (Carl Peters 165)

Was der masochistische Mann nicht erobern kann, das gelingt den Protagonis-tinnen von Frieda von Bülows literarischen Werken. Sogar Peters selbst sagt in einem kleinen Hinweis, dass die Freiin Frieda von Bülow, die zur Kolonie ge-kommen war, um die Krankenpflege zu organisieren, jene Monate ihres Auf-enthaltes in Sansibar „mit ihren Arbeiten und Sorgen anschaulich in ihren Ro-manen und in kleineren Arbeiten dargestellt" (Carl Peters 145) habe, dass sie als Mittelpunkt des Kolonistenkreises wirkte und in dieser Funktion auch Pe-ters' politische Freunde unterstützt habe. In der Filmversion ist allerdings diese erotische Dimension völlig ausgespart und ersetzt durch die Figur der Mutter, die als einzige am Schluss zu ihm hält. Die Weiterentwicklung und Verkomplizierung dieser masochistischen Grundstruktur, die der Kolonialliteratur unterliegt, soll im nächsten Kapitel thematisiert werden, wo die Texte und vor allem auch Filme der unmittelbaren Nachkriegszeit analysiert werden, die das koloniale Thema weiterschreiben, jetzt aus der Perspektive des Verlustes der Kolonien durch die Direktiven des Versailler Vertrags.

In den Feldzugsberichten und Schlachtbeschreibungen werden rassistische Einstellungen der weitverbreiteten Diskurse über Afrika und die Afrikaner reproduziert und damit die Basis für die Stereotypen der Rede von der Kolonialschuldlüge gelegt. Darin erscheinen die europäischen Eroberer als gütige Väter von primitiven und aggressiven Eingeborenen. Die afrikanische Kultur existiert überhaupt erst durch den europäischen Blick auf sie und die nachfolgende Narrativierung. Die darin benutzten Strategien der Fiktionalisierung basieren auf ganz bestimmten Annahmen über den Triebhaushalt der deutschen militärischen Führung und der afrikanischen Gegner: Ruhe und Gefasstheit im Kampf steht wilden Schreien der Buschneger gegenüber, deren Dummheit und Verfangenheit in alten Strukturen zu Tiervergleichen anleitet. Fiktionalisierte Beispiele von afrikanischer Rede sind karikaturistisch verzerrt, detaillierte Berichte ethnologischer Rituale bedienen den Voyeurismus der Lesenden. In *Peter Moors Fahrt nach Südwest* wird die masochistische Dynamik vorgeführt: Lustgewinn entsteht durch die detaillierte Orchestrierung und Beschreibung von Tötungs- und Sterbevorgängen. Nahkampfbeschreibungen ästhetisieren die libidinöse Besetzung von Kampfesgegnern und befriedigen masochistisches Verlangen durch den voyeuristischen Blick auf den lustbesetzten schwarzen Körper. Moor fungiert als masochistischer Betrachter bildlicher Szenarien. Die Landschaft steigert das Verlangen, ist aber gleichzeitig undurchdringlich.

Gabriele Reuters *Kolonistenvolk* setzt ebenfalls Stereotypen schematisch ein, wobei Landschaftsbeschreibung in den Vordergrund rückt. Die südamerikanischen Spanier werden als reklamesüchtig beschrieben, als melodramatisch, umständlich und kindlich. Sie haben einen Hang zum Despotismus, sind abergläubisch und ihre Sinne vernebeln ihren Verstand. Die masochistischen Verlockungen der Kolonie müssen erst überwunden werden, bevor die Hauptfiguren zu einer erfüllenden Beziehung finden können. Die Erzählung dieser emotionalen Dimension der Geschichte wird durch die Erzählung von Raumgestaltung und -durchquerung geleistet. Von Bülows Erzählungen denken das masochistische Paradigma insofern weiter, als die emanzipatorischen Verwirklichungsmöglichkeiten in der Kolonie letztendlich eine Feminisierung der grausamen Frau anstreben, wobei Frauenpionierarbeit nur durch ein Durcharbeiten des patriarchalischen Lustangebots möglich wird. Hans Grimm gestaltet die klassische Dreiecksbeziehung der grausamen weißen Frau, des masochistischen Mannes und der afrikanischen Dienerin in den Erzählungen „Dina" und „Als Grete aufhörte ein Kind zu sein", in denen die Rolle der grausamen Frau wiederhergestellt wird durch die masochistischen Machtverhältnisse, aus denen der Mann nur durch die schwarze Frau hätte befreit werden können, die aber entfernt werden muss.

Die Schilderungen von Eroberungszügen sind auf ganz enge Weise mit dem nationalen Projekt verbunden. Die Berichte richten sich an die zurückgelassene Heimat. Afrikaner kommen in ihr nur in Dienerrollen vor. Das Reisen und Siedeln wird als Opfer dargestellt, um die Lust und die erotische Bedeutung der Beziehung zu Afrika zu kaschieren. Lettow-Vorbecks Bericht betont die lustbesetzte Verbindung mit Land, Jagd und Strapazen. Peters' erotisch besetzte Schilderung der Tropen, dessen theatralische Inszenierung von Vertragsverhandlungen, überspitzen das Ritual des masochistischen Vertrages (das Einsetzen des uneingeschränkten Nutzens auf einer Seite und hohe Arbeitsverpflichtungen auf der anderen). Die Nation ersetzt die rhetorische Funktion der grausamen Frau (von der ansonsten nirgendwo wie Rede ist). Die Frage kommt jetzt auf: wie gestaltet sich der koloniale Diskurs in der Zeit nach dem Verlust der deutschen Kolonien an diverse Mandatsverwaltungen im Zuge des Versailler Vertrags? Die Imagination kann weiter blühen, dem sind keine Grenzen gesetzt. Doch gibt es eine wesentliche Veränderung in der Wahlverwandschaft von Kolonialismus und Masochismus, die die Texte der Kolonialliteratur bestimmt hat, und den neuen Werken einer jungen demokratischen Republik? Die unmittelbare Perspektive der Kolonien ist vorerst abgeschnitten. Wie gestaltet sich nun die Thematik in diesem neuen Szenarium?

Die Emanzipation des Blicks: Postkoloniale Tropen

Dem Blick des schwarzen Mannes auf die weiße Frau sind wir zum erstenmal in Hans Grimms Erzählung „Als Grete aufhörte ein Kind zu sein" begegnet, worin Alfred lüstern der jungen Grete nachsieht, sie sich dieser Begierde immer stärker bewusst wird und sie auch erwidern will. Gretes Träume sprechen Bände und erklären die Intensität des Endes der Geschichte, in der Grete Alfred und dessen Schwester Ellen erschießt und damit allen ungebändigten Begierden ein gewaltsames Ende setzt. Die Erzählung dieses Blickes ist aber nicht zu verwechseln mit der Darstellung (und später dann auch Erzählung) des Blickes der schwarzen Frau auf den weißen Frauenkörper in der Tradition der Venusikonographie, wie wir sie in der Einleitung diskutiert haben. Dieser Blick war immer hierarchisch strukturiert und von der Dienerin auf die Herrin gerichtet. Es war kein erotischer Blick, obwohl diese Komponente in der masochistischen Erzähltradition dann hinzugekommen ist und durch die Tatsache kompliziert wurde, dass die schwarzen Dienerinnen nicht nur auf den weißen Frauenkörper schauen, sondern auch auf den Körper des weißen Masochisten, der wiederum diesen erotisch aufgeladenen voyeuristischen Blick zurückgibt. Ich möchte in diesem Kapitel die Bewegung nachzeichnen, die von der Darstellung des masochistischen Szenarios in der Kolonialliteratur zu der masochistischen Ästhetik führt, die viele Filme und Texte der Weimarer Zeit bis in die Nazizeit hinein bestimmt und die metonymisch mit kolonialen Tropen verknüpft ist.

Die Nachkriegs-Obsession mit dem Thema der verlorenen Kolonien wird bereits während des ersten Weltkriegs deutlich in der Neigung einiger Kunstbewegungen wie beispielsweise des Expressionismus zum Primitivismus und damit einhergehend einer Neudefinition der Funktion afrikanischer Kunst. Obwohl ich mich in diesem Zusammenhang nicht erschöpfend mit dem Phänomen des Primitivismus auseinandersetzen kann, möchte ich doch kurz auf die zentrale Figur Carl Einsteins und dessen bahnbrechenden Text „Negerplastik" eingehen, denn ich sehe in dem Aufschwung des Primitivismus eine gewisse Strukturparallele zur Entwicklung des theatralischen Szenarios des Masochismus. Beide drücken eine Modernitätskritik aus, die durch eine Regressionsbewegung ins „Primitive" verkörpert wird. Masochismus wie auch Primitivismus können als Reaktionen auf Modernisierungstendenzen (Urbanisierung, größere Anonymität, fortgeschrittene Kriegstechnologien, Verkehr, Massengesellschaft, etc.) angesehen werden, die von einem allgemein umgreifenden Kulturpessimismus getragen werden. Rhys W. Williams hat den Enthusiasmus für primitive Kunst, der mit Beginn des zwanzigsten Jahrhunderts um sich greift, als „widespread rejection of scientific positivism, of rational modes which were associated in the climate of cultural pessimism from around 1900 onwards with technological advance and rampant materialism" verstanden (247). Williams zufolge war Einstein in erster Linie an afrikanischer Kunst interessiert, weil sie eine radikale Alternative darstellt zur herrschenden modernistischen Ästhetik des subjektiven Ausdrucks (248). Der zweite hier relevante Text Einsteins, *Afrikanische Plastik* von 1921, enthält neben weiteren Abbildungen aus Afrika auch zwei Abbildungen polynesischer Statuen. Einsteins Vorgehen bei der Besprechung seines Themas ist zunächst von methodischen Fragen motiviert: wie kann man sich bei der Besprechung von „Negerplastiken" von der europäischen Terminologie befreien, die diesen Gegenstand umgibt und die auf der allgemeinen Verachtung basiert, die Europäer der afrikanischen Kultur gegenüber über Jahrhunderte hinweg aufgebracht haben: „Der Neger jedoch gilt von Beginn an als der inferiore Teil, der rücksichtslos zu bearbeiten ist, und das von ihm Gebotene wird a priori als ein Manko verurteilt" (Einstein, „Negerplastik" 245).

Diesem methodischen Problem begegnet Einstein, indem er den sozialen und kulturellen Kontext vollkommen ausschaltet, in dem die Kunstwerke entstanden sind, und sich stattdessen auf eine formale Beschreibung der ästhetischen und künstlerischen Strukturen stützt – dadurch aber den langen Arm des Imperialismus benutzt, indem er an europäischen Kunstwerken (des Kubismus) gemessene Kriterien zur Bestimmung der afrikanischen Plastik anwendet. Er spielt somit die Kunstrichtung des Kubismus gegen die Tradition der Kunstakademie aus, die die Sprache der zeitgenössischen Kunstkritik zu Beginn des zwanzigsten Jahrhunderts bestimmt und verhindert, dass kubistische Kunstwerke ihre gebührende kunstkritische Beachtung gewinnen. Einstein benutzt also die Diskussion afrikanischer Plastiken als eine Art Vorwand, um die Kunstwerke des Kubismus anzupreisen. Er schätzt „das Malerische" an ihnen, was Zeugnis eines „besonderen Falls plastischen Sehens" sei, wobei das Dreidimensionale des Kunstwerks in seinem Bezug zu dem Beschauer wieder hergestellt wird (Einstein, „Negerplastik" 248). Diese Neuinterpretation der Wahrnehmung von Kunstwerken in der europäischen Tradition habe einen ökonomischen Hintergrund, nämlich ihre Heimat in der Ideologie des Kapitalismus:

> Europäische Mittelbarkeit und Überlieferung muß zerstört, das Ende der formalen Fiktionen festgestellt werden. Sprengen wir die Ideologie des Kapitalismus, so finden wir darunter den einzigen wertvollen Überrest des zerkrachten Erdteils, die Vorraussetzung jedes Neuen, die einfache Masse, die heute noch im Leiden befangen ist. Sie ist der Künstler. (Einstein, „Negerplastik" 249)

Die Kunst des Negers sei weiterhin „vor allem religiös bestimmt", was heißt, dass die Kunstwerke verehrt werden und ihre Anschauung religiös vorbestimmt sei (Einstein, „Negerplastik" 251). Einstein erklärt, wie eine solche religiöse Anschauung funktioniert an Hand der Beobachtung der starken Verselbständigung der Teile in einem afrikanischen Bildwerk: „Jene sind nicht vom Beschauer, sondern von sich aus orientiert; die Teile werden von der engen Masse aus empfunden, nicht in abschwächender Entfernung, somit werden sie und ihre Grenzen verstärkt sein" (Einstein, „Negerplastik" 253). Das Kunstwerk ist von daher nicht die willkürliche Schöpfung eines Genies, sondern es existiert real durch seine geschlossene Form und partizipiert in einer mythischen Realität, die an Kraft die natürliche übertrifft.

> Während das europäische Kunstwerk der gefühlsmäßigen, sogar formalen Deutung unterliegt, insofern der Beschauer zur aktiven optischen Funktion aufgerufen wird, ist das Negerkunstwerk aus mehr als formalen Gründen, nämlich auch religiösen, eindeutig bestimmt. Es bedeutet nichts, es symbolisiert nichts; es ist der Gott, der seine abgeschlossen mythische Realität bewahrt, worin er den Adoranten einbezieht und auch ihn zu einem Mythischen verwandelt und seine menschliche Existenz aufhebt. (Einstein, „Negerplastik" 253)

Einstein vermeidet dadurch, die Kategorien der europäischen Kunst auf die afrikanische Plastik aufzupfropfen, indem er sie als in sich umrissenen Bezirk versteht. Andreas Michel hat darauf hingewiesen, dass Einsteins formalistische Beschreibung in „Negerplastik" nicht unbedingt mit seiner in anderen Texten formulierten Kulturkritik in eins gesetzt werden darf, wo Einstein durchaus die zur Zeit übliche „primitivistische" Einstellung gegenüber afrikanischer Kultur wiederhole und Freuds Paradigmen von „Totem und Tabu" weiterschreibe (siehe Einstein, „Negerplastik" 158ff.). In dem frühen Text instrumentalisiert Einstein auf jeden Fall die Beschreibung afrikanischer Kunstwerke, um die kubische Raumerfahrung zu verdeutlichen, die die afrikanischen Statuen seiner Ansicht nach explizieren. Er nennt die afrikanische Plastik eine „klare Fixierung des unvermischten plastischen Sehens" (Einstein, „Negerplastik" 254), lobt ihre Frontalität, die Suggestion der Tiefe und die darin vermittelte Zentralität des Körpers als Ziel der plastischen Anschauung:

> Der Neger opfert seinen Körper und steigert ihn; sein Leib ist dem Allgemeinen sichtbar hingegeben und dies erwirbt an ihm greifbare Form. Es bezeichnet eine despotische, bedingungslos herrschende Religion und Menschlichkeit, wenn Mann und Frau den individuellen Trieb durch Tätowierung zu einem allgemeinen machen; allerdings auch eine gesteigerte Kraft der Erotik. (Einstein, „Negerplastik" 261)

Die hier beschriebene Dynamik des Primitivismus weist, wie ich meine, gewisse Strukturparallelen auf zur Psychodynamik des Masochismus, wie wir sie an Hand der Texte des neunzehnten Jahrhunderts studieren konnten und wie sie weiterlebt in den sado-masochistischen Praktiken von heute: die empfundene erotische Steigerung des Körpers, die mit der gleichzeitigen Heruntersetzung des „Sklaven" in einer despotischen Beziehung einhergeht; der Sklave, der sich bedingungslos der gewaltigen symbolischen Mutter ausliefert und dadurch eine gesteigerte Erotik erfährt. „Fixierte Ekstase" nennt Einstein die Erfahrung des Individuums mit der Begegnung (=der Maske) der Gottheit. Die Masochisten der Texte des neunzehnten Jahrhunderts, die das Thema des Kolonialismus nur metonymisch gestalten, geben sich ebenfalls der Regression in

eine – zwar nicht primitive, aber doch historisch vergangene – Zeitperiode hin,
die durch streng hierarchisch organisierte Sozialstrukturen gekennzeichnet ist,
und diese Regression wird als körpersteigernd empfunden (siehe Kiefer 233ff).
Hier liegt meiner Ansicht nach der Grund für die extensive Benutzung kolonialer Bilder in Texten aus der unmittelbaren nach-kolonialen Phase der Weimarer Republik und dann wieder verstärkt der propagandistischen Kultur der Nazizeit.

David Pan hat in seiner Analyse des deutschen Expressionismus auf die
zentrale Funktion des Primitivismus hingewiesen und behauptet, dass die
Kunstbewegungen des beginnenden zwanzigsten Jahrhunderts gegen die Unterdrückung der primitiven Perspektive rebelliert haben und dass sie von daher
nicht als Beigabe zur Moderne, sondern als kritische Reaktion darauf zu verstehen sind:

> The primitive did not simply invade the European cultural tradition from outside
> but rather developed out of the European critique of a Renaissance-oriented aes-
> thetic. The primitive does not designate something foreign but familiar, though
> perhaps repressed." (Pan 4)

Dieser Standpunkt gibt allerdings eine ganz neue Sicht frei auf die Konstellation des Masochismus und des Primitivismus mit ihren jeweiligen Bezügen zu
kolonialen Bildern und Themen: wenn es tatsächlich stimmt, dass Masochismus und Primitivismus Strukturen widerspiegeln, die nicht von außen an Europa herangetragen werden, sondern eine unterdrückte Objektrelation bezeichnen, die durch die metonymische Assoziation der europäischen Figuren mit
kolonialen Tropen angezeigt wird, würde dies die Funktionsweise der kolonialen Tropen in den hier behandelten Texten allerdings erklären, die sonst
ohne Bedeutung sind im Zusammenhang der Handlungsführung. Die primitivistische und die masochistische Kritik der Moderne rekonstruiert somit die
Macht der bedingungslosen Unterordnung unter die Mythen, die in ästhetischen Konstellationen und theatralischen Szenarien wieder erfahren weren
kann. Einsteins Punkt über die Wiederherstellung einer drei-dimensionalen
Räumlichkeit durch die afrikanische Plastik ist von daher ein Moment, das
nicht die Skulptur aus europäischer Sicht und von daher als „deformiert" betrachtet, sondern die Konstruktion eines Raumes in den Mittelpunkt rückt. Und
diese mythische Totalität bietet ganz andere Rezeptionsstrukturen an als die
Museumskunst der europäischen Tradition, die immer auf Distanz aus ist.

Dass diese Idee Wellen geschlagen hat in der Kunst und Literatur des frühen zwanzigsten Jahrhunderts liegt offen auf der Hand. Kafkas Sirenen und
der Affe Rotpeter sind neben vielen anderen Darstellungen mythisch-primiti-
ver Figuren in Sternheims Dramen, Benns Gedichten und expressionistischer
Malerei und Plastik Zeugen dieser enormen Offenheit der Kultur des frühen
zwanzigsten Jahrhunderts für eine radikale Umdeutung der künstlerischen Erfahrung und der Wahrnehmungsweise von Kunst und Literatur (siehe Bleicher
251ff, Goebel, „Verborgener Orientalismus" 31-43). Ich möchte nun eine

Reihe von Dokumenten untersuchen, die diese primitivistische und masochistische Kritik an der Moderne mit Hilfe von kolonialen Tropen leisten. Ich denke hier zunächst an die frühen Filme Josef von Sternbergs mit Marlene Dietrich in der weiblichen Hauptrolle, angefangen beim *Blauen Engel* bis zu *Morocco* und *Blonde Venus*, worin Dietrich ihre Mitspieler und die Zuschauer in masochistische Szenarien verwickelt, die durch primitivistische und koloniale Tropen aufgeladen werden, so dass dieser Steigerungseffekt entsteht, von dem der Masochist seine erotische Befriedigung erhält. Ein tieferes Verständnis dieser Dynamik führt dann zu einer Analyse der Funktionsweise kolonialer Tropen im Nazikulturfilm und in ausgewählten Ufa-Filmen aus den Kriegsjahren.

Dass Sternberg sich in den dreißiger Jahren mit dem Thema der grausamen Frau auseinandergesetzt hat, zeigt seine Besetzung der Hauptrolle in *A Scarlett Empress* von 1934, worin Marlene Dietrich die für ihre Grausamkeit berüchtigte russische Zarin Katharina II. spielt, die von klein an mit Szenen blutiger Folter konfrontiert wird und die zur grausamsten Zarin Russlands, zur eiskalten politischen Schachspielerin wird, die vor nichts zurückschreckt. Sacher-Masoch hatte sich bereits dieser Figur zugewandt und in seinem Roman *Katharina II* ihre Grausamkeit detailliert geschildert. Auch Sternbergs darauf folgender Film, *The Devil is a Woman*, beschäftigt sich ganz explizit mit dem Thema des Masochismus, wobei die Perspektive des männlichen Masochisten den Erzählgang des Films (und damit auch dessen Rezeptionsweise) bestimmt, in dem Marlene Dietrich eine verführerische spanische Tänzerin spielt, die auf ihrer sexuellen Unabhängigkeit besteht und sich nicht von den jeweiligen Anbetern einfangen lässt. Diese Carmen-Figur sei „the most dangerous woman you'll ever meet" in den Augen des männlichen Masochisten, Pasquale, der ihr lange Zeit nachgestiegen ist. Der Film macht die Perspektive der Anbeter zur Kameraperspektive, wodurch die Zuschauer an der Lust dieser masochistischen Unterwerfung des Mannes unter die grausame Frau teilnehmen können.

Gaylyn Studlar hat in diesem Zusammenhang eine sehr interessante These aufgestellt: ihrer Meinung nach funktioniert das theatralische Szenarium des Masochismus, so wie wir es paradigmatisch an Hand der Novelle „Venus im Pelz" untersucht haben, als Rahmen für die Funktionsweise der Sternberg/-Dietrich Filme überhaupt, denen eine masochistische Ästhetik unterliege.

> I contend that masochism, redefined from Deleuz's revisionary psychoanalytic study, functions as the principal formal and psychoanalytic element in determining the multiple pleasures of the Sternberg/Dietrich texts – texts that can be said to exemplify a masochistic aesthetic. (4)

Sternbergs Filme mit Marlene Dietrich werden somit zu paradigmatischen Beispielen für eine masochistische Filmästhetik, die durch narrative und visuelle Elemente eine ganz bestimmte Rezeptionsweise herstellen, die wiederum auf masochistischen Strukturen basiert. Studlar meint, „that cinematic pleasure is much closer to masochistic pleasure than to the sadistic, controlling pleasure commonly associated with spectatorship in modern film theory" (9). Beide

Beispiele, Sacher-Masochs Novelle und Sternbergs frühe Filme mit Marlene Dietrich, gründen die Zuschauererfahrung auf einer Struktur des aufgeschobenen Wunsches und der Selbsterniedrigung. Im Gegensatz zur sadistischen Handlung ist ein Zeitelement in die Funktionsweise der masochistischen Lust eingebaut, wo Lust durch Aufschub von Konsum entsteht. Und diese Funktionsweise lässt sich auf die Rezeption des modernen narrativen Spielfilms übertragen:

> Like the masochist, but unlike the sadist, the spectator must avoid the orgasmic release that destroys the boundaries of disavowal, takes him/her outside the limits of normal spectatorship and into the realm of the true voyeur, and disrupts the magical thinking that defines the infantile use of the cinematic object. (Studlar 27)

Sternbergs Pasqualito und Antonio modellieren diese masochistische Ästhetik für die Zuschauer, indem ihre Erzählung zur Erzählung der Kamera wird.

In ihrem bahnbrechenden Essay „Visual Pleasure and Narrative Cinema" hat Laura Mulvey Sternberg gegen Hitchcock ausgespielt, um die Dynamik der fetischistischen Schaulust im Kino zu untersuchen. Beide Regisseure thematisieren den Blick in ihren Filmen. Mulvey empfindet Hitchcock als den komplexeren Fall, lobt aber an Sternberg die Reinheit, mit der fetischistische Schaulust zur Darstellung komme:

> While Hitchcock goes into the investigative side of voyeurism, Sternberg produces the ultimate fetish, taking it to the point where the powerful look of the male protagonist (characteristic of traditional narrative film) is broken in favor of the image in direct erotic rapport with the spectator. The beauty of the woman as object and the screen space coalesce. [...] The high point of emotional drama in the most typical Dietrich films, her supreme moments of erotic meaning, take place in the absence of the man she loves in the fiction. There are other witnesses, other spectators watching her on the screen, their gaze is one with, not standing in for, that of the audience. (Studlar 36)

Die Funktionsweise der fetischistischen Schaulust, die Sternbergs Filme so rein zur Schau stellen, bezieht sich also nicht in erster Linie auf den Blick der männlichen Helden auf das ausgestellte erotische Objekt, die grausame weiße Frau, sondern auf den Kamerablick, der gleichzeitig auch der voyeuristische Blick der Zuschauer ist. Der männliche Held ist in diesen Filmen oft gar nicht in Besitz des kontrollierenden Blicks, sondern steht abseits, gebrochen (wie Professor Rath) oder hat bereits die Szene verlassen (wie Tom Brown am Ende von *Morocco* und Antonio in *The Devil is a Woman*). Was ich dieser Diskussion hinzufügen möchte, ist eine Analyse der auf der Leinwand dargestellten Zuschauer in den vielen Auftritten Marlene Dietrichs und eine Reflexion auf die Funktionsweise der Masken und Requisiten, die die weibliche Hauptfigur auf exzessive Weise mit Afrika in Verbindung stellen.

Die ersten zwei Filme, die Sternberg mit Dietrich gedreht hat, *Der blaue Engel* (1932) und *Morocco* (1932), beschäftigen sich explizit mit dem maso-

chistischen Szenarium und den kolonialen Tropen, die dieses Szenarium erotisch aufladen. *Der blaue Engel* ist Sternbergs und Dietrichs erste Zusammenarbeit (siehe Frewin 42ff). Dieser Film ist wohl der berühmteste von allen
Sternberg-Filmen und ausführlich in der Filmkritik und Filmwissenschaft auf
die Funktionsweise der narrativen Strukturen und visuellen Bilder hin analysiert worden. Was aber bisher nicht geleistet wurde, ist ein Kommentar zu den
exzessiven kolonialen Tropen und Requisiten, die in diesem Film so zahlreich
vorhanden sind: Wieso sitzen schwarze Männer im Zuschauerraum des blauen
Engels in der wilhelminischen Stadt, in der die Geschichte am Ausgang des
neunzehnten Jahrhunderts spielt? Das ist historisch nicht überzeugend. Pascal
Grosse hat detailliert über die zahlenmäßig äußerst geringe Präsenz von Afrikanern in Deutschland geschrieben. Nach seinen Angaben gab es lediglich
„rund 500 Afrikaner und Ozeanier beziehungsweise ihre Nachkommen aus den
Kolonien für den Zeitraum zwischen 1885 und 1945 [...], von denen etwa
zwei Drittel aus Kamerun und Togo stammten, und die sich zwischen einigen
Jahren und mehreren Jahrzehnten in Deutschland aufhielten" (Van der Hey-
den/Zeller 196). Warum hält Professor Rath eine schwarze Puppe in der Hand,
als er nach seiner ersten Nacht bei Lola Lola aufwacht (übrigens dieselbe
schwarze Puppe, die Amy Jolly in *Morocco* in ihrer Umkleidekabine hat und
überall mit sich herumschleppt)? Wir wissen mittlerweile, dass es sich um
Marlene Dietrichs Puppe handelte, die auch im Berliner Filmmuseum ausgestellt ist, aber das rechtfertigt noch lange nicht ihren Einsatz in den Filmen.

Bei ihren Auftritten ist Dietrich von den folgenden Blickenden umgeben:
der Kamera natürlich, die direkt auf das fetischisierte Blickobjekt starrt, den
Zuschauern im Blauen Engel, die Lola Lolas Nummer betrachten und kom-
mentieren, Professor Rath auf der Loge über der Bühne und den anderen
Schauspielern hinter oder auf der Bühne einschließlich des Clowns, der keinen
Ton spricht während des ganzen Films, der aber immer in entscheidenden
Momenten durch die Szene schleicht und schaut. Eine der ersten Nummern,
die in diesem Film gezeigt wird, ist eine arabische Bauchtanznummer, die eine
Kollegin vorführt, kurz danach kommt ein Bär durch die Ankleidekabine auf
seinem Weg zum Auftritt. Der betrunkene Kapitän, der Lola Lola anhauen will
und von Professor Rath aus ihrer Umkleide geschmissen wird, ist gerade mit
einer Lade aus Kalkutta eingelaufen. Während einer anderen Nummer gibt es
einen schwarzen Tänzer auf der Bühne. Lolas Nummer „Ich bin von Kopf bis
Fuß auf Liebe eingestellt" wird dann nicht nur von Professor Rath gesehen,
dem sie ganz offensichtlich gewidmet ist, sondern auch von den Zuschauern
im Haus, deren voyeuristische Perspektive die Kamera wiedergibt, wobei in
der ersten Reihe gut sichtbar ein schwarzer Zuschauer sitzt, während Professor
Rath vor lauter Verlegenheit statt Lola Lola die großbrüstige Gallionsfigur anschaut. Mit anderen Worten, der männliche Held, dessen Masochismus sich im
Laufe der Geschichte immer mehr entfaltet, der sein Blickobjekt nicht verlassen kann trotz offensichtlicher Grausamkeit und Untreue, verpasst in dieser
ersten zentralen Szene die Blickdramaturgie, während die Kamera den lüster-

nen Blick der Menge (die eben auch schwarze Blickende enthält) wiedergibt. Der weiße Frauenkörper wird damit zum Objekt der Begierde und kann sich doch immer wieder entziehen. Rath kann Lola Lola nicht auf Dauer besitzen, er kann nicht einmal den Verkauf ihrer Bilder, geschweige denn die Blicke auf ihren Körper kontrollieren. Auch Professor Rath (als August) muss sich von schwarzen Männern anschauen lassen in seiner letzten Nummer als Zauberlehrling. Der schwarze Blick überlebt auf jeden Fall den Blick Raths auf die letzte Gesangsnummer im Film: als er bereits tot auf seinem Schultisch liegt, singt Lola Lola noch einmal ihre berühmte Nummer „Ich bin von Kopf bis Fuß auf Liebe eingestellt" und die Kamera zeigt sie wiederum frontal angeschaut von ihren schwarzen und weißen Zuschauern.

Der schwarze Blick auf die weiße Frau war immer der verbotenere. Während weiße Männer auf schwarze Frauen blicken durften, was ja auch Teil des masochistischen Szenarios ist, durften weiße Frauen weder auf schwarze Männer schauen – das hätte ja ihre aktive Rolle in der Verführungsdynamik herausgestrichen und sie vollkommen sozial kalt gestellt – noch durften schwarze Männer auf weiße Frauen blicken – was sofort mit Vergewaltigung assoziiert wurde. Dass Sternberg mit diesem Tabu spielt, zeigt, wieviel erotische Bedeutung hinter diesem Szenarium steckt. Die Konstruktion Lola Lolas als vollkommenes Objekt von Spiegelungen und damit ihre Verführungsgewalt wird validiert und intensiviert dadurch, dass sie auch für den emanzipierten schwarzen Blick als solches funktioniert.

Lola Lola wird aber nicht nur von schwarzen Männern lüstern angeschaut, sondern auch anderweitig metonymisch mit Afrika und kolonialem Besitz in Verbindung gebracht. Wenn Professor Rath nach seiner ersten Nacht bei Lola auf dem Sofa aufwacht, hält er eine schwarze Puppe in der Hand, betrachtet sie kurz, spielt mit ihr und wirft sie dann weg. Diese Szene ist parallel gebaut zu der ersten Szene in Raths Zimmer, in der der tote Vogel von seiner Vermieterin in den Ofen geworfen wird und wo Rath gepflegt seinen Kaffee in seiner Studierstube vor dem pünktlichen Schulbesuch einnimmt. Jetzt zwitschert ein Vogel voller Leben, Lola und Rath trinken zusammen Kaffee, er kommt prompt verspätet in die Schule. Diese Szene strotzt voller Lebenszeichen und eines dieser Zeichen ist die schwarze Puppe Lolas, die Raths sexuelles Empfinden steigert, weil sie die Angebetete in die Nähe von Primitivismus und dessen machtvollen sexuellen Erfahrungen rückt. Tag Gallagher berichtet, dass Sternberg in den vierziger Jahren moderne und primitive Kunst gesammelt hat, dass er während seines ganzen Lebens selber gemalt und sich als Bildhauer betätigt hat (3) und nennt von daher seine Filme „scultpure in motion" (7), die die Verbindung von sadistischem Impuls des Beherrschens in der Frauenrolle und masochistischen Leidens in der Männerrolle untersucht. Von anderen ist die Rolle der Lola Lola als „pure male fantasy projection" interpretiert worden (Adrian Martin, „Dietrich and Sternberg" 3), eben eine Skulptur in Bewegung, die der Lustvorstellung des männlichen Masochisten entspringt, der den Gegenspieler auf der Leinwand darstellt, aber dessen Perspektive auch in die der

Kamera eingearbeitet wird, so dass die Zuschauer die Lust dieser Rezeption miterleben können.

Im Zusammenhang mit den Dietrich-Filmen ist oft von der Komplikation der Blickdramaturgie durch den weiblichen Zuschauer die Rede. Dies trifft vor allem auf die amerikanischen Hollywoodfilme Sternbergs zu, deren Geplänkel mit lesbischen Codes notorisch sind. Lucie Arbuthnot und Gail Seneca haben beispielsweise behauptet, dass Dietrich in *Morocco* und in *Blonde Venus* eine männerfeindliche Haltung zeige, die allerdings von der patriarchalen Handlungsintention des Films verwischt werde:

> In many of the films starring Marlene Dietrich, for example, we are delighted with her open disdain for men. Even as she entertains men in *Morocco*, she is haunty and distant from them. When she wears a tux, and kisses a female patron of the club, in *Blonde Venus*, we can fantasize that behind the tux there might be a lesbian. But almost always her anti-male posture and her power are eventually crushed by the male plot. (113)

Andrea Weiss geht hier noch einen Schritt weiter, indem sie die Dietrich-Filme nicht nur als Ausstellung von versteckten lesbischen Codes interpretiert, sondern als bewussten Flirt Hollywoods mit dem männlichen voyeuristischen Interesse an lesbischer Sexualität auffasst, was ganz offen in der Werbekampagne für den Film *Morocco* zum Ausdruck komme. So wie bei anderen Stars wie Greta Garbo oder Katherine Hepburn wurde mit der angeblichen lesbischen Sexualität des weiblichen Stars kokettiert, die sich in Brüchen der Filmnarrativik mit den dargestellten visuellen Codes ausdrücken soll:

> Certain stars such as Katherine Hepburn, Marlene Dietrich, and Greta Garbo often asserted gestures and movements in their films that were inconsistent with the narrative and even posed an ideological threat within it.

> In the famous scene from *Morocco*, Amy Jolly (Marlene Dietrich), dressed in top hat and tails, suddenly turns and kisses a woman on the lips. She then takes her flower and gives it to a man in the cabaret audience (Gary Cooper). […] if we bring to the scene the privileged rumor of Dietrich's sexuality, shared by many lesbians when the film was first released but denied to the general public (until *Confidential* so generously supplied it in the 50s), we may read the image differently: as Dietrich momentarily stepping out of her role as femme fatale and „acting out" that rumored sexuality on the screen. (Weiss 332)

Als Beweis für diese Lesart der versteckten lesbischen Codes wird oft auf Dietrichs Blick auf andere Frauenfiguren hingewiesen, der erotisch geladen sei und nicht in die Logik des Films passe. Die Frauenfigur in Sternbergs Dietrich-Filmen sei oft androgyn, in Anzügen gekleidet, Zylinder tragend und von daher Objekt lesbischer Schaulust. Das masochistische Szenarium wird von daher kompliziert dadurch, dass die grausame Frau versteckte lesbische Neigungen auf der Leinwand ausspielt und dass ihre Darstellung als grausame Frau von daher auch parodistische Formen annehmen kann. Adrian Martin beschreibt diese Dynamik, indem sie behauptet,

Dietrich was often a bisexual or polysexual figure open to many kinds of audience identifications and fantasies. Sternberg was only too happy to elaborate this multiplicity. Even more fondly remembered by many Dietrich fans than the moment in *The Blue Angel* is the marvellous scene in *Morocco* where Dietrich as Amy, a cabaret artist, stuns her opening night crowd of rich tourists, sodden revellers and assorted Foreign Legionnaires by appearing in a male tuxedo. She strolls brazenly through the room, provoking diverse reactions. Finally, she moves quickly forward to kiss a woman, tossing her a flower as an afterthought. The leading man of this movie, good old Gary Cooper, does his best to look wordly and intrigued rather than just plain shocked. („Dietrich and Sternberg" 2)

Diese Interpretation der zentralen Szene in *Morocco* führt allerdings über die Lesart von Dietrich im Kontext versteckter lesbischer Codes hinaus, indem sie auf die Möglichkeit der Parodie aufmerksam macht: auch die Darstellung von lesbischer Sexualität ist nicht gefeit vor parodistischer Überspitzung wie hier durch Dietrich erreicht. Die grausame Frau ist auch grausam gegenüber ihren lesbischen Anbetern, nur dass sich die psychoanalytische Dynamik verschiebt. Die theatralischen Rollen des Masochismus bleiben aber bestehen und, wie ich jetzt zeigen möchte, werden intensiviert durch die metonymische Assoziation dieser Frauenfigur mit kolonialen Bildern und Requisiten.

Morocco war Dietrichs erster Film in Hollywood nach dem Erfolg des *Blauen Engel* in Deutschland und hat sie über Nacht berühmt gemacht. Der Film wird angezeigt als „The story of an all-time consuming love", wobei die Frage offenbleibt, um wessen Liebe für wen es sich hier handelt. Der Beginn des Films setzt einen eindeutig orientalisierenden Ton, wo europäische Männer – die Fremdenlegionäre – in einem Kontext von Versuchung (Früchte, Frauen, etc.) gezeigt werden. Das Marokko dieses Films ist ein Schlaraffenland für lüsterne Männer. Amy Jollys Ankunft auf dem Schiff, wo sie einen reichen Anbeter, Mess. LaBessier, kennenlernt, wird von den zwei Puppen umrahmt, die sie mit sich herumträgt, eine schwarze Puppe und eine asiatische Puppe. Die nächste Szene ist dann auch schon die berühmte Szene mit Dietrich in Hosenrolle und Zylinder, worin sie eine Zuschauerin küsst, aber in der sie auch Tom Brown zum erstenmal sieht. Die Kamera ist in der Tat oft auf Brown gerichtet, so dass wir ihn als intendierten Zuschauer dieser Nummer betrachten können. Danach entfaltet sich in diesem orientalisierten Kontext eine komplizierte Dynamik gegenseitiger Anziehung und gleichzeitigen Drangs zur Unabhängigkeit, die den weiteren Verlauf der Handlung dieses Films bestimmt, wobei die Zuschauer durch die Kameraführung immer mehr von der jeweiligen Liebe für einander wissen als die Charaktere selbst. Die zwei Puppen bleiben aber bei Amy Jolly in der Umkleide und reisen mit ihr, wenn sie Mess. LaBessier folgt. Die Puppen verknüpfen Amy Jolly mit dem kolonialen Kontext und schreiben der masochistischen Beziehung zu Tom Brown eine primitivistische Bedeutung zu, die die Beziehung in ihrer erotischen Kraft noch steigert. Die Schlussszene ist besonders eindrucksvoll in diesem Zusammenhang, wenn Amy Jolly alles hinter sich lässt – auch ihre Puppen – , ihre Schuhe auszieht und mit nackten Füßen der Frauenkolonne nachläuft, die die Fremdenlegion begleitet. Mit diesem Bild, das der Zuschauer sieht, aber nicht Tom Brown, verschmilzt sie mit dem Orient, der sie umgibt. Als orientalisiertes Wesen kann sie in dieser Wunschökonomie funktionieren. Tag Gallagher meint, „she only had that power because she no longer gave a damn, and had only such power as exists in a world of sado-masochistic jealousy" (7). Durch die Orientalisierung von Amy Jolly verliert sie ihre Rolle als grausame Frau, deren Unabhängigkeit ein für allemal gebrochen ist. Und diese Handlungswendung ist nicht, wie die lesbischen Kritikerinnen meinen, dem Film aufgesetzt oder stellt einen Bruch in der Logik des Films dar, sondern wird von vornherein durch die metonymische Verknüpfung der Frauenfigur mit kolonialen Requisiten hergestellt. Durch die Wüste kann man als weiße Frau nur als Herrin gehen – also getragen werden – oder sich ihr mimetisch anpassen, ein mittlerer Weg ist nicht denkbar.

Dietrichs Rolle in *Blonde Venus* ist anders angelegt, weil Dietrich hier eine devote Mutter spielt, aber entgegen der Handlungsführung wird sie doch eindeutig als (zwar gezähmte, aber dennoch) grausame Frau gezeigt. Dieses Thema wird gleich in der ersten Szene deutlich, in der Helen mit einer Reihe von Freundinnen in einem Waldsee unbekleidet badet und dort von einer Gruppe amerikanischer Studenten entdeckt wird. Ich habe anderswo argumentiert, dass die literarische Darstellungstradition von Wasserfrauen auch auf die Tradition der grausamen Venus zurückgeht, die allerdings als Wasserfrau in ihrer gezähmten Form auftaucht, obwohl sie dennoch ungeahnte Macht über den masochistischen Betrachter hat (siehe „Die Zähmung der grausamen Frau" 93). Dietrich als Undine muss in die Lichtung kommen, um mit Ned, ihrem späteren amerikanischen Mann, zu sprechen und ihn wegzuschicken, der sie dann im Theater wiedersieht und sich in sie verliebt. Diese Szene kennen wir allerdings nur aus der Gute-Nacht Geschichte, die Helen und Ned ihrem fünfjährigen Sohn Johnny jeden Abend erzählen müssen. Auf der Leinwand sehen wir diese Liebe weder in Handlungen noch in Worte umgesetzt. Ned bringt es nicht einmal fertig seiner Frau zu sagen, dass er sie liebt, als sie danach fragt. Tag Gallagher sieht hierin ein Muster, das typisch für Sternbergs Filme sei: „Marshall fell in Love with a fairy tale, an idea, an image. But as always in von Sternberg such superficial love is deflected by the presence of a third person (or obstacle), and Marshall's thwarted libido turns into lust for power" (4-5). Sein Versuch, Helen zu kontrollieren und ihr allein die Mutterrolle aufzuzwingen, geht fehl. Helen kehrt zur Bühne zurück, wo sie in Kürze das Geld zusammentrommelt, um ihren kranken Mann nach Deutschland zu schicken, wo er kuriert werden kann.

Wie bereits im *Blauen Engel* entfalten auch in *Blonde Venus* die Kabaret-Szenen eine Eigendynamik. Sie sind nicht notwendig für die Handlungsführung oder haben nur die begrenzte Funktion, die weibliche Hauptfigur mit dem männlichen Gegenspieler in Verbindung zu bringen. Die erste dieser Szenen spielt ganz explizit auf die Macht des Primitivismus an: die (weißen) Tänzerinnen tragen Baströckchen und schwarze Perücken und mimen einen wilden

Tanz zu Trommelmusik; ein Schwarzer dirigiert die Kapelle, schwarze Ober bedienen an der Bar, ein Gorilla wird an der Kette durch den Raum geführt, in dessen Kern Marlene Dietrich als „Blonde Venus" sitzt, Stück für Stück ihr Gorillakostüm abstreift und dazu „Hot Vodoo" singt. Die Kamera ist direkt auf die Darsteller gerichtet, erst auf die Tänzerinnen, dann auf den Dirigenten, den Gorilla und auf des Gorillas Kern. Dieser Direktblick wird nur unterbrochen, wenn die Kamera die Zuschauer aufnimmt, wie sie auf die Vorführung reagieren. Die Zuschauer des Films bekommen also ausgedehnte Gelegenheit, diese Vorführung, die mit der Kombination von Erotik und Primitivismus spielt, zu genießen. Hier begegnen wir Nick Townsend zum ersten Mal (gespielt von Cary Grant), der gleich diesem Voyeurismus verfällt und Helen in Besitz nehmen will und dessen masochistische Anbetung der „Blonde Venus" zum Thema des Films wird. Der Ehemann reagiert mit sadistischer Zunahme von Kontrollphantasien auf die Entdeckung, dass seine Frau während seiner 6-monatigen Abwesenheit nicht hübsch brav zu Hause in der Küche gesessen und auf den Sohn aufgepasst habe, sondern dass sie mit Nick Townsend gelebt hat. Auf Helens Entschluss, mit dem Kind zu ihrem Mann zurückzukehren, reagiert Townsend damit, dass er nach Europa flieht und dort versucht, Helen zu vergessen. Von Ned mit der Aufgabe ihres Sohnes bedroht und von Nick verlassen, irrt Helen durch Amerika auf der Suche nach Arbeit, die sie letztlich in die Prostitution und zur Aufgabe des Kindes führt. Wir sehen sie dann erst wieder als mittlerweile berühmt gewordene Kabaret-Sängerin, die in Paris in der „Helen Jones Revue" auftritt und Nick Townsend dort wiedertrifft. Unter den männlichen Zuschauern dieser Revue wird Helen in Hosenrolle und Zylinder als „as cold as an icicle" verhandelt. Diese Rolle als grausame Frau, von der sich der masochistische Mann sofort wieder angezogen fühlt und die wir im Kino dank der Kameraführung im Detail mitempfinden können, wird durch das Ende des Films intentional verdeckt, wenn Helen mit Nick nach Amerika zurückkehrt, um Johnny wiederzusehen und dann bei der Familie bleibt. Aber dieses Ende, das wieder die Gute-Nacht Geschichte aufwärmt, ist nicht überzeugend, denn weder Neds Kontrollphantasien noch Nicks Masochismus werden hier befriedigt. Dietrich ist allein überzeugend in ihrer Rolle als grausame Frau, die die schwachen Männer um sie herum dominiert. Und diese Dominanz wird durch die Assoziation mit Primitivismus gesteigert.

Wie sehr dieses Muster der metonymischen Verknüpfung von grausamer Weiblichkeit mit kolonialen Tropen und Primitivismus in den frühen dreißiger Jahren auch die reale Erfahrung von Frauen, die in die Kolonien gereist sind, bestimmt, können wir an Hand von mehreren Reiseberichten sehen. Sophie von Uhdes Reise in die ehemaligen deutschen Kolonien, um „die sozialen, wirtschaftlichen und kulturellen Lebensverhältnisse der Deutschen drüben zu beschauen, das Gesicht der Städte, das Verhältnis zwischen Schwarz und Weiß, das Leben auf den Farmen zu betrachten und von all dem zu berichten", ist darauf angelegt, einen Hauch jenes rätselhaften Erdteils zu vermitteln, „der die Seelen fängt und nicht mehr freigibt" (5). Das „zaubervolle Afrika" trifft hier also auf Germania in Afrika, wo Ordnung und Sauberkeit herrschen. Die Bücherstube Südwest, die der Erhaltung des Deutschtums dient, ist nur als Kontrastfolie zu der wilden Jagd, dem täglichen Umgang mit „Bambusen", dem Zauber der afrikanischen Nacht und der grenzenlosen Freiheit, die die afrikanische Kolonie bietet, zu verstehen. Das deutsche Haus am Kilimandscharo verkörpert für Uhde diese Zwiespältigkeit:

> Was tut es, dass die meisten Möbel aus Kisten zusammengezimmert sind und daß alles fern ist, was wir in Europas Städten unentbehrliche Zivilisation heißen, daß draußen vor den Fenstern das schwarze, wilde fremde Land liegt, und ein dunkler Massai, mit einem langen Speer, von Pudli umsprungen, Wache geht um das einsame Haus? (Uhde 122)

Senta Dingelreiters Reise durch die ehemaligen Kolonien – eindeutig von dem Erfolg des Nationalsozialismus geprägt – ist inspiriert von der Notwendigkeit der Korrektur des Bildes, das die Welt sich angesichts des englischen Blaubuchs von den Deutschen als Kolonisten gemacht hat. Im Gegensatz zu den Vorwürfen, dass die Deutschen sich nicht als Kolonialherren bewährt haben, begegnet Dingelreiter vielen Erfolgsgeschichten von Siedlern oder auch Afrikanern, die sie nach dem Verbleib der ehemaligen Kolonialherren befragen. Dieses ganze Argument des Reiseberichts möchte ich aber umkommentiert lassen, weil es in seiner Intentionalität offensichtlich ist. Was von viel größerem Interesse ist, ist die Konstruktion der reisenden Frau im kolonialen Kontext. Zunächst ist es der „heiße Blick aus dunklen Männeraugen", der sie überallhin verfolgt und als Objekt dunkler Begierde (nicht nur im farblichen Sinne, sondern auch im Sinne von „verboten") ausweist (Dingelreiter 14). Eine wichtige Frage taucht bald auf, was den Transportweg anbelangt: wie reist eine weiße Frau durch die ehemaligen Kolonien in Abwesenheit von öffentlichen Transportmitteln? In der Trage, natürlich. Dingelreiter, die sich gegen diese Transportweise lange gewehrt hat, muss dennoch einsehen, dass sie in einer Hängematte mit Dach, die von vier „boys" getragen wird, am zügigsten im Busch vorwärts kommt (siehe 25ff.). Diese herrische Stellung wird ihr also durch die klimatischen, geographischen und kolonialen Bedingungen aufgezwungen, aber das wichtige ist, dass sie sie letztendlich auch annimmt. Das wichtigste Kriterium ist die Wahrung des Ansehens den Schwarzen gegenüber (Dingelreiter 59). Die weiße Frau in der Wildnis kann nur überleben durch mimetische Anpassung (so wie Marlene Dietrich am Ende von *Morocco*) oder durch die Wahrung der Herrinnenpose, indem sie getragen wird, die Peitsche zur Hand hat und kommandiert.

Mit Dingelreiters Reisebericht verlassen wir die politische Arena der Weimarer Demokratie und tauchen in die komplexen Verstrickungen des Naziregimes mit der Geschichte des deutschen Kolonialismus ein. 1936 stellt in diesem Zusammenhang ein wichtiges Jahr dar, zumal der koloniale Revisionismus, der während der Weimarer Jahre im Untergrund schwelte und in erster Linie auf die Aktivitäten der Deutschen Kolonialgesellschaft, der Deutsch-

Ostafrikanischen Gesellschaft und dergleichen beschränkt war, in der Nazizeit nach 1936 durch die Gleichschaltung im Reichskolonialbund einen Aufschwung erfuhr. Hitler hatte sich ja in *Mein Kampf* zunächst nicht positiv über die überseeischen deutschen Kolonialbestrebungen geäußert, weil sie zu viel Energie von dem ihn eigentlich interessierenden Raum für territoriale Ausdehnung, Osteuropa und Russland, ablenkten. Der Grund für die Änderung der Marschrichtung, was Kolonien anbetrifft, ist in der Literatur umstritten. Mary Townsend behauptet, dass Hitler (wie auch vor ihm Bismarck) gewartet habe, bis er genug Macht hatte, um dem Rivalen England in der Kolonialpolitik entgegentreten zu können (siehe „Hitler and the Revival of German Colonialism" 406). Wie dem auch sei, 1936 wurde Ritter Franz von Epp an die Spitze des Reichskolonialbundes wie auch des Kolonialpolitischen Amtes gesetzt und die koloniale Propaganda wieder Teil des öffentlichen Diskurses, was anhand einiger Reden Hitlers und Goebbels abzulesen ist. Ab 1939 brachte der Reichskolonialbund die Zeitschriften *Deutsche Kolonial-Zeitung, Kolonie und Heimat, Die Frau und die Kolonien* und den *Deutschen Kolonialdienst* heraus. Es gab überall koloniale Kundgebungen, und Wanderausstellungen informierten neugierige Besucher über das Leben in den früheren deutschen Kolonien. Man konnte sich also bequem und einfach über koloniale Themen informieren. Koloniale Bildbücher machten daheimgebliebenen deutschen Spießbürgern den Mund wässrig und zeigten eine Zauberwelt, die nur auf die deutsche Eroberung und Durchdringung (auch im sexuellen Sinne) wartet. Joachim Fernaus, Kurt Kaysers und Johannes Pauls Bildbuch *Afrika wartet* und Ilse Steinhoffs *Deutsche Heimat in Afrika* beispielsweise porträtieren die außerordentlichen Leistungen der deutschen Kolonisten bei der Urbarmachung dieses jungfräulichen Erdteils, sowie dessen Faszination als Freiraum für Schaffenskraft und der Begegnung mit einer fremden Kulturwelt, die die eigene kleinbürgerliche Ordnung in Frage stellt. Die Photographien zeigen den Europäer in reflektiver Pose bei der Betrachtung von afrikanischer Natur und Kultur, wobei das betrachtende Objekt von nostalgischer Lichtregie umgeben wird. Weiterhin informieren Erinnerungen afrikanischer „Helden" über Land und Leute. Die masochistische Pädagogik der Jahrhundertwende wird hier weitergeschrieben und verstärkt durch die Rhetorik des kolonialen Verlusts. Richard Küas, der stellvertretende Gouverneur von Togo beispielsweise, ergeht sich in detaillierten Beschreibungen von schwarzen Körpern und Fetischritualen, wie auch der Beschreibung der Landschaft und der kulturellen Begegnung mit einheimischen Bräuchen. Dabei ist es bedeutsam, dass die koloniale Thematik – wenn auch teilweise verschoben in Requisiten wie in den Sternberg-Filmen – nicht nur in der Kolonialliteratur, in Reiseberichten oder autobiographischen Aufzeichnungen über das Leben in den Kolonien zu finden war, sondern dass sie als Subtext für alle Texte fungierte, in denen die Frage der nationalen und völkischen Identität diskutiert wurde. Das Genre des Nazi-Kulturfilms hat in diesem Zusammenhang Vorschub geleistet als Propaganda-Werkzeug für die

Schaffung eines „deutschen" Genres, das sich von dem (der masochistischen Ästhetik huldenden) Paradigma des Hollywood-Films unterscheiden will.

Der Kulturfilm *Ewiger Wald* soll hier als Beispiel für diese Dialektik einstehen. *Ewiger Wald* wurde 1936 von der N.S.-Kulturgemeinde produziert, einer staatlichen Agentur, die für die Verbreitung kultureller Dokumente mit nationalsozialistischem Inhalt verantwortlich war und von Alfred Rosenberg geleitet wurde. Bei seinem Erscheinen schrieb der *Film Kurier* (11. Juni 1936), dass es sich um die erste größere Zusammenarbeit von der N.S.-Kulturgemeinde und der Vereinigung unabhängiger Kinos handelte, die bisher nur Spielfilme oder kürzere Kulturfilme gezeigt habe (siehe Anon., „Ewiger Wald in München" und „Zur Uraufführung ‚Ewiger Wald'"). *Ewiger Wald* ist von daher ein Versuch der N.S.-Kulturgemeinde, einen längeren Kulturfilm (89 Minuten) in kommerziellen Kinos zu zeigen. Um dies durchzusetzen, wurde der Carl Cürten Film Verleih eingeschaltet und der Film professionell von Lex-Film produziert. Hanns Springer, der die Regie übernahm, hatte bereits mehrere Kulturfilme erfolgreich gedreht. Ihm wurden Rolf von Sonjewski-Jamrowski, der 1934 *Blut und Boden* gedreht hatte, und der Kameramann Sepp Allgeier, der das Kamerateam von Leni Riefenstahls *Triumph des Willens* geleitet hatte, zur Seite gestellt, was die auffallenden Parallelen in der Kameraführung und Beleuchtung der Szenen mit dem berühmten Film des Naziparteitages von 1934 erklären mag (siehe hier Cadar/Courtade 58, Welch 110). Der zweite Kameramann, Guido Seeber, der Paul Wegeners *Der Golem* photographiert hatte, und Walter Reimann, der die Bauten zu *Caligari* verantwortet hat, vervollständigten das Team (siehe Reimanns Beiträge „Einiges über die Bedeutung des Films und der Filmindustrie", „Filmarchitektur", „Kleine Abhandlung über die Tüchtigkeit" und „Was erwarten die Filmarchitekten vom deutschen Film?"). *Ewiger Wald* war also ein Film mit hohem Profil, woran sich viele Experten des Genres beteiligt haben.

Die Idee für den Film reicht in das Jahr 1934 zurück, als der Schriftsteller und Regisseur des Reichsamt Feierabend von der Organisation „Kraft durch Freude", Carl Maria Holzapfel, zusammen mit dem Produzenten der Lex-Film, Albert Graf von Pestalozza, der N.S.-Kulturgemeinde einen Film über den Wald vorschlug. Holzapfels Grundidee war, dass der Wald als Metapher für die Expansionsbestrebungen eines friedlichen deutschen Volkes einstehen soll:

> Ein Volk aber, das seinen Gott sucht, hat nicht nur mit den Mächten zu ringen, die in der Natur des eigenen Bodens wurzeln, auch mit jenen, die auf ewiger Wanderschaft sind, im Kampf mit anders ausgerichteten Zielen nach dem eigenen Wesensausdruck.
>
> Für diesem Kampf war uns Deutschen der Wald von jeher ein Gleichnis, ohne das wir schon heute auf dieses Warum mit einem klaren Darum zu antworten vermöchten. Vielleicht weil alles, was im Walde lebt, sich zuerst anzupassen versucht, ehe es zu den Waffen greift, vielleicht deshalb, weil alle Gesetze, die uns Menschen gestatten würden, besser zu leben, unmöglich erscheinende Gemein-

schaften aufzubauen, im Walde verwirklicht sind. („Männer im Kampf um Gemeinschaft" 203)

Der scheinbare Widerspruch zwischen dem Bild des deutschen Volkes als friedlich, aber gleichzeitig sich ausbreitend wird nicht problematisiert und die möglichen politischen, ja militärischen Dimensionen dieser Ausbreitung nicht angesprochen. Holzapfel sieht im Prinzip des Waldes die Verwirklichung einer ewigen Balance und eines organischen Prinzips, das den Wald zu einem Symbol von Ewigkeit macht. In einem kleinen Einleitungstext, der in *Licht-Bild-Bühne* abgedruckt wurde, behauptet Holzapfel, dass die Ewigkeit des Waldes in Gefahr sei wegen der wachsenden Tendenz zum Abholzen:

> Ohne Wald kann kein Volk leben, und Volk, das sich mit Schuld der Entwaldung belastet, geht zugrunde. Davon erzählen der Libanon, Phönizien, Syrien, erzählen die durch Jahrhunderte Waldverwüstung vernichteten Kulturwälder der Antike. Sühne war: Der Orient trocknete aus, weil mit den Wäldern die Quellen verschwanden, mit den Quellen die Flüsse, Syrien wurde Wüstenland. So ist heute Spanien verdorrt, Frankreich ohne Wald, Holland und Belgien kennen ihn nicht, und in England hat der Park ihn abgelöst. („Wald und Volk" 203)

Für Holzapfel ist es der Rhythmus von Tod und Wiedergeburt, der das vereinigende Prinzip von Volk und Wald ist. Durch die Übertragung der zyklischen Natur des Waldes auf die Idee der Nation kann ein Volk Ewigkeit erlangen.

Holzapfels Text über die organische und analoge Beziehung zwischen Wald und Volk ist von der Metapher von Krankheit und Gesundheit getragen. Holzapfel zufolge ist Europa „krank, weil es das Gleichnis des Waldes nicht kennt von Gesundheit und Dauer, nicht nach ihm handelt" („Wald und Volk" 203). Neben dieser Metapher von Krankheit und Gesundheit kommt er auch immer wieder auf das Gesetz der Harmonie zu sprechen: „So lautet das Gesetz des Waldes: Böse ist alles, was der Harmonie widerspricht! Darum ist der Wald der große Erzieher zur Harmonie in der Welt!" („Wald und Volk" 203). An dieser Stelle kommt der koloniale Subtext zum erstenmal heraus, wenn Holzapfel von dem Zyklus der Bewaldung spricht und dabei eine Parallele zu der Gründung von Kolonien herstellt: „Millionen neuer Kinder schickt der Wald an jedem Spätsommer- und Frühherbsttag ins Leben. Wind verschafft ihnen eine bleibende Stätte, den Pappeln- und Weidenflocken, den Ahornpropellern, den Fichtensamen. Alle wollen neue Kolonien gründen und friedlich die Welt erobern. So verjüngt sich der Wald immer aus sich selbst" („Wald und Volk" 203). Obwohl auf einer rhetorischen Ebene dieses Bild von der Idee der Vielfalt in der Einheit geprägt ist, ersetzen doch diese neuen Kolonien das, was vorher dort gewachsen ist. Holzapfels Begriff von Ausdehnung basiert auf einer idealisierten Idee von friedlicher Expansion, deren tatsächliche Gewalt nicht erkannt und ausgesprochen wird. Ich möchte in diesem Zusammenhang behaupten, dass das Filmskript die potentielle Verwendung von Holz zu militärischen Zwecken systematisch verbirgt, um das Projekt der friedlichen territorialen Ausbreitung um so überzeugender darzustellen. Stattdessen wird betont, dass der Wald den alten Germanen, später dann den Wikingern, den Deutschrittern und Kämpfern in den Bauernkriegen zu ihrer Lebensart verholfen hat. Wenn sich daraus militärische Konflikte ergeben haben wie bei den Bauernkriegen beispielsweise, dann handelt es sich um moralisch gerechtfertigte Kämpfe um Selbstbestimmung. Der Film beteiligt sich von daher an dem Projekt der räumlichen Kartographierung der Verbindungen von Nationalismus und Kolonialismus, wie es von Terry Eagleton, Fredric Jameson und Edward Said in *Nationalism, Colonialism, and Literature* beschrieben wurde.

Said hat behauptet, dass der Kampf um Geographie analog ist zu dem Kampf um nationale Identität:

> Just as none of us is outside or beyond geography, none of us is completely free from the struggle over geography. That struggle is complex and interesting because it is not only about soldiers and cannons but also about ideas, about forms, about images and imaginings. (Eagleton/Jameson/Said 7)

Die Erzählung dieses Kampfes um Raum geht von daher Hand in Hand mit der imperialistischen Kontrolle, insofern „the geographic sense makes projections – imaginative, cartographic, military, economic, historic, or in a general sense cultural" (Eagleton/Jameson/Said 78). Fredric Jamesons Problematisierung der Beziehung zwischen Moderne und Imperialismus hat die Idee einer Verbindung von gesellschaftlichen, politischen und ideologischen Strukturen mit modernen Inhalten herausgearbeitet: „the structure of imperialism also makes its mark on the inner forms and structures of that new mutation in literary and artistic language to which the term modernism is loosely applied" (Eagleton/Jameson/Said 44). Diese Verbindung kann identifiziert werden in „the informing presence of the extraliterary, of the political and the economic within the modern" (Eagleton/Jameson/Said 45). Jameson schließt hieraus,

> that the traces of modernism can therefore be detected in Western modernism, and are indeed constitutive of it; but we must not look for them in the obvious places, in content or in representation. […] they will be detected spatially, as formal symptoms, within the structure of First World modernist texts themselves. (Eagleton/Jameson/Said 64)

Der Film *Ewiger Wald* erzählt die sich verändernde Beziehung des deutschen Volkes zu seinen Wäldern in der Geschichte der Deutschen von der Frühzeit bis zur Nazi-Ära. Der französische Filmwissenschaftler Christian Delage hat behauptet, dass der Film eine Nazi-Perspektive auf diese Geschichte entwirft, die auf der völkischen Idee von Blut und Boden, das heißt einer mystischen Verbindung zwischen Mensch und Natur und einer organisch gewachsenen Volksgemeinschaft beruht (40-51). Der Film unterstützt nationalistische Tendenzen und unterstreicht die Notwendigkeit von Lebensraum. Er spiegelt auch den Glauben der Nazis an eine reine arische Rasse wider, die auf der Idee von Blut und Boden aufbaut. Das gesellschaftliche Leben, so wie es im Film dargestellt wird, gründet sich auf der Idee von Natur und Volk als einer organischen Einheit, die die Ideen von Rassenreinheit und Raumausdehnung als organisch vorstellt. Deutsche Rassenreinheit wird in dem Film gegenüber der Invasion der Römer und, später dann, der französischen Armee hochgehalten in einer Szene, in der die siegreichen französischen Soldaten von (Nord)afrikanern dargestellt werden. Die französische Armee hatte Kolonialtruppen – ein absolutes Tabu im deutschen kolonialen Kontext. Nordafrikanische Offiziere wachen auch über die Rodung von (deutschen) Wäldern.

Die vorgestellte Analogie von deutschem Volk und deutschem Wald wird durch die räumliche Choreographie des Filmes unterstützt, die die Zuschauer quer durch die deutsche Landschaft vom Schwarzwald, durch das Allgäu, den Spessart bis zum Rhein, zur Mosel und in die Eifel führt. Der Effekt dieser Reise ist aber keine realistische Darstellung dieser Landschaften, sondern eine mythische Verbindung zu einer idealisierten deutschen Landschaft, in der deutsche Geschichte nachgestellt wird wie in der Szene im Teutoburger Wald (siehe Arns 150). Alle Szenen werden von Laien gespielt, um diesen mythischen Effekt zu unterstreichen: hier stellen deutsche Menschen deutsche Geschichte in deutschen Wäldern nach. David Welch hat den Film im Kontext der anti-rationalistischen Tendenz der Nazis interpretiert und *Ewiger Wald* mit dem Bergfilm der Weimarer Zeit verglichen (104). Er macht aber im gleichen Atemzug auf einen wichtigen Widerspruch in der Ästhetik des Films aufmerksam, der herausgestrichen werden muss: zum einen wird das deutsche Volk als friedlich dargestellt, das sich höchstens gegen Angriffe von außen verteidigt. Gleichzeitig ruft der Sprecher (Günther Hadank) immer wieder zur Kriegsbereitschaft auf. Zwischen dem, was wir sehen, und dem, was wir hören, besteht also ein gravierender Unterschied, der bereits in der Szene mit den angeblich friedlichen Samenkolonien angesprochen wurde. Die Kamera neigt zur lyrischen Untermalung der nachgestellten Szenen aus der deutschen Geschichte, während Holzapfels Skript zur Kriegsbereitschaft aufruft.

In diesem Zusammenhang sind es zwei Szenen, die analysiert werden müssen. Die erste Szene findet nach etwa zwanzig Minuten statt, einer langen Einführungssequenz folgend, die den Wald während der vier Jahreszeiten zeigt, und der oben bereits erwähnten Nachstellung der Schlacht im Teutoburger Wald, die mit dramatischen Blitzsequenzen punktuiert wird und in eine Szene übergeht, in der die Gefallenen in hölzernen Särgen krematisiert werden. Auf dem Bildschirm löst sich diese Szene in eine brennende SS-Rune auf, womit visuell die mythische Auferstehung des deutschen Volkes von der Asche der Schlacht dargestellt wird. Folgender Ton unterliegt dabei dieser Szene:

> Ihr Zeichen der Fremde
> Standarten der Römer
> Was sucht ihr im Lande,
> Was sucht ihr im Wald?
> Wer fremd deinem Boden,
> Wald deiner Art,
> Dem bleibt nicht erspart
> Unsagbares Leid.

Volk in Gefahr: Halt Volk
Kämpfe mit dem Boden um dein Sein
Scheu keinen Krieg
Tief im Walde
Wird geboren:
Volk dein Wissen
Volk dein Sieg.

Die neugewonnene Identität von deutschem Volk und deutschem Wald entsteht also durch die abgerungene Gefahr des Kolonisiertwerdens durch die Römer. Das deutsche Wesen ist somit als Folgeeffekt von feindlicher Eindringung dargestellt.

Die zweite Szene, die ich besprechen möchte, kommt gegen Ende des Films, nachdem die Niederlage in Verdun und der Heldenfriedhof gezeigt werden. Gleich danach sehen wir fünf nordafrikanische Soldaten und einen weißen französischen Offizier, die das Abfällen des Waldes von deutschen Kriegsgefangenen überwachen:

Volk zerfallen, Freiheit verloren
Deutsches Land vom Feind besetzt
Holz und Kohle im Westen
Zahlen ihm den Tribut.
Verrottet, verkommen
Von fremder Rasse durchsetzt
Wie trägst du, Volk
Wie trägst du, Wald
Die undenkbare Last.
Wir beugen uns nicht
Wir, die den Tod überwunden,
Künden die Wiedergeburt,
Tragen die Fahne ins Licht.

Die fünf afrikanischen Soldaten werden in Großaufnahme von vorn wie auch von der Seite gezeigt, so dass die Zuschauer ihre Physiognomie von ganz nah studieren können. Die Kamera lädt die deutschen Zuschauer geradezu dazu ein, einen guten Blick darauf zu nehmen, was passiert, wenn eine Nation wie Frankreich sich gegenüber ihren kolonisierten Bürgern liberal verhält und sie in seine Armee integriert. Auch diese Szene endet mit der Auflösung der Bilder der Niederlage im ersten Weltkrieg in Bilder der Wiederauferstehung der deutschen Nation unter den Nazis nach der Devise:

Schlagt aus, was rassefremd und krank.
Aus der Vielheit der Arten schafft
Des ewigen Waldes neue Gemeinschaft
Der neuen Gemeinschaft ewigen Wald.

Die visuelle Betonung des fremdrassigen und der kämpferische Ton des vorgetragenen Gedichts verbinden diese zwei Szenen. Es werden gleichzeitig visuelle Möglichkeiten geschaffen, ein ethnographisches Studium von kolonisierten Völkern zu betreiben, wie auch gegen Rassenmischung polemisiert. Durch die Technik der Auflösung, wie Karsten Witte gezeigt hat, erhält der Nazifilm seine mythopoetische Kraft. Witte hat *Ewiger Wald* ein „Familienalbum nationalsozialistischer Sehnsucht" genannt, in dem Bilder aus der romantischen Märchenwelt entstehen und eine historisch konstruierte Welt zu einer Welt wird, die auf Naturgesetzen beruht (128).

Ewiger Wald wurde positiv aufgenommen und hat gute Rezensionen in der Presse bekommen. Er wurde zunächst auf dem dritten Jahrestreffen der N.S.-Kulturgemeinde gezeigt, wo unter den Zuschauern unter anderen Alfred Rosenberg und der Münchner Bürgermeister Karl Fiehler waren. In der Presse wurde der Film für seine ästhetischen Effekte gepriesen (Anon., „Ewiger Wald in München" 2). Die Zeit, in der der Film gedreht wurde, war auch die Zeit, in der Goebbels und Rosenberg sich einen Machtkampf lieferten und die offizielle Linie der Nazis, was Kunst anbetrifft, verhandelt wurde (siehe hierzu Petropoulos 28-29). *Ewiger Wald* und seine ästhetischen Sprünge sind ein Produkt dieser Auseinandersetzung zwischen einer mehr modernistischen (Goebbels) und einer völkischen (Rosenberg) Einstellung zur Kunst. Der nationalsozialistische Ton von Holzapfels Text und die völkische Einstellung des Architekten, der die Bauten für den Film hergestellt hat, weisen in die anti-moderne Richtung, die eindeutig der Intention des Films unterliegt. Der moderne Lyrismus vieler Naturszenen, der Gebrauch von Montage und Szenenauflösung verkompliziert aber dieses Bild und weist auf die Komplexität der Materie hin. Das „Ministerium für Illusion", wie Rick Rentschler die Filmfabrik Ufa während der Nazijahre genannt hat, hat etliche Filme gedreht, die sich direkt oder mehr oder minder indirekt mit dem Thema der Kolonien in Afrika beschäftigt haben und die diese Verknüpfung von Masochismus und Kolonialismus untersuchen. Sabine Hake hat behauptet, dass alle Ufa-Filme, die sich mit diesem Thema beschäftigen, mit dem politischen Umfeld eng verbunden waren:

> In 1939, mainstream cinema tried to accommodate popular tastes and relied on Hollywood perspectives on the „dark continent" both in order to express concerns about a liberated female sexuality and to indulge in fantasies of a racialized other. At that point the natives functioned as little more than extras in the renegotiation of gender roles, while the African landscape merely provided the setting for the articulation of repressed desires and unfulfilled wishes. The situation changed in 1941 when the war effort found legitimation and support in the territorial expansionism and militarization of society advocated in colonial films such as *Carl Peters* and *Ohm Krüger*. But by 1943, after the devastating losses in Stalingrad, when the outcome of the war seemed no longer certain and German troops had capitulated to the British in North Africa, films about Africa again no longer foregrounded their political agenda and returned to the mixture of history, adventure, and romance familiar from Hollywood cinema. (*The Cinema's Third Machine* 164)

Diese erste Phase haben wir durch die Analyse des Kulturfilms *Ewiger Wald* dokumentiert. Die zweite Phase des Nazi-Kolonialfilms, die durch die beiden

Filme *Carl Peters* und *Ohm Krüger* (beide 1941) gekennzeichnet ist, ist wesentlich offener auf thematischer Ebene mit der Kriegspropaganda verbunden (und von daher für die Entwicklung des Themas von Masochismus und Kolonialismus nur am Rande von Interesse), indem zum Beispiel die Briten als Feinde dargestellt und territoriale Ausbreitungen ganz offen sanktioniert werden. In beiden Fällen wird Geschichte radikal uminterpretiert, regelrecht falsifiziert, wie R. C. Lutz im Detail nachgeprüft hat. Peters Antisemitismus, sein ungehemmtes Abenteurertum, die treue Liebe der Mutter, sein herrisches Auftreten gegenüber den arabischen Sklavenhändlern und afrikanischen Sultanen stellen diese Figur nicht in die Reihe der vielen masochistischen Männer, die wir in dieser Studie kennengelernt haben, sondern geben ihm einen sadistischen Anstrich, der den Nazihelden als Mann der Tat hinstellt. Von daher ist die Verbindung, die in diesem Film zwischen der Naziideologie und der Kolonialfrage hergestellt wird, auf der Ebene der diskursiven Verlinkung zu sehen, wie Marcia Klotz überzeugend dargestellt hat:

> To find in the historical Peters a precursor to the Nazi ideal of manly heroism is on some level to recognize a link between the discourse of National Socialism and the sadistic drives that led the colonial pioneer to destroy everything around him, eventually leading to his downfall. („Epistemological Ambiguity and the Fascist Text" 108)

In Hans Steinhoffs *Ohm Krüger* werden die Buren zu Identifikationsobjekten für das deutsche Publikum, das das Schicksal der Buren unter den Engländern zur Darstellung bringt, das sie sogar in die Konzentrationslager führt. Marcia Klotz hat in diesem Zusammenhang argumentiert, dass die Aufrechterhaltung der Naziideologie ironischerweise von der Darstellung solcher Grauzonen verstärkt wurde, wo zwar von Konzentrationslagern und sadistischer Brutalität offen die Rede war, wo aber der politische Kontext entweder historisch oder geographisch verschoben wurde:

> The space of semiotic non-alignment in these films – the area in which the signifier exceeds signified or vice versa – establishes a kind of epistemological gray area. Within this gray area one could speak of concentration camps, of miscegenation, of erotic desire for „Jews", or of sadistic cruelty, without *really* speaking of them – one could „know" about such things without really „knowing." These ideological sites of slippage were crucial, I would argue, in maintaining the Nazi regime („Epistemological Ambiguity and the Fascist Text" 124)

Dass Geschichte in *Carl Peters* und *Ohm Krüger* falsifiziert wurde, um propagandistischen Zwecken Vorschub zu leisten, ist offensichtlich. Dass beide Filme ebenfalls den Voyeurismus der Zuschauer bedienen, die wie bei Sternberg lange Szenen mit nachgestellten afrikanischen Tanz- und Trommelszenen zu sehen bekommen, wird im Vergleich deutlich. Lutz hat in seiner Analyse der Falsifizierungsstrategien bei *Ohm Krüger* auf die ironische Tatsache hingewiesen, dass diese Falsifizierung mit äußerst realistischen Mitteln arbeitet, wobei die afrikanischen Dörfer im Detail in Babelsberg nachgebaut und keine

weißen Schauspieler – wie noch bei Sternberg – für afrikanische Rollen benutzt wurden (siehe 2).

Der Film *Germanin* dagegen, der 1943 von E. W. Kimmich gedreht wurde,
verbindet gleich in der Prämisse des Films eine zentrale Ambiguität gegenüber
dem dunklen Erdteil, der als „schwarzes Zauberland" zwar mit dem Versprechen von sexueller Erfüllung, Primitivismus und grenzenlosem Abenteurertum
lockt, aber gleichzeitig auch Krankheit und Tod birgt. Die Simultaneität von
Idylle und Gefahr durchzieht den gesamten Film und unterliegt auch dem
Thema des Scheiterns der deutschen Wissenschaft an der Aufgabe, die Gefahr
aus der Idylle zu bannen, denn Professor Achenbach kann letztendlich sein
Projekt, Afrika von der Tsetse-Fliege zu befreien, nicht durchführen. Die Frage
stellt sich auch in diesem Fall, was die Funktion der langen und ausgedehnten
Szenen ist, die afrikanische Trommeltänze und Rituale verschiedener Art
frontal wiedergeben. Sabine Hake zufolge orientieren sich diese Szenen an den
Konventionen des völkerkundlichen Films,

> from the preoccupation with native ritual and the reliance on drumming and
> chanting as protolinguistic discourses to the complete convergence or eroticism
> and exoticism under the camera's voyeuristic gaze. („Mapping the Native Body"
> 165)

Die Trommeln punktuieren die Handlung von *Germanin* und geben dem Film
einen primitivistischen Anstrich, der diese Konvergenz von Erotik und Exotik
verstärkt. Die langen Tanz- und Ritualsequenzen wie auch die Trommeln haben keine stringente Funktion innerhalb der Erzählstruktur des Films. Hake
meint sogar, dass sie anders als die ansonsten quasi realistischen Szenenfolgen
geschnitten sind und von daher rein filmtechnisch als projektive Sequenzen zu
erkennen sind:

> The images may be called excessive because they contribute little to the ad-
> vancement of the narrative. Formal means such as rabid editing and extensive
> point-of-view shots create a visual spectacle that resists integration into an other-
> wise seamless realistic text. […] the framing of the sequence identifies it as an
> African fantasy that exists solely as a consequence of the look of the white colo-
> nizers. („Mapping the Native Body" 166)

Hake spekuliert in diesem Zusammenhang, dass diese Sequenzen eventuell sogar aus zeitgenössischen Dokumentarfilmen oder aus Archivmaterial zusam-
mengeschnitten wurden (siehe „Mapping the Native Body" 170-71). Der un-
bekleidete oder wenig bekleidete schwarze Körper im Kontext wilder Ritual-
exzesse wird somit – ähnlich der Dynamik der Völkerschau – zur Ausstellung
gebracht und für die weißen Betrachter vorgeführt, die sich voyeuristisch an
der Erotik in dieser Betrachtung laben können, eine Pose, die durchaus masochistische Bedeutung haben kann und hier auch annimmt. Der Betrachter dieser Szenen, sei es nun eine Figur auf der Leinwand oder der intendierte Betrachter, überlässt sich ganz dem visuellen Spektakel von eingebildetem
Afrika, das in der Dialektik von Zauberwelt und tödlicher Gefahr entsteht. Die

Gefahr wird hier nicht so deutlich wie in den anderen Textbeispielen von der Macht der grausamen Frau, obwohl die Gleichsetzung Afrikas mit weiblicher Sexualität durchaus auch in diese Richtung weist. Die masochistische Beziehung, die Professor Achenbach zu seiner Assistentin, Hanna Meinhardt, unterhalten möchte, aber nicht darf, kommt in verschobener Weise zum Vorschein durch den exzessiven Konsum exotischer Tanzszenen. Wie Marlene Dietrich, die mit afrikanischen Requisiten umgeben ist und von daher in eine metonymische Beziehung mit dem dunklen Kontinent tritt, hält Fräulein Meinhardt den Affen auf dem Arm, dessen Diebstahl des Serums letztendlich dem britischen Colonel das Leben rettet. So wie Afrika als ganzes in den Ritualsequenzen feminisiert und infantilisiert wird, so wird die erotische Macht des Primitiven auf die weiße Frau übertragen durch die exzessive Umkleidung mit afrikanischen Requisiten. Hake macht darüber hinaus noch auf die Bewegung der Maskulinisierung der weißen Frau im Laufe des Films aufmerksam: während auf der einen Seite der Film die Begegnung von Schwarz und Weiß in konventionellen Bildern zeigt, in denen Afrika verweiblicht erscheint und der schwarze Frauenkörper als Austellungs- und mythisches Identifikationsobjekt fungiert, wird die weiße Frau im Äußerlichen wie auch im Gehabe immer maskuliner, indem sie Reithosen und Reitstiefel trägt und immer mehr der neuen Frau aus der Weimarer Republik gleicht (siehe „Mapping the Native Body" 186). Also können wir vielleicht doch von einer gezähmten Version der grausamen Frau sprechen, die diesem Film unterliegt, die sich selbstsicher im Berufsleben bewegt, abenteuerliche Reisen macht, ihren „Mann steht", und deren Erotik durch die Beigabe afrikanischer Requisiten erhöht wird.

Die langsam anwachsende Überschneidung der grausamen Frau mit der erotisch anziehenden Frau im kolonialen Kontext findet auch in dem quintessentiellen Nazi Kolonialfilm *Opfergang* (Veit Harlan, 1944) statt, wo diese zwei Attributsfelder zunächst auf zwei Figuren verteilt sind, die kühle großbürgerliche Oktavia Froben und die erotische und wilde Älskling Frobeen (Kristina Söderbaum). Wie Mary-Elizabeth O'Brien recherchiert hat, ist die Thematik des Kolonialismus der Novelle Rudolf Bindings fremd und erst durch Harlans Verfilmung der Handlung aufgesetzt worden (433). Der Protagonist Alfred Froben ist zu Beginn des Films gerade von einer dreijährigen Segelreise um die ganze Welt, unter anderem auch durch den ehemaligen deutschen Kolonialbesitz in Afrika bis nach Japan zurückgekommen und hat seinem Vetter Matthias, der an einem Buch über Ostasien schreibt, eine japanische Quanonfigur mitgebracht, die die Göttin der Barmherzigkeit darstellt. Alfred wird in der ersten Szene von dem sogenannten Deutschen Kolonialbund (ein erfundener Name) für seine heldenhafte Reise ausgezeichnet. Beide Handlungspunkte haben aber keinerlei Funktion für den Hergang der Geschichte, außer dass sie metonymisch auf die weibliche Hauptfigur, Äls, vorverweisen, die sich ebenfalls lange in den Tropen aufgehalten hat und an Tropenfieber leidet. Diese Figur wird, wie vorher Marlene Dietrich in *Blonde Venus,* interessanterweise als Wassernixe eingeführt, als gezähmte grausame

Frau, die frei „wie ein Zugvogel" ihr Leben genießt, Wind und Wellen liebt, wilde Ausritte macht, im Galopp ins Wasser reitet, mit Pfeilen schießt und überhaupt dem ungehemmten Leben sich verschreibt entgegen dem Rat der Ärzte, die auf Schonung drängen. Oktavia dagegen ist gezähmt, geht gesellschaftlichen Verpflichtungen pflichtgetreu nach, lebt in abgedunkelten Zimmern und spielt Klavier, hört sich willig die väterliche Rezitation der Dionysosdithyramben Nietzsches an, begleitet ihren Mann während der Faschingszeit in Düsseldorf sogar auf Maskenbälle, deren Spannung und erotische Ausgelassenheit sie allerdings zu sehr belasten und sie in ihr dunkles, kühles Haus an der Elbe zurückfliehen lassen. In dem zweiten Akt der Beziehungen zwischen Alfred, Äls und Oktavia, der sich nach der Rückkehr nach Hamburg anbahnt, steht allerdings die Beziehung zwischen den Frauen im Vordergrund. Oktavia schickt Äls Orchideen, sie folgt Äls auf ihrem Besuch in der Stadt und erkennt, dass Äls wie ein Magnet auf andere Menschen wirkt, sie fühlt sich durch diese Erfahrung ebenfalls von deren Lebenskraft angezogen, will leben und kann dann bei Äls' schwerer Erkrankung für Alfred, der im Krankenhaus ist, den Opfergang machen und in seinem Anzug den täglichen Liebesgruß erwidern, der Äls noch am Leben erhält. Oktavia hat durch die Begegnung mit Äls von deren Vitalität (die von der Verbindung mit den Kolonien getragen wird, die sie aber auch tötet) etwas abbekommen, was jetzt Alfred ermöglicht, sie attraktiv zu finden. In der letzten Szene trägt Oktavia die rote Rose, die Äls auf dem Sterbebett in der Hand hielt.

O'Brien hat behauptet, dass dieser Film den Diskurs der Männlichkeit thematisiert und ihn mit dem Thema der territorialen Ausbreitung in Verbindung bringt: „I argue that *Opfergang* engages in a discourse about masculinity centered on territorial domination and about femininity which rewards sacrifice, self-effacement, and service while punishing mobility, self-interest, and passion with death" (432). Territoriale Ausdehnung wird dabei mit dem Besitz des Frauenkörpers gleichgesetzt. Die Idealität der grausamen Weiblichkeit Oktavias verschmilzt mit der wilden Körperlichkeit von Äls. Der Besitz des mit den Tropen assoziierten verführerischen Frauenkörpers ist durch Krankheit und Tod charakterisiert, der Besitz der Marmorstatue kann nur durch Annäherung an die Körperlichkeit der kolonialen Frau geschehen. Der Masochismus Alfreds vis-à-vis beider Frauenfiguren bringt seine Machtposition ihnen gegenüber zur Geltung, die meiner Ansicht nach von der einseitigen Betrachtung der Symbolik territorialer Ausdehnung im Kontext der Naziideologie überdeckt wird. Nicht nur O'Brien hat auf diese mögliche Interpretation hingewiesen. Susanne Zantop hat ebenfalls auf die Verbindungen zwischen der Darstellung von Geschlechterbeziehungen und territorialen Eroberungszügen hingewiesen:

> Harlan creates a film in which self-conquest, self-restraint, and self-sacrifice become prerequisites for (renewed) expansionist activity. In other words, rather than using colonialism as a metaphor for gender relations at home, Harlan uses gender relations at home as metaphors to mask national colonialist ambitions abroad. („*Kolonie* and *Heimat*" 3)

Zantop kann somit auf die Dreiecksstruktur aufmerksam machen, die diesem Film unterliegt. Diese Interpretation verdeckt aber meiner Ansicht nach die Verbindung des dargestellten Szenarios mit der Tradition des Masochismus, die hier zentral herausgearbeitet wird in der Dreiecksstruktur von der Hauptfigur und den zwei Frauen, die er zu beherrschen sucht, deren eine sich durch Tod entzieht und deren andere in die Rolle der grausamen Frau hineinwächst und sie mit immer mehr Körperlichkeit füllt.

Die masochistischen Szenarien der Kolonialliteratur verbreiten sich zu einer masochistischen Ästhetik in der Weimarer Zeit, wobei die koloniale Thematik metonymisch in Erscheinung tritt. Carl Einsteins Plastiken modellieren die erotische Steigerung in der fixierten Ekstase, die auf einer Regression in die Ökonomie des Sklaventums aufbaut. Bei Sternberg sind die Hauptcharaktere und die Zuschauer in masochistische Szenarien verwickelt, die durch die metonymische Beifügung von kolonialen Tropen erotisch aufgeladen werden. Die Zuschauer versetzen sich in die Rolle der masochistischen Helden, deren aufgeschobene Wünsche und Selbsterniedrigung und deren fetischistische Schaulust. Die metonymische Verknüpfung der Marlene Dietrich Figuren mit kolonialen Requisiten leistet eine Steigerung des masochistischen Effekts. Im Kolonialfilm der Naziära fungiert der koloniale Subtext als Platzhalter für nationale Diskurse und als Vorwand zur exzessiven Betrachtung von Fetischritualen etc. Der Kolonialfilm unterstreicht von daher die masochistische Ordnung, auf deren Funktionsweise er gründet.

Nach dem Untergang des faschistischen Regimes und damit auch aller hochgehaltenen Hoffnungen auf ein deutsches Kolonialreich sollte man doch meinen, dass sich die deutsche Literatur der Nachkriegszeit anderen Themen zugewandt hat. Das hat sie auch. Sie hat sich natürlich verstärkt zunächst mit der Stunde Null und den Verhältnissen in der unmittelbaren Nachkriegszeit, mit der Kriegsschuld und dem Holocaust beschäftigt. Aber durch die Emanzipationsbewegung der späten sechziger Jahre kommen doch unvermutet Fragen der Ausbeutung der Dritten Welt, der dortigen politischen, sozialen und kulturellen Bedingungen, sowie auch der Darstellungsproblematik von Reisen in ehemalige kolonisierte Gebiete auf. Es entsteht eine deutschsprachige Literatur, die sich verstärkt mit dem Thema des europäischen (auch des deutschen) Kolonialismus – vor und nach den blutigen Entkolonisierungskämpfen der sechziger Jahre – auseinandersetzt, ohne allerdings immer konsequent auf die Rolle der deutschen Tradition zu reflektieren. Wie sich diese Dynamik anhand von Einzelbeispielen entfaltet, soll im folgenden Kapitel zum Ausdruck gelangen.

Geschichte – Figur – Diskurs: Koloniale Themen in der deutschsprachigen Nachkriegsliteratur

Es ware kühn zu behaupten, dass die deutschsprachige Nachkriegsliteratur sich thematisch und ästhetisch in erster Linie mit dem europäischen Kolonialismus auseinandergesetzt habe. Das würde sicherlich zu weit gehen. Aber es gibt eine wachsende Anzahl von literaturwissenschaftlichen und kulturwissenschaftlichen Untersuchungen, die das Thema des Kolonialismus in der Literatur der Nachkriegszeit, verstärkt ab den sechziger Jahren, behandeln. Es gibt auch erste Untersuchungen zu dem Problemkomplex Kolonialismus und Faschismus, der hier kurz Erwähnung finden sollte. Das letzte Kapitel endete ja mit einer Analyse des deutschen Kolonialfilms im Dritten Reich. Peter Schmidt-Egner hat nun behauptet, dass die Genese des europäischen Kolonialismus in engstem Zusammenhang mit der Entstehung und Entwicklung der bürgerlichen Gesellschaft als einer Entfaltungsstufe der warenproduzierenden Gesellschaft stehe (27). Eine sozialökonomische Analyse des Kolonialsystems würde von daher die Ungleichheit der Produktionsbedingungen und den Siedler als Warenproduzenten herausstreichen, wobei nur derjenige als Subjekt anerkannt wird, der als Austauschender auftritt (Schmidt-Egner 48). Schmidt-Egner interpretiert nun die Formierung der völkischen Kolonialbewegung im neunzehnten Jahrhundert als Reaktion auf eine Serie von Krisen, die durch Überproduktion, Kapitalkonzentration und Kapitalexport strukturell entstanden sind. Der kleinbürgerliche Kolonialismus, der auf einer Expansions- und Rassenideologie beruht, wird somit sichtbar als Krisenideologie, wie sie dann bis in den Faschismus hinein weiterwirkt. Koloniale Praktiken wie die der Erziehung des Negers zur Arbeit, der Verschmelzung der Eingeborenen zu einer einzigen Arbeiterklasse, der Zusammenhang von Tauschwert und Menschentum, die Einführung des Dienstbuchs und die systematische Zerstörung der kulturellen Identität der Eingeborenen werden somit verständlich als proto-faschistische Handlungsweisen.

Interessant ist nun zu beobachten, wie die 68-er Generation, die doch von der Intention her ganz anti-faschistisch und anti-kolonialistisch ausgerichtet war, mit der Erzählung der Erfahrung von fremden Kulturen umgeht. Rüdiger Sareika hat in einer Studie über *Die Dritte Welt in der westdeutschen Literatur der sechziger Jahre* behauptet, dass die internationale Solidarität dieser Autoren als Grundlage für ein von Exotismus freies Weltbild zu werten sei (80) und dass die fortschrittlichen Autoren dieser Generation eine problembewusste Beschreibung der Dritten Welt anböten, sogar „daß ein ausgeprägtes Bewußtsein in der Tat für ein Zurückdrängen exotischer Träumereien im herkömmlichen Sinne sorgt" (128). Die Reportagen von Egon Erwin Kisch, die Beiträge Hans Magnus Enzensbergers in der Kursbuchdebatte von 1965/66 und die Texte von

Peter Weiss zeigten aber insgesamt doch eine tendenzielle Flucht der Autoren vor der bundesrepublikanischen Wirklichkeit, eine Tendenz zur Betrachtung der Dritten Welt als Modell und eine komplementäre Behandlung von Gewalt an (Sareika 296ff).

Konstanze Streese unterscheidet zwischen Kolonialliteratur (Grimm, von Bülow) und der sogenannten „Kolonialismus-Literatur" der Nachkriegszeit, die eine kritische Einstellung zum Kolonialismus entwickelt und „eine dialogische Haltung mit der in der Ferne angetroffenen Kultur und mit den in ihr lebenden Individuen" anstrebe („Cric?" – „Crac!" 10). Wie könnte eine solche dialogische Haltung sich ausdrücken? Streese meint, dass sie nicht allein durch die fiktionale Präsenz der „Anderen" als Objekt im Erzählten zu leisten sei, wie es die Fülle „imaginärer" Texte gezeigt habe. Vielmehr bedarf es dazu einer Anwesenheit der „Anderen" als Subjekte, die sich auch sprachlich manifestiere („Crick?" – „Crack!" 10). Es sei also nicht ausreichend, schwarze Menschen in den literarischen Texten zu beschreiben oder auch nur vorkommen zu lassen, man müsste sich literarisch erst durch den Diskurs von Weißheit hindurchschreiben und anders konstruierte Figuren als handelnde und sprechende Subjekte konzipieren. Streese entwickelt im Anschluss an ihre Thesen modellhaft eine Ästhetik der Kolonialismuskritik anhand der Lektüre von Uwe Timms Morenga, die die folgenden Elemente enthält: die Wiederholung als ein Strukturelement, das afrikanische Darstellungsformen evoziert, die Montage als Technik einer doppelten Annäherung an eine Figur, die auch Widersprüche ertragen kann, eine dialektische Erzählhaltung und die ästhetische Gestaltung der Sprache des Anderen (76ff). Statt dieser Ästhetik der Kolonialismus-Kritik trifft man aber auf eine (sicherlich unbewusste neokoloniale) Verachtung der stets schlechteren Verhältnisse vor Ort gerade auch da, wo sich diese Literatur explizit anti-kolonialistisch und anti-rassistisch gibt (siehe Streese, „Die deutschsprachige Literatur" 381ff).

Ich möchte – wie auch im vorangegangenen Kapitel – nicht flächendeckend arbeiten, sondern paradigmatische Analysen der Ästhetik von Kolonialismus-Kritik leisten. Ich möchte mich exemplarisch mit den ästhetischen Strukturen von Geschichte – wie wird Geschichte erzählt? –, Figur – wie werden Figuren gestaltet? – und Diskurs – wie werden Diskurse in literarischen Texten verarbeitet? – beschäftigen und fragen, wie das Erbe der Kolonialliteratur und ihrer genetischen Beziehung zum Masochismus verarbeitet wird. Der Komplex „Geschichte" wird anhand einer Analyse von Uwe Timms Morenga vorgestellt. „Figur" wird anhand von Christa Wolfs Medea. Stimmen problematisiert und „Diskurs" kommt bei Ingeborg Bachmanns Das Buch Franza ins Spiel. Damit sind drei repräsentative Autoren (ein engagierter Schriftsteller der 68-er Generation, eine DDR-Schriftstellerin und eine österreichische Autorin) und wichtige Strukturen angesprochen, die auf ihren Beitrag zur Kolonialismus-Debatte hin untersucht werden. Setzt sich die Wahlverwandtschaft von Kolonialismus und Masochismus auch nach dem Krieg weiter fort?

I. Geschichte: Afrika geschildert aus Sicht der Weißen in Uwe Timms *Morenga*

Zu Anfang der achtziger Jahre wird in der Bundesrepublik eine zögerliche und längst überfällige Auseinandersetzung mit der deutschen Kolonialgeschichte eingeläutet, an der der Schriftsteller Uwe Timm als Intellektueller wie auch als engagierter und in der Studentenbewegung ehemalig Aktiver sich mit der Vorlage eines Bildbandes und dann später des Romans *Morenga* beteiligt hat. Sein Interesse ist getrieben von archivarischen Forschungen vor Ort im Windhuker Archiv, dem dortigen Studium von zahlreichen Dokumenten, historischen Darstellungen (vor allem Bley, aber auch Drechsler und anderen Ergebnissen der neueren DDR-Geschichtswissenschaft) und dem Studium von Bildmaterial, das er in dem Band *Deutsche Kolonien* zusammengestellt hat. Vor allem war es das permanente Verschweigen der deutschen Kolonialgeschichte und der deutschen Vergangenheit als Kolonialmacht, das in der Bundesrepublik Uwe Timms herrschte und ihn zur schriftstellerischen Arbeit an diesem Stoff anregte. Ich möchte hier untersuchen, wie Timm diese Rolle Deutschlands in der fiktionalisierten Begegnung von deutschen Kolonisten und Afrikanern in Deutsch-Südwest, dem heutigen Namibia, in seinem Roman *Morenga* darstellt. Meine These lautet, dass die Identität von Timms Kolonisten in einem dialektischen Verhältnis zu den Kolonisierten entsteht, denen sie als „Herren" begegnen und dass von daher die masochistische Grundstruktur in der kolonialen Begegnung weiterwirkt. Timms Darstellung des kolonialen Alltags ist dabei geleitet von der Lektüre historischer Quellen und historiographischer Studien, die mit fiktiven und pseudofiktiven Figuren in einen Dialog treten. Die durch diese Technik entstehende Vielstimmigkeit, die den Roman charakterisiert, wird allerdings in der Intentionalität der Fiktion aufgefangen, wie anhand der Lektüre der Figur des Oberveterinär Gottschalk deutlich wird. Gottschalk fungiert als das Sprachrohr der kolonisierten Kultur, die er aus seiner Perspektive beschreibt. Wir erfahren über die afrikanische Kultur nur aus der Sicht der Weißen – eine erzählerische Konsequenz, die auf der Einsicht in die Unmöglichkeit der Einfühlung in die andere Kultur basiert.

Die im öffentlichen Bewusstsein nicht erfolgte Auseinandersetzung über die Rolle Deutschlands im Rahmen der europäischen Kolonisierung Afrikas, Ozeaniens und Südostasiens während des neunzehnten Jahrhunderts habe, so Timm, zur Bildung und Fortführung einer hartnäckigen Legende beigetragen. Er spricht dabei von der Legende vom tüchtigen Deutschen, „der in Afrika Straßen und Eisenbahnen gebaut und den Schwarzen das Einmaleins beigebracht hat" (Timm, *Deutsche Kolonien* 7). Dies war die Legende, die gegen die sogenannte „Kolonialschuldlüge" von Vertretern der Kolonialbewegung in der Weimarer Zeit und später dann von den Nazis gepflegt wurde und die heute unter anderen Vorzeichen weiterblüht. Vergessen und verdrängt sind die Greuel der Kolonialkriege, die Grausamkeit der deutschen Kolonisierungspraktiken und, damit ursächlich zusammenhängend, die Erinnerung an die Rolle Deutschlands als Kolonialmacht und die sich davon ableitende moralische und politische Verpflichtung gegenüber den ehemaligen sogenannten „Schutzgebieten" (Timm, „Für 35 Jahre einen Platz an der Sonne" 67ff).

Dabei verortet Timm die koloniale Praxis des Wilhelminischen Deutschlands zwar innerhalb der größeren europäischen Kolonialbewegungen des neunzehnten Jahrhunderts, vergisst aber nicht auf die spezifischen Parameter des deutschen Kolonialismus hinzuweisen:

> Warum Deutschland erst so spät daran ging, Kolonien zu erwerben, erklärt sich im wesentlichen aus seiner territorialen Zersplitterung. Die kleinen Staaten auf deutschem Boden – Preussen eingeschlossen – waren vor 1871 zu größeren militärischen und ökonomischen Unternehmungen in Übersee nicht stark genug. Es fehlte eine Flotte; und die wenigen Hamburger und Bremer Kaufleute, die versuchten, auch in Übersee Handel zu treiben, stießen schnell an die unüberwindbaren Barrieren der merkantilistischen Handels-, Schiffahrts- und Kolonialpolitik der großen Seemächte, allen voran England. (*Deutsche Kolonien* 8)

Von dieser Eigenart der deutschen Kolonialgeschichte leitet sich das spezielle Muster der kolonialen Besitzergreifung ab, dass Timm – hierin Bley folgend – mit folgenden Stichworten umreißt: zunächst wirken Missionare in den späteren Kolonialgebieten und tragen (vielleicht ungewollt oder auch nur indirekt) durch die Christianisierung der Bevölkerung zu deren späterer Kolonisierung bei; nach den Missionaren errichten Kaufleute Faktoreien und tauschen Gewehre und Branntwein mit großem Gewinn gegen einheimische Produkte ein; Afrikareisende und Afrikaforscher kommen in die späteren Kolonialgebiete und betreiben wissenschaftliche Studien, die ebenfalls der kommenden wirtschaftlichen Ausbeutung dieser Landstriche in die Hände arbeiten; Verträge werden mit den einzelnen Stämmen abgeschlossen, in denen die Einheimischen als Verlierer dastehen, und schließlich werden zum Schutz dieser Landkäufe gegen die rebellierende Bevökerung Mitte der achtziger Jahre sogenannte „Schutzverträge" ausgestellt, die die „Schutzgebiete" unter deutsche Militärmacht stellen. Kolonialgesellschaften werden gegründet und die koloniale Aufgabe der „Erziehung der Afrikaner zur Arbeit" begonnen (Timm, *Deutsche Kolonien* 8-9).

Russell Berman hat in seiner These zum „Sonderweg" des deutschen Kolonialismus auf die spezifischen Muster der Diskursbildung hingewiesen, die in erster Linie von drei Kriterien bestimmt werden: 1. der verspäteten Bildung einer deutschen Nation und damit dem verspäteten Eintritt Deutschlands in die Ränge der europäischen Kolonialmächte; 2. der durch den Versailler Vertrag erzwungene vorzeitige Austritt Deutschlands aus dieser Gruppe der europäischen Kolonialmächte; und 3. einer alten hermeneutischen Tradition, die zumindest eine bedingte Rechtfertigung einheimischer Kulturen – im Diskursiven – gewährleiste. Das Zusammenkommen dieser drei Faktoren habe, so Berman, zu einem spezifischen Muster für die deutsche Kolonisierung geführt, das beispielsweise keine systematische Germanisierung der einheimischen Bevölkerung in den „Schutzgebieten" vorgesehen habe und das durch die Erfahrung des Kriegsverlusts von 1918 eher zu einer Identifikation Deutschlands mit anderen Opfern der Geschichte (ironischerweise auch Opfern der europäischen Kolonialgeschichte) geführt habe (Berman, „German Colonialism" 32). Berman beschreibt seine Reaktion auf das Studium der Diskurse der deutschen Kolonialgeschichte mit folgenden Worten: „I was struck by the extent of the capacity to attempt to appreciate the local cultures on their own terms, at times even to identify with them and, on occasion, to express articulately anti-colonial sentiments" (Berman, „German Colonialism" 30). Diese sich aus den spezifischen Parametern der deutschen Kolonialgeschichte herleitende Situation führt zum Teil zu der von Timm und anderen Intellektuellen kritisierten Identifikation von Nachkriegsdeutschland mit den Opfern des Kolonialismus. Lora Wildenthal spricht von einer „insular or provincial postcolonial identity" („The Places of Colonialism" 9), bzw. einer „stubbornly non-postcolonial German identity" („The Places of Colonialism" 13), die sich aus der Opferidentifikation speist und moralisch von oben über andere Kolonialmächte urteilt, ohne auf die eigene Geschichte als bedeutende Kolonialmacht zu reflektieren. Das Verständnis dieser ganz speziellen Muster des deutschen Kolonialismus ist meines Erachtens der Schlüssel zur Interpretation von Timms *Morenga*, wo verschiedene Positionen vis-à-vis der Geschichte des deutschen Kolonialismus eingenommen und durchgespielt werden.

Timm hat sich ebenfalls über die spezifisch deutschen Parameter dieser Geschichte Gedanken gemacht und schreibt beispielsweise über die besondere Brutalität der Prügelstrafen und Exekutionen. Er beschäftigt sich aber in erster Linie mit der Figur des Kolonisators und des Kolonisierten, wie im Folgenden gezeigt werden soll. In Reaktion auf die Lektüre von Albert Memmis *Der Kolonisator und der Kolonisierte* spricht Timm von einer dialektischen Beziehung zwischen diesen zwei Polen der Kolonisation und der spezifischen psychischen Deformation, die sie in beiden bedingt:

> Der Kolonisator verrottet moralisch, wenn er die Kolonisation akzeptiert; lehnt er sie ab, verneint er sich selbst.
>
> Der Kolonisierte hat zwei Möglichkeiten: Entweder er gibt seine Kultur und damit sich selbst auf, indem er versucht, sich dem Kolonisator anzupassen. Die Folge ist dann immer der „kleine Europäer": die vom Kolonisator belächelte Karikatur seiner selbst. Oder aber der Kolonisierte entscheidet sich für die Revolte.
> (*Deutsche Kolonien* 11)

Die Untersuchung der Funktionsweise dieser Dialektik wie auch der Herstellungsprozesse der beteiligten Subjekte ist das Thema von Timms Roman und sein Beitrag zu einem tiefergehenden Verständnis der Muster des deutschen Kolonialismus. Timm führt uns zu dieser Erkenntnis, indem er uns teilnehmen lässt an seiner Auseinandersetzung mit der kolonialen Geschichtsschreibung. Timms Roman *Morenga* fiktionalisiert die schwierige und vielschichtige Interaktion zwischen Kolonisten und Militärs einerseits und zwischen Europäern und Einheimischen andererseits und zeigt, wie deren Verhältnis zueinander dialektisch begriffen werden kann.

Ausgangspunkt von Timms Auseinandersetzung mit der deutschen Kolonialgeschichte war das Schweigen über dieses Phänomen, dem er überall in den sechziger und siebziger Jahren begegnet war. Bis auf wenige Ausnahmen wurde dieses Kapitel der deutschen Geschichte in der Öffentlichkeit nicht systematisch aufgearbeitet. Dies gilt allerdings nicht für die Historiographie. Timm liest Helmut Bleys *Kolonialherrschaft und Sozialstruktur in Deutsch-Südwestafrika 1894-1914* von 1968, der die von Timm in seinem Vorwort zu *Deutsche Kolonien* zusammengefassten Muster der deutschen Kolonialbildung erarbeitet und die grauenhaften Resultate der deutschen Kolonisierung Südwestafrikas statistisch belegt. Timm folgt Bley in seiner grundlegenden Bewertung der deutschen Herrschaft über Südwest als einer Form von ansteigender Totalitarisierung: Die gesellschaftliche und ökonomische Herrschaft der Deutschen, wie sie zunächst von Gouverneur Leutwein vertreten und dann von General von Trotha militärisch in eine Vernichtungsstrategie radikalisiert wurde, habe Anlass zu den rebellischen Aufständen Hendrik Witbois und anderer Stammesführer gegeben und in einen Vernichtungskrieg geführt, aus dem nur ein kleiner Prozentsatz der kämpfenden Nama und Hereros lebend hervorgegangen sind (Bley xviiff). Bley wagt sich über die reine historiographische Faktensammlung auch an eine psychologisierende Erklärung dieser Resultate, indem er über die Notwendigkeit einer emotionalen (und nicht nur politischen) Vernichtung der Afrikaner durch die deutschen Truppen spekuliert, die auf einem profunden Unsicherheitsgefühl, das zu Hass führe, basiere (223 u. 255).

Auf diese psychologische Dialektik der Projektion werde ich noch später zurückkommen. Hier möchte ich auf den anderen Punkt von Bleys Geschichte Südwestafrikas unter deutscher Herrschaft zurückkommen, der auch für Timm wichtig werden wird, und zwar Bleys Konstruktivismus: Bley zufolge haben die weißen Siedler und Militärs systematisch versucht, den Afrikanern eine neue Identität zu geben, indem Dörfer gebaut, Reservate bestimmt und Gesetze erlassen wurden, nach denen die Lebensbedingungen der Afrikaner neu definiert wurden. Bley weist aber im gleichen Atemzug darauf hin, dass die Afrikaner sich umso hartnäckiger wieder auf ihre alten Gebiete und Stammesriten besonnen haben, je rigider diese Lebensbedingungen definiert wurden und dass man von daher die Identität des Afrikaners unter den Bedingungen des Kolonialismus in seiner Vielfältigkeit neu überdenken müsse. Die militärische Strategie des Vernichtungskrieges wird in Timms Roman durch die Juxtaposition verschiedener Auszüge von Quellen erreicht: die Proklamation des Generals v. Trotha an die Hereros vom 2. Oktober 1904, in der er die gnadenlose Vernichtung der Hereros im deutschen „Schutzgebiet" anweist, wird gegenübergestellt der Position Leutweins, der an die Heranziehung von Arbeitskräften nach der Friedenssicherung denkt und diese Ansicht auch Reichskanzler von Bülow erfolgreich übermitteln kann (Timm, *Morenga* 26f). Auf diese Art und Weise wird im Roman die dialogische Mehrstimmigkeit von in späteren Geschichtsbüchern als homogene Doktrin bezeichneten Positionen in der Geschichte des deutschen Kolonialismus wiederhergestellt (siehe Graudenz). Timm zitiert aber nicht nur aus Quellen des Reichkolonialpolitischen Amts, sondern auch ausführlich aus den Gefechtsberichten, die vom Großen Generalstab herausgegeben wurden in dem Band *Die Kämpfe der deutschen Truppen in Südwestafrika*, aus dem Aktenbestand des Gouvernements von Deutsch-Südwestafrika, aus Berichten der *Deutschen Zeitung*, wie auch aus Bley und Drechsler und dessen Thesen über die ökonomischen Hintergründe des deutschen Kolonialismus. Die einzelnen Auszüge werden, wie oben die Quellen, in einer Art Archäologie dialogischer Stimmen gegeneinander oder auch ergänzend eingesetzt, so dass das Ergebnis für die Leser eine vielfältige Diskussion über die historiographischen Positionen zur deutschen Kolonialgeschichte in Südwest ist (siehe zum Vergleich Gründer, „... *da und dort ein junges Deutschland gründen"*).

Timm rezipiert nicht nur Bley und dessen sozialpsychologischen Ansatz, sondern liest auch materialistische Studien zum deutschen Kolonialismus. Jost Hermand hat in seinem Beitrag zu *Morenga* bereits auf die Zentralität der Rezeption der ostdeutschen Geschichtsschreibung bei Uwe Timm hingewiesen, die Timm von der Legende vom tüchtigen Deutschen und der „für die Schwarzen segensreiche[n] Politik" abgebracht habe (50). In Drechslers *Südwestafrika unter deutscher Herrschaft*, aber auch in Stoeckers *Drang nach Afrika* fand Timm die für seinen Neuansatz notwendige Verbindung zwischen Kolonialismus und Kapitalismus, wie auch Kolonialismus und Klassenkampf. Hermands Vergleich von Drechsler und Timm beispielsweise ergibt, dass bereits Drechsler „vor allem die Wichtigkeit Jakob Morengas" herausgestrichen und dessen biographische Skizze entworfen hat, die sich in Timms Roman wiederfindet (51-52). Timm nimmt also Drechslers Ergebnisse als Grundlage für die eigenen Quellenstudien und erarbeitet sich eine eigenständige Umgangsform mit den Materialien, die in der dialogischen Rekonstruktion von verschiedenen Stimmen in der zeitgenössischen politischen Diskussion wie auch der postkolonialen historiographischen Aufarbeitung der deutschen Kolonialgeschichte gipfelt. Gunther Pakendorf hat von einer Korrektur gesprochen, die durch die Art und Weise dieser Darstellung erreicht wird:

> Uwe Timm geht es vielmehr darum, die bestehenden Dokumente in ihrer Darstellung zu korrigieren. So benutzt der historische Roman *Morenga* historische Dokumente als Beweis der eigenen Faktentreue und schreibt gleichzeitig subversiv gegen die Dokumente an, und indem er überdies auch die Geschichte einer erfundenen Figur erzählt, setzt er bis zu einem gewissen Punkt die historischen Dokumente und ihre Aussage außer Kraft. („*Morenga* oder Geschichte als Fiktion" 149)

Auf die Juxtaposition der Auszüge aus den historischen Quellen und historiographischen Aufarbeitungen mit fiktivem Material werde ich als nächstes zu sprechen kommen. Weder Hermand noch Pakendorf haben auf die Technik der dialogischen Stimmenarchäologie hingewiesen, die durch die Wiedergabe verschiedener Positionen entsteht. Ich glaube nicht, dass Timm seine Quellen dazu benutzt, seinem Roman sozusagen die Würde der Historizität zu geben. Er ist kein Historiker. Die Quellen werden weder Wort für Wort wiedergegeben, noch historisch kontextualisiert, sondern unter der Hand des Schriftstellers mutieren sie zu Material für die Fiktion. Hermand vermisst dabei den politisch eindeutigen Appell an den Leser, der im Sinne eines kritischen Realismus mit einer Idealfigur sich in die heroischen Befreiungskämpfe der Rebellen einfühlen kann, verfehlt damit aber meines Erachtens die Intention und Funktionsweise des Romans (55-56).

Neben der Auseinandersetzung mit historischen Quellen und ihrer Aufarbeitung in der modernen Historiographie nähert sich Timm seinem Thema der Identitätskonstruktion von Kolonisten und Kolonisierten über die Auseinandersetzung mit den Diskursen, die jeweils zeitgenössisch, dann nach Abschluss der kolonialen Tätigkeit Deutschlands in Weimar, während der Nazizeit und in den zwei Nachkriegsdeutschlands um dieses Phänomen geführt wurden. Ausgegangen ist Timm von der Hartnäckigkeit der Koloniallegende vom tüchtigen Deutschen und der segensreichen Entwicklungshilfe, die bis in seine Zeit nachgewirkt hat. Straßen und Eisenbahnstrecken wurden zwar gebaut, einige wenige Kinder in Missionsschulen unterrichtet, das Land vermessen und Nutzgärten angelegt, aber dies alles geschieht in Timms Roman nur zur Vorbereitung und späterer Durchführung des deutschen Musters von Kolonisierung, das ganz auf die erst militärische, dann wirtschaftliche Durchdringung des Landes und die Herrschaft über seine Bevölkerung abzielt, ohne sich über die Konsequenzen dieser Veränderungen Gedanken zu machen. Timm kann hier auf eine reichhaltige Geschichte von Diskursen über „den Afrikaner" und „den Siedler" zurückgreifen. Aus der zeitgenössischen und unmittelbaren postkolonialen Diskussion möchte ich hier ein paar anschauliche Beispiele nennen, vor deren Hintergrund Timms Roman gelesen werden muss.

Eine Landeskunde von 1906, die die deutschen Kolonien in Wort und Bild aus der Perspektive einiger „Kenner der deutschen Schutzgebiete" – Offiziere, Verwaltungsbeamte, Siedler – schildert, zeigt deutlich die typische Verallgemeinerung weit verbreiteter anthropologischer Darstellungen über „den" Neger:

> Der Neger ist im allgemeinen ein guter Soldat; er ist körperlich außerordentlich gewandt, erträgt mit Leichtigkeit große Strapazen, und hat einerseits dem Europäer gegenüber ein angeborenes Unterordnungsgefühl, während er andererseits jeden nicht-uniformierten Eingeborenen geringschätzt und ihn kurzweg mit dem verächtlichen Namen „Buschmann" bezeichnet. (Sander 149)

Diese Charakterisierung ist noch nicht von dem Schock des ausgedehnten und langwierigen Guerillakampfes mit den Nama und den Hereros geprägt, der alle folgenden Darstellungen bestimmen wird, denen die Angstprojektion der wei-

ßen Herren zugrunde liegt. Hans Meyers Länderkunde der deutschen Schutzgebiete von 1909 beispielsweise arbeitet diese Grundsatzangst produktiv um in
die Herstellung und Verfestigung der Koloniallegende:

> An dieser Stabilisierung des friedlichen Zivilisationseinflusses haben auch die
> jüngsten Aufstände der Jahre 1905/07 nichts wesentliches geändert und werden
> auch zukünftige Auflehnungsversuche nichts ändern, solange der Neger gewohnt
> bleibt, in uns den Herrn und nicht den nachgiebigen „weißen Bruder" zu sehen,
> und solange wir mit einer schnell beweglichen Schutztruppe zur Hand sind, wo
> es zu gären beginnt. (80)

Die charakterlichen Dimensionen des kolonialen Subjekts werden hier schrittweise mithilfe von Ergebnissen aus der Klima- und Rassenlehre landeskund-
lich festgemacht: dabei entsteht der Unterschied des in hartem Klima, unter
schwierigen Verhältnissen und vieltausendjährigen Kämpfen mit der Natur
herausgebildeten Europäers und der in der warmen Tropenzone existierenden
„Negerrasse." Als Jäger seien sie „niemals zu steter, zielbewußter Arbeit erzogen worden" und haben infolgedessen auch als Rasse „weder Pflicht- noch
Gemeingefühl entwickelt"; dagegen sind sie aber „geborene Egoisten und Re-
alisten", „geborene Redner, Diplomaten und Lügner" und verhalten sich „wie
ein unerzogenes Kind" (Meyer 466). Die Neigung zum Lügen und Ausdauer
im Schwatzen machten „den Neger" besonders geeignet für den Handel
(Meyer 467).

In diesem Kontext spielt auch die Sprachwissenschaft eine zentrale Rolle,
denn wie der Linguist Carl Meinhof 1910 in seinen Vorträgen behauptet, studiert man primitive Sprachen, um mit den Afrikanern zu verhandeln (10). Obwohl das Studium der „Sprache von Barbaren" geringen theoretischen Wert
habe (Meinhof 11), handele es sich doch um ein „Forschungsprojekt, das ver-
hältnismäßig rein und ursprünglich ist, nicht derartig entstellt durch Fremd-
worte, nicht verwirrt durch irgendeines Grammatikers Weisheit, auch in einer
gewissen Einheitlichkeit des Dialekts" (Meinhof 15). Obwohl das Studium der
afrikanischen Sprachen alle grammatischen Theorien über den Haufen wirft
und den Sprachwissenschaftler dazu zwingt, „an der Hand der Tatsachen die
psychologischen Gesetze der menschlichen Sprache zu suchen", geht es doch
in erster Linie um die Indienstnahme der Wissenschaft für die weltwirtschaftli-
che Expansion Deutschlands (Meinhof 17). Dank der Unterstützung der Wirtschaft durch die Wissenschaften kann sich im postkolonialen Weimar mit
Hilfe der neugegründeten Kolonialgesellschaften die Legende vom tüchtigen
deutschen Kolonisten bilden.

Hugo Blumhagen beispielsweise greift die Parameter dieser Legende auf in
seiner Geschichte Südwestafrikas, worin er behauptet, dass „dank einer um-
sichtigen deutschen Verwaltung diese Kolonien durch den Fleiß und die Be-
harrlichkeit der deutschen Pflanzer, Farmer und Kaufleute in der kurzen Zeit
von drei Jahrzehnten zu aussichtsreicher Entwicklung gebracht" wurden (3).
Weiterhin wurde die vorbildliche deutsche Rechtspflege eingeführt, für Si-

cherheit und Ordnung unter den Eingeborenen gesorgt, Seuchen bekämpft und Schulen gebaut. Hans Meyers *Länderkunde der deutschen Schutzgebiete* von 1910 beschreibt zwar detailliert die Siedlungsgeschichte der einzelnen Regionen, aber stellt immer wieder sein Beschreibungsobjekt in den bindenden Vergleich mit europäischen Normen: der Hottentotte beispielsweise sei „zu klein, als daß er, vollend unter europäischen Kleiderlumpen, irgendwie imponieren könnte", sein Schönheitsideal sei „gedrungen, klein und gerundet" (Meyer 117); seine Nase „von ausgesuchter Häßlichkeit", die Haarbildung „spärlich" (Meyer 118) und er neige zur enormen Faltenbildung. „Geregelte Arbeit ist in den Augen des Hottentotten eine Last; er sieht nicht in die Zukunft, weder für sich, noch für die Seinigen" (Meyer 112); die Sagen und Märchen der Hottentotten zeugten von dem „Kindesalter unseres Geschlechts" (Meyer 126). Die Herero dagegen erstaunen den Autor mit der „unerwarteten Verkörperung unseres eigenen Schönheitsideals", obwohl dieses Hirtenvolk einen „tierischen Zug" beibehalten habe (Meyer 135).

Der Völkerkundler Diedrich Westermann, der die Einflüsse der Zivilisation auf die sogenannten „Naturvölker" untersucht, weist mehrfach auf die Tatsache hin, dass alle alten Strukturen und bedeutungsstiftenden Gemeinschaften von den Weißen zerschlagen wurden und dass von daher die Notwendigkeit der Führungsrolle den europäischen Nationen zufalle, die nun die entstandene Anarchie mit einem europäisch geleiteten Schulsystem ersetzen müssten (siehe *Die heutigen Naturvölker im Ausgleich mit ihrer Zeit* 87). Aber auch Westermann bedient sich der Rhetorik der Koloniallegende, wenn er folgendermaßen verallgemeinert:

> Der Neger ist unstet in seiner Kräfteanstrengung, leicht ermüdet, dem begeisterten Anfang folgt ein schnelles Nachlassen, ihm fehlt die Fähigkeit zum Arbeiten auf lange Sicht oder in großem Bereich, er lebt mehr im Heute als im Morgen. Auch in den Pflichten seines kleinen Kreises neigt er ohne jede ständige Aufsicht zur Nachlässigkeit, er wird unpünktlich und unzuverlässig; das Gefühl persönlicher Verantwortung ist schwach entwickelt, er läßt gern die Dinge gehen. (Westermann, *Die heutigen Natürvölker im Ausgleich mit ihrer Zeit* 104)

Von daher könne die wirtschaftliche Frage nach der produktiven Leistungsfähigkeit der Afrikaner ohne vorherige systematische „Erziehung zur Arbeit" nicht gestellt werden (Westermann, *Die heutigen Naturvölker im Ausgleich mit ihrer Zeit* 104). Die fremden Eingriffe in das Leben der Afrikaner seien von daher folgenreich und gipfelten in einer neuen Erziehung für eine in fortwährendem Wandel begriffene Welt (vgl. Baumann, Thurnwald, Westermann 440).

Ein fiktiver Bericht eines wissenschaftlichen Forschungsreisenden, Dr. Leonhardt Brunkhorst, Professor an der Universität Greifswald, an die Königlich Preußische Akademie der Wissenschaften findet sich auch in Timms Roman. Professor Brunkhorsts Darstellungen sind in dem Tenor der Dokumente gehalten, die oben zitiert wurden und die die Diskussion der einheimischen afrikanischen Stämme unter die Fuchtel des Vergleichs mit der europäischen Zivilisation stellen. In erster Linie geht es Brunkhorst darum, Erkenntnisse zu gewinnen, „wie die Eingeborenen richtig zu behandeln sind" (Timm, *Morenga* 316). Zwar ist er durchaus entsetzt von den Züchtigungspraktiken der weißen Siedler, schreibt aber trotzdem die Geschichte Südwestafrikas aus teleologischer Perspektive als die eines Landes, das durch die Begegnung mit der Zivilisation nur profitieren kann:

> Erst durch die Schutzverträge mit dem Reich, die von der Mission denn auch kräftig gefördert wurden, wurden dem Leben und dem Eigentum Garantien gegeben, und die Arbeit zeigte Erfolge. Inzwischen sind alle Hottentottenstämme seßhaft, und die Missionshäuser sind die schmucksten Bauten im Lande, Stätten nicht nur der Arbeit, sondern zugleich auch der Behaglichkeit und, wie ich mit aufrichtigem Dank hervorhebe, auch liebevollen Gastfreundschaft für den Reisenden. (Timm, *Morenga* 318)

Auch Brunkhorst sieht den wirtschaftlichen Wahnsinn in der totalen Vernichtungsstrategie von Trothas und den harten Prügelstrafen der weißen Siedler:

> Der Idealfall für die Kolonialwirtschaft wäre, den eingeborenen Arbeiter so anzuleiten, daß er eben diese Anleitung stets für seinen eigenen Entschluß hält, daß also die wirtschaftlichen Erfordernisse deckungsgleich mit seinen Wünschen werden. Eben hier liegen die Schwierigkeiten, denn es ist, wie mir auch ältere Missionare bestätigen, nach fast hundertjähriger Missionsarbeit nicht gelungen, den Hottentotten zu einem disziplinierten Arbeiter zu erziehen. (Timm, *Morenga* 319)

Die Internalisierung und der Aufschub der Triebe, die die Grundlage der europäischen Zivilisation ausmachen, funktionieren also nicht bei den Kolonisierten, die sich zwar streng an die autochthonen Gebote halten, deren soziale Normen es aber gerade sind, die einer zivilisatorischen Entwicklung im europäischen Sinne entgegenstehen, weil sie Konkurrenzverhalten unterbinden. Die Christianisierung hat ebenfalls, laut Brunkhorst, nur wenige Früchte getragen, da die Afrikaner von Grund auf Hedonisten seien und nicht von sich aus dem masochistischen Vorbild des sich opfernden Christus nacheiferten (siehe Timm, *Morenga* 312). Im Vergleich zu ihren deutschen Herren zeichnen sich für Brunkhorst die Hottentotten allerdings durch Klugheit im Spracherwerb aus, was sie durchaus vorteilhaft von seinen eigenen Landsleuten unterscheidet, die sich keineswegs um den Erwerb der Landessprachen bemühen. Das Fazit von Brunkhorsts Untersuchung lautet: „Der Mittelweg: Verständnis der fremden Eigenart bei ruhiger, fester Wahrung der eigenen Überlegenheit, liegt uns noch nicht" (Timm, *Morenga* 324). Obwohl Brunkhorst eindeutig an der Herausbildung der Legende vom tüchtigen Deutschen arbeitet, ist er doch der Meinung, dass die deutschen Siedler und Militärs noch einiges von den alten und erfahreneren Kolonialmächten lernen können.

Was ist die Funktion dieses Berichts innerhalb von Timms Roman? Wie verhält er sich im Gesamtzusammenhang des Romans? Die Quellenausschnitte aus dem Windhuker Archiv und aus dem Reichkolonialpolitischen Amt, die Zusammenfassungen aus der Sekundärliteratur (Bley und Drechsler) wie auch der pseudo-historische Bericht Professor Brunkhorsts werden von Timm zwar kommentarlos nebeneinander gesetzt, aber sie werden in einen übergeordneten Argumentationszusammenhang gestellt, der durch den Rahmen der fiktiven Erzählung von Oberveterinär Gottschalk und Unterveterinär Wenstrup und deren „Vorfahren" (Gorth, Klügge etc.) vorbestimmt wird. Diese Technik der fiktiven Verklammerung von historischen Quellen und Pseudoquellen kennzeichnet die Erzählsituation von Timms *Morenga* und ist verantwortlich für den Effekt der dialogischen und dialektischen Stimmenarchäologie. Die fiktive Erzählsituation der Gottschalk- und Wenstrup-Passagen leitet die Lektüre der historischen Quellen und Pseudoquellen in einer Weise an, die zur Kritik an diesen Textauszügen führt. Wir lesen den Bericht des wissenschaftlichen Forschungsreisenden nicht mit den Augen Brunkhorsts, sondern sind von vornherein gegen den überheblichen Ton dieses Dokuments kritisch eingestellt. Dieser Erkenntnisgewinn hängt nicht nur mit der Tatsache zusammen, dass wir das Bild der „Hottentotten" von heute aus kritisch betrachten – das sowieso –, sondern dass wir auch die Figur des weißen Forschungsreisenden beobachten können, wie sie entsteht in einem dialektischen Verhältnis zu den Kolonisierten und nur in diesem Verhältnis existiert.

Jost Hermand hat behauptet, dass die Geschichte des heroischen Widerstands der Afrikaner in diesem Roman nicht zur Sprache kommt, dass stattdessen aber die Perspektive des Unterveterinärs Wenstrup „wegen seines Anarchismus von Timm mit der größten Sympathie gezeichnet" wird (57) und dass weiterhin der Roman nicht nur ein kritischer Geschichtsroman, sondern auch „ein bürgerlicher Entwicklungs- und Wandlungsroman" sei, in dessen zweiter Hälfte Timms „direkte oder indirekte Sympathie zusehends dem eher zurückhaltend argumentierenden Gottschalk" gilt, „der immer deutlicher zum Protagonisten einer von Timm – nach dem Scheitern seiner DKP-Hoffnungen – befürworteten gemäßigten Weltanschauung wird, welcher neben einem betont freiheitlichen Anarchismus und Antiimperialismus auch die Einsicht in die zeitweilige Übermacht politischer Großprozesse zugrunde liegt" (59-60). Neben der oben beschriebenen Stimmenarchäologie, die auf der politischen und ökonomischen Interpretation dieser Dokumente basiert und die Leser zur grundsätzlichen Einsicht in die enge Verbindung von Kapitalismus und Kolonialkrieg drängt, arbeitet Timm auch in den rein fiktiven Passagen seines Romans mit dieser dialogischen Technik. Peter Horn hat von Verhaltensmodellen gesprochen, an denen verschiedene mögliche Reaktionen auf die Krisensituation in Südwest durchgespielt werden:

> Timm bietet uns einige Modelle eines möglichen, immer aber problematisierten Verhaltens an: Da ist Wenstrup, der von der Truppe desertiert, da ist der Peter Meisel, der vom „Aufstand des Gewissens" spricht, und da ist schließlich die zentrale Figur des Gottschalk. Alle drei Gestalten sind in ihrer Weise problemati-

sche Modelle des Verhaltens für weiße Antikolonialisten. („Über die Schwierigkeit, einen Standpunkt einzunehmen" 99)

Wenstrup hat zwar von allen Romanfiguren die nüchternste Haltung gegenüber
der Ausbeutung der Afrikaner im Siedlungsgebiet, nimmt aber durch sein
kommentarloses Verschwinden keine aktive Haltung für die andere Seite ein.
Gottschalk entwickelt zwar durch die Gespräche mit Wenstrup und die Lektüre
des ihm von Wenstrup hinterlassenen Buchs des russischen Anarchisten Kro-
potkin über die gegenseitige Hilfe in der Entwicklung eine immer kritischere
Haltung gegenüber den militärischen Zielen des Vernichtungskrieges, die in
einer kurzen Begegnung mit Morenga gipfelt, zieht sich aber dann gegen Ende
des Krieges dennoch vom Dienst in den „Schutzgebieten" zurück und kehrt
heim, ohne eine Veränderung der Kolonisierungspraktiken auf irgendeiner
Ebene erwirkt zu haben. Und Pater Meisel als Pazifist und radikaler Christ
kann schon gar keinen deutschen Offizier von der Richtigkeit seiner absoluten
Feindesliebe überzeugen. Diese Problematik ist symptomatisch für Timms
Zeichnung der weißen Kolonisten, die als solche nur in der dialektischen Beziehung zu den Kolonisierten existieren. Die Hauptfiguren dieses Romans sind
nicht so sehr Identifikationsangebote, wie Hermand behauptet hat, sondern
Modelle für den vielfältigen und facettenreichen Konstruktionsprozess des
weißen Kolonisten, der in dem Kampf in den „Schutzgebieten" überhaupt erst
entsteht.

Peter Horn hat diese Einsicht zum Teil in seiner Analyse von Gottschalks
Dilemma angeschnitten, wobei er von dessen Entscheidungsschwäche spricht:

> Er versucht sich aus dem Entweder-Oder dadurch zu retten, daß er ein Drittes,
> Konstruktives zu ersinnen versucht. [...] Aber das ist natürlich, solange der Krieg
> der Kolonisatoren gegen die Kolonisierten währt und solange die Kolonisatoren
> die Kolonisten unterdrücken, unmöglich. Um eine solche Möglichkeit überhaupt
> zu schaffen, müßte erst die Herrschaft von Menschen über Menschen abgeschafft
> werden, und zwar in jeder Form. Jetzt aber, im Augenblick des Kampfes, gibt es
> kein Ausweichen. [...] Die koloniale Welt ist immer schon eine geteilte Welt, die
> überhaupt erst durch diese Grenzen existiert. („Über die Schwierigkeit, einen
> Standpunkt einzunehmen" 115-16)

Anstatt Gottschalk als erfolgreichen interkulturellen Lerner darzustellen, der es
am Ende schafft, durch einen dialektischen Prozess eine Synthese beider Kulturen zu erreichen und zwar so, „daß die beiden Kulturen in ihrer Eigenart erhalten bleiben, als These und Antithese fortbestehen", dem es also gelingt,
„das Fremde mit dem Eigenen in Übereinstimmung zu bringen, Harmonie herzustellen" (Kussler, „Interkulturelles Lernen" 215 u. 222), versucht Horn den
Konstruktionsprozess der Subjekte im Kolonisationsprozess dialektisch zu erfassen, wobei eben „auch der Herr dialektisch in der Sklaverei unfrei ist und
sich seine Freiheit durch den Kampf gegen die Sklaverei erst erkämpfen muß,
ein Prozeß, der für ihn um so schwieriger ist, weil er selbst zunächst einmal
der ‚Feind' in diesem Kampf ist und sich selbst als ‚Feind' erkennen muß"

(„Über die Schwierigkeit, einen Standpunkt einzunehmen" 116). Von daher
wäre es in einer hegelschen Welt die Aufgabe des Kolonisten, der den Koloni-
alkampf als notwendig für seine Freiheit erkennt und in dessen Prozess er mit-
erschaffen wird, sich gegen sich selbst und die Seite der Unterdrückung zu
stellen, um Freiheit zu erlangen. Eben dies geschieht aber nicht und erklärt
damit das Scheitern der Figuren.

Hugh Ridley hat angesichts der Beurteilung von *Morenga* von einem politischen Buch gesprochen, das in einigen Aspekten die Struktur des Bildungsro-
mans umgekehrt nachbilde (364). Timms weiße Romanfiguren seien dem
Charme der afrikanischen Landschaft erlegen und sie erlebten „ein geordnetes
und ordnungsfähiges Land, kein Herz der Finsternis" (Ridley 367). Gleichzeitig unterstellt Ridley dem Autor aber, dass es ihm darum gehe, diesen Zauber
der Landschaft zu zerstören und damit die gesellschaftlichen Ursprünge des
Mysteriums Afrika aufzudecken (369). Diesen Widerspruch macht Timm
durch die Entwicklung der Figur Gottschalks sichtbar, der nach Südwestafrika
kommt mit drei Büchern unter dem Arm, einem Lehrbuch der Immunologie,
einer südwestafrikanischen Pflanzenkunde und Fontanes *Effi Briest*. Des weiteren spinnt Gottschalk Pläne für eine bürgerliche Existenz in Südwest nach
dem Krieg:

> Wonach Gottschalk Ausschau hielt, war Farmland, auf dem er, in einigen Jahren,
> mit seinem ersparten Geld Rinder und Pferde züchten wollte. Meist abends vor
> dem Einschlafen richtete er sich schon in dem Farmhaus ein. Es gab eine Biblio-
> thek, ein Wohnzimmer, in dem ein Klavier stand (tatsächlich findet sich in einer
> der Skizzen ein Piano im Wohnraum), obwohl Gottschalk selbst nur etwas Flöte
> spielen konnte, aber seine Frau würde Klavier spielen können, später auch seine
> Kinder. (Timm, *Morenga* 19)

Dieser Traum von einem bürgerlichen Leben in der afrikanischen Kolonie entspringt ganz der kolonialen Phantasie, die den Raum nach ihren Vorstellungen
gestaltet und wo die reizvolle Landschaft und die Eingeborenen nur eine Nebenrolle spielen. Dass diese Phantasie aber auf einem ökonomischen Anreiz
basiert, wird uns als nächstes mitgeteilt:

> Für Angehörige der Schutztruppe gab es zinsgünstige Kredite, wenn sie in Süd-
> west Land erwerben wollten. An einem warmen Abend würde sich die Familie
> im Wohnzimmer zur Hausmusik versammeln, und man würde in der Ruhe des
> Landes die Sonata La Buscha von Johann Heinrich Schmelzer hören. [...] Bei
> bestimmten Musikstücken würden drei reichen, bei anderen vier, zuweilen waren
> sechs notwendig, wobei man wohl später, wenn der Farmbetrieb mit seiner Zucht
> florierte, eine Gouvernante, womöglich auch einen Hauslehrer einstellen konnte,
> so daß auch an andere, größere Konzerte zu denken war. (Timm, *Morenga* 19-20)

Diese anfängliche Phantasie vom bürgerlichen Leben in Südwest ist noch ganz
vom Frieden bestimmt. Über die Frage der Dienstleistung durch ansässige
Nama oder Herero und wie sich das Zusammenleben mit den Weißen gestalten
könnte, hat Gottschalk damals noch nicht nachgedacht. Seine Phantasie ist bar

von diesen Fragen. Erst die Konfrontation mit den Verhältnissen in Südwest, der Situation in den Konzentrationslagern und Viehkraalen, und die Auseinandersetzung mit Wenstrup, der das Prinzip der Ausrottung der Eingeborenen zwecks Gewinnung von Siedlungsgebieten sofort durchschaut hat, leitet in Gottschalk einen Denkprozess ein, der letztendlich zur Begegnung mit Morenga führt. Aber dieser Prozess ist nicht ein Umdenkprozess, sondern vielmehr ein Bewusstwerdungsprozess, in dem Gottschalk die kolonistischen Grundbedingungen seiner Existenz erkennt.

Gottschalks naive Vorstellung vom weißen Farmhaus mit Klavier und musizierender Gouvernante basiert, wenn man sie einmal konsequent zu Ende denkt, auf genau dieser Ausrottung der einheimischen Bevölkerung, obwohl er das bewusst vielleicht nicht so im Sinn hatte, aber sie entspringt der kolonistischen Ideologie, und es ist deren Funktionsweise und seine Verstrickung darin, die er immer deutlicher erfasst. Obwohl Wenstrups anarchistische Logik Gottschalk zunächst „sehr nebulös" erscheint (Timm, *Morenga* 52), beginnt er zusammen mit Westrup bei dessen Bambusen „Jakobus" mit dem Sprachunterricht in Nama. Diesem hermeneutischen Impuls folgen auch seine nachfolgenden Bemühungen, die ihn umgebenden Signale in dem Guerilakrieg der Hereros gegen die deutschen Schutztruppen zu entziffern (Timm, *Morenga* 97). Sein Bemühen um eine Nama-Grammatik schlägt fehl und führt zu seiner verwunderten Frage gegenüber einem Schutztruppenoffizier: „Wie will man ein Land kolonisieren, wenn man sich nicht einmal die Mühe macht, die Eingeborenen zu verstehen" (Timm, *Morenga* 98)? Diese Frage hat Peter Horn dazu verleitet, von Gottschalks Entwicklung in Südwest als einem interkulturellen Lernprozess zu sprechen, in dem er sich auf die Sprache der Nama einlässt, Sehnsucht nach dem Neuen und einen rein ästhetischen Genuss beim Lernen des Fremden entwickelt, der nicht zweckgebunden ist. Und durch diese Perspektive Gottschalks, „der eben trotz aller Annäherung an das Nama Deutscher bleibt, ist das Fremde zu vermitteln – als Fremdes, das letztlich nur in seinem eigenen Zeichensystem, seiner eigenen Sprache, seiner eigenen Kultur verständlich ist" („Fremdsprache und Fremderlebnis" 86). Eben diese Vermittlung des Fremden geschieht aber nur durch die andere Kultur hindurch, was auch der Grund dafür ist, dass der Roman zwar *Morenga* heißt, aber nicht in erster Linie von Morenga handelt.

Gottschalks Entwicklungsprozess führt ihn durch die Lektüre von Wenstrups Randbemerkungen in dem Buch Kropotkins, der konsequent marxistisch urteilt über die letztendlich ökonomisch motivierte Eingeborenen-Politik der Siedler und Schutztruppler, über die vermehrte Interaktion mit einheimischen Nama und Hereros in seiner Funktion als Tierarzt, bis zu einem Verhältnis mit der Nama Katharina. Sein ursprünglicher Traum von Farmhaus und Hausmusik wandelt sich unter den neuen Eindrücken zu der Idee der Gründung einer tierärztlichen Fakultät in Warmbad:

[I]n solchen Vermittlungsaufgaben von technischem und kulturellem Wissen läge die wahre Funktion und Verantwortung der Kulturstaaten gegenüber der Bevölkerung, die in ihrer Entwicklung zurückgeblieben ist. Man könne möglicherweise auch von diesen Menschen etwas lernen. (Timm, *Morenga* 152-53)

Aber dieser neue Plan ist nicht weniger von kolonistischen Vorstellungen bestimmt als der ursprüngliche. Die Idee der Vermittlung von kulturellem und technologischem Wissen basiert auch in dieser harmloseren Form auf einem Hierarchiemodell und auf der Höherwertigkeit der Kultur, die vermittelt werden soll.

Gottschalk selbst erkennt die zugrundeliegende Dialektik von Herrschaft und Dienertum in der Beobachtung von ganz offensichtlichen Exzessen wie dem Tritt in den Hintern oder dem subtileren Wink mit der Reitgerte und beginnt sich zu fragen, was er tun sollte:

Es war nicht mehr die Frage, ob dieser Krieg Unrecht sei. Das stand für ihn inzwischen fest. Und es gab Augenblicke, wo er das wie einen körperlichen Schmerz empfand. Er selbst hatte es als schreiendes Unrecht in seinem Tagebuch bezeichnet. (Timm, *Morenga* 227)

Gottschalk liebäugelt mit der Möglichkeit sich abzusetzen und das ihm verliehene Militärehrenzeichen zweiter Klasse zurückzugeben (Timm, *Morenga* 242). Er erkennt an dieser Stelle also noch nicht, dass er als Angehöriger der Schutztruppe grundsätzlich auf der anderen Seite steht und dass ein Ausbrechen aus dieser Dialektik nicht möglich ist. Zunächst steht „zwischen dem, was er tat, und dem, was er dachte" ein Riss (Timm, *Morenga* 243). Stattdessen ersinnt er allerlei kleine Hilfestellungen für die andere Seite, die, zusammen genommen, das Bild eines des Hochverrats Schuldigen ergeben: Gottschalk hat immer mehr Kontakt mit Einheimischen, weigert sich, das Entweder-Oder des Doktor Haring für sich anzuerkennen und bastelt an einem Zahnersatzmodell für die Kühe der Hereros. Aber Timm lässt uns durch die Hinzugabe von faktischen Informationen keine Illusion über die Wirksamkeit solcher kleinen Hilfestellungen. Beispielsweise übernimmt Gottschalk das Versuchsprogramm für die Ausbildung von Kamelen als Reit- und Tragtiere für die Schutztruppe und wir lesen den folgenden Erzählerkommentar: „Drei Jahre später, 1908, wurden mit Hilfe einer deutschen Kamelreitertruppe unter Hauptmann von Erckert die letzten Aufständischen in der Kalahari aufgespürt und geschlagen" (Timm, *Morenga* 304). Timm lässt also Gottschalk sich immer tiefer in die Dialektik der Kolonisation verstricken und eine fremde Kultur erleben, ein neues Zeitgefühl und eine Logik der Sinne erahnen, sich also immer weiter von seiner ursprünglichen Phantasie weg entwickeln. Erst die Begegnung mit Morenga spitzt Gottschalks spätere Entscheidung für die Rückreise zu.

Diese zentrale Szene ist nicht als Tagebuchszene wiedergegeben, sondern nur über Gottschalks schriftlichen (und von einem Offizier kommentierten) Bericht an das Kommando der Kaiserlichen Schutztruppe überliefert und von daher in der Sprache des Militärs gehalten. Morenga wird darin als „erstaunlich groß" und „sehr gut über unsere Truppenstärke informiert" geschildert (Timm, *Morenga* 352). Nach dem Verhör Gottschalks und dessen Entschluss, die Verwundeten am nächsten Tag nach Heirachabis zu bringen, schließt Gottschalk einen Bericht der abendlichen Feiern in Morengas Lager an:

> Abends feierten die Aufständischen ihren Sieg mit Tanz und Gesang. (Randbemerkung: Und was machte der Herr Oberveterinär?). Mehrere unserer Zugochsen wurden gebraten. Inzwischen waren auch die Frauen und Kinder der Rebellen gekommen, die Morenga über den Oranje in Sicherheit bringen wollte. Eine alte Frau tanzte zur allgemeinen Belustigung in der Uniform des Oberleutnants van Semmern, die sich ebenfalls im Transport befunden hatte.
> Die Zahl von Morengas Truppe (Randbemerkung: Bande!) schätze ich auf 60 Mann. Die meisten von ihnen trugen Schutztruppenuniformen und waren mit Gewehren vom Typ 88 bewaffnet. Das Pferdematerial war hervorragend. Wahrscheinlich aus Beständen der 12. Kompanie. Die Stimmung der Leute war sehr gut. Ich hatte nicht den Eindruck, daß irgend jemand unter Zwang kämpfte. Ebenso war die Anerkennung Morengas als Führer eine freiwillige. (Timm, *Morenga* 353-54)

Was ist die Funktion dieser Schilderung der abendlichen Festivitäten bei den Hereros? Sie kann keinem militärischen Zweck dienen. In der diesem Bericht nachfolgenden Zeugenaussage eines der Verwundeten wird diese Szene weiter ausgebaut:

> Am Abend, nachdem die Ochsen gar waren, habe man auch die Verwundeten ans Feuer getragen und ihnen Fleisch zu essen und etwas zu trinken gegeben. Er habe selbst zum erstenmal Sekt der Marke Kupferberg getrunken, den Sekt, den Bismarck doch immer zum Frühstück getrunken habe. Auch der Oberveterinär habe am Feuer gesessen und ebenfalls getrunken und gegessen. Am nächsten Morgen habe man sie auf eine Karre geladen. Morenga persönlich habe sich verabschiedet und gesagt: Gefangene würde er nicht töten. Wir sollten das in der Truppe verbreiten. Er kämpfe mit seinen Leuten für das Leben. Der Oberveterinär habe Morenga ein Drahtgestell geschenkt und ihm dazu etwas in Nama gesagt, was er wieder nicht habe verstehen können. (Timm, *Morenga* 355-56)

In dem Gespräch mit Meisel sagt Gottschalk zur Erklärung auf die Frage, warum er nicht dort geblieben sei:

> Er habe sich nie so fröhlich, so gelöst gefunden wie an diesem Abend, eine Fröhlichkeit, die aus allem kam, nicht allein durch den Suff erzeugt, eine fröhliche Gelöstheit. In ihrem Lachen erkannte er seine Freude, eine bislang ungeahnte Lebensfreude. [...] Diese Menschen waren ihm nah und doch zugleich so unendlich fremd. Hätte er bleiben wollen, er hätte anders denken und fühlen lernen müssen. Radikal umdenken. Mit den Sinnen denken. (Timm, *Morenga* 375)

Diese unmittelbare Begegnung mit den Hereros an dem Abend nach dem Kampf, an dem Gottschalk offenbar Freude und Sinnlichkeit empfunden hat, führt ihn zu dem Versuch der Einführung einer herrschaftsfreien Sprache in der Beschreibung von Phänomenen. Er setzt sein verlorengegangenes Tagebuch nicht weiter fort, denn das enthielt nur Reflexionen aus der Sichtweise des weißen Schutztrupplers. Stattdessen unternimmt er den Versuch, bei seinen neuen meteorologischen Aufzeichnungen „ein Beschreibungssystem zu entwickeln, das jene Bewegungen und Vielfalt in sich aufnimmt, ohne wiederum zu einer Nomenklatur zu erstarren", ohne die Phänomene dem Begriffssystem unterzuordnen und mit der Absicht, der beschreibenden Sprache das Moment der Sinnlichkeit wiederzugeben (Timm, *Morenga* 371). Dieses Modell der Herrschaftsfreiheit ist auch das Prinzip der Ballonfahrt, die Gottschalk Jahre nach seiner Rückkehr nach Deutschland unternimmt: „Nichts wird ausgebeutet, [...]. Man treibt und läßt sich treiben" (Timm, *Morenga* 394)

Gottschalks Entscheidung zur verfrühten Rückkehr ist Ausdruck seiner bewusstgewordenen Einsicht in die koloniale Dialektik, der auch er nicht entkommen kann. Eine Hilfeleistung für die andere Seite ist nicht möglich ohne die radikale Kritik an den Kolonisierungspraktiken und Denkweisen der Kolonisten. Timms Text funktioniert nicht so sehr als Kritik dieser Praktiken, sondern in erster Linie als Ort, wo die verschiedenen Positionen der Kolonisten untersucht werden. Die Psychodynamik der Kolonisation und der damit verbundenen Projektion des Verdrängten auf die Kolonisierten hat Timm zum erstenmal in seinem Vorwort zu dem Bildband formuliert. Da heißt es von der beständigen Angst der Kolonialherren vor dem Kolonisierten:

> Diese andere, notwendig unverstandene Lebensform ist ihm möglicherweise so vernichtenswert, weil darin seine eigenen hochgeschätzten Tugenden als Untugenden zurückgespiegelt werden, weil er die Eigenschaften, die ihm seine Überlegenheit sichern, mit Verlusten erkaufen mußte. Er bezahlte Fleiß mit Muße, Tapferkeit mit Lebensfreude, Disziplin mit Spontaneität und die vielgepriesene Ordnungsliebe mit Phantasie. Das, was er beständig verdrängen muß, macht ihm die andere Lebensform so hassenswert. (Timm, *Deutsche Kolonien* 12)

Gottschalk erkennt diese Dynamik und versucht, in seinen meteorologischen Beschreibungen dieses Verdrängte in die deutsche Sprache wieder hineinzuholen. Aber uns Lesern wird dabei klar, dass es in diesem Roman nur um die Entfaltung der inneren Logik dieser Dynamik geht. Es findet keine wirkliche Begegnung im Sinne einer Heilung oder eines Lernprozesses statt, sondern was wir auf der Figurenebene beobachten ist die Ausbreitung der Logik der Kolonisation und ihrer Bewusstwerdung. Peter Horn hat diese Psychodynamik beschrieben als die Auseinandersetzung mit dem Anderen der eigenen Kultur: „Alles, was in fremden Kulturen an diese nicht oder ‚falsch' sozialisierten Bereiche der eigenen Kultur erinnert, wird als Rückkehr in einen vorkulturellen Zustand begehrt, und gerade darum als eine tödliche Bedrohung gefürchtet" („Fremdsprache und Fremderlebnis" 75). Von daher ist die Auseinandersetzung mit dieser Psychodynamik im Kontext der europäischen Kolonialgeschichte so außerordentlich lohnend. In Timms *Morenga* finden wir diese projektive Position des Kolonisten nachgezeichnet. Es handelt sich nicht um wahrhaftige Schilderungen von afrikanischer Kultur, sondern um die wiederholende Nabelschau der europäischen Zivilisation. Von Morenga hören wir in diesem Roman direkt nichts, sondern nur von den projektiven Beschreibungen Morengas durch die deutschen Kolonisten, inklusive Gottschalks. Die Identifikation mit dem projektiv hergestellten Diskurs der Kolonisierten, die Timm in der deutschen Öffentlichkeit der achtziger Jahre aufspürt und kritisiert, wird von daher auch in diesem Roman nicht grundsätzlich in Frage gestellt. Eine dialogische Haltung mit in der Ferne lebenden Individuen, wie sie von Konstanze Streese diagnostiziert wurde, findet von daher nur in der Projektion statt. Afrikanische Stimmen hören wir nur gefiltert durch die weiße Perspektive. Uwe Timms Roman verhandelt das Material, das in Kapitel Eins vorgestellt wurde und bietet ein fiktives Modell an, um die innere Dynamik der Kolonisation zu studieren. Die masochistischen Rollenpositionen bleiben bestehen: der weiße Herr begegnet der grausamen Frau – der undurchdringlichen südwestafrikanischen Wüstenlandschaft, dem militärischen Drill, und in diese Begegnung schreibt sich die Grundsituation des Masochismus ein. Was passiert nun, wenn die Hauptfigur eine Frau ist? Wie verschiebt sich dann die Schlüsselszene? Das ist die Frage, die Christa Wolf in ihrem Medea-Roman beantworten möchte.

II. Figur: Die Konstruktion der wilden Frau in Christa Wolfs Roman *Medea. Stimmen*

Über diesen Roman Christa Wolfs wurde bereits jahrelang vor seinem Erscheinen in der Presse gemunkelt und das Ereignis des Erscheinens 1996 hat dann, wie zu erwarten war, in der journalistischen Literaturkritik Wellen geschlagen (siehe hierzu Wilke, *Ist denn alles so geblieben, wie es früher war* 41ff). Bereits während Wolfs Aufenthalt im Ghetty-Museum nördlich von Los Angeles, wo sie sich nach der publizistischen Kampagne gegen *Was bleibt* für eine Weile zurückgezogen hatte, war davon die Rede, dass sie an einem Medea-Roman arbeite (siehe die Beiträge in Hochgeschurz). Es waren und sind in erster Linie drei Kontexte, die die Rezeption dieses Romans bestimmt haben. In der Folge von Wolfs literarischen Œvres ging es um die kritische Einschätzung ihres wiederholten Versuchs der Rekonstruktion eines exemplarischen Frauenschicksals, eine These, die besonders in der feministischen Wolf-Kritik immer wieder betont wurde (siehe exemplarisch Urbach). Seit *Moskauer Novelle* (1959) und dann verstärkt seit dem „Durchbruchstext" *Der geteilte Himmel* (1964) hat sich Wolf mit verschiedenen Aspekten und der historischen Dimension von Weiblichkeit literarisch auseinandergesetzt und so nimmt es kein Wunder, dass auch *Medea* – ihr erster literarischer Text nach der Wende in der DDR – die Lebensbedingungen einer außergewöhnlichen Frauenfigur in den Mittelpunkt stellt. Nun sind aber die Umstände Medeas in Kolchis oder auch später in Korinth nicht ohne weiteres zu vergleichen mit denen Rita Seidels im geteilten Deutschland der sechziger Jahre oder mit Christa T.s Versuchen der Selbstfindung in der Aufbauphase der DDR oder gar mit den schwierigen künstlerischen Versuchen der schreibenden Frauen in der Romantik, deren Probleme Wolf Ende der siebziger Jahre literarisch gestaltet hat. Medea hat dann eher noch etwas gemeinsam mit der Rekonstruktion einer anderen mythischen Figur und klassischen Konstellation, die Wolf 1983 in *Kassandra* vorgenommen hat und deren Parameter sie in ihrer Poetikvorlesung *Voraussetzungen einer Erzählung: Kassandra* vorgestellt hat.

Hiermit ist der zweite Kontext benannt, der die literaturkritische Rezeption von *Medea. Stimmen* bestimmt hat: nämlich der Hinweis auf die Arbeit am Mythos, die Wolf in diesem Buch – in Anlehnung oder auch in Abstand zu *Kassandra*, das werden wir noch zu eruieren haben – geleistet hat (siehe hier exemplarisch Fries). Bereits in der literaturwissenschaftlichen Diskussion um *Kassandra* war die für Wolfs Poetik bezeichnende Verknüpfung von Mythenkritik und Feminismus zur Sprache gekommen. In Anlehnung an Wolfs eigene Lektüre, die die Klassiker des französischen, poststrukturell gefärbten Feminismus wie auch der literarischen Mythenverarbeitung, allen voran Thomas Mann, eingeschlossen hat, hat die Diskussion in der Sekundärliteratur immer wieder Wolfs eigenwillige Interpretation der klassischen Texte hervorgehoben, die von heute aus und – bewaffnet mit modernen psychologischen Kenntnissen – gegen den Strich gebürstet werden, wobei eine ganz neue Sicht auf mythologische Figuren freigelegt werde. Im Prinzip hat die Literaturkritik jedoch lediglich das wiederholt, wenn auch auf komplexere Art, was Wolf in der dritten und vierten Poetik-Vorlesung selbst angedeutet hat. Im *Medea*-Roman greift Wolf wieder auf diese eigenwillige Methode der modernen Uminterpretation alten Materials zurück (siehe Biesenbach 31ff). In dem Arbeitsheft zur Entstehung von *Medea. Stimmen* berichtet Wolf von dem Zufall des Kontaktes mit der Basler Altertumswissenschaftlerin Margot Schmidt und deren Behauptung, „daß erst Euripides Medea den Kindermord zuschreibt, während andere, frühere Quellen Rettungsversuche Medeas für die Kinder schildern, unter anderem, indem sie die Kinder ins Heiligtum der Hera bringt, „wo sie sie geschützt glaubt, doch die Korinther töten sie" (Wolf, „Von Kassandra zu Medea" 166). Von einer leicht verschobenen Position aus beleuchtet, wie Gudrun Loster-Schneider überzeugend argumentiert, versucht *Medea* – im Gegensatz zu *Kassandra* – die Auseinandersetzung mit neuerer feministischer Theorie sowie auch neueren Positionen in der allgemeinen Kulturtheorie: „Innovatorischen Anspruch gegenüber vorgängigen Reprisen erhebt der Roman noch über eine zweite und für genderspezifische Interessen besonders attraktive Technik: Er überschreibt ältere mit neuerer feministischer Theorie und bindet das Ganze rück und ein in den ‚Chor' allgemeiner Kulturtheorien" („Intertextualität als Mittel ästhetischer Innovation" 232). Mit anderen Worten, in *Medea* reflektiert Wolf auf die Entwicklungen innerhalb der feministischen Theorie seit den achtziger Jahren, die mit den Positionen der *gender*-Theorie und den Herausforderungen der postkolonialen Kritik sich auseinandergesetzt hat, und vergleicht diese zwei Folien sozusagen vor dem Hintergrund der klassischen Tradition. Dies ist ein hochinteressanter und in eine ganz neue Richtung weisender Gedanke, auf den ich im Kern noch zu sprechen kommen werde.

Der dritte Kontext, unter dessen Zeichen *Medea* in der Literaturkritik rezipiert wurde, ist die Nähe und Relevanz des Romans vis-à-vis des Zeitgeschehens, insbesondere den zur Produktion dieses Textes zeitgleich stattfindenden Transformationsprozessen, die die sozialistisch und zentralistisch-autoritär geprägte Gesellschaft der früheren DDR in eine moderne, nach westlichen Kriterien gebaute Demokratie umwandeln sollten (siehe hier exemplarisch Fuhrmann). Dieser Interpretationsrahmen basiert allerdings auf einer allegorischen Lektüre von isolierten Einzelelementen des Romans, die nicht ohne weiteres ein Gesamtbild ergibt und methodisch auf wackligeren Füßen steht als die Feminismus- und Mythenkritik, die sich beide mit strukturellen Paradigmen des Textes auseinandersetzen. In der Allegorie ist die Parallele von Kolchis mit der DDR und Korinths mit der Bundesrepublik herausgearbeitet worden und Wolf eine Position in der Diskussion um die deutsch-deutsche Vereinigung untergeschoben worden, die nicht immer sauber von der ästhetischen Analyse des Textes abgeleitet wurde. Ich möchte diesen Interpretationsansatz hier nur der Vollständigkeit halber erwähnen, aber in meinem Argument nicht weiterverfolgen und mich um eine strukturelle Analyse der Textmuster bemühen.

Mir geht es in erster Linie um die Auffächerung von breiteren Interpretationsmöglichkeiten dieses Romans und die Erschließung einer bisher ungenannten, aber meines Erachtens zentralen Perspektive, nämlich der Lektüre von *Medea. Stimmen* im Zusammenhang mit der Frage: was leistet dieser Roman für die kulturtheoretische Diskussion um die gesellschaftlichen und kulturellen Bedingungen des Postkolonialismus. Meines Erachtens können an Hand der Lektüre ausgewählter Stimmen dieses Romans die Strukturen des Orientalismus in ihrer Komplexität literarisch nachempfunden und studiert werden. Die Stimme Medeas insbesondere kann als ein Fallbeispiel von Hybridität gelesen werden, wobei ihr Sprechen überhaupt nur möglich erscheint über die reflexive Spiegelung und komplexe Aneignung des kolonialen Diskurses, der in Korinth geführt wird. Gerade die moderne psychologische und feministische Interpretation, die Wolf ihrer Figur unterschiebt, bindet meines Erachtens aber Medea an die Dialektik der kolonialen Situation, der sie doch ästhetisch und ideologisch entwunden werden sollte. Hiermit ist Christa Wolfs poetologische Position in die Nähe anderer Schriftstellerinnen gerückt – ich denke exemplarisch an Ingeborg Bachmann, die immer schon die weibliche Stimme als Teilkonstruktion der männlichen Sprache, etwa in *Malina* oder *Undine geht*, beschrieben hat. Wolf gesellt sich somit zu Uwe Timm in der Weigerung der Gestaltung einer dialogischen Haltung einer Begegnung mit dem Kulturfremden.

Bevor dieses Argument schrittweise entfaltet werden soll, möchte ich überlegen, mit welchem Recht *Medea. Stimmen* überhaupt als ein Text angesehen werden kann, der das Thema des europäischen Kolonialismus in seine Struktur mit aufnimmt. Auf der oberflächlichen Handlungsebene findet keine koloni-

ale Eroberung Kolchis' statt (wie etwa die Eroberung Trojas durch die Griechen in *Kassandra*). Jason und seine Argonauten sind selbst Flüchtlinge einer
anderen Art auf der Suche nach dem Goldenen Vließ und sie verlassen Kolchis
durchaus ohne militärischen Eingriff oder anderen gewaltsamen Zugriff. Durch
Agamedas' Monolog erfahren wir jedoch, dass die Einrichtung des Stadtstaa-
tes Korinth auf der kolonialen Eroberung des Landstriches basiert hat, dessen
Ureinwohner in dem Korinth Medeas mittlerweile eine ärmliche Randexistenz
fristen. Agameda berichtet:

> Auf eine unterirdische, nicht nachweisbare Weise scheint sich das Wissen ihrer
> Vorfahren auf die späten Nachkommen zu übertragen, das Wissen, daß sie diesen
> Landstrich von den Ureinwohnern, die sie verachten, einst mit roher Gewalt er-
> obert haben. (Wolf, *Medea* 86-87)

Diese Erfahrung, die in der Geschichte des Landes weit zurückliegt, die aber in
den Körpern der verachteten, als barbarisch abgestempelten sogenannten Ureinwohner eingeschrieben ist, bestimmt nun die Reaktionsweise der Einwohner Korinths auf diese „Barbaren" und ist Teil der Struktur, die auch ihre Reaktion auf Medea kennzeichnet. Von daher möchte ich behaupten, dass der
Roman koloniale Diskurse darstellt und ihre Verstrickung mit Herrschaftsideologien aufzeigt, wie sie in der zeitgenössischen Diskussion kritisch aufgearbeitet werden.

Nach János Riesz zu urteilen, ist, wie wir in der Einführung gehört haben,
die Literatur Europas schlechthin die Literatur eines Kontinents von Kolonisatoren und von daher das Phänomen des Kolonialismus omnipräsent (siehe
13). Zeichen dieses omnipräsenten Kolonial-Phänomens sei unter anderem die
Tatsache, dass Europa den kolonisierten Völkern immer mit dem Anspruch der
Überlegenheit entgegengetreten sei. Diesen Anspruch werden wir an Hand
mehrerer Figuren aus dem Medea-Roman detailliert verfolgen können, beispielsweise an Hand der Korinther und der Argonauten, die der „primitiveren"
Kultur von Kolchis mit Unverständnis, anmaßendem Egozentrismus und
Schauder vor dem Primitiven begegnen. Diese schaudervolle Begegnung mit
dem primitiveren Volk charakterisiert auch die Begegnung Jasons mit Medea
und ihr entspringt die Konstruktion Medeas als der grausamen Frau, für die
Medea den „zivilisierteren" Argonauten gilt. Etliche Figuren in *Medea* sprechen den orientalistischen Diskurs, wie er paradigmatisch von Edward Said
definiert wurde und der auf einer angenommenen Hierarchie zwischen der europäischen Hegemonialherrschaft und der orientalen Kolonialkultur beruht –
allen voran Jason in seiner Begegnung mit der Kultur der Kolcher, aber auch
Akamas in seinen Reflexionen auf Medea und die anderen Kolcher. Selbst
Medea beherrscht Strukturelemente dieses Diskurses und wird so als hybride
Figur erkennbar. Medea ist die Figur, die aus Elementen beider Kulturen besteht und von daher – unbewusst und ungewollt – an der kolonialen Haltung
der Korinther gegenüber den Kolchern und den Ureinwohnern Korinths teilhat,
diese Teilhabe aber nicht reflektiert.

In dem Fall von *Medea. Stimmen* zeigt die von Wolf zitierte Literatur und Kulturtheorie (griechische und römische Klassiker, Elisabeth Lenk, Ingeborg Bachmann, René Girard, Dietmar Kamper und Adriana Cavarero) in eine theoretische Ausrichtung, die sich, wie bereits angemerkt, gegenüber *Kassandra* verschoben hat in Richtung Kulturtheorie. Die bei *Kassandra* noch deutlich spürbare Öffnung des Horizontes der Autorin durch die feministische Theorie der siebziger und achtziger Jahre – in den Vorlesungen war von einem neuen „Seh-Raster" die Rede – weicht jetzt Mitte der neunziger Jahre einem allgemeineren Interesse an den Konstruktionsprinzipien von Kultur, ohne natürlich das Interesse an den Paradigmen des Geschlechterdiskurses vollkommen aufzugeben. Der Roman setzt mit derselben Bewegung an, wie wir sie von *Kassandra* her kennen, d.i. einer phänomenologischen Rekonstruktion einer erwünschten Begegnung: Statt der steinernen Löwen, die die Erzählerin anblicken angesichts des Besuchs der Festung in Mykaene, ist es jetzt die Stimme Medeas, die die Erzählerin vernimmt und die ihr aus der Tiefe der Zeiten entgegenkommt. Aber dieser Unterschied der Modalitäten zur ersten Begegnung wird nicht produktiv genutzt. Medea gerinnt der Erzählerin sehr schnell zu einem Bild und ist von da ab präsent als die wilde Frau. Auch die moderne feministische, sich auf Kulturtheorie stützende Rekonstruktion Medeas, die Wolf vornimmt, ist immer schon eine der wilden Frau. An der Kindsmörderin und Brudermörderin wird gezweifelt, aber die wilde Frau bleibt Teil der Faszination auch der heutigen aufgeklärten Rückschau auf die Mythen, denn Medea ist nur denkbar als Konstrukt des orientalistischen Diskurses, den ich im Folgenden systematisch durch das Buch hindurch verfolgen möchte.

Jasons Stimme ist die des Kolonisators. Er ist zwar ebenfalls Flüchtling in Korinth und es entgeht ihm vieles „in der Wirrnis dieses Königshauses", in dessen Gewohnheiten er sich schwer einfügen kann (Wolf, *Medea* 43), aber als zukünftiger Kandidat für die Thronfolge passt er sich der lokalen Kultur so weit wie möglich an. Dazu gehört nicht viel, denn er beherrscht bereits den kolonialen Diskurs bei seiner Ankunft in Kolchis noch vor der Flucht nach Korinth. Was zunächst als ersehntes „Wunderland" erscheint, in dem das Schicksal der Argonauten beschlossen wird (Wolf, *Medea* 45), wird durch zwei Erfahrungen qualifiziert, die die Begegnung Jasons mit den Kolchern als koloniale Situation auszeichnen: zum einen ist es die Reaktion Jasons auf die Totenfrüchte der Kolcher und zum anderen die Begegnung mit Medea. Beide Situationen sind durch den Schauder charakterisiert, der den „Zivilisierten" in der Begegnung mit dem „Primitiven" auszeichnet.

Aber bis heute kann ich den Schauder spüren, der mich ergriff, als wir das niedrige Weidengestrüpp am Ufer durchquert hatten und in einen Hain regelmäßig gepflanzter Bäume gerieten, an denen die entsetzlichsten Früchte hingen. Beutel aus Rinder-, Schaf-, Ziegenfellen umhüllten einen Inhalt, der an schadhaften Stellen nach außen trat: Menschliches Gebein, menschliche Mumien waren da aufgehängt und schwangen im leichten Wind, ein Grauen für jeden gesitteten

Menschen, der seine Toten unter der Erde oder in Felsengräbern verschlossen hält. Der Schrecken fuhr uns in die Glieder. (Wolf, *Medea* 46)

Dieser Schrecken ist ein wichtiges Strukturelement des Orientalismus. Es ist der Schrecken der sich überlegen fühlenden Kultur gegenüber den als primitiv empfundenen kulturellen Praktiken der Unterlegenen. Das Grauen ruft Visionen des Archaischen hervor, einer kulturellen Stufe, die man als Zivilisierter vor langem überwunden zu haben glaubte und deren Wiederbegegnung ambivalente Gefühle zur Reaktion hat. Der Kolonisator Jason verhält sich hier nicht wie der Anthropologe, der das fremde kulturelle System strukturalistisch erschließt (und von daher das andere System aus sich heraus zu interpretieren versucht), sondern er urteilt ganz aus der Perspektive des europäischen Eroberers, der sich seiner kulturellen Überlegenheit ungefragt sicher ist.

Weiterhin hat das Grauen in der Konfrontation mit dem Archaischen eine unerwartete sexuelle Komponente, die sich Jason und seine Argonauten, später auch die Korinther mit „Zauberkraft" erklären. Jason spricht von einem nie gekannten „Ziehen in allen meinen Gliedern, ein durch und durch zauberhaftes Gefühl" (Wolf, *Medea* 47), um die Sensation der erotischen Phantasien von der wilden Frau zu erklären. Dieser Zauber wird vermittelt durch den Blick Medeas, der an den kalten und manipulativen Blick der grausamen Frau in der literarischen Tradition des Masochismus anschließt. Die grausame Frau ist diejenige Frau, die die Schlageszene kaltblütig anordnet und genussvoll überwacht (siehe Wilke, „The Sexual Woman and her Struggle for Subjectivity" 249ff.). Das sexuelle Verlangen, das Jason verspürt, ist durch dieses Zitat der klassischen Konstellation des Masochismus in der Literatur der Jahrhundertwende in seiner Psychodynamik durchschaut. Bereits bei der ersten Begegnung Jasons und Medeas existiert Medea für ihn nur in der Konstellation als grausame Wilde, die auf zauberhafte Weise auf ihn einwirkt. Dass es sich bei dieser Figur um seine eigene masochistische Konstruktion handelt, erkennt er nicht. Die Umrisse dieser Konstruktion sind aber deutlich an folgender Textstelle, die ebenfalls aus Jasons Monolog stammt, erkennbar:

> Jetzt überfällt mich das Bild wieder, das ich all die Jahre unter der Oberfläche gehalten habe. Das grausamste und unwiderstehlichste Bild, das ich von ihr habe. Medea als Opferpriesterin vor dem Altar einer uralten Göttin ihres Volkes, in ein Stierfell gehüllt, eine aus Stierhoden gefertigte phrygische Mütze auf dem Kopf, Zeichen der Priesterin, die das Recht hat, Schlachtopfer zu vollziehen [...], mir schauderte vor ihr, und ich konnte den Blick nicht von ihr wenden, und ich bin sicher, sie wollte, daß ich sie so sah, schrecklich und schön, ich begehrte sie, wie ich noch nie eine Frau begehrt hatte [...]. (Wolf, *Medea* 64-65)

Das Bild der grausamen Venus gehüllt in Pelz mit einer phallisch anmaßenden Mütze auf dem Kopf, die den wilden Haarbusch nur unzureichend verdeckt, ist eindeutig Produkt der masochistischen Phantasie Jasons, der – „wie ein Hund" (so die Sprachregelung bei Sacher-Masoch, an die das Ende von Franz Kafkas Roman *Der Proceß* erinnert) – an den Füßen Medeas lecken und sich in

Schlacht(=Schlage)phantasien sexuell ausleben möchte (siehe Wilke, „„Der Elbogen ruhte auf der Ottomane'" 67ff).

In Jasons Reiseerzählungen nach der Ankunft der Argonauten in Korinth spielt das malerische Bild von der Wildheit und Grausamkeit der durchfahrenen Kulturkreise ebenfalls eine wichtige Rolle. „[D]ie Korinther wollen hören, daß im wilden Osten auch die Tiere unbezwinglich und schauerlich sind, und es schaudert sie, wenn man ihnen sagt, dass die Kolcher Schlangen als Hausgötter an ihrer Herdstelle hielten und sie mit Milch und Honig fütterten" (Wolf, *Medea* 56). Als Grenzgänger ist Jason einer der wenigen, die wissen, dass diese Praktiken am Rande von Korinth, wo die Kolcher leben, weiterbestehen. Der Diskurs, den Jason über die Kolcher führt, geht von der kulturellen Andersartigkeit der Kolcher aus, die letztendlich als minderwertig empfunden werden und die in ihrer Andersartigkeit unbedingt markiert bleiben müssen. Jason selbst erkennt diese Dynamik nicht. In seiner naiven Unreflektiertheit behauptet er: „Und man setzt doch die Kolcher nicht herab, das habe ich Medea klarzumachen versucht, wenn man feststellt, daß sie anders sind" (Wolf, *Medea* 59). Doch, genau das macht man. Man markiert sie als anders, schließt sie systematisch vom kulturellen Zentrum Korinths aus und urteilt über sie aus einer vermeintlichen Machtposition heraus.

Eine viel distanziertere und von daher in gewisser Weise reinere Version des kolonialen Diskurses vertritt in diesem Roman Akamas, Kreons erster Astronom. Er registriert zwar, dass die Korinther Medea nach einer Eingewöhnungszeit ebenfalls als „schöne Wilde" bezeichnen, ist aber der reißenden Lustphantasien, die Jason überfallen, abhold. Er urteilt ganz aus der Pose der kulturellen Überlegenheit des Kolonialherren. Die Rituale der Kolcher sind für ihn lediglich primitiv und haben keine Bedeutung, weil Akamas die kolchische Kultur gänzlich von außen betrachtet und sich nicht um eine strukturelle Analyse der anderen Kultur bemüht. Die Überzeugungen der Korinther, was ganz essentielle kulturelle Fragen der Einstellung gegenüber Gefühlshaushalt und der Organisation von Gedanken beispielsweise anbetrifft, nennt Akamas „[v]eraltet natürlich, überholt" und bezeichnet sie weiter als „[k]reatürliche Dumpfheit" (Wolf, *Medea* 123). Im Falle von Akamas können wir nachempfinden, wie der koloniale Diskurs sich mit dem Diskurs der überlegenen Rationalität verbindet, ohne auf die vollständige Beliebigkeit seiner Prämissen zu reflektieren: Akamas, der Sternendeuter, folgt ungefragt einer vollkommen abstrakten Semiotik der stellaren Konstellationen und höhnt gleichzeitig über die primitive astronomische Praxis der Kolcher, „die von Frauen betrieben wird und auf den Mondphasen beruht" (Wolf, *Medea* 124). Im Roman ist von daher meines Erachtens eine Kritik dieser Position zumindest ansatzweise eingearbeitet, weil die absurden Prämissen dieser Position nicht von der Figur selbst reflektiert werden.

Agameda ist, wie Medea, Kolcherin und Heilerin – in Korinth war sie Medeas begabteste Schülerin, von ihr ungeliebt und nun Medea in Hass zugetan. Wie Medea ist sie gekennzeichnet durch Hybridität, die in ihrem Fall aus der

Ablehnung ihrer kolchischen Herkunft und der unkritischen Annahme der korinthischen Lebensform besteht. Agameda „scheint es schwachsinnig, sich an ein unhaltbares Selbstbild zu klammern, aber warum sich nicht anstrengen, in die höhere Existenzform aufzusteigen" (Wolf, *Medea* 79)? Dieses neue Selbstbild schließt die schamlose Manipulation anderer Menschen auf einer individuellen Ebene wie auch die Rechtfertigung kolonialer Eroberungen auf einer gesellschaftlichen Ebene ein. Obwohl Agadema diese Prozesse durchschaut, lehnt sie sie durchaus nicht ab, sondern nutzt sie zu ihren eigenen Gunsten. Sie bewegt sich dadurch, zumindest was ihre Handlungen anbetrifft, innerhalb des korinthischen Kulturkreises, den sie zwar auf seine Funktionsweise durchschaut, dessen Rationalität sie aber für sich produktiv ausschöpft und als Überlegenheit einer höheren Existenzform anerkennt.

Die komplexeste Figur in diesem Roman ist natürlich die Titelfigur. Sie ist die autoritativste Stimme über das Leben in Kolchis wie auch in Korinth und für die Erzählfunktion Identifikationsfigur. Mit vier Einzelmonologen ist Medea die Figur, die die meiste und detaillierteste Information liefert. Und meines Erachtens ist sie auch die von der Erzählfunktion so angelegte kritischste und neutralste Stimme, die den Tenor der Rationalitätskritik, der den Roman insgesamt bestimmt, vertritt. Ihr Monolog setzt ein als imaginierter Dialog mit der in Kolchis gebliebenen Mutter, während dessen sich Medea an die Stationen ihrer Reise nach Korinth erinnert. Wie in *Kassandra* ist Medeas Monolog auch ein Erinnerungsmonolog kurz vor Ende ihres Wirkens in Korinth, nach der Vertreibung aus dem Palast und kurz bevor sie von der Meute aus der Stadt getrieben wird. Von ihr erfahren wir viele Vergleichsdaten über Korinth aus kolchischer Perspektive. Und diese Art von Information ist ursächlich mit der Konstruktion der Figur durch die Sehweisen der Psychologie und des Feminismus verbunden. Beispielsweise informiert uns Medea über die Rolle der Frau in Korinth, wenn sie sagt: „Ich bin keine junge Frau mehr, aber wild noch immer, das sagen die Korinther, für die ist eine Frau wild, wenn sie auf ihrem Kopf besteht" (Wolf, *Medea* 18). Im Gegensatz dazu kommen die Frauen in Korinth ihr eher vor „wie sorgfältig gezähmte Haustiere" (Wolf, *Medea* 18). Medea schlüpft hier in die Perspektive des modernen Feminismus, der die den Männern equivalente Denkfähigkeit der Frau postuliert und sich über Zähmungen und Herabsetzungen aller Art empört. Medea und ihre feministischen Ansichten folgen hiermit der alten Tradition der aufklärerischen Rationalitätsmoral, die besagt, dass alle Menschen vernünftig angelegt sind und von daher eine gleiche Chance im Leben verdienen. Diese Position ist – so einsichtig sie auch für uns klingen mag – kulturanthropologisch zumindest insofern problematisch, als eine fremde Kultur aus der Perspektive der allgemeinen Menschenrechte beurteilt und mit einem Maßstab gemessen wird, der der Kultur selber nicht angemessen ist. Paradoxerweise zeigt sich Medea mit dieser Beurteilung über die Rolle der Frau in Korinth als Teilhaberin an der kolonialen Perspektive, die sie nun – ironisch – auf die Verhältnisse in Korinth anwendet. Sie entdeckt dort nicht nur die Zähmung der Frau, sondern erkennt auch die

Dynamik des zweiten Blicks, entdeckt das tiefste Geheimnis Korinths (das Opfer der Königstochter Iphinoe) und kritisiert die Unterdrückung der Gefühle in Korinth sowie die Goldgier der Korinther. Medeas Interpretation der korinthischen Gesellschaft beruht von daher auf einer rationalistisch geprägten Umdeutung des Mythos, die nicht strukturalistisch geprägt ist, sondern auf einer kulturtheoretischen Basis operiert, die sich aus Psychologismus und Feminismus zusammensetzt, dabei die Paradigmen der beschriebenen Kultur aber außer Acht lässt und paradoxerweise dem kolonialen Herrschaftsdiskurs sich verschreibt. Im Gegensatz zu Friederike Mayer, die behauptet hat, dass Medea einen doppelten Ausschluss vom Diskurs der Macht als Wilde und als Frau erleidet, möchte ich gerade das Funktionieren und Navigieren der Titelfigur innerhalb der Diskurse des Orientalismus und der kolonialen Überlegenheit untersuchen, ohne deren Kenntnis Medea meines Erachtens gar nicht zu den Schlüssen kommen könnte, die sie im Laufe des Romans ausspricht (vgl. Mayer 86).

Gleichzeitig ist Medea, wie auch Agameda, ein Fallbeispiel von Hybridität, denn sie ist nicht nur verstrickt mit dem kolonialen Herrschaftsdiskurs der Überlegenheit, sondern versucht auch in ihren Berichten ihrer eigenen Kultur gerecht zu werden. Dieser Kultur ist sie aber, wie sich zeigt, längst entwachsen. Sie urteilt über sie – nicht wie Jason – , aber doch aus entrückter Perspektive. Über ihre Zeit in Kolchis macht Medea eine sehr interessante Bemerkung. Sie sagt: „Unser Kolchis ist mir wie mein vergrößerter Leib gewesen, an dem ich jede seiner Regungen spürte" (Wolf, *Medea* 98) und bestätigt damit die Annahme der Identität von Frauenleib und Nation/Volk, die ihrem Verhältnis zur einheimischen Kultur unterliegt. Diese Einheit wird aber durch die mittlerweile angenommene hybride Identität zwischen Kolchis und Korinth zumindest gedanklich zerstört. Von Korinth aus kann Medea auf die Probleme der kolchischen Kultur reflektieren und die individuellen Schwächen des Königshauses analysieren. Jetzt stört sie der Starrsinn, der Unnütz der Prachtentfaltung, und die Hinfälligkeit des Vaters: „Wir hatten ihn unterschätzt, unser hinfälliger, unfähiger König und Vater hatte jedes Fetzchen Kraft, das noch in ihm war, auf einen Punkt versammelt: sich an der Macht und damit am Leben zu halten" (Wolf, *Medea* 98). Aber auch der Starrsinn der alten Frauen, „dieser fanatischen Gruppe alter Weiber, deren Lebenssinn es war durchzusetzen, daß wir in Kolchis in jeder winzigsten Einzelheit so leben sollten wie unsere Vorfahren" (Wolf, *Medea* 102), und die aus dieser Konsequenz heraus den Bruder und Nachfolger Absyrtos opfern, wird von Medea bereits in Kolchis kritisiert – vielleicht nicht offen und bewusst, aber die Einsicht in die Absurdität dieser Dynamik hat zu Medeas Entscheidung zur Flucht mit Jason beigetragen.

Nur der Traum der Kolcher – als utopische Idee sozusagen – kann Medeas neu erworbenem rationalen Kalkül auf nostalgische Art widerstehen:

> Wir in Kolchis waren beseelt von unseren uralten Legenden, in denen unser Land von gerechten Königinnen und Königen regiert wurde, bewohnt von Menschen,

die in Eintracht miteinander lebten und unter denen der Besitz so gleichmäßig
verteilt war, daß keiner den anderen beneidete und ihm nach seinem Gut oder gar
nach seinem Leben trachtete. (Wolf, *Medea* 99)

Dass dieser Traum aufgegeben werden musste in Korinth, ist vielleicht die
bitterste Erfahrung, die Medea machen muss, auch wenn sie im Nachhinein die
Verhältnisse in Kolchis mit aller Schärfe durchschaut und kritisiert.

Die Begegnung mit den Gesetzen der alten Zeiten, wie sie im Brudermord
praktiziert werden, gibt mittlerweile auch Medea, der hybriden Figur, einen
Schauder vor dem Primitiven, wie wir ihn von Jason her kennen, und fördert in
ihr die rationale Einsicht in die Unabwegbarkeit eines dort praktizierten Umgangs mit Tradition, die letztendlich ihren Weggang aus Kolchis motiviert:

> Und seitdem ist mir ein Schauder geblieben vor diesen alten Zeiten und vor den
> Kräften, die sie in uns freisetzen und derer wir dann nicht mehr Herr werden
> können. Irgendwann muß aus diesem Töten des Stellvertreterkönigs, das alle
> guthießen, auch er selbst, irgendwann muß daraus Mord geworden sein, und
> wenn dein furchtbarer Tod mich etwas gelehrt hat, Bruder, dann dies, daß wir
> nicht nach unserem Belieben mit den Bruchstücken der Vergangenheit verfahren
> können, sie zusammensetzen oder auseinanderreißen, wie es uns gerade paßt.
> (Wolf, *Medea* 103)

Durch diese Erfahrung des Heimatverlusts und der Unsicherheit über ihre
Rolle in einer neuen kulturellen Konstellation schlüpft Medea in das Bild der
wilden und grausamen Barbarin, das Jason und die Argonauten, später auch
die Korinther, sich von ihr gemacht haben und das ihre Zauber- und Heilkraft
wie auch ihre sexuelle Anziehungskraft ursächlich begründet: bei der Abfahrt
der Argo und angesichts der Verfolgung des Schiffes durch die Königsflotte
„stand ich auf der ‚Argo' und warf dich [Bruder] stückweis ins Meer. Da ließ
Aietes die kolchische Flotte abdrehen, zum letzten Mal sah ich das vertraute
Gesicht, versteinert vom Schrecken" (Wolf, *Medea* 105). Dieses Bild einer
Frau, die unter wilden Schreien die Knochen eines Toten, die sie bei sich trug,
ins Meer wirft, hat sich für immer Jason und seinen Argonauten eingeprägt
und zur Festlegung ihrer Rolle als barbarisches kolchisches Subjekt in Korinth
beigetragen.

Diese Konstruktion der wilden Frau wird durch die Vorbeifahrt an der Insel
der Kirke nur noch verstärkt, der Verwandten, deren Ruf als Zauberin weithin
bekannt ist. Das Bild der grausamen Kirke wirkt bereits als Vorbote, so dass
die Argonauten sich nicht trauen, mit Jason und Medea das Schiff zu verlassen. Jason und Medea treffen diese andere wilde Frau am Ufer. „[S]ie wusch
ihr flammend rotes Haar und ihr weißes Gewand im Meer, wir sahen in ihr
zerklüftetes, furchterregendes Gesicht, sie schien zu wissen, wer da kam"
(Wolf, *Medea* 107). Kirke ist die konsequente Version einer grausamen Frau:
Priesterin, von einer Schar ihr treu ergebener Dienerinnen umgeben, vollzieht
sie mimetische Opferrituale, die Medea und Jason von Blutschuld reinigen
sollen. Aber ihre Wildheit wird bei Wolf zurückgenommen durch die Beifü-

gung von Psychologie und Feminismus, denn Kirke durchschaut die Funktionsweise der Welt und die Psychologie der Einzelindividuen. Kirkes Zauberkraft speist sich aus ihrer Schlauheit, ihrer Kenntnis der menschlichen Psychologie und der seelischen Bedürfnisse von Männern (und Frauen). Kirke definiert auch für Medea ihre Aufgabe in ihrer neuen Rolle an der Seite Jasons:

> [I]ch dürfe nicht bleiben. Ich sei eine von denen, die inmitten dieser Leute leben, die erfahren müßten, woran wir wirklich mit ihnen sind, und die versuchen müßten, ihnen die Angst vor sich selber zu nehmen, die sie so wild und gefährlich mache. Und sei es nur bei diesem einen da, dem Jason. (Wolf, *Medea* 110)

Medeas Aufgabe als hybrides barbarisches Subjekt in Korinth ist also die Verbreitung von mehr Selbsterfahrung und Selbsterleben unter den Korinthern, was letztendlich dazu führen soll, Angst abzubauen und friedliche Subjekte herzustellen.

Dass dies nur sehr rudimentär und vereinzelt gelingt, ist die Tragik von Medeas Aufenthalt in Korinth und die Geschichte ihrer Verstricktheit mit seiner Geschichte. Am Ende des Romans wartet sie auf das Gerichtsurteil, nachdem sie in grenzenloser Hybris zu dem Frühlingsfest der Korinther gegangen ist und dort der unheilvollen Gewalt der radikalisierten Menschenmenge widerstehen wollte, die sich an einer Gruppe von Asyl suchenden Gefangenen vergreifen wollte. Angesichts der Primitivität der Massenreaktion auf das Opferfest schaudert Medea. Und dieses ist der Schauder der Zivilisierten gegenüber den kulturellen Praktiken der Primitiven, der der Figur einen Fundamentalismus unterschiebt, dem sie selber schließlich zu Opfer fällt (siehe Wolf, *Medea* 248). Diese Szene der Massenhysterie wird wiederholt bei dem Fest der Demeter, das die Kolcher feiern und an dem auch Medea teilnimmt. Auch hier kann die distanziert urteilende Medea nichts ausrichten, als ein Korinther einen Baum im heiligen Hain der Kolcher abschlägt. Medea wird nun angeklagt, die Frauen, die ihm aus Rache und Protest das Geschlecht abgeschnitten haben, angeführt zu haben. Sie ist damit am Ende ihres Weges angekommen. Verbannt aus Korinth, entfremdet von ihren Landsleuten, getrennt von Jason und ihren Kindern, die noch gesteinigt werden sollen, flüchtet sie in die Berge, um ein gnadenlos verarmtes, perspektivenloses und hartes Leben mit einer Handvoll anderer geflüchteter Frauen zu schinden.

Das in diesem Text aus der masochistischen Phantasie Jasons entstandene Bild von Medea als grausamer Frau enthält Spuren von Wolfs neuer und neu gefasster Auseinandersetzung mit Kulturtheorie, die zwar ihren Ursprung im Feminismus der achtziger Jahre nicht ableugnet, wie der Vergleich mit der Figurenführung in *Kassandra* deutlich zeigt (siehe hier Loster-Schneider, „Den Mythos lesen ist ein Abenteuer" 389), die aber über den plakativen Geschlechterdiskurs und die grobe Verurteilung anderer Kulturen (des „patriarchalischen Südens" beispielsweise), die die früheren Texte noch bestimmt hat, deutlich hinausgeht. Georgina Paul hat ja bereits detailliert auf die Kontinuitäten zwischen dem Medea-Roman und dem früheren Kassandra-Projekt aufmerksam gemacht, indem sie vor allem auf die Prinzipien der Relektüre der klassischen Gründungstexte und den Rettungsversuch des Weiblichen hingewiesen hat (228-30). Gleichzeitig ergibt sich durch diese Interpretationsstrategien für Paul aber auch eine Verengung der mythischen Figur, denn „[u]m aber in Medea, gerade in Medea, ein Vorbild der Selbstkenntnis zu finden, denn Selbstkenntnis ist das zentrale Ideal der Wolfschen Poetik, muß sie das Kunststück vollbringen, aus dem Bild der Medea jegliche Gewalttätigkeit zu tilgen. Das bedeutet aber gleichzeitig, dass Medea auch jeglicher Leidenschaft entbehren muß, beginnend damit, daß sie Jason nicht liebt" (235). An Hand von *Medea* können wir durch die Vielfalt der Stimmen eine Vielzahl an Reaktionsweisen auf die gesellschaftliche Situation in Kolchis und in Korinth erleben, die uns ein facettenreiches Bild dieser zwei vor-klassischen Gesellschaften bietet. Dabei ist die Nähe bzw. Entfernung zum vorherrschenden Diskurs des Orientalismus ein entscheidendes Kriterium, das die einzelnen Stimmen unterscheidet, wie auch der Grad an Hybridität, der jedes einzelne Individuum dieses Romans bestimmt.

Als Summe meiner Textanalyse kristallisieren sich zwei Kernthemen heraus: zum einen ist es die Offenlegung der zentralen Verbindung zwischen Kolonialismus und Masochismus, die wir in der Figur Jasons beobachten können, die die Lektüre von *Medea. Stimmen* als postkolonialen Text so interessant macht und zu einer wichtigen Erkenntnis über die historische Funktionsweise von kolonialen Tropen auch in der Literatur der Nachkriegszeit beiträgt. Zweitens ist es der in die gegenteilige Richtung zeigende Versuch Wolfs zur Enthistorisierung und Entkontextualisierung der einzelnen Figuren, nicht nur der Titelfigur, die diese Erkenntnis abschwächt und quasi dem Text gegen seine Intention abgerungen werden muss. Wolf drängt die Interpretation der Figuren in eine Richtung, die sich der typischen Aufarbeitung der Geschichte der Kolonialbewegung und der kolonialen Phantasien in der Nachkriegszeit anschließt, die zum großen Teil aber auf der Identifikation der deutschen Geschichte mit einer Opferrolle beruht. Wolfs Text ist somit Zeugnis wichtiger Funktionsmechanismen innerhalb des kolonialen Diskurses und seiner Aufarbeitungstradition. Diese Tradition wird zumindest, was den Masochismus der weiblichen Hauptfigur anbetrifft, von Ingeborg Bachmann eingeläutet, die in mehrfacher Hinsicht für Christa Wolf Vorbildfunktion hat. In einem nächsten Schritt möchte ich die Konstruktion dieser Rolle bei Bachmann untersuchen, um dann abschließend auf ihre Parodie bei Elfriede Jelinek einzugehen.

III. Diskurs: Kolonialer Masochismus bei Ingeborg Bachmann und Elfriede Jelinek

Die feministische Diskussion in den USA hat nach der Debatte um den Kern des Weiblichen gegenüber der Vorstellung der Konstruktion von Weiblichkeit, die in den siebziger und achtziger Jahren heftig geführt wurde und in der Figuren wie Gloria Steinem, Mary Daly, Elaine Showalter, Sandra Gilbert und Susan Gubar eine Rolle gespielt haben, ihre größte Herausforderung bisher in dem Vorwurf von Feministinnen aus der dritten Welt erhalten, sie sei Komplizin einer imperialistischen Einstellung gegenüber der kolonisierten Welt. Trinh T. Minh-Ha, Chandra Talpade Mohanty, Gayatri Spivak und andere haben gezeigt, wie Amerikanerinnen europäischer Herkunft und Europäerinnen in ihren feministischen Theorien von einem falschen Bild von „der Frau im Allgemeinen" ausgegangen sind, das zu homogen angelegt sei und sich zu einseitig an den Paradigmen von Weißheit orientiere. Ein schlagendes Beispiel dieser Kritik ist die Konfrontation über die Bedeutung des Schleiertragens in islamischen Ländern oder die Beschneidung der weiblichen Genitalien in einigen afrikanischen Kulturen. Wer hier, wie Alice Schwarzer in *Emma*, eine Kritik an diesen Praktiken wagt, die sich an den Zielen der europäischen Aufklärung orientiert, muss sich dem Vorwurf des einseitigen Eurozentrismus stellen, der keine alternativen Erklärungsmodelle kultureller Praktiken zulässt. Chandra Talpade Mohanty hat in ihrem Beitrag „Under Western Eyes: Feminist Scholarship and Colonial Discourses" (1997) behauptet, dass von vornherein eine kolonialisierende Tendenz im europäischen und nordamerikanischen Feminismus angelegt sei, und zwar dadurch, dass implizit immer die europäische Zivilisation (und ganz besonders die Idee der Aufklärung) als Standard für Entscheidungen vorausgesetzt werde und dass von daher immer schon angenommen werde, dass die Frauen in der Dritten Welt eine kohärente Gruppe bilden mit identischen Wünschen und Interessen, dass es keinen Beweis dieser Universalität bedarf und dass so das Bild der Frau aus der Dritten Welt überhaupt erst fabriziert werde (258). Das Subalterne, so Gayatri Spivak, kann sich nämlich gar nicht artikulieren – und schon gar nicht als weiblich – wenn nicht durch den kolonialen Diskurs hindurch („Can the Subaltern Speak?" 104).

Die jahrelange systematische Ausschaltung dieser Perspektive der postkolonialen Kritik aus der Analyse der deutschsprachigen Literatur der Nachkriegszeit hat dazu geführt, dass man nicht erkannt hat, dass sich die Literatur selbst dem Thema der Aufarbeitung der kolonialen Tradition Europas bereits seit den sechziger und siebziger Jahren, dann verstärkt in den achtziger und neunziger Jahren gewidmet hat. Ingeborg Bachmann, mit deren Patriarchatskritik Christa Wolf und Elfriede Jelinek sich wiederholt auseinandergesetzt haben, ist hier wieder einmal Vorreiterin. Die Figur Franza aus dem Romanfragment *Das Buch Franza* kann man auch vor dem Hintergrund des kolonialen und postkolonialen Reiseromans lesen, wie er im deutschsprachigen Raum

von Gustav Frenssen, Senta Dingelreiter, Frieda von Bülow und Carl Peters
geprägt wurde. Im Laufe der Entstehung und Entwicklung dieses Genres stellt
sich nämlich heraus, dass es für die (allein oder auch in Begleitung) reisende
weiße Frau nur eine Stellung gibt, und das ist die Stellung der weißen Herrin,
die – mit Waffe und Peitsche bestückt – ihre Autorität den Mitgliedern feindlicher Stämme, aber auch den schwarzen Trägern und diversem Hilfspersonal
im Notfall mit Gewalt aufdrückt. Wenn man nun Bachmann in diese Tradition
hineinversetzt, wird klar, dass sich die Autorin mit dieser Darstellungstradition
auseinandersetzt. Franza kann in Ägypten und im Sudan nur als grausame Frau
überleben. Eine Alternative dazu gibt es nicht, was ihre spätere Vernichtung
als Platzhalter im Diskurs des europäischen Kolonialismus anzeigt.

Ingeborg Bachmanns Fragment gebliebener Roman *Das Buch Franza* hat
viele Interpretationswellen durchgemacht. Er ist zunächst, Bachmann folgend,
als Buch einer „Reise durch eine Krankheit" oder auch als ein „Buch über ein
Verbrechen" (Gürtler) interpretiert worden, das sich intensiv mit dem alltägli-
chen Faschismus auseinandersetzt (Gutjahr), später dann als ein Text, der den
Dekonstruktionsprozess der Schrift nachzeichnet (Weigel, Schuller), als ein
Beispiel für das Paradigma weiblicher Ästhetik (Brinkemper), zuletzt als Ort
der Thematisierung von Geschlechterbeziehungen im Rahmen einer feministischen Auseinandersetzung mit patriarchalischen Strukturen (Lennox, „Geschlecht, Rasse und Geschichte in ‚Der Fall Franza'"). Der „Todesarten"-Zyk-
lus galt vielen Kritikern als Kommentar über die offene und versteckte Gewalt
moderner europäischer Gesellschaften und als radikale Sprach- und Logik-
kritik in der spezifischen Tradition der österreichischen Moderne. Sara Lennox
hat vor kurzem eine Lektüre des Romans vorgelegt, die auf den postkolonialen
Kontext der Schauplätze aufmerksam macht. In ihrem Aufsatz über „White
Ladies and Dark Continents in Ingeborg Bachmann's *Todesarten*" hat sie die
Verstrickung der Figur Franza, aber auch der Autorin mit Diskursen, die
europäische Weiblichkeit konstituieren, herausgearbeitet und behauptet, dass
ganz bestimmte rassistische Phantasien diese Diskurse mitbestimmen.

> As postcolonial theorists and a range of scholars investigating the construction of
> „whiteness" have recently begun to demonstrate, the racial formations of the im-
> perial world were constitutive of white European identities in the metropole as
> well as in the colonies, „race" thus helping to define the most intimate domains
> of modern life, including gender relations, the sexual politics of the private
> sphere, and sexuality itself. Reading Bachmann's uncompleted novel cycle *To-
> desarten* (Ways of death) through the lens offered by postcolonial theory can
> show how imperialist discourses and racial fantasies that accompany them help to
> constitute the female figures on which those novels focus. („White Ladies and
> Dark Continents" 247)

Franzas Rede kann somit als ein Produkt von imperialen Phantasien entlarvt
werden, die die Konstruktion von moderner europäischer Weiblichkeit vor
dem Hintergrund orientalisierender Vorstellungen über kolonisierte Völker bestimmen. Gleichzeitig ist die Ausstellung dieser Rede und dieser Phantasien

eine Art Verhandlung oder zumindest eine Untersuchung der Funktionsweisen, die dieser Rede und diesen Phantasien unterliegen. So argumentiert Barbara Mennel in ihrem Aufsatz zur Funktionsweise des Masochismus in Bachmanns Romanfragment:

> Während ich die kritische postkoloniale Lesart von Bachmanns Werken, die davon ausgeht, daß Bachmann eine postkoloniale Welt als Kulisse für eine Untersuchung weiblicher Psyche benutzt, nicht in Frage stelle, hoffe ich jedoch aufgezeigt zu haben, dass das Werk eine produktive Auseinandersetzung mit weißer weiblicher Subjektivität anbietet, wobei weiße Weiblichkeit nicht von den dominanten Machtverhältnissen und deren Definitionen von Rasse und Geschlecht getrennt, sondern immer schon darin eingebunden war. (124-25)

Ich will hier behaupten, dass sich Bachmann kritisch nicht nur mit den Konstruktionsprinzipien von Weißheit und Weiblichkeit oder mit den Definitionen von Rasse und Geschlecht, sondern auch mit den charakteristischen Topoi des Genres, nämlich der Problematik des Frauenreisens sowie des Reisens in fremde Länder, der Begegnung mit fremden Kulturen und deren Darstellungs- und Erzähltradition auseinandergesetzt hat, die ich in meinem Kapitel zur Kolonialliteratur detailliert geschildert habe.

Die deutschsprachige Kolonialliteratur folgt, wie wir gesehen haben, ganz bestimmten Mustern, nach denen der männliche Held neues Land entdeckt, es besiedelt und bebaut und dadurch immer wieder seine physische, geistige und kulturelle Überlegenheit zur Schau stellt. Geschichten aus der Kolonialzeit handeln im Allgemeinen von der Härte des Lebens in Afrika und den Herausforderungen, die das Land und die dort lebenden Menschen den Kolonisten entgegenstellen. Die Darstellung der Beziehung zwischen weißen Siedlern und Militärs auf der einen Seite und Afrikanern auf der anderen entwickelt sich dabei nach einem Muster masochistischer Theatralik. Statt einer „Ehe" zwischen Abenteurern und Eingeborenen, wie sie als Muster noch die präkoloniale Phantasie bestimmt hat, wird eher die Andersartigkeit des Gegenüber betont und die Romanze auf die Beziehung des Kolonisten mit dem zu erobernden Land verschoben. Reiseberichte und Tagebücher über die Pionierzeit dokumentieren oft Aufstände, kriegerische Feldzüge und Entscheidungsschlachten. Solche detaillierten Berichte von Schlachten bedienen die masochistische Lesephantasie, indem sie Lust an der Erzählung (und damit mimetischer Erfahrung) von Gewalttaten fördern und diese Lust durch immer weitere Ausgestaltung und masochistische Verzögerung steigern. Durch die Darstellung und Thematisierung von Feldzügen, Eisenbahnfahrten, Reisen zu Pferd oder per Ochsenkarren, der von schwarzen Treibern angeführt wird, findet das Element der (erotisch besetzten) Verbindung des Kolonisten und Militärs mit dem Land seine Ausgestaltung. Das afrikanische Land Südwest beispielsweise wird durch diese Erotisierung zur grausamen Frau, deren Durchdringung nie ganz gelingt und die somit zu dem immer entfernten, aber dadurch umso mehr begehrten Ziel des masochistischen Verlangens wird. In den Reiseberichten von

Männern überwiegen die Stellen, an denen sich die Erzähler ganz besonders lustvoll in detaillierten Schilderungen von grausamen Schlachten oder strapaziösen Wanderungen ergehen. Wenn Frauen nach Afrika reisen, dann tun sie das als Herrinnen. Sie lassen sich tragen und setzen sich durch mit Hilfe der Peitsche. Wenn nicht unterwegs im Busch, bewegen sie sich als Herrinnen in den Städten der Kolonie und haben volle Kontrolle über ihren Blick. Sie benehmen sich als Kolonisatorinnen und Inhaberinnen des Diskurses der Kolonisation. Das ist das Modell, vor dem Bachmanns Franza sich bewähren muss. Martin als der landerobernde Masochist und Franza als grausame weiße Frau – wir werden sehen, dass dieses Bild gar nicht so weit von der Welt, wie sie im Roman beschrieben wird, abweicht, wenn auch als Negativfolie. Die Erwartungen, die mit diesem Bild einhergehen, kann vor allem Franza nicht erfüllen, aber messen tut sie sich dennoch an ihnen.

Susanne Zantop hat in einem zentralen Artikel über „Colonial Legends, Postcolonial Legacies" die These aufgestellt, dass es bei den deutschsprachigen Schriftstellern der Nachkriegszeit, besonders bei denen mit linksliberaler Überzeugung, eine Verbindung gibt zwischen einer unterdrückten rassistischen Einstellung und unverarbeitetem Kolonialismus, wobei die Hauptfiguren ihrer Bücher oft als Opfer imperialistischer Machenschaften zugrunde gehen und zumindest implizit mit Indianern oder anderen Opfern europäischer Kolonisation verglichen werden, wobei die Komplizenschaft der deutschen Wirtschaft und Politik der Nachkriegszeit an der Perpetuierung des europäischen Neokolonialismus gar nicht zur Reflexion kommt.

> By embracing Europeanness as a means to escape a burdensome national identity, German intellectuals after 1945 often failed to examine the nationalist-colonialist legacy handed down by that very Europe. They preferred to concentrate instead on the imperialist practices of the United States, thereby (re)assuming the triangulated positionality many Germans had espoused in the past. („Colonial Legends, Postcolonial Legacies" 193)
> Both [moments of triangulation] associate Germans with victimhood, a status they aspire or seek to redress. Both divert from self-analysis and the analysis of actual historical conditions by pointing to other historical moments and other agents and by creating self-serving identifications: those of Germans with Africans/Indians and Germans with Boers (the victims); or of British with Jews (the aggressor); of Jews with Africans (the *Untermenschen*). (Zantop, „Colonial Legends" 198)

Bachmanns Roman zeigt uns, dass für Österreich eine ähnliche Situation besteht, wenn sich der gebildete Wiener, Martin, über die ungebildete, laute, penetrante, rosa Hüte tragende amerikanische Kolonie in Kairo mokiert, ohne auf die europäische Verwicklung mit der kolonialen Geschichte dieses Landes zu reflektieren. Qua Opferidentifikation wird Franza zu einer Kolonisierten, ihr Mann Jordan zum Kolonisator – eine Position, die in der feministischen Kritik der achtziger Jahre noch vollkommen unproblematisch als Beschreibung einer patriarchalischen Realität rezipiert wurde (siehe Gürtler 79).

Diese Position der Ablenkung von wahren Machtinteressen wird durch Sara Lennox' Intervention allerdings in Frage gestellt. Dank ihrer These, dass auch Bachmanns Schreiben von den Topoi und zentralen Diskursen des europäischen Kolonialismus durchdrungen ist, können wir jetzt die Verhaltensweisen der Geschwister während ihres Aufenthaltes in Ägypten und Nordafrika verstehen als Verhandlungen dieser kolonialen Tradition. Wenn Franza plötzlich ihren Tee trinken kann, nachdem sie in der letzten Zeit in Wien nur mühsam den heimischen Kaffee herunterschlucken konnte, ist das ein Indiz dafür, dass sie sich in die Rolle der Kolonistin (Engländerin) und gleichzeitig in die Rolle der Kolonisierten hineinfinden will, aber nur Zugang zu den Diskursformen der Kolonie hat.

> Franza sah andauernd zur Seitengasse auf den Bus, damit er ihnen nicht davonfahren könne, dann entspannte sie sich und trank ihren Tee, nicht mehr wie im Café Herrenhof oder im Operncafé ihren Kaffee, von Einkaufspäckchen umgeben, mit angefangenen Briefen zuhause [...] und nicht mehr mit Syndromen an jedem Flimmerhaar und allen Antennen, sie ließ ihren Tee auch nicht kalt werden, rührte nicht, an Verstimmungen leidend, um. (Bachmann, „Todesarten"-Projekt II: 250)

Auf der Reise nach Suez urteilt sie kritisch über die Einstellung ihres Bruders gegenüber der beschwerlichen Reise: „Hier fuhr man nicht nach Portofino oder Cannes und legte sich an einen Strand. Sie dachte abfällig über zwei Orte, die sie nur vom Hörensagen kannte. Wusste Martin denn nicht, wo sie waren und wo sie war, und folgerte er nichts aus diesem Suez" (Bachmann, „Todesarten"-Projekt II: 251)? Franza wähnt sich hier als Kennerin der einheimischen Kultur, „als wäre sie immer hier gesessen" (Bachmann, „Todesarten"-Projekt II: 252), aber die Formulierung dieser Position geschieht doch ganz ausschließlich mit Hilfe der Paradigmen der kolonialen Sprache. Herrmann Weber hat hier kritisch angemerkt: „Der Verdacht liegt nahe, daß in einer solchen Perspektive die durchreisten arabisch-afrikanischen Länder erneut literarisch kolonisiert werden, Material liefern zur Überhöhung und Zelebration der Krankengeschichte einer Europäerin" (106). Franza mag zwar Wasser aus dem im Bus herumgereichten Becher trinken und ihre Nylonunterwäsche ausziehen, sich mit dem Sand in ihren Schuhen abfinden, sich in den Sand legen und einölen, aber die mimetische Angleichung an die andere Kultur gelingt ihr nicht, weil sie sie nicht von innen her lesen kann. Männer in der landesüblichen Kleidung sind für sie immer noch Männer in Schlafanzügen, verschleierte Frauen Zeichen von gewaltsamer Unterdrückung, einheimische Männer mit unendlicher Potenz ausgerüstet, Kinder mit Liebesblicken ausgestattet, bauchtanzende Frauen Zeichen von orientalischer Erotik, tanzende Kretins Symbole des erschreckenden Gesichts des Orients, usw.

Dass nicht nur ein Dekompositionsprozess, sondern auch eine Heilung stattfindet, ist ebenfalls Teil dieses orientalisierenden Diskurses. Nordafrika soll die Heilung von europäischen Problemen bringen? Die Vorstellung allein entstammt der orientalisierenden Darstellungstradition, der besonders Martin noch intensiv anhängt. Aber gleichzeitig ist auch Franzas vermeintliche Fähigkeit, die Spur der Hatschepsut anstelle der ausgekratzten Zeichen lesen zu können, hochmütig. Sie klagt die Archäologen an, die die toten Mumien in Museen ausstellen und versetzt sich in deren Position als geschändetes Opfer des weißen Kolonialismus. „Ich bin von niedriger Rasse" ist eine Zeile von Rimbeau, die Franza leitmotivartig während ihrer Reise durch die Wüste wiederholt. Durch diese Opferidentifikation zeigt Franza ihre Abhängigkeit vom kolonialen Diskurs, der zwar selbst-reflexiv auf die europäische Instrumentalisierung der kolonialen Tropen reagiert, aber dennoch nicht über diese Selbstspiegelung hinauskommt. Ich würde sogar soweit gehen und behaupten, dass dieses Zitat von der eigentlichen Rolle, die Franza in Ägypten spielt, von der reisenden Europäerin als Herrin, ablenkt. Ob sie sich von niedriger Rasse wähnt, mit dem abgestochenen Kamel eins fühlt, mit den Mumien sich identifiziert, mit der gefesselten Frau am Bahnhof Mitleid zeigt, oder – in einer metonymischen Verschiebung – dem Schicksal der Opfer des Nazi-Doktors nachstrebt, indem sie ihn um ihre Ausmerzung bittet, sie tut dies alles mit den Worten des kolonialen Diskurses und mit den Verhaltensweisen der weißen Frau, die herrisch verlangt und mit Dollar bezahlen kann. Über den Nazi-Doktor urteilt sie wiefolgt:

> Er war aus Wien, das war unverkennbar an dem Tonfall zu hören. Das hatte sie nicht gewusst. Sie hatte automatisch angenommen, er sei Deutscher. [...]
> Franza studierte seine Stimme. Er gehörte nicht zu „jener" Schicht, seine Sprache hatte keine Jordanklasse, keinen hochmütigen Nasal. Ein eckiges, angestrengtes Kleinbürgerdeutsch aus Wien. Ein Gesicht mit Brille, braunes Haar, ins grau übergehend, ein muskulöser Körper, untersetzt, sicher gebräunt wie das Gesicht, gebräunt vielleicht von Nachmittagen im Gezira Sporting Club. Besondere Kennzeichen keine. (Bachmann, „*Todesarten"*-Projekt II: 298-99)

Hier urteilt die Dame aus Wien, die in der ersten Klasse sich bewegt, die Forderungen ausspricht. Aus ihrem Mund hören wir die Flüche und Anklagen der europäischen Tradition und die wildesten Vergleiche mit der Geschichte anderer Völker, das kann nur in Selbstvernichtung enden. Franza kommt nach Ägypten als grausame weiße Dame, ob sie es will oder nicht. Sie spricht wie eine Herrin, sie verhält sich wie eine, sie urteilt wie eine. Da helfen keine Phantasierungen in die Rolle der Papua oder des abgeschlachteten Kamels, kein Schleiertragen und kein stilles Essen mit Fingern. Über diese Schwelle kann sie nicht treten und in der anderen Kultur aufgehen. Nur die Selbstvernichtung macht diesem Zwiespalt ein Ende.

Diese Tendenz des Entwerfens der Franza-Figur aus der Tradition der kolonialen Sprache heraus ist vielleicht noch deutlicher in den frühen Entwürfen zu dem Roman zu erkennen. Bachmann unternimmt im Frühjahr 1964 eine Reise nach Athen, dann mit dem Schiff nach Alexandria, von da aus durch Ägypten und in den Sudan mit dem Bus (siehe Opel). Der erste Versuch zur Fiktionalisierung ihrer Erlebnisse ist in den verschiedenen Stadien des sogenannten Wü-

stenbuchs erhalten, dessen Vorarbeiten aus dem Jahr 1965 datieren. Die Entstehung im Überblick kann detailliert in dem Anhang zu Band I der kritischen
Ausgabe nachgelesen werden. Ich kann hier nur kursorisch auf den textgeneti-
schen Hintergrund eingehen. Das Wüstenbuch ist noch in der Ich-Form gehalten und beschreibt die Erlebnisse eines allein reisenden Ichs, das keinen An-
sprechpartner hat. Version A arbeitet noch mit stark autobiographischen Details, B und C sind dann jeweils stärker ästhetisch verarbeitet, die Ich-Position
ist weiter zurückgenommen, der Berlin-Komplex allmählich ausgeklammert
und, vor allem bei C, die Motive weiterentwickelt. Die Hauptkomplexe, um
die sich das Wüstenbuch dreht und die in weiter verarbeiteter Form dann später in die edierte Hauptfassung des Textes eingehen, die ich oben zitiert habe
und die einer ganzen Generation von Lesern und Kritikern bekannt ist, sind die
Szene mit der gefesselten Frau in Kairo, die Haschisch-Episode, das Essen in
Wadi-Halfa und der Besuch im Mumiensaal. Das Paralipomenon zu C enthält
bereits das Zitat von Rimbeau und leitet uns zu einer ganz anderen Interpretation der Zeilen aus dem Prosagedichtzyklus „Une saison en enfer" von 1873:
„Les blancs débarquent" und „Je suis de race inférieur de toute éternité."
Bachmann verbindet diese zwei Motive zu einer Generalabsage an die weiße
männliche Kultur à la Frantz Fanon (wie schon im Vornamen ihrer Figur an-
klingt), indem sie Franza sagen lässt: „ich habe die Niedrigkeit meiner Rasse
bewiesen, mit meiner Sinnlichkeit, mit meiner Gier, mit meinem Triumph über
die Schäden des Weißen. Der weiße Mann ist inferior" (Bachmann, „Todesarten"-Projekt I: 283). Die in den späteren Versionen leitmotivisch wiederholte Zeile „Ich bin von niederer Rasse" bezieht sich also auf ihre Erkenntnis,
dass sie als weiße Frau an dieser Tradition teilnimmt, nicht so sehr als Opfer,
wie vorher behauptet, sondern als Teilhaberin.

Diese Teilhabe bestimmt ebenfalls die Haltung, aus der heraus die Ich-Erzählerin des Wüstenbuchs ihre Erlebnisse in Ägypten beurteilt. Die allererste
Fassung der Szene mit der gefesselten Frau zeigt ganz deutlich, wie die Erzählerin als Europäerin und Außenstehende vollkommen projektiv über die
Szene urteilt:

> Die Frau hatte zwar den Kopf gereckt, aber sie lag auch auf den Knien, und ich
> sah, daß ihr Kopf so königlich war, weil der Araber sie am schwarzen Haarende
> festhielt, mit der Mentalität des Besitzers, und sie lag auf den Knien, da sah ich,
> daß sie gefesselt war, sie hatte die Arme am Rücken gefesselt und: die Füße
> <<ähnlich>> gefesselt am Boden, dazu hielt der Araber sie am Haar, als könnte
> er, als er ihr das Haar ausriß,<> wie ein Pferd an der Mähne, mit Stolz, daß er es
> bändigte.
> Sie lag da, ganz gebändigt, und der Schreck ließ mich stehenbleiben und dann
> sagen: Man muß etwas tun, man muß etwas tun. Der Mann ist verrückt. Aber tau-
> send und mehr Menschen gingen über den Bahnsteig und wandten nur einmal
> den Kopf um, und niemand sagte, in keiner Sprache: Der Mann ist verrückt. Es
> war ein Mann vom Lande. Die warteten auf einen Zug heim. Er hielt sie, nur mit
> der Hand, stand lachend und gleichgültig und abgewandt da.

Da sagte ein Mann hinter mir, der meine Sprache verstand: Der Mann ist nicht verrückt. Die Frau ist verrückt. You know, she is crazy. Don't pay attention, she is crazy.
Seither weiß ich, daß die Frau wahnsinnig war, die da lag, gefesselt auf den Knien, und ihr Mann hielt sie.
Seither ist die Frau wahnsinnig. (Bachmann, „Todesarten"-Projekt I: 274)

Diese Fassung der Szene arbeitet den angeblich patriarchalischen Kontext der Gewalt heraus, die der Ich-Erzählerin zufolge dieser Frau angetan wird. Es wird aber auch klar, dass das Ich die kulturellen Kenntnisse gar nicht besitzt, um solche Urteile zu fällen und dass sie sich hier hauptsächlich auf die Projektion der aufgeklärten Europäerin auf die moslemisch-patriarchalischen Verhältnisse in der arabischen Kolonie verlässt. Der Mann ist immer „der Araber" und quasi stellvertretend für die Gewalt, die Frauen in arabischen Ländern zuteil wird.

In der Fassung C ist diese orientalisierende Projektion immer noch stark vorhanden, obwohl weiter ästhetisch verarbeitet. Da heißt es von der Frau: „sie lag auf den Knien und war an den Händen und Füßen gefesselt. Sie lag da auf dem Bahnsteig, mit einem Kopf, der war so hochgereckt, weil der Araber ihre zusammengebundenen Haare gehalten hat, er stand von ihr abgewandt" (Bachmann, „Todesarten"-Projekt I: 274). Diese Tendenz zur Ästhetisierung der Haltung und Physiognomie der Frau wird dann in der edierten Hauptfassung zu Das Buch Franza weitergetrieben. Dort liegt die Frau nicht nur gefesselt auf den Knien mit den Händen auf dem Rücken verschränkt, sondern Franza bemerkt auch

die Füße, nackt, schmutzig, auch zusammengebunden, das sah Franza zuerst; dann den Kopf der Frau, einen langen, schmalen, überdehnten Kopf, wie ihn die Töchter Echn Atons hatten, der Kopf war zurückgebogen, so daß die Frau in die Höhe schauen mußte, so hoch, daß rundherum nichts mehr in ihr Blickfeld kommen konnte, und zuletzt erst nahm Franza den großen Araber wahr, der die Haare der Frau, zusammengezwirbelt, nicht zu einem Zopf, sondern zu einem schwarzen Strick, gedreht hielt in der einen Hand, damit sie den Kopf unbeweglich halten mußte, und mit der anderen Hand führte er sehr genießerisch gelbe bohnengroße Körner zum Mund, lächelnd. (Bachmann, „Todesarten"-Projekt II: 307)

Aus dem Besitzer und Bändiger vom Land von der ersten Rohfassung ist jetzt ein sadistischer Genießer geworden, aus der gefesselten Frau eine schmutzige Tochter Echn Atons. Wie auch die Ich-Form des Wüstenbuchs urteilt Franza innerhalb der Diskursform der Kolonie, die aus den beobachteten Zusammenhängen Beispiele der patriarchalischen arabischen Kultur macht, in der Frauen zu Objekten werden und lediglich zur erotischen Befriedigung der Männer gut sind.

Die projektive Natur der Urteile in der Beschreibung ihrer Erlebnisse in Ägypten kommt vielleicht am deutlichsten in den Sexszenen zum Ausdruck, die im „Wüstenbuch" noch recht offen erzählt werden, wo der Orient als ein Ort der erotischen Besetzung fungiert, „die Männer für die Männer, sie sind nicht homosexuell, sondern sie machen von beiden Möglichkeiten Gebrauch, aber wir verstehen das falsch" (Bachmann, *„Todesarten"*-Projekt I: 247). Aber auch dieses Eingeständnis, dass wir das falsch verstehen, kommt einer kulturell eingeweihten Beurteilung der Funktionsweise von arabischer Sexualität kaum nah, sondern verschwindet in stereotypen Allgemeinheiten von der angeblichen (und von daher vollkommen projektiven) Qualität der arabischen Liebe. In der Version C ist die folgende Szene erhalten:

> Jetzt sind alle im Zimmer, ich spreche mit ihnen, man hat ja keine gemeinsame Sprache, aber man spricht so freundlich miteinander. Ich sage, daß ich schon geschlafen habe. Salah und Mahmed hören auf zu sprechen, nur Abdu spricht noch, sie wollen auch keine Frau, sondern mehr, das Ganze, etwas miteinander, gegeneinander, alles miteinander, hashinin. […] Die arabische Liebe, amour arabe, l'amour greque, die griechische. Ich habe sie mir gedacht als ein Racheakt, und sie war keine Rache, aber die Niederwerfung lächerlicher Vorstellungen. (Bachmann, *„Todesarten"*-Projekt I: 272)

Die Erzählerin phantasiert sich in eine Welt hinein, in der die Ich-Grenzen verschwimmen und stattdessen eine Verschmelzung der individuellen Körper im sexuellen Akt stattfindet, die als Heilung von der individualisierten europäischen Kultur empfunden wird. Europa wird auf diese Art und Weise hinter sich gelassen und wie in den Rimbeau-Zeilen polemisch defamiert. Die früheren Entwürfe zu *Das Buch Franza* enthalten noch Reste dieser projektiven Phantasie, wo es von der Szene mit den Männern im Zimmer Franzas heißt:

> Das Ganze wollen, etwas miteinander wollen, nicht der Mann die Frau, nicht die Frau den Mann, sondern den großen Racheakt. An dieser Einteilung, der Geschiedenheit, dann schlafen, wie nie vorher, mit den ernsten Gesichtern, aufwachen, einander die Hände küssen, einer der Sklave des anderen. Einer der Befreier des anderen. (Bachmann, *„Todesarten"*-Projekt II; 32)

Es ist auch interessant zu bemerken, dass in der Textstufe zwei bereits der Bruder Martin eine Rolle spielt und gerade hier als Voyeur der Szene fungiert, der auf das Ergebnis dieser allgemeinen Verschmelzung eifersüchtig ist. Die Perspektive, aus der diese Szenen erzählt sind, ist vollkommen vom kolonialen Diskurs durchzogen. Franzas arabische Begegnungen sind sexuell determiniert. Der Akt selbst wird überdeterminiert als jenseits der modernen Vereinzelung erfahren. Franzas erotische Erfahrungen privilegieren die ägyptischarabische Kultur über die Individualitäts-Doktrin der westlichen Zivilisation.

Man müsste einmal überlegen, ob bei Bachmann bereits eine Ironisierung dieser orientalisierenden Darstellungstradition stattfindet. Monika Albrecht hat im Oktober 2002 in einem Gespräch auf die Szene mit der Cola-Flasche hingewiesen, die ihrer Ansicht nach bereits ironisierende Wirkung hat. Auf dem Weg nach Hurghada, wo der Bus eine Pinkelpause macht, erinnert sich Franza an die letzte Pause sechs Stunden früher, wo die Männer alle ein Stück weit in die Wüste hineingegangen waren und Franza allein am Bus zurückgeblieben war.

Sie wußte zuerst nicht, wohin sie schauen sollte, und nahm von dem Posten eine Flasche Coca-Cola, trank ein wenig, und dann kam ihr das Bild weniger grotesk vor, diese dreißig bis vierzig urinierenden Männer, die gleich von der Wüste verschluckt werden konnten, sie sah ihre Füße einsinken, die Galabayas flattern. (Bachmann, „*Todesarten*"-Projekt II; 257)

An diesem Punkt trifft Franza die Entscheidung, ihre Nylonunterwäsche abzustreifen und mit der einheimischen Kultur zu verschmelzen. Natürlich hat diese Szene komische Elemente, aber ob sie den Austritt der Figur aus dem Diskurs des Kolonialismus anzeigen kann, bleibt dahingestellt. Um diesen Sprung zu schaffen, müssen wir uns, glaube ich, den Texten Elfriede Jelineks zuwenden.

Nach Bachmann waren es, wie eingangs erwähnt, die links-liberalen Schriftsteller, die in erster Linie das Thema der kolonialen Tradition aufgegriffen haben. Mit dieser Tradition hat sich auch Elfriede Jelinek auseinandergesetzt. Nancy Erickson hat in einer vergleichenden Studie zu den Werken Bachmanns und Jelineks gezeigt, dass beide vor einem gemeinsamen philosophischen Hintergrund arbeiten, dass beide Autorinnen zunächst gegen eine Rezeption in den Medien kämpfen mussten, die sie als „singende Musen" persönlich hochhielten, und dass beide Autorinnen beschreiben, wie ihre Protagonistinnen sich in einer patriarchalisch geordneten Welt zurecht finden müssen (199). Vor diesem Hintergrund möchte ich zeigen, wie beispielsweise eine Figur wie die der Erika Kohut als Mimesis wie auch als Kritik des europäischen Masochismus als des prädominanten Paradigmas für die koloniale Begegnung von Kolonisten und Einheimischen zu verstehen ist.

Dieses Argument möchte ich an Hand von zwei Beispielen erörtern. Zunächst möchte ich auf Jelineks Bearbeitung von Bachmanns *Malina* für den gleichnamigen Film Werner Schröters zu sprechen kommen, worin sich Jelinek direkt mit den Schriften Bachmanns auseinandersetzt. Für das Drehbuch wurde Bachmanns Text auf etwa ein Drittel des Umfangs reduziert und in Dialog überführt. Dabei fällt zunächst das erzählende „ich" unter den Tisch, das von einer handelnden namenlosen Frau ersetzt wird. Weiterhin werden konkrete Schauplätze für die im Text recht vage gehaltenen Ortsbeschreibungen Bachmanns eingesetzt und visuelle Lösungen für die Träume und anderen eingeschobenen Erzählelemente gefunden, die Jelineks interpretative Arbeit mit dem Text verraten. Margret Eifler hat die Unterschiede zwischen Bachmanns Roman und Jelineks Filmbuch systematisch untersucht und ist zu der Erkenntnis gekommen, dass Jelineks Filmbuch wesentlich radikaler sei in mehrfacher Hinsicht: in Betracht auf die Technik des Sprachspiels (Todesarten – Todesraten), im Weglassen des elegischen Tons, in der Verschärfung der patriarchalischen Situation sowie der Disharmonie zwischen den Geschlechtern (215-16). Ganz markant ist diese Technik der Radikalisierung meiner Ansicht nach bei der Bearbeitung des Fragments „Die Geheimnisse der Prinzessin von Kagran" zu beobachten, dessen Interpretation bereits Generationen von Literaturwissenschaftlern Kopfzerbrechen bereitet hat. Bei Bachmann erfolgt dieser schräggedruckte Textteil zum ersten Mal nach dem ersten Drittel des ersten Buches „Glücklich mit Ivan", danach versprengt in Fragmenten und ist jeweils ohne offensichtliche Integration in den Haupttext. Man könnte ihn vielleicht am ehesten als Fragment gebliebenes Schreibprojekt des erzählenden Ichs auffassen, das auf einem „alten, dauerhaften Pergament" die „Legende einer Frau [aufschreibt], die es nie gegeben hat" und hinter der sie sich verstecken kann (Bachmann, „Todesarten"-Projekt 3: 347). Jelinek macht aus der unmittelbar vorhergehenden Szene dagegen einen Kinobesuch der Frau mit Ivan und dessen unerträglichen Kindern, die alle gemeinsam zu einem Zeichentrickfilm gehen und bei dessen Besuch die Frau in eine Traumwelt abgleitet und die Geschichte von den Geheimnissen der Prinzessin von Kagran – allerdings in leicht gekürzter Form – auf die Leinwand phantasiert.

Warum wird gerade dieser Textteil in dem ansonsten um wesentliche Passagen gekürzten Drehbuch beibehalten und wie wird er in Jelineks Version umfunktioniert? Er wird beibehalten, weil er in kondensierter Form eine klassische Variante des orientalisierenden Diskurses auf eine fremde (hier: ungarische) Kulturwelt darstellt und durch die Verbindung der Frau mit der Prinzessin von Kagran, in deren Rolle sie sich hineinphantasiert, die Verstrickung der Frau mit diesem Diskurs anzeigt. Durch Jelineks Streichungen und die Rekontextualisierung des Fragments werden Akzente gesetzt, die die sowieso vorhandene Tendenz des Textes noch hervorstreichen. Ist bei Bachmann noch ganz im Märchenstil die Rede davon, dass die Prinzessin eines Nachts eine Stimme zu hören meint, „in einer Sprache, die sie bestrickte und von der sie kein Wort verstand" (Bachmann, „Todesarten"-Projekt 3: 349), hört man die Prinzessin in Jelineks Fassung mit dem Prinzen sprechen, aber leise und auf Ungarisch.

> Die Prinzessin flüstert (ungar.): Einen Prinzen wünsche ich mir, der mich von hier fortholt. Da erscheint in einem schwarzen Mantel gehüllt, der Prinz und flüstert ihr zu (ungar.): Ich habe für Euch geklagt, Prinzessin, und jetzt komme ich, Euch zu befreien! (Jelinek, *Malina* 65)

Dieser Dialog, den die Prinzessin mit ihrem Retter führt und der sie in die Steppe hinausführt, ist in der Filmversion ausgefüllt, um die Stimmen darstellen zu können, was in erster Linie wohl genretechnische Gründe hat (dass Schröter dann den ungarischen Prinzen mit Fritz Schediwy besetzt, der auch den Vater spielt, ist nochmal eine ganz andere Geschichte, die bei Jelinek nicht vorgegeben ist). Jelineks Spielanweisungen vergrößern aber dadurch den orientalisierenden Effekt dieses Fragments, in dem die Prinzessin von Kagran von wilden ungarischen Heerscharen gefangen genommen wird, dann ihren mysteriösen ungarischen Retter herphantasiert, dessen Fremdheit gerade die Quelle seiner Anziehungskraft darstellt. Jelinek stellt Bachmanns orientalisierende Phantasie aus und macht uns durch die Kinometapher zu Mitschuldigen und Voyeuren, indem wir das Spiel auf der Leinwand in der Leinwand miterleben. Dadurch scheint mir eine Ebene der Ironisierung erreicht, die bei Bachmann

noch nicht so im Text angelegt war. Diese Tendenz wird in dem nächsten Beispiel noch deutlicher.

Das andere Beispiel, das ich hier untersuchen möchte, ist Jelineks Portrait
Erika Kohuts, wie sie in einer Vorstadt Wiens eine billige Peep-Show aufsucht
und dort mit den türkischen Männern umgeht. Auch hier erleben wir die für
Elfriede Jelinek typische Mischung von Mimesis und Kritik, die Jelinek ihren
eigenen Figuren und den von ihnen geführten Diskursen widerfahren lässt und
die ich in *Dialektik und Geschlecht* detailliert untersucht habe (siehe 108ff.).
Erika wird auf der einen Seite in ihrer lächerlichen Überheblichkeit und orientalisierenden Pose gegenüber den türkischen und jugoslawischen Besuchern
der Peep-Show gezeigt und dadurch offen der Kritik preisgegeben, wie in dem
folgenden Textausschnitt ganz offen zu Tage kommt. Gleichzeitig findet aber
auch – wenn auch gegen die Intention des Textes – eine mögliche mimetische
Rezeption dieser Szene statt, in der, trotz Ironisierung und Verzerrung, eine
erotische Reaktion auf das Dargestellte möglich ist:

> So gut wie nie verirrt sich eine Frau hierher, aber Erika will ja immer eine Extra-
> wurst haben. Sie ist eben so. Wenn viele so und so sind, dann ist sie prinzipiell
> das Gegenteil davon. Sagen die einen hü, sagt sie alleine hott und ist noch stolz
> darauf. Nur so kann Erika auffallen. Jetzt will sie dort hineingehen. Die türki-
> schen und die jugoslawischen Enklaven und Sprachinseln weichen vor dieser Er-
> scheinung aus einer anderen Welt scheu zurück. Auf einmal können sie nicht bis
> drei zählen, aber am liebsten würden sie Frauen schänden, wenn sie könnten. […]
> Auch Erika will nichts weiter als zuschauen. […] Sie verwest innerlich, doch die
> Türken weist sie mit Blicken zurück. Die Türken wollen sie zum Leben
> erwecken, prallen aber an ihrer Hoheit ab. (Jelinek, *Die Klavierspielerin* 51-53)

Diese Passage kann als Beispiel für den „bösen" Blick Jelineks auf ihre Figuren gelten. Der Auftritt Erikas wird gleichzeitig inszeniert (und dadurch den
Lesern zum Miterleben angeboten) wie auch sprachlich verfremdet (und dadurch der Kritik feilgeboten). Die Leser betrachten die Handlungen Erikas an
dieser Stelle so, als würde eine Farce auf dem Theater inszeniert – aber auch
eine Farce kann erotisierend erlebt werden. Erikas rassistische Einstellungen
kommen nicht nur in ihrer Haltung, sondern auch in der Angstprojektion zum
Ausdruck, die diese Begegnung kennzeichnet. Gleichzeitig wird aber auch die
kritische Haltung der Erzählfunktion gegenüber solchen Projektionen deutlich
in der ironischen Arbeit mit der orientalisierenden Sprache. Jelinek mutet in
der Begegnung mit den ausländischen Besuchern der Peep-Show den Lesern
die mimetische Erfahrung von Erikas Hochmut zu und hält gleichzeitig die
Ausflucht in die kritische Ironie bereit.

Mary Louise Pratt hat in *Imperial Eyes* den kolonialen Blick umschrieben
als jene Autoren-Perspektive, die gleichsam olympisch alles übersieht, alles
eindeutig zu bewerten und einzuordnen weiß (4). Dem kolonialen Blick entsprechen die königliche Herrenattitüde und die Strategie gezielter Eroberungen
und Beherrschung, wie sie im allgemeinen für koloniales Verhalten bezeichnend sind. Jelinek stellt in dieser Passage Erikas Herrenbewusstsein aus und

lädt die Konstellation des kolonialen Blicks mit masochistischen Inhalten auf, so wie sie für die Geschichte der kolonialen Begegnung kennzeichnend ist, nur dass Jelinek die Rolle der grausamen Frau an Hand der Zeichnung der Figur Erika Kohuts in die Lächerlichkeit rückt durch ihre kritische Spracharbeit. Wird in Texten aus der Kolonialzeit die Rolle der grausamen weißen Herrin entweder von der unwirtlichen Landschaft besetzt, die durchdrungen werden muss, oder von den Kolonistenfrauen gespielt, die, wie bei Hans Grimm, die masochistischen Männerfiguren beherrschen, wird bei Jelinek dagegen die Macht dieser Pose durch die Lächerlichkeit der Übertreibung zerschlagen. Jelinek zeigt hiermit ihre Verhandlungsposition gegenüber der europäischen Darstellungstradition des Kolonialismus an, die sie von innen studiert, durch ihre Figuren ausstellt und durch die ironische Arbeit an deren Sprache kritisch entlarvt. Über sie hinweg kommen jedoch auch Jelineks Figuren nicht.

Uwe Timm zeigt in seinem Roman, wie die kolonistische Identität dialektisch entsteht im Bezug auf Kolonisierte. Er arbeitet mit der Technik der Vielstimmigkeit, benutzt aber letztendlich Gottschalk als Sprachrohr für die kolonisierte Kultur. Diese Technik der Archäologie von zeitgenössischen Stimmen gestaltet Geschichte als Schichtenmodell. Der im fiktiven Rahmen entworfene Argumentationszusammenhang bindet Quellenausschnitte, Sekundärliteratur und pseudo-historischen Bericht in ein übergeordnetes Thema, wobei die Verstrickung der Hauptfigur mit der kolonialen Dialektik entfaltet wird. Christa Wolf verhandelt die Strukturen des Orientalismus anhand von Medeas Fallbeispiel von Hybridität. Der Roman stellt koloniale Diskurse dar und zeigt deren Verstrickung mit Herrschaftsideologien auf. Medea wird zur Identifikationsfigur, funktioniert aber nur innerhalb der Diskurse von Orientalismus. Das Bild der wilden Frau schließt schließlich an die masochistische Tradition an und es kommt zu einer Offenlegung der zentralen Verbindung von Kolonialismus und Masochismus. Ingeborg Bachmann schließt an die Tradition des kolonialen Reiseromans an. Moderne Weiblichkeit wird mithilfe von Diskursen gestaltet, die orientalisierte Vorstellungen über kolonisierte Völker nachahmen. Die Erzählerin phantasiert sich dabei in eine Welt hinein, in der die Ich-Grenzen verschwimmen und eine Verschmelzung individueller Körper im sexuellen Akt stattfindet. Alle in diesem Kapitel behandelten Autoren machen Gebrauch von der Grundstruktur des Kolonialismus, wie sie in der Nachstellung und Erfahrung von theatralischen Szenen der masochistischen Tradition unter Hinzufügung von kolonialen Tropen zu erkennen ist. Die Nachkriegsliteratur bietet zusätzlich zu ihrer Analyse und Zurschaustellung allerdings noch die Möglichkeit der Kritik an dieser Tradition, die sich in der ironischen Bearbeitung von masochistischen Stereotypen anzeigt. Wie gestaltet sich nun die diskursive Überschneidung von Kolonialismus und Masochismus in anderen kolonialen Begegnungen, die von dem Paradigma Afrika abweichen? Das ist die Frage, die ich in meinem nächsten Kapitel beantworten möchte.

Gibt es auch grausame Frauen in der deutschen Südsee?[4]

Die Forschung für dieses Buch hat mich auf eine Reise geschickt, die vom späten achtzehnten Jahrhundert bis in die Gegenwart reicht und geographisch quasi die ganze Welt umspannt. Viele Jahre bevor das Deutsche Reich in der Figur seines charismatischen Kanzlers Bismarck zu einer offiziellen Kolonialmacht wurde (1884) haben deutsche Abenteurer, Forschungsreisende und Missionare die ganze Welt bereist und ihre Abdrücke hinterlassen. Diese Arbeit hat sich bisher auf eine ganz bestimmte Zeit (nämlich die Zeit unmittelbar vor der Kolonialperiode und danach) und, wie es sich herausgestellt hat, vornehmlich auf einen ganz bestimmten geographischen Ort – Afrika – konzentriert, wo das hier untersuchte Paradigma von der masochistischen Ordnung des deutschen kolonialen Projekts voll greift. Anstatt die Resultate der einzelnen Kapitel hier noch einmal zusammenzufassen, möchte ich stattdessen die Frage des Vergleichs stellen, um zum Abschluss dieser Untersuchung noch eine andere Perspektive zu entwickeln, die über die Einwirkung der deutschen Kolonialmacht in Afrika hinausweist. Grundsätzlich wäre es wissenschaftlich begrüßenswert, wenn wir mehr über den Unterschied der einzelnen europäischen Kolonisatoren wüssten. Obwohl es zwar verständlich ist, dass in der Nachfolge der europäischen Kolonisation Amerikas, Afrikas und Asiens der Schwerpunkt zunächst auf die Gleichheit der Strukturen der Kolonisation gelegt wurde, ist es doch mittlerweile wichtig geworden zu fragen, wie sich denn die einzelnen nationalen Handlungsträger der Kolonisation spezifisch verhalten, und ob sie sich alle in gleicher Weise mit dem kolonisierten Land auseinandergesetzt haben.

Gibt es Unterschiede innerhalb des europäischen Modells der Kolonisierung? Hier wurde behauptet, dass die masochistische Struktur ein Hauptmerkmal der deutschen Kolonisation von Afrika ist im Gegensatz zur englischen und französischen Kolonisierung. Mehr dazu kann man vergleichenden Forschungen entnehmen, die die Kolonisationsmodelle Englands, Frankreichs, Deutschlands und anderer europäischer Staaten untersuchen (siehe hier Sauer). Der innereuropäische Vergleich kann jedoch in dieser Studie nur am Rande zur Sprache kommen. Gibt es aber Unterschiede innerhalb des deutschen Kolonialmodells, was die Spezifität des jeweiligen Ortes anbetrifft? Das ist eine Frage, die im Rahmen der bisherigen Untersuchung noch nicht gestellt wurde, die aber meines Erachtens Einblicke in den jeweils historisch und kulturell

---

[4] Dieses Schlusskapitel verdankt viel den Anregungen Richard Sperbers, der sich bereits seit Jahren mit dem Thema der Südseeliteratur auseinandergesetzt und Literaturvorschläge gemacht hat. Weitere Anregungen kamen durch die Vorbereitungen zu einem interdisziplinären Symposium „Narrating Colonial Encounters: Germany and the Pacific Islands" an der University of Washington Mai 2005.

determinierten Kontakt der Deutschen mit den kolonisierten Völkern geben kann. Ist es egal, ob Deutsche nach Afrika auswandern, um es zu besiedeln, oder auch nur um Löwen zu jagen oder Straußenfedern zu sammeln, oder ob sie mit Schiffen auf einer Südseeinsel landen oder gar eine Universität in dem alten Kulturland China aufbauen? Meine Hoffnung ist, die jeweiligen Prozesse der spezifischen Kolonisierung, was den Gegensatz zwischen Afrika und der Südsee anbetrifft, zumindest im Ansatz herauszuarbeiten, um den Kontakt zwischen der deutschen Kolonialmacht und den kolonisierten Völkern in ihrer Spezifizität näher beschreiben zu können. Auf die Kolonisierung Chinas möchte ich mich nicht einlassen, weil das einfach zu weit führen würde, und stattdessen auf existierende Forschungen verweisen (siehe Karen Engs und Rolf Goebels Arbeiten zum deutschen Kolonialismus in China). Nur ganz am Rande möchte ich erwähnen, dass der Luxemburger Autor Norbert Jacques, der auch Kolonialliteratur zu Afrika und der Südsee geschrieben hat, 1921 einen Roman über eine Reise auf dem Jangtse verfasst hat, worin das Spezifikum der deutschen Begegnung mit China sich entfaltet. China wird in erster Linie als Masse empfunden, als „das große Reich", das den Europaverlassenen lockt (*Auf dem chinesischen Fluß* 14). Ein Bild von Menschenmassen, Geschiebe und Handelschaos folgt dem anderen wie auch die intensive Beschreibung der erotischen Kultur Chinas, der Massagen und Rituale des Ohrenputzens. Jacques Text durchzieht die Geste des voyeuristischen Flaneurs, der durch die fremde Stadt zieht, dort in erster Linie Elend und Bettelei sieht, üble Gerüche feststellt und die Gasse als Schweinestall bezeichnet, so wie sie von späteren Asienreisenden (wie Ilse Langner oder Günther Grass beispielsweise) weitergeführt wird. Die alte Kultur ist durch die Tempel, die Theater und das Teetrinken vertreten. Was Jacques aber auf seiner Flussfahrt erlebt, hat mehr mit der Begegnung mit der öffentlichen Erotik niederer Kreise zu tun (*Auf dem chinesischen Fluß* 222), die sich dem Europäer entzieht: „Alles ist fremd und keusch von Mensch zu Mensch, alles eingekleidet, mondenreich und mondenfern, wie eine chinesische Frau" (*Auf dem chinesischen Fluß* 82).

Karen Eng hat herausgearbeitet, dass die deutsche Kolonisierung Chinas, die erst 1897 unter Kaiser Wilhelm II erfolgt ist, als Antwort auf die Schwierigkeiten mit den afrikanischen Kolonien zu verstehen ist:

> Where the African colonies were collected almost carelessly by the state, seemingly at random by swashbuckler Carl Peters, and the colonial claim was physically staked by folksy German settlers, it was the aristocratic élite, specifically the naval and diplomatic corps, who, along with the personal monarchal intervention of Kaiser Wilhelm II, claimed credit for Kiautschou with an air of elegance and German superiority. („German Colonialism in China" 5)

Kiautschou war immer eine Handelskolonie und Marinestützpunkt gewesen und nie als eine Siedlungskolonie konzipiert. Ihre Einrichtung entstammt einer zweiten Phase innerhalb der Geschichte der deutschen Kolonisierung. Wehlers These vom Sozialimperialismus folgend behauptet Eng, dass die Notwendig-

keit der Kolonisierung Ostasiens mehr mit innerdeutscher Politik zusammen-
hing als mit externen Faktoren. Schon die Einrichtung dieser Kolonie folgte
einem ganz anderen Muster: Kiautschou wurde nicht mit Verträgen erobert
wie die Gebiete in Afrika, sondern zwischen der deutschen und der chinesischen Regierung verhandelt und dann nicht der „Kolonialabteilung" unterstellt,
sondern direkt von der Marine verwaltet (siehe Eng, „German Colonialism in
China" 14). Diese „elegantere" Form der Kolonisierung sollte ein positives
Muster für deutsche Kolonisierungspraktiken abgeben. Tsingtau wurde immer
als alte, ehrwürdige Metropole gewürdigt:

> Tsingtau developed as a place of repose, a city, rather than a place where Ger-
> mans worked, tilling the land or as overseers of sharecroppers, as in Africa. In
> Kiautschou texts, it is repeatedly emphasized that the German colony was citi-
> fied, not folksy or provincial, that it was without tumult or violence, even during
> the Boxer Rebellion. (Eng, „German Colonialism in China" 21)

Tsingtau sollte vielmehr mit Hong Kong konkurrieren und stellte von daher ein
ganz anderes Muster deutscher Kolonisierung dar als wir es anhand von Afrika
gesehen haben.

Im Falle der deutschen Kolonisierung Afrikas – einschließlich der deutschen präkolonialen Phantasie – haben wir ein Vorherrschen der masochistischen Ikonographie in den literarischen und bildlichen Dokumenten beschreiben können, die auf eine Überscheidung der Diskurse des literarischen Masochismus mit der Ästhetik des Kolonialismus in der zweiten Hälfte des neunzehnten Jahrhunderts zurückgeht und auf einer Bilderdynamik basiert, die auf
dem Gedächtnis von Nachbildern und einem ganz bestimmten Inszenierungscharakter fußt. Dabei haben wir gesehen, wie in den Texten des literarischen
Masochismus – allen voran dem Gründungstext *Venus im Pelz* – die Überlagerung des masochistischen Diskurses mit der kolonialen Phantasie des europäischen Mannes in dem Gebrauch afrikanischer Sklavinnen stattfindet, dabei
gleichzeitig aber dessen Verzichtstellung einhergeht mit der Konstruktion des
voyeuristischen Blicks auf die weiße und die schwarze Frau. In der Topogra-
phie des modernen Masochismus im kolonialen Zeitalter verbindet sich der
Lustaufschub mit der Durchquerung der grausamen Landschaft und der Erfahrung der Fuchtel der grausamen weißen Frau als gelesene Phantasie.

In der nun folgenden vergleichenden Betrachtung der deutschen Kolonisationsmodelle von Afrika und der Südsee möchte ich die bisher beachtete historische Dreiteilung in präkoloniale Phantasie, Kolonialzeit und postkoloniale Reflexion beibehalten, denn in dieser historischen Abfolge ist bereits eine Spezifizität der deutschen kolonialen Tätigkeit enthalten, nämlich ihre lange und
ausgedehnte Zeit der präkolonialen Phantasierung ohne eine offiziell sanktio-
nierte Nationalpolitik der Kolonisation – ja sogar ohne existierenden National-
staat bis 1871 – , dann eine kurze, aber intensive Erfahrung des jungen Natio-
nalstaats mit der Politik der internationalen Kolonisierung und eine wiederum
lange, teilweise bis heute andauernde, durch den Verlust der Kolonien durch

den Versailler Vertrag definierte Periode des postkolonialen Revisionismus.
Im Gegensatz zu England hatte das Deutsche Reich keine jahrhundertelange
Erfahrung im Umgang mit Kolonien, als es seine ersten Gebiete in Afrika zu
sogenannten „Schutzgebieten" erklärte, obwohl ich der Meinung zustimme,
dass „die weitverbreitete Einschätzung, daß Deutschland und die ‚deutsche
Kultur' nur über nachholende, jedoch nicht nachhaltige koloniale Erfahrungen
verfügte", der Korrektur bedarf, „indem neben den unmittelbar politisch-mili-
tärischen Akteuren auch das diskursive Feld beispielsweise der Neugründun-
gen (wie Kolonial-Linguistik, Tropenmedizin oder Ethnographie) und die be-
merkenswerte Konjunktur geographischer Zeitschriften in der zweiten Hälfte
des neunzehnten Jahrhunderts […] in den Blick genommen werden" (Honold
11). Anders als Frankreich wurde Deutschland selbst nie zentralistisch verwaltet und hat auch niemals eine zentralistische Philosophie auf seine Kolonien angewandt. Dies sind bereits ganz gewichtige Eckdaten, die das Modell
der spezifisch deutschen Kolonisierung fremder Erdteile ausmachen. Was ist
nun charakteristisch für die deutsche Begegnung mit den Kulturen der Südsee?

Im Gegensatz zu Afrika ist die deutsche Begegnung mit der Südsee seit dem
achtzehnten Jahrhundert von vornherein durch den persistenten Mythos des
„edlen Wilden" geprägt – obwohl faktisch kaum ein Unterschied bestand in
der Anzahl „freundlicher" und „feindseliger" Stämme in den jeweiligen Gebieten. K. R. Howe hat diesen Unterschied auch anhand der Frage der biologischen und rassischen Gesundheit festgestellt:

> Ironically, then, there were serious questions about biological and racial security
> at every moment of unprecedented imperial expansion into tropical zones, and
> especially the ‚dark' continent of Afrika with its assumed heat, jungles, disease,
> and ferocious animals and peoples. But the dangers were no less in the Pacific,
> and indeed they were probably more insidious and subtle given the apparent
> physical beauty of the islands. (39-40)

Obwohl es auch vor und während der Entdeckung Afrikas immer wieder An-
sätze zu einer Konstruktion der Reise ins „Herz der Finsternis" gab, die auf
biblische Modelle eines gelobten Landes am Ende der Reise zurückgingen,
sind die Beschreibungen der Entdeckungsreisen in die Südsee doch wesentlich
systematischer vom Modus der Schwärmerei geprägt. Hier unterscheidet sich
die deutsche Begegnung nicht von der anderer europäischer Staaten im Grund-
satz. Der DDR-Wissenschaftler Herbert Scurla spricht zwar von „humanitärer
Gesinnung und vorurteilsfreier Beobachtung", was die Reiseberichte Georg
Forsters, Georg Heinrich von Langsdorffs, Adelbert von Chamissos und Fer-
dinand von Hochstettners anbetrifft (7). Tatsächlich wissen wir aber heute
mehr über die Verschönerungstendenzen der Südseeschwärmerei nicht nur des
achtzehnten Jahrhunderts. Niklaus Schweitzer meint sogar, dass sich die Anziehungskraft der Südsee bis zu den alten Griechen hin verfolgen lässt (siehe
Hawai'i und die deutschsprachigen Völker 22-23). Der Ethnologe Hans Ritz
nennt in seiner Analyse der deutschen Sehnsucht nach der Südsee fünf Ele-

mente, die diesen Traum vom sorglosen Leben unter Kokospalmen bestimmen: die Sehnsucht nach dem leibhaftigen Paradies, das Unbehagen an der modernen Kultur, die Vorstellung von der Insel als utopischem Ort, die Erfahrung von oder auch nur Projektion der Südsee als Ort verlockender Sexualität und die Idee von einem Ort mit noch unzerstörter Natur (11ff). Diese fünf Elemente machen in ihrer kennzeichnenden Verstrickung die deutsche Begegnung mit den Menschen der pazifischen Inselwelt aus.

Zunächst zum Traum selbst. Ritz charakterisiert ihn als „hohe Kokospalmen, blaugrünes Wasser, ewiger Sommer, sanfte, liebesbereite Menschen, ein Leben ohne den Krach und die Hektik der großen Städte, ein Selbstversorgerdasein, das ohne Geld auskommt und sich von den Früchten des Landes ernährt" (11). Die projektive Seite dieses Traums ist leicht zu erkennen. Die Vorstellung hatte aber gleichzeitig eine derartige Kraft, dass in der Geschichte der deutschen Südseeschwärmerei mehrere Gruppen von Menschen diesen Traum entweder geplant oder gar in die Tat umgesetzt haben. 1808 beispielsweise hat sich eine „Würtembergische Geheime Gesellschaft" in Tübingen gegründet, deren Plan es war, nach „Otahiti" auszuwandern und dort eine utopisch-wirtschaftliche Kolonie zu gründen (siehe Volk 62). Leider ist es nie zu einer Umsetzung dieses Plans gekommen. Aber hundert Jahre später gründete der Nürnberger Apotheker August Engelhardt seinen „Sonnenorden" auf Neuguinea, wo mehrere Sonnenapostel jahrelang dem Nudisten- und Vegetariertum anhingen (siehe Hiery 450-58). Die Sehnsucht nach dem leibhaftigen Paradies ist natürlich ein uralter Topos, der auch in gewisser Weise bei der Kolonisation Afrikas eine Rolle gespielt hat, aber im Fall der Südsee sich mit dem Inselmotiv verbunden und dadurch ein ganz bestimmtes Eigenleben geführt hat. Winfried Volk hat in seiner Heidelberger Dissertation bereits 1934 die Spuren des Südsee-Einflusses in der deutschen Literatur aufgefunden und das Wunschbild der seligen Insel eingehend beschrieben. Er charakterisiert Georg Forsters Reisebericht als mit einem „lebhaften Natürgefühl" und einer „Hingabe an Landschaftsbilder" ausgestattet (19; auch Schweitzer spricht von dem romantischen Ton Forsters, siehe *Hawai'i und die deutschsprachigen Völker* 33). In Adelbert von Chamissos „Bermerkungen und Ansichten" sei die Südsee zu einem Märchenland mutiert, cin Zufluchtsort im Geiste (Volk 21) und so weiter und so fort. Volks Spurensuche führt von Forster und Chamisso zu Friedrich Gerstäcker, Matthias Claudius, Goethe, Lichtenberg, Nachtigall, Münchhausen, dem Grafen zu Stolberg, Zachariae, Sophie von La Roche, Wieland, Grillparzer, Heinse, Kotzebue, Jean Paul, Mörike bis zu Norbert Jacques in dem Versuch der Nachzeichnung dieses persistenten Diskurses vom Wunschbild der seligen Insel, wobei zwei Traditionen hier wirksam werden: die Insel der Seligen als Totenreich wie auch die selige Insel im Nachvollzug von Homers Elysium (siehe Volk 121ff). Der biblische und der klassische Verweis ist nun seinerseits wiederum ganz typisch für die deutsche Auseinandersetzung mit der Südsee. Mit der Ausnahme von Leni Riefenstahl, die die Wurzeln der klassischen Ästhetik in den schönen Körpern der Nuba verwirklicht sah, hat Klassizismus eigentlich keine Rolle gespielt in der kolonialen Phantasierung über Afrika. Von schönen, edlen Körpern war da eigentlich nicht die Rede, wobei die Konstruktion der Südsee immer schon durch diesen Verweishorizont gefiltert war. Hans Ritz weiß zwar, dass die Südsee nie ein Paradies gewesen ist, „auch nicht vor Ankunft der Europäer, doch hat sie ein Maß an Glück gekannt, das viele andere Länder nicht erreichten und das uns [...] ein Orientierungsmodell sein kann" (26). Die klassisch anmutende Südsee bevölkert von „Homers Helden" (Forster) als Orientierungsmodell für ein Europa, das an eine Grenze gekommen ist und Impulse zur Erneuerung von außen sich erhofft: dieses Thema wird in diesem Kapitel zur Entfaltung kommen.

Horst Brunner erläutert für uns die Anziehungskraft poetischer Inseln: sie versprechen die reine Gegenwart ohne Vergangenheit und Zukunft (die Geschichtslosigkeit der Kontaktzone vor der Begegnung mit Europa ist ein Hauptelement kolonisierenden Denkens) (21), sie bieten Flucht aus der europäischen Zeitwirklichkeit und ein Leben im Naturzustand, mit anderen Worten: ein Leben vollkommener Glückseligkeit inmitten vertrauensseliger Bewohner, die quasi die europäischen Ideen von Freiheit, Gleichheit und Brüderlichkeit von Natur aus praktizieren (122), und sie eignen sich zur Projektion sozialutopischer Experimente als Gegenbilder zur gesellschaftlichen Struktur Europas (141f). Brunner hat die Wirkung der Südseeentdeckungen in Europa tabellarisch zusammengestellt, wobei er sich auf Forster, Wieland, Zachariae, Overbeck/Gerstenberg, Kotzebue und Tieck beruft, die alle das „kultivierte Unwesen" Europas gegen das paradiesische Leben auf einer Südseeinsel ausspielen (128-30). Von Feindseligkeiten, Krankheiten usw. ist in diesen projektiven Vorstellungen keine Rede, obwohl die jüngere Forschung darauf hingewiesen hat, dass die Beschreibungen deutscher Südseereisender oft auch ambivalente (deswegen aber nicht unbedingt weniger projektiv gelagerte) Elemente aufweisen. Aber wir können auf jeden Fall festhalten, dass die Vorstellung von der paradiesischen Natur pazifischer Inseln der europäischen Phantasie entsprungen ist. Der britische Historiker K. R. Howe behauptet in dem Zusammenhang,

> Oceania, or the world of the Pacific islands, is as much a rhetorical device, an intellectual artifact, as it is a physical or cultural location. Knowledge about the natural world of the Pacific islands and their cultures and histories largely derives from a complex range of Western ideas and assumptions. (Howe 2)

Howe schließt daraus, dass moderne Südseevorstellungen indo-germanische Wurzeln haben und gefiltert durch die arabische Gedankenwelt und frühchristliche Paradiesvorstellungen sich dann auf das Bild der tropischen Insel konzentrieren:

> I argue that the common modern depiction of the Pacific islands as paradise has its distant origins in Indo-European and Arabic philosophies and that early Western images of paradise eventually coalesced around the idea of the tropical island. (Howe 2)

Es gab demnach also schon vor Cooks Reisen eine Tradition des Diskurses über die Südsee, die wohl von spanischen Eroberern initiiert wurde und dann mit Beginn der sich häufenden Reisebeschreibungen aus dem ausgehenden achtzehnten Jahrhundert weiterentwickelt wurde.

Was die Beschreibung von Feindseligkeiten oder unschönen Charakterzügen der Insulaner (beispielsweise Forsters Insistieren auf dem räuberischen Charakter der Einwohner Tahitis) anbetrifft, hat vor Jahren schon Urs Bitterli gewarnt:

> Bei der Interpretation solcher Dokumente wird man sich aber bewußt sein müssen, daß die Stimme des Eingeborenen zu solchen Vorfällen meistens nur durch mündliche Überlieferungen auf unsere Zeit gekommen ist; der europäische Berichterstatter aber folgte wohl durchwegs der Tendenz, im Falle einer ersten kriegerischen Verwicklung die Schuld dem Eingeborenen anzulasten. In Wahrheit muß es tatsächlich selten gewesen sein, daß der Eingeborene als erster die Hand zum Kampf erhob, und wenn dies doch geschah, so mochten Gründe mitspielen, die dem Europäer oft verborgen bleiben, sei es, daß er selbst unwissentlich ein Tabu durchbrochen hatte, daß der Eingeborene durch Nachrichten eines Nachbarvolks, durch schlimme Vorzeichen oder die Prophezeiung seiner Medizinmänner bestimmt wurde, sein Heil in der Eröffnung der Feindseligkeiten zu suchen. (Bitterli 92)

Zu den projektiven Glücksvorstellungen von der poetischen Insel gesellen sich (nicht weniger projektive) Beschreibungen primitiver Praktiken wie der Tätowierung, des Kindermords und des Kannibalismus und es entsteht in der europäischen Vorstellung die Idee vom guten und vom bösen Südseeinsulaner, die Herman Melville in seinem Roman *Typee* dann voll zur Geltung bringt.

In jüngster Zeit haben sich einheimische Stimmen gemeldet, die in den Chor der europäischen Darstellungen vom Leben auf einer Südseeinsel eindringen und auf die Korrektur einiger tief verwurzelter Auffassungen pochen. Beispielsweise untersucht der Völkerkundler Marshall Sahlins in einer wichtigen Kritik an Levi-Strauss dessen Begriff von Struktur. Seiner Meinung nach ist die Überzeugung von der Geschichtslosigkeit der Südsee vor der europäischen Eroberung unhaltbar und er behauptet, dass der kulturelle Wandel, der durch den Kontakt mit Europäern ausgelöst wurde, zwar von außen angestoßen, aber dann doch von Einheimischen gelenkt wurde (Sahlins viii). Zwar fällt auch Sahlins in den Modus des ewigen Vergleichs von polynesischen mit europäischen Kulturen und nennt die hawaiianische Gesellschaft eine „happy society that could make the pursuit of all good things in life so enjoyable in itself […]. Not like ourselves, for whom drudgery and pain are the apriori conditions of pleasure" (Sahlins 26). Hiernach kennt die polynesische Kultur keinen Masochismus und der Kontakt mit ihr käme also einer Befreiung von diesem Paradigma gleich. Aber die Idee der Geschichtsträchtigkeit von Südseekulturen vor der europäischen Einwirkung ist eine ganz zentrale Einsicht. Susan Kahakalau bietet in ihrer Arbeit über das vor-missionarische Hawaii eine einheimische Perspektive auf den projektiven Diskurs über die Südsee, in erster Linie anhand von Heinrich Zimmermann, Georg von Langsdorff, Chamisso, Georg Forster, E.T.A. Hoffmann und Friedrich Gerstäcker. Sie kommentiert den romantisierenden Zug der frühen Reiseberichte und ihre fiktiven Gestaltungen (Kahakalau 10). Sie analysiert das Bild vom edlen Wilden, die Ansicht vom Insulaner als Kind und damit des Europäers als Erzieher der Einheimischen, den Einfluss Rousseaus, die Wurzel der Paradiesvorstellungen im Gedanken von Arkadien und die zahlreichen Verweise auf die klassische Tradition. Die zahlreichen Beschreibungen von der Natur und Geographie Hawaiis erscheinen ihr dabei im allgemeinen als korrekt, obwohl die Beschreibung der Frauen und deren Beweggründe für ihr offenes Sexualverhalten projektiv gestaltet sei (Kahakalau 126).

Wenden wir uns nun einer exemplarischen Analyse eines frühen Reiseberichts und einer literarischen Erzählung zu. Adelbert von Chamisso ist zu Anfang des neunzehnten Jahrhunderts als Naturforscher bei der Romanzoffschen Expedition unter der Leitung von Kapitän Otto von Kotzebue durch die Welt gereist auf der Suche nach einer nordöstlichen Durchfahrt. Kotzebue hat 1821 den ersten Band seiner *Entdeckungsreise in die Südsee und nach der Bering-Straße zur Erforschung einer Nordöstlichen Durchfahrt*, der auch Chamissos Reisebeschreibung „Bemerkungen und Ansichten" enthält, veröffentlicht. Der andere Teil von Chamissos „Reise um die Welt mit der Romanzoffischen Entdeckungs-Expedition in den Jahren 1815-1818" ist dann in Tagebuchform erst 1834-35 erschienen. Zwischen Expedition und Niederschrift ist also einige Zeit vergangen, die die „Reise um die Welt" und insbesondere das Tagebuch als Erinnerungstext charakterisiert und anderen Kriterien unterwirft. Valerie Weinstein hat auf die Komplexitäten dieses Erinnerungstextes hingewiesen und gezeigt, dass trotz der einfühlsamen und emanzipatorischen Rhetorik, die dem Text unterliegt, Chamissos letztendliches Bemühen um den kolonisatorischen Auftrag der Expedition doch durchdringt:

> Both the ‚Bemerkungen und Ansichten' and the ‚Tagebuch' deploy anti-conquest rhetoric that erects innocence against the guilt of conquest, while still perpetuating the integration of the ‚rest of the world' into European narratives and systems. („Reise um die Welt" 391)

Das Resultat dieser Integration nicht-europäischer Welten in europäische Systeme innerhalb des Rahmens einer emanzipatorischen Rhetorik ist die Produktion von Phantasien vom angeblich humaneren Kolonisator (Kafkas Forschungsreisenden beispielsweise), die aber auf eine de facto Auslöschung der einheimischen Kultur und die Frage der Handlungsfähigkeit nicht-europäischer Subjekte hinausläuft.

Chamissos Tagebuch beschreibt den ersten Aufenthalt in den Sandwich-Inseln (Hawaii) von 1816 in der Sprache der sexuellen Eroberung einer verschleierten Jungfrau:

> In der Nacht zum 22. November und am Morgen dieses Tages enthüllten sich uns die Höhen der großartig in ruhigen Linien sich erhebenden Landmasse, über wel-

che sich mittags und abends die Wolken senken. Noch sahen wir nur Mauna-kea, den kleinen Berg, welcher, wenn gleich der kleinere, sich höher über das Meer erhebt, als der Montblanc über die Täler, von welchen aus er gesehen werden kann. (Chamisso 217)

Nach einer kurzen Beschreibung der politischen Verhältnisse auf den Inseln macht sich Chamisso dann an die Beschreibung seiner Botanisierungsmission, die aber immer wieder in Hobby-Ethnologie abgleitet, wie im folgenden Beispiel ersichtlich:

> Das dürre, ausgebrannte Feld hinter dem Dorfe bot dem Botaniker nur eine karge Ausbeute; und doch war es eine große Freude, hier die ersten Sandwicher-Pflanzen zu sammeln. Eine Cyperace! Rief ich dem Doktor zu, und zeigte ihm die Pflanze von ferne. „Küperake! Küperake!" fing unser Führer zu schreien an, indem er eine Handvoll Gras über den Kopf schwang, und wie ein Hampelmann tanzte. So sind diese Menschen, fröhlich wie die Kinder, und man wird es wie sie, wenn man unter ihnen lebt. Nach dem, was ich in meinen „Bemerkungen und Ansichten" über die O-Waiher gesagt habe, bleibt mir nur übrig, sie selbst in kleinen Anekdoten und Zügen auftreten zu lassen. (Chamisso 221)

Über die Lächerlichkeit seiner eigenen Freude über den Fund einer Pflanze ist sich Chamisso nicht im Klaren und dass die kindliche Fröhlichkeit, die der Einheimische zeigt, auch eine Mimikry seiner eigenen Freude sein könnte, die parodistisch überspitzt wird, kommt ihm gar nicht in den Sinn. Wir sehen auch, wie jede Beobachtung – auch eine Bemerkung über die Pflanzenwelt – zu einer Verallgemeinerung über die Natur und den Charakter der einheimischen Insulaner wird. Weinstein hat behauptet, dass Natur in Chamisso die Rolle der menschlichen Handlungskraft verdrängt: „Where ‚nature' appears in the ‚Bemerkungen und Ansichten,' it takes precedence over the human subject and erases the role of human subjectivity in constructing the text and its images" („Reise um die Welt" 383). Wir sehen an dieser Stelle des Tagebuchs allerdings die umgekehrte Bewegung von der Natur weg zur verallgemeinernden Hobby-Ethnologie.

Die Beschreibungen von Otto von Kotzebues Vermessungen der Landschaft geben, wie das obige Beispiel, wiederum Anlass zu verallgemeinernden Kommentaren über das Verhalten der Einheimischen, hier der Frauen, die mit europäischem Maßstab gemessen werden und Chamisso wie lüsterne Dirnen vorkommen: er beobachtet überall „die allgemeine, zudringliche, gewinnsüchtige Zuvorkommenheit des andern Geschlechtes; die ringsher uns laut zugeschrieenen Anträge aller Weiber, aller Männer namens aller Weiber" (Chamisso 225). Chamissos Frage gilt nicht der Funktionsweise des kulturellen Systems, das dieses Verhalten produziert, sondern das Verhalten wird isoliert betrachtet und mit europäischen Maßstäben beurteilt, obwohl die Intention seiner Kritik mindestens ebenso auf die europäischen Einwirkungen auf die einheimische Kultur zielt, die die Gewinnsüchtigkeit der Einheimischen überhaupt erst produziert hat. Chamisso ist auch sehr kritisch gegenüber der Rolle der Missionen, die die einheimischen Bräuche peu a peu mit christlichen Praktiken zu ersetzen suchen:

> Die Bräuche, die ich noch gesehen, werden auf diesen Inseln nicht mehr voll-
> führt, und die Sprache der Liturgie soll verhallen. Keiner wohl hat daran gedacht,
> zu erforschen und der Vergessenheit zu entziehen, was dazu beitragen könnte,
> das Verständnis der Äußerlichkeiten des Gesetzes dieses Volkes zu eröffnen;
> Licht in seine Geschichte, vielleicht in die Geschichte der Menschen zu bringen;
> und die großen Rätsel, die uns Polynesien darbietet, aufzulösen. [...] Es wird nun
> schon zu spät. Auf O-Taheiti, auf O-Waihi verhüllen Missionshemden die schö-
> nen Leiber, alles Kunstspiel verstummt, und der Tabu des Sabbats senkt sich still
> und traurig über die Kinder der Freude. (Chamisso 232)

Trotz der emanzipatorischen Melancholie, die in dieser Passage mitschwingt, geht Chamisso immer davon aus, dass die wissenschaftliche Erschließung der polynesischen Kultur und Geschichte nur durch Europäer zu leisten sei, dass die Menschen dort als „Kinder der Freude" geschichtslos gelebt haben und weiter leben, dass aber „auch die Kenntnis der polynesischen Geschichte in ir-gendeiner unspezifischen Weise mit der europäischen bzw. der Geschichte der Menschheit irgendwie zusammenhängt. Dieses Thema wurde im Kontext der Erschließung Afrikas niemals angeschnitten – obwohl ironischerweise, wie wir heutzutage vermuten, die Wiege der Menschheit und sogar der europäischen klassischen Kultur in dem „dunklen Kontinent" liegt.

Im Gegensatz zu der im Verborgenen liegenden Verbindung zwischen der Geschichte Polynesiens und der Geschichte der Menschheit gestaltet sich die Begegnung Chamissos mit nicht-einheimischen Akteuren auf den Sandwich-Inseln in einem eher karikaturistischen Kontext.

> Der Handel bringt auf den Sandwich-Inseln die bunteste Musterkarte aller Völker
> der Erde zusammen. Ich sah unter den Dienern vornehmer Frauen einen jungen
> Neger und einen Flachkopf der Nord-Westküste Amerikas. Ich sah hier zuerst
> Chinesen, sah unter diesem herrlichen Himmel diese lebendigen Karikaturen in
> ihrer Landestracht mitten unter den schönen O-Waihiern wandeln, und finde für
> das unbeschreibliche Lächerliche des Anblicks keinen Ausdruck. (Chamisso 309)

Im Gegensatz zu den Polynesiern, die als „schön" gelten, werden die Chinesen als lächerlich empfunden in ihrem Aussehen, aber auch ihrem Verhalten nach.

Der zweite Teil der „Reise um die Welt", die bereits 1821 in Kotzebues Band erschienenen „Bemerkungen und Ansichten", sind in der Tat syntheti-scher und mehr den Ansichten der Natur gewidmet, obwohl auch hier solche Ansichten nicht selten zu Betrachtungen über die Menschen führen. Hier hat Weinstein schon recht, dass die Logik von der Natur zu den Menschen (als Ausdehnung der Natur) führt und dass mit dieser Bewegung die menschliche Handlungskraft negiert wird. Das Thema der Kindlichkeit der Insulaner wird fortgeführt und bis in die Untersuchung der Sprache ausgedehnt: die Sprache der Sandwich-Inseln sei „kindhaft", weil nur zwei Pronomina benützt werden (Chamisso 425). Und auch das Thema der Verbindung der polynesischen Geschichte und Kultur mit der Geschichte der Menschheit klingt wieder an in der Reflexion auf die Bewegung der Völkerwanderung von Westen nach Osten (Chamisso 428). Die Kultur Hawaiis wird mit größerer Systematik beschrieben als das im Tagebuch der Fall war. Chamisso wagt sich an eine Interpretation des Kapu-Systems (Chamisso 429), an die politische Geschichte Hawaiis (Chamisso 587), an die (schädlichen) Einwirkungen der Missionare (Chamisso 589) und an eine Bescheibung der gesellschaftlichen Ordnung (Chamisso 591). Sein Moralismus, der im Tagebuch deutlich zu spüren war, macht in diesem Text einer versteckt homoerotischen Bewertung der Geschlechter Platz: „Die Häuptlinge besonders sind von dem schönsten, stärksten Körperbau. Die Frauen sind schön, aber ohne Reiz" (Chamisso 595). Insgesamt entwickelt Chamisso den beschreibenden Blick auf die andere Kultur, der den Lesern einen voyeuristischen Einblick gibt. Angesichts der Beschreibung der Festspiele der Hawaiier urteilt er über die anmutigen Bewegungen der Körper: „Welche Schule eröffnet sich hier dem Künstler, welcher Genuß bietet sich hier dem Kunstfreunde dar!" (Chamisso 597). Der europäische Leser kann ruhig sich in seinen bequemen Sessel zurücklehnen und vor seinem geistigen Auge diese im Detail beschriebenen Exzesse genießen, weil sie so beschrieben werden, dass er sie plastisch vor Augen hat.

E.T.A. Hoffmann hat die Rhetorik Chamissos (lange bevor sie in den „Bemerkungen und Ansichten" und dann später im Tagebuch ihren charakteristischen Ton fand) bereits 1819 in einer Erzählung parodistisch überspitzt. Die Herausgeber der Insel-Ausgabe von Hoffmanns Werken vermuten, dass die Anregung zu Hoffmanns Erzählung „Haimatochare" wohl von Adelbert von Chamisso ausging, der nach seiner Rückkehr von der Romanzoffschen Expeditionsreise von wissenschaftlichen Streitigkeiten berichtete, in die er auf dem Schiff verwickelt war. Auf jeden Fall habe sich Hoffmann im Februar 1819 mit Chamisso über den Plan für die Erzählung unterhalten, von Chamisso Vorschläge für die Bezeichnung der auftretenden Personen und des exotischen Insekts erhalten, das die Titelrolle spielt, und ihm den Kunstgriff der Erzählung mitgeteilt, der darin besteht, dass der Leser bis zum Schluss meint, das Streitobjekt zwischen den zwei Naturforschern sei eine schöne Insulanerin (siehe Hoffmann 512). Die Erzählung selbst ist als Scrie von Briefen gestaltet, die Chamisso von seiner Reise angeblich mitgebracht habe. In ihnen geht es um die Auseinandersetzung zweier Naturforscher, die zunächst als beste Freunde darum bitten, gemeinsam an einer Expedition nach Hawaii teilnehmen zu dürfen. J. Menzies, dessen wissenschaftliches Interesse ganz ausschließlich der Insektenwelt gilt, verteidigt diese Passion in einem Brief an einen Freund in London in schwärmerischem Ton:

> Ich weiß, Du findest es sonderbar, daß mein Forschungstrieb gerade zu dem Reiche der Insekten sich hinneigt, und ich kann Dir in der Tat nicht anderes darauf antworten, als daß die ewige Macht nun gerade diese Neigung so in mein Innerstes hineingewebt hat, daß mein ganzes Ich sich nur in dieser Neigung zu gestalten vermag. Nicht vorwerfen darfst Du mir aber, daß ich über diesen Trieb, der

Dir seltsam erscheint, die Menschen oder gar Verwandte, Freunde vernachläs-
sige, vergesse. (Hoffmann 155)

Nach dieser Vorwarnung ist es nur verständlich, dass sich Menzies als „der
glücklichste Mensch unter der Sonne! auf den höchsten Punkt des Lebens gestellt" fühlt nach seiner Ankunft in Hawaii (Hoffmann 157). Dieses Gefühl
wird nun in der romantischen Sprache des sexuellen Verlangens berichtet und
speist von daher Hoffmanns Kunsttrick, wie in der entscheidenden Begegnung
Menzies mit dem Insekt deutlich wird:

Als ich in den Wald trat, fühlt' ich ein seltsames süßes Bangen, mich durchbeb-
ten geheimnisvolle Schauer, die sich auflösten in sehnsüchtige Seufzer. Der
Nachtvogel, nach dem ich ausgegangen, erhob sich dicht vor mir, aber kraftlos
hingen die Arme herab, wie starrsüchtig vermochte ich nicht von der Stelle zu
gehen, nicht den Nachtvogel zu verfolgen, der sich fortschwang in den Wald.- Da
wurd ich hineingezogen wie von unsichtbaren Händen in ein Gebüsch, das mich
im Säuseln und Rauschen wie mit zärtlichen Liebesworten ansprach. Kaum hin-
eingetreten, erblicke ich – O Himmel! – auf dem bunten Teppiche glänzender
Taubenflügel liegt die niedlichste, schönste, lieblichste Insulanerin, die ich je-
mals gesehen! – Nein! – nur die äußeren Konture zeigten, daß das holde Wesen
zu dem Geschlechte der hiesigen Insulanerinnen gehörte. – Farbe, Haltung, Aussehen, alles war sonst anders. – Der Atem stockte mir vor wonnevollem Schreck.
– Behutsam näherte ich mich der Kleinen. – Sie schien zu schlafen – ich faßte
sie, ich trug sie mit mir fort – das herrlichste Kleinod der Insel war mein! – Ich
nannte sie Haimatochare, klebte ihr ganzes kleines Zimmer mit schönem Gold-
papiere aus, bereitete ihr ein Lager von eben den bunten, glänzenden Taubenfe-
dern, auf denen ich sie gefunden! (Hoffmann 157-58)

Aufmerksame Leser werden den Trick Hoffmanns bereits durchschaut haben,
aber es ist wahr, dass er in dieser Szene konsequent die Sprache der romantischen Liebesbegegnung verwendet, in der die Schriftsteller der Zeit Emotionen
ausdrückten. Auch der Topos der Waldeinsamkeit spielt hier eine gewisse
Rolle. Chamisso selber benutzt diese Sprache bei der Beschreibung des Bota-
nisierens, wie wir anhand der Analyse des Tagebuchs gesehen haben. Entdeckung eines Naturfunds, geographisches Vermessen, Einteilen in Kategorien
und andere naturwissenschaftliche Tätigkeiten werden damit in ihrer Bedeutung als Resultat der Verschiebung von sexuellen Energien erkennbar. Hoffmann braucht da gar nicht viel zu überspitzen. Für die Parodie reicht der kleine
Kunsttrick vollkommen aus. Den Rest liefert die Sprache der Beschreibung,
wie sie in den frühen Reiseberichten aus der Südsee entwickelt wurde.

Menzies' Freund Broughton beschreibt nun seinerseits den aus seiner Perspektive dem Wahn verfallenen Menzies, der so verblendet ist nach dem Fund
der Haimatochare, dass er weder den Werbungen der Königin Kahumanu noch
Broughtons Anliegen gerecht werden kann, dass er der rechtmäßige Besitzer
der Haimatochare sei, da sie auf einer Taube gefunden wurde, die er gerade
vom Himmel geschossen habe. Dieses Anliegen ist natürlich von einer ähnlichen Triebhaftigkeit zum Besitz alles dessen, was in der Welt gefunden wird,

und dessen anschließende Klassifizierung getragen, so dass es zwischen den beiden nur bös ausgehen kann: „Haimatochare hast Du die genannt, die Du mir geraubt, die Du verborgen hälst vor aller Welt, die mein war, ja die ich mit sü-ßem Stolz mein nennen wollte in ewig fortdauernden Annalen!" (Hoffmann 160). Beide Forscher sind radikale Vertreter der europäischen Kolonialidee, die alle Entdeckungen von neuen Ländern, Tierwelten, Pflanzenwelten, Kultu-ren etc. dem europäischen Führungsanspruch zuschreiben, diesen Trieb aber durch die Rhetorik von Wissenschaft und Aufklärung verkleiden. Beim Duell verlieren sie beide ihr Leben.

Valerie Weinstein hat in ihrer Analyse der präkolonialen Vorstellungen in diesem Text ebenfalls auf die sexuellen Anspielungen aufmerksam gemacht: „the text introduces a fantasy of precolonial contact as the site of heterosexual desire. The European men desire the ‚island beauty' and the native queen de-sires a European man" („Capturing Hawai'i's Rare Beauty" 165). Diese Kon-taktphantasie steht aber eben ganz im Gegensatz zu präkolonialen und auch kolonialen Phantasien über Afrika. Afrika ist das abweisende Land, wo erst einmal eine Wüste durchquert werden muss, bevor man zu bewohnbaren und bebaubaren Landstrichen kommt (in Südwest) oder wo der Dschungel mit sei-nen Gefahren direkt bis zur Küste reicht (in Ostafrika). In Afrika warten keine niedlichen Einheimischen unter Büschen, um von Europäern gefunden und weggetragen zu werden. In Afrika laufen den Eindringlingen keine Königin-nen hinterher. Diese Phantasie ist spezifisch auf die Begegnung mit der Südsee ausgerichtet, obwohl natürlich die Grundkonstellation irgendwo auch die glei-che bleibt (weil auch hier die kolonisierten Völker in ihrer Kindlichkeit er-scheinen). Weinstein spricht sogar von einer Dreiecksstruktur, die wir in allen Kolonialdiskursen wiederfinden, worin Frauen, Einheimische und die vorge-fundene Natur dem Wunsch des Europäers untergeordnet werden („Capturing Hawai'i's Rare Beauty" 166-67). In der Tat ist diese Geschichte, wie auch alle anderen Geschichten von der Begegnung zwischen Europäern und Einheimi-schen, ausschließlich aus europäischer Perspektive gestaltet. Die niedliche In-sulanerin hat keine Stimme. Alles wird zwischen europäischen Männern ver-handelt. Die Frage bleibt nun, ob in der überspitzten Gestaltung dieser Begeg-nung eine Kritik desjenigen Diskurses möglich wird, der die Erzählung selbst bestimmt? Eine Beschreibung aus einheimischer Perspektive findet bei Hoff-mann nicht statt. Aber seine Gestaltung der Logik dieser Geschichte, die in die Katastrophe führt, könnte auf die Gewaltsamkeit kolonialer Wunschvorstel-lungen hinweisen. „Colonial desire as nightmare" ist Weinsteins Rettungsver-such von Hoffmann („Capturing Hawai'i's Rare Beauty" 173) und sie hat da einen überzeugenden Punkt: die radikale Gestaltung des naturwissenschaftli-chen Sammeltriebes in einem präkolonialen Kontext macht auf die extreme Anlage dieses Triebes und dessen Beziehung zum europäischen Eroberungs-trieb aufmerksam.

Wie gestaltet sich nun die Südseephantasie im kolonialen Zeitalter, das nicht nur den gelegentlichen Forscher auf eine einsame Südseeinsel trieb, sondern systematisch eine europäische Präsenz in dem Teil der Welt einrichtete, die bis heute weiterwirkt? 2001 ist Hermann Joseph Hierys Handbuch über *Die deutsche Südsee 1884-1914* in einer Lizenzausgabe bei der Wissenschaftlichen Buchgesellschaft in zweiter Auflage erschienen. Es enthält Beiträge von Historikern und Sozialwissenschaftlern zum deutschen Kolonialismus in der Südsee, über die historischen und politischen Voraussetzungen des deutschen Kolonialismus, die naturräumliche Struktur der ehemaligen Kolonien, deren Tierwelt, über Expeditions- und Forschungsreisen, Passagierschiffs-Verbindungen, Schulen und dann Unterabteilungen zu den einzelnen Gebieten Melanesien, Mikronesien und Polynesien (darin wiederum Beiträge zum Rechtswesen, zur deutschen Verwaltung, zur Missionsarbeit usw.). Das Thema deutsche Südsee ist damit quasi über Nacht in das Lampenlicht der wissenschaftlichen Diskussion gerückt. Was interessanterweise fehlt in diesem Handbuch ist die Kunst, die Kultur und die Literatur. Nur am Rande werden Fragen des Weltbilds angeschnitten, aber nirgendwo wird Südseeliteratur und -kunst behandelt. Die Leser können sich erschöpfend informieren über die Geschichte der Kolonisation und auch Fragen des Vergleichs von Kolonialmodellen beantwortet bekommen. Hiery macht in seiner Einführung auf die Eckdaten der deutschen Kolonisierung dieses Gebiets aus historischer Sicht aufmerksam. Er erwähnt dabei die Verbreitung der Sicht des Südseeinsulaners als „edlen Wilden" im Kontext der Südseeschwärmerei (Hiery 1), wie ich sie oben detailliert anhand der präkolonialen Phantasie dargestellt habe, die fehlende Mehrheit für Bismarcks sogenannte Samoavorlage von 1880 (Hiery 2), dann Bismarcks aktivere Kolonialpolitik nach 1884 mit einer anderen Mehrheit im Reichstag, die grundsätzliche Persistenz der Beurteilung der einheimischen Bevölkerung in deutschen Augen auch während und nach der Zeit des direkten Kontakts und der deutschen Kolonialverwaltung (Hiery 10), aber gleichzeitig auch die Einführung (oder Weiterführung) der Dichotomisierung des „guten" Insulaners (Polynesier, auch Mikronesier) und des „bösen" Wilden (Melanesier) (Hiery 16). Für Hiery besteht in dieser Persistenz ebenfalls der Kernunterschied zur deutschen Kolonisation Afrikas. Weiterhin seien die Südseekolonien nur in einem beschränkten Sinne Siedlungskolonien gewesen (zwischen 1884 und 1918 hielten sich nur insgesamt etwa 3800 Deutsche in der Südsee auf), was unter anderem auch auf eine aktive Anti-Einwanderungspolitik zurückzuführen sei:

> Die Sicht, daß der Südseeinsulaner möglichst unbeeinflußt von fremden Zuwanderern, die doch nur Schaden anrichten konnten, in seiner Ursprünglichkeit geschützt und erhalten werden sollte, war das Leitmotiv der meisten deutschen Kolonialbeamten, erst recht der Ethnologen, die davon träumten, einzelne Inseln einschließlich ihrer Bewohner als „Naturschutzpark" dem verderblichen, europäischen Einfluß zu entziehen und indigene Traditionen auf Dauer zu konservieren. (Hiery 18)

Neben der persistenten Südseeschwärmerei und der daraus resultierenden Anti-Einwanderungspolitik war es die Einrichtung von Regierungsschulen und die Indigenisierung der Ortsnamen, die den deutschen Kolonialismus von dem britischen, amerikanischen und französischen unterschied:

> Das Bestreben der Deutschen, das ‚typisch' Indigene, das charakteristische Lokale, herauszuarbeiten, das bei der Ermittlung einheimischer Ortsnamen wie bei der Erkundung traditioneller Praktiken, Handlungs- und Verhaltensweisen durch Beamte, Missionare und Ethnologen zuweilen fast in Besessenheit ausartete, mag als ‚typisch' deutsche Vorgehensweise in den deutschen Südseekolonien angesehen werden. (Hiery 23)

Wir sehen, wie sehr die Südseeschwärmerei auch in die Einzelheiten der praktischen Kolonialpolitik eingriff und lokale Verhaltensweisen geprägt hat. Hier mag auch die von Russell Berman analysierte hermeneutische Einstellung der Deutschen gegenüber fremden Kulturen eine Rolle spielen. Im Gegensatz zur Eroberung Afrikas handelte es sich bei der deutschen Kolonisierung in der Südsee auch nicht so sehr um die Erschließung von Neuland, sondern um die Übernahme und Weiterentwicklung bereits bestehender Kolonien. Dadurch musste auf die Internationalität der deutschen Gebiete, allen voran Samoas, besondere Rücksicht genommen und die Siedler aus anderen Ländern politisch integriert werden. Samoa wird damit zum Paradebeispiel der deutschen kolonialen Praxis, die nicht so stark von der Metropole bestimmt war wie die Kolonialpolitik anderer Länder (siehe Hiery 661). Wie dem auch sei, es gibt genügend Markiersteine, die den deutschen Kolonialismus in der Südsee von dem deutschen Kolonialismus in Afrika (und dem in China) unterscheiden. Lora Wildenthal setzt hier noch den Punkt hinzu, dass Deutsch-Südwest und Deutsch-Samoa zwar beide eine Tradition von Mischehen hatten, dass aber in Deutsch-Samoa im Gegensatz zu Deutsch-Südwest solche Ehen nicht stigmatisiert waren:

> Germans' racism toward Samoans differed qualitatively from that toward Africans. Germans and Europeans imagined the Pacific Islands, but not Africa, as an Edenic paradise. While Germans considered Samoans to be of an inferior race, they also found them beautiful, especially the women, and (what was practically synonymous for them) European-like. (*German Women for Empire* 122)

Diese Elemente des deutschen Kolonialismus in der Südsee werden bei der Analyse von Erinnerungstexten noch einmal zur Sprache kommen.

Wie gestaltet sich nun der tatsächliche Kontakt zwischen Deutschen und einheimischen Insulanern? Was passiert mit den jeweiligen Kulturen, die beide Seiten mitbringen? Die Forschung hat sich jahrelang auf die Absicht des europäischen Kolonialismus zur Ausradierung der indigenen Kulturen konzentriert und das war auch im Nachvollzug der Dekolonisierungsbestrebungen vollkommen verständlich. Heute sind wir aber soweit, dass wir anhand von lokalen Fallstudien die Prozesse studieren können, die einem solchen Kontakt unterliegen, und auch deren historische wie auch kulturelle Determiniertheit erken-

nen. Peter Hempenstall hat beispielsweise zeigen können, dass auf den Marianen die Kultur der Chamorro nicht ausgemerzt wurde, sondern durch die Herausbildung einer chamorrisch-katholischen Kultur ersetzt wurde (Hiery 583).
Chris Gosden und Chantal Knowles haben ähnliche Beobachtungen gemacht
anhand des Kontaktes der deutschen Kultur und der Kultur Papua Neu Gui-
neas:

> Colonial New Guinea was not made up of two separate societies, New Guineans
> and colonials in collision and confrontation, but rather came to be a single social
> and cultural field of mutual influence, in which all people, black and white, were
> linked through the movement of goods and the definition of roles, statuses and
> forms of morality. (Gosden/Knowels xix)

Solche neuen Kulturformen sind also aus der Begegnung zweier Kultursy-
steme entstanden und haben sich nicht selten durch den Prozess des Sammelns
von Kulturgütern ausgedrückt. Deutsch-Neu Guinea wurde innerhalb der ersten Dekade des zwanzigsten Jahrhunderts von einer Handelskolonie zu einer
Kolonie mit Plantagen, einer „Koprakolonie", was zu einer Reorganisierung
von Siedlungsmustern führte, die aber trotzdem noch die alten Kinship-Struk-
turen weiterführten:

> What happened from the early twentieth century onwards is that the settlement
> pattern changed from small hamlets to large villages, but the open network of
> connections continued and expanded. People congregated into larger villages, but
> were still able to move regularly from one area to another on trading expeditions
> or to take up gardening land in a new place through kin connections. (Gos-
> den/Knowles 36)

Dass die Kontaktzone dann mit der jeweiligen europäischen Kolonialmacht
und der jeweiligen einheimischen Kultur sich veränderte, ist einleuchtend. Der
europäische Kolonialismus ist eben doch nicht so homogen verlaufen, wie das
einige Theoretiker des Postkolonialismus wahrhaben wollten.

Auch Rod Edmond bestreitet die These des einseitigen Einflusses der jeweiligen Kolonialmacht auf die einheimische Kultur. Das würde ja den Einheimischen vollkommen ihre Handlungsfähigkeit absprechen. Er weist darauf
hin, dass oft Einheimische auf europäischen Schiffen zu anderen Inseln mitge-
fahren sind und von daher der Kontakt untereinander durch die europäische
Präsenz gefördert wurde (Edmond 13). Zentral ist die Einsicht, dass „native
cultures did not begin, or begin again, with European contact" (Edmond 14).
Das Leben auf den Südsee-Inseln war nicht geschichtslos vor dem Kontakt mit
Europäern und die Einheimischen waren auch nicht vollkommen apathisch der
europäischen Umerziehung ausgeliefert. Edmond sieht die Persistenz von Tä-
towierungspraktiken beispielsweise als einen Ort einer solchen Opposition gegen die kulturelle Transformation, die die Missionare erreichen wollten. Edmond beklagt bitter die Tendenz in der zeitgenössischen Theoretisierung von
Kolonialismus und Postkolonialismus, die in einer solchen Enthistorisierung
von lokalen Kulturen resultiert:

it is a measure of how far the post-modern post-colonialism of Bhabha and others has turned away from agency and resistance in pursuit of its psychoanalytic shadow. In its fascination with mimicry this school has almost lost sight of those conscious and material forms of resistance which were primarily responsible for the conflict between colonizers and native populations. [...] The assimilation of the post-colonial to the post-modern has resulted in a dehistoricizing of colonial relationships. (Edmond 127)

Die Erinnerungsliteratur kann, ähnlich wie die Siedlungstexte in Afrika, einen Einblick in die lokalen Bedingungen des kulturellen Kontaktes bieten, wenn auch immer gefiltert durch die deutsche Perspektive. Richard Deeken hat bereits 1902 einen Band mit samoanischen Reiseskizzen vorgelegt, der „das Interesse der weiten Kreise des denkenden Deutschland auf Samoa hinzulenken beabsichtigt" (ii). Hier vermischen sich persönliche Erinnerungen und subjektive Erfahrungen mit dem üblichen popular-anthropologischen Diskurs, der die Schriften vieler Hobby-Ethnologen geprägt hat. Das Deckelbild von Hans Deiters zeigt die Photographie einer jungen Samoanerin, deren Liebreiz und klassische Züge durch die Seitenbelichtung und die Komposition des Fotos betont werden. Sie wird eingerahmt gezeigt in der Tradition der europäischen Portraitmalerei. Ihr Blick richtet sich in die Ferne, das Licht spielt auf der klassisch regelmäßigen rechten Gesichtshälfte und wirft Schatten, die diese Regelmäßigkeit noch einmal betonen. Sie trägt offenes, locker gewelltes Haar, einen Blumenkranz im Haar und mehrere Blumenketten um den Hals. Der Text gibt zunächst einen Überblick über das erste Jahr deutscher Herrschaft auf Samoa mit der Betonung auf die Segnungen des Lokal- und Selbstverwaltungsprinzips der deutschen Kolonialverwaltung (Deeken 64), der guten Straßen und der Erträge der Kopraernten, der Einführung der Kopfsteuer, der Schaffung einer Polizeitruppe und der deutschen Schule in Apia. Deekens Erinnerungen sind noch voller Südseeschwärmerei, wo der deutsche Siedler sich in Süßwasserlagunen in Malie, einem „kleinen samoanischen Wiesbaden" erholen kann (Deeken 127). Die samoanischen Mädchen werden „in ihrer ganzen natürlichen Schönheit" aufgenommen und mit biblischen Vorbildern (Susanna im Bade) und klassischen Verweisen (Ovids Metamorphosen) umgeben (Deeken 128). Der Verfasser lässt sich gerne von den polynesischen Regeln der Gastfreundschaft verwöhnen und berichtet ausführlich über uns fremd anmutende kulturelle Praktiken. Seine Photographien schließen das Bild einer samoanischen Venus mit ein, die in der charakteristischen Liegepose auf einem Fell in halb aufrechter Stellung liegt und sich frontal dem Beschauerblick zuwendet. Das Licht ist direkt auf die nackten Brüste gerichtet, der rechte Arm stützt den Kopf und die linke Hand spielt mit dem Fell. Sie trägt ein Baströckchen und eine Blumenkette. Ihr lockiges Haar ist nach hinten gekämmt und mit einem Reif gebändigt. In dieser Photographie schwingt zwar die Ikonographie der Venusdarstellung nach, aber von Masochismus kann hier keine Rede mehr sein.

Felix Speiser legt 1913 seine Reise-Eindrücke aus den Neuen Hebriden vor, um „in seinen Bekannten eine Ahnung zu wecken von dem paradiesischen Frieden und der wunderbaren Farbenpracht der lieblichen Koralleninseln, vom Ernste des dunkeln Urwalds und von dem grimmigen Zorn des Ozeans" (iii). Das Buch will ein schlummerndes Sehnen nach den Gefilden der Seligen wecken mit seiner Beschreibung der milden Unterwürfigkeit des Volkes, dem schmeichelnden Rauschen von Palmen und der Existenz von unbeschreiblicher Lieblichkeit neben dem dampfenden Rollen der Brandung. Da ist Frieda Ziehschanks Bericht über ihr Jahrzehnt auf Samoa ergiebiger, auch weil es eines der wenigen Dokumente ist, das von einer Frau geschrieben wurde. Die Südsee wird ansonsten nur zwischen europäischen Männern verhandelt. Ziehschanks Verzahnung mit dem deutschen Kolonialprojekt ist von vornherein deutlich. In Samoa habe erst dann eine segensreiche Kulturarbeit eingesetzt, als das deutsche Handelshaus J. C. Godeffroy dort Stationen einrichtete und regelmäßig Schiffe hin und her laufen ließ (Ziehschank 7). Samoa wird nach ihren Schilderungen von einem „Naturvolk" bewohnt (Ziehschank 12). In dieser gesunden tropischen Kolonie könnten deutsche Familien ohne Gefahr für Leben und Gesundheit existieren, sogar die nomadischen und erschreckenden *beachcomber* seien peu a peu mit deutschen Pflanzerfamilien ersetzt worden. Ihre ersten Jahre im Lande beschreibt Ziehschank als „unbeschreiblich glücklich" (Ziehschank 17). Sie hilft in der Praxis ihres Mannes, betätigt sich als Medizinfrau, kocht, lernt den chinesischen Kuli an, beklagt sich aber über den starken Geruch der ölgetränkten Körper der Einheimischen. Für die wohlgebauten jungen Männer kann sie sich begeistern und zeigt damit ihre Verwicklung mit dem Diskurs der Südseeschwärmerei, obwohl aus Frauenperspektive umgedeutet: „ein samoanischer schlanker Jüngling, blütengeschmückt die Kava kredenzend, ist ein Modell, das die größten altgriechischen Künstler begeistert hätte" (Ziehschank 23). Die samoanischen Mädchen dagegen können Ziehschank nicht begeistern: „Von allen farbigen Stämmen sind sie sicherlich die schönsten Vertreterinnen. Aber meiner Ansicht nach können sie den Vergleich mit der weißen Frau nicht aushalten, im einzelnen sowohl, wie im ganzen" (Ziehschank 23). Zum Thema der Mischehen äußert sie sich liberal, obwohl sie den Untergang der deutschen Sprache in solchen Verbindungen beklagt (Ziehschank 57). Die Aufgabe der weißen Frau in Samoa ist analog zu den Schilderungen der Siedlerinnen aus Afrika: ein entbehrungsreiches Leben wird mit Kameradschaft und der Aufgabe, als Kulturträgerin zu fungieren, aufgewogen (Ziehschank 104). Als Hobby-Ethnologin beschreibt Ziehschank die charakteristischen Züge der einheimischen Bevölkerung und das liebliche Landschaftsbild. Die Pflanzungen werden mit klassizistischen Beschreibungen aufgeladen: die Linien der Bäume haben eine „Erhabenheit" und produzieren eine Stimmung, die unbeschreiblich ist (Ziehschank 39). Der Beschreibung von Pflanzungsanlagen ist ein großer Teil des Textes gewidmet.

Ein anderer Weg zu einer noch genaueren Bestimmung des deutschen Kolonialismus in der Südsee ist die Analyse des zeitgenössischen wissenschaftlichen anthropologischen und popular-anthropologischen Diskurses im Vergleich mit anderen Nationen. Noch vor der Annexion Samoas reist Arthur Baessler in die Südsee und bringt Bilder von den freien Sitten und von Eingeborenen-Fehden zurück, die von Deutschen geschlichtet werden müssen (20). Georg Wegener macht dann einen ersten Versuch der systematischen geographischen und kulturanthropologischen Erfassung aller deutschen Kolonien in der Südsee. Die Bevölkerung Samoas erscheint ihm als „reinster Typ polynesischer Rasse" (Wegener 39) in der zeittypischen Betonung von Rassemerkmalen. Die samoanische Frau sei schön, die Sitten freizügig und die Nation insgesamt „ungewöhnlich liebenswürdig", „von heiterem, fröhlichem Grundzug, hochentwickelter Gastlichkeit und vielfach ritterlicher Gesinnung" (Wegener 41). Neben Rassemerkmalen und dem üblichen Kommentar über die sexuelle Freizügigkeit der Insulaner ist es dann die Sozialhierarchie, die den deutschen Ethnologen interessiert und die ganz nach europäischen Kriterien beurteilt wird: In den Karolinen hätten wir es beispielsweise mit einem Zwei-Kastensystem zu tun, wo es vornehme und schöne Menschen gebe und Menschen von niederer Kaste (Wegener 67). Auf den Marshall-Inseln wird eine strenge Abstufung nach vier Ständen beobachtet (Wegener 86). Der allgemeine Rückgang der Kultur wird mit dem schädlichen europäischen Einfluss erklärt in einer Weiterführung der Idee von der Schutzbedürftigkeit der Insulaner. Bei der Beschreibung melanesischer Stämme kommt dann die Dichotomisierung vom guten und bösen Südseeinsulaner ins Spiel, wobei die Papua ein „merkwürdiger Stamm" seien, die ihre Körper bemalen und deren Charakter überhaupt eine absprechende Beurteilung erhält (Wegener 122). In seinen abschließenden Betrachtungen zeigt sich Wegener ganz dem deutschen Kolonialprojekt verpflichtet, indem er auf dem ideellen Wert der Besitzungen als „ein bedeutender Faktor für das äußere Ansehen Deutschlands im Rate der Völker" besteht (Wegener 148) und gleichzeitig die edle Aufgabe Deutschlands hervorhebt, „die entzückende Natur dieser Inselchen vor nutzlosen, aber vernichtenden wirtschaftlichen Experimenten zu schützen, und die liebenswürdige, anmutvolle Bevölkerung vor Versklavung durch Anzüchten von Kulturbedürfnissen, vor dem raschen Untergang durch gewaltsame Einimpfung einer für sie nutzlosen, oder vielmehr sicher vernichtenden europäischen ‚Kultur' zu bewahren" (Wegener 149). Wegeners Band bringt von daher die Eckpfeiler des zeitgenössischen deutschen anthropologischen Diskurses ins Spiel mit seiner Betonung von Rassemerkmalen, von sexueller Freizügigkeit, einem strengen Kastensystem, der Idee vom guten und vom bösen Insulaner und der Notwendigkeit zum Schutz der indigenen Kultur vor schädlichen europäischen Einflüssen (die dann zur Zeit des Nationalsozialismus in den Vorwurf von vernichteter, „herrlicher Volkskulturen" ausartet; siehe Bernatzig 49).

Der Marine-Oberstabsarzt und spätere Honorarprofessor in Tübingen, Augustin Krämer, hat zu Anfang des zwanzigsten Jahrhunderts eine Reihe von ganz zentralen Arbeiten vorgelegt, die die wissenschaftliche Kenntnis der Südsee-Kulturen ganz entscheidend vorangetrieben hat. Sein Buch über die Samoa-Inseln stützt sich hauptsächlich auf die Ethnographie von Äußerlichem, auf geographische und naturwissenschaftliche Fakten, Handel und Verkehr (siehe auch Krämers Vergleich von Hawaii, Ostmikronesien und Samoa und das spätere Buch zur *Entstehung und Besiedlung der Koralleninseln*). Sein Band über *Die Ornamentik der Kleidmatten und der Tatauierung auf den Marshall-Inseln nebst technologischen, philologischen und ethnologischen Notizen* von 1904 enthält dagegen viele Bilder und detaillierte Beschreibungen über die verschiedenen Tätowierungsmuster, die offen voyeuristisch dem europäischen Leser die Wildheit der Inselwelt vor Augen bringen. Krämers Frau Elisabeth Krämer Bannow, die ihn auf seinen Forschungsreisen begleitet hat, hat diese Tendenz zum Exotismus noch weiter ausgeführt und einen Band vorgelegt, der die wilde Küste und das Kannibalentum auf Neu-Mecklenburg dokumentiert, von Federzeichnungen, Karten und Lichtbildern unterstützt.

Diese Tendenz zur bildlichen Untermalung des zeitgenössischen anthropologischen Textes, die wir bereits anhand der Schriften über Afrika gesehen haben, wird auch deutlich in der Dokumentation der Hamburgischen *Forschungsreise im Bismarck-Archipel*, die 1908-10 von dem Direktor des Museums für Völkerkunde, Georg Thilenius, organisiert und von Hans Vogel durchgeführt wurde. Der bei der Hamburgischen Wissenschaftlichen Stiftung 1911 erschienene Textband enthält 106 Abbildungen sowie 6 Tafeln im Dreifarbendruck nach Zeichnungen des Verfassers sowie eine Übersichtskarte. Anhand dieses Bandes kann sich der interessierte Leser einen plastischen Eindruck machen von der Kultur Melanesiens. Die Tafeln im Dreifarbdruck zeigen dramatische Szenen, die den jeweiligen Charakter der dargestellten Szene expressiv zum Ausdruck bringen: der „Bogenschütze aus Singor auf Neu-Guinea" wird beim Abschuss seines Bogens gezeigt, wobei die kräftigen braunen Muskeln spielen; die „Hütte auf der St. Matthias-Insel" wird bei einem tropischen Regenguss abgebildet: die „Robert Koch-Quelle auf Neu-Pommern" gischt dramatisch in die Höhe wie ein Geyser und man sieht einen Einheimischen die Flucht ergreifen: das „Nächtliche Fest auf Sikawa auf Neu-Guinea" zeigt Menschenmassen in ekstatischen Tanzbewegungen beleuchtet von Feuerfackeln: die „Korallenküste auf der St. Matthias-Insel" wird bei bewegtem Meer abgebildet und „Adang, Weib aus Beliao (Insel vor Friedrich Wilhelms-Hafen auf Neu-Guinea)" ist von der Seite aufgenommen, wobei die nackte Haut die negroiden Züge betont und die Kette aus Knochenringen auf den Kannibalismus ihres Stammes anspielen mag.

Hans Fischer hat nun behauptet, dass dieser Band die typische Mischung von wissenschaftlicher Forschung und kolonialem Interesse anzeigt, die für die damalige Anthropologie kennzeichnend war und damit ein Beispiel gebe für die politische Abhängigkeit ethnographischer Forschung (12). Die Forschungsreise nach Neu-Guinea und Melanesien sei von vornherein als Besuch in der Steinzeit konzipiert gewesen, der das brutale Gegenbild vom paradiesischen Tahiti aufdecken sollte: statt Lieblichkeit und Hellhäutigkeit fanden die Teilnehmer Primitivität, Wildheit, Gefahr, Abenteuer, Krankheit und Tod (Fischer

14). Ein zentraler Punkt der Forschungsreise war die Frage der Abgrenzung der Völker untereinander, wobei wiederum eine europäische Fragestellung auf ein fremdes Gebiet angewandt wurde. Fischer hat drei Momente einer Völkerkunde im Rahmen von Kolonialverwaltung isoliert: die Abhängigkeit der Forschung von der Kolonialmacht, die Bezogenheit der Ergebnisse auf die eigene Gesellschaft und die bei den Forschungsaufenthalten übliche Drohung gegenüber Einheimischen, die in Abneigung, Ablehnung und Davonlaufen resultierte:

> Die Stereotypen von gefährlichen und unberechenbaren Wilden schon in Europa, die Beeinflussung durch Weiße im Lande – die „Landeskenner" – , die Unvertrautheit der Expeditionsteilnehmer mit den Einheimischen, die daraus resultierende Unsicherheit und Angst, all das verband sich mit dem martialischen Militarismus vom Anfang des Jahrhunderts und den Allüren von ‚Herrenmenschen' zum selbstverständlichen Gebrauch von Macht, zur Demonstration, zur Drohung, zur Anwendung von Gewalt. (Fischer 129)

In diesen Dokumenten zeigt sich meiner Ansicht nach eine Wende an von der präkolonialen Südseeschwärmerei (wenn auch teilweise mit ambivalenten Urteilen ausgestattet wie bei Forster) zu einem differenzierteren (wenn auch nicht weniger projektiven) Diskurs über Unterschiede innerhalb der Südsee, der sich in der zeitgenössischen Anthropologie niederschlägt. Rod Edmond hat diese Wende auch bemerkt, obwohl er sie nicht eindeutig lokalisieren konnte. Seiner Meinung nach verwandelt sich die Idylle der Südseeschwärmerei um die Jahrhundertwende in eine Beschreibung, die gerade auch die gefährlichen Seiten der Südseeinsulaner betone:

> But from the turn of the century, the account goes, this idyllic contrast to capitalist Europe was increasingly represented as an unredeemed world requiring salvation by missionary and trader. Abhorrent social practices such as cannibalism, infanticide and tattooing were emphasized. (Edmond 9)

Gleichzeitig erkennt Edmond aber auch eine Wandlung innerhalb des Diskurses der Südseeschwärmerei, wobei jetzt der bei Chamisso und Forster bereits durchklingende mythische Bezug zwischen der polynesischen Kultur und der Geschichte der Menschheit eine neue Wende bekommt: die Vorstellung vom Schutz der einheimischen Kultur vor schädlichen europäischen Einwirkungen speist sich aus diesem mythischen Bezug und der Realisierung, dass die polynesische Kultur langsam im Aussterben begriffen ist. Diesen Diskurs nennt Edmond „a discourse about the west's fear of its own distinction" (15). Wenn die polynesische Kultur aussterben kann, dann auch die europäische.

In dieser Richtung hat Richard Sperber der Forschung ganz zentrale Impulse gegeben, indem er darauf verwiesen hat, wie die Verbindungen zwischen den polynesischen Kulturen und der Geschichte der Menschheit (sprich: dem Beginn der europäischen Zivilisation) immer schon Teil der Südseeschwärmerei gewesen ist, wobei schon zu Forsters Zeiten die Polynesier mit den Germanen verglichen wurden und europäische Reisende bis ins zwanzigste Jahrhundert hinein nicht nur ihren kulturellen Ursprung in Polynesien sahen, sondern auch ihren kulturellen Niedergang. Für Sperber ist dies das wichtigste Charakteristikum des spezifisch deutschen Diskurses über die Südsee:

> Travelogues of expeditions to the South Pacific frequently expanded on the parallels between Polynesian islanders and early Europeans. If Louis de Bougainville referred to Tahiti as the ‚New Cythera,' that is the home of Aphrodite, Georg Forster compared the Maori warriors to early German tribes. Yet, in Polynesia, European travelers discovered not only their past but also their future. While the former gave rise to nostalgic recollections, the latter evoked troubling prospects for the course of European civilization. (Sperber 1)

Gouverneur Solfs (Samoa) strikte Anti-Einwanderungspolitik zum Schutz der Reinheit der polynesischen Rasse und Kultur hat somit auch einen mythischen Hintergrund in der Vorstellung einer solchen Urverbindung. Gleichermaßen ist diese Grundidee auch in die Tendenz der deutschen zeitgenössischen Ethnologie eingegangen, von einem Vergleich der polynesischen und europäischen Kulturen auszugehen und nicht etwa deren Grundverschiedenheit zu betonen. Hier hat Sperber ebenfalls entscheidende Forschung geleistet und die Schriften Augustin Krämers beispielsweise mit englischen und amerikanischen anthropologischen Schriften über die Südsee verglichen und bei Malinowski und Mead etwa ganz im Gegensatz zu dem deutschen schwärmerischen Ansatz eine Methode gefunden, die von der kulturellen Unabhängigkeit der Kulturen im pazifischen Raum ausgeht:

> The focus on Pacific societies as meaningful totalities in their own right emphasized their difference, that is, the fact that they were not positive or negative constructs of western identity. Margret Mead's conclusion from 1928 that Samoan teenagers are not like American ones marked a substantial departure from Forster's observation that Polynesians are like us or Sigmund Freud's suggestion that our taboos are like theirs. (Sperber 2)

Robert Tobin ist zu ähnlichen Schlüssen gekommen, was den Versuch anbetrifft, „zwischen der Reinheit von Samoanern und Deutschen eine biologische und rassische Verbindung herzustellen", in seinen Ausführungen zu Rasse und Sexualität im deutschen Südpazifik (202). Tobin geht dabei von der zweischneidigen Haltung gegenüber Bildern von Samoanern aus: auf der einen Seite werden die Einheimischen mit einem unverhohlenen Exotismus in ihren Kriegskleidern etc. gezeigt, auf der anderen Seite sieht der Betrachter aber auch sich selbst in der Komposition der Photographie, die ganz mit europäischen Maßstäben gemessen wird, wie wir bereits oben anhand der Frauenportraits zur Ausschmückung der Erinnerungsliteratur gesehen haben (siehe Tobin 197). Tobin verweist im Kontext der rassischen Reinheit der Samoaner auf einen Zeitungsartikel eines Dr. Thieme, der nachweist, „dass die Polynesier ursprünglich aus Indien kamen, somit indogermanischer Abstammung seien und also Verwandte der Europäer" (204) – ein Vorteil gegenüber den andern kolonisierten Völkern, die ein solches Privileg nicht von sich behaupten konnten.

Bei der Photographie von schönen Samoanerinnen kommt dann diese behauptete rassisch-mythische Verbindung voll zum Tragen und die Modelle werden in der Tradition der Aktphotographie mit entsprechender Licht- und Schattenverteilung und Kompositionstechnik aufgenommen. Die Männer dagegen werden in ihrer Andersartigkeit gezeigt, beispielsweise durch Rückenansichten, die die von Augustin Krämer detailliert beschriebenen „Kleidmatten" voll ins Zentrum rücken. Tobin hat nun behauptet, dass in diesen Photographien samoanischer Männer eine Feminisierung stattfinde, die zwei Gründe habe: zunächst den der Beherrschung, dann den des Bedienens der homoerotischen Begierden der europäischen Männer auf die Beherrschten (210). Dem möchte ich nicht widersprechen, obwohl ich darauf hinweisen möchte, dass die These von einer Tradition eines lange existierenden und voll ausgelebten Transvestismus in dem Sinne, wie wir das Phänomen verstehen, bei den Völkern des Südpazifik in der anthropologischen Diskussion sehr umstritten ist (siehe hier die Dokumentation der Australian Film Commission von 1999 „Paradise Bent: Boys will be Girls in Samoa"). Ob man die Existenz der samoanischen „Fa'afafine" mit den Begriffen der europäischen Sexualität als „Transvestitentum" beschreiben kann, wird zumindest in der australischen Filmdokumentation sehr in Frage gestellt. Wie dem auch sei, diese Diskussion geht über die hier gestellten Fragen hinaus. Wichtig ist die Beobachtung der Ambivalenz des europäischen Blicks auf die fremde Kultur, der Exotismus einerseits und mythischrassische Gleichheit andererseits ausdrückt.

Wolfgang Reif hat sich systematisch mit dem Begriff des Exotismus auseinandergesetzt und ihn als Zivilisationsflucht interpretiert: „Als soziales und literarisches Phänomen bezeichnet er eine besondere Ausprägung des Eskapismus, einer Fluchtbewegung also, die nach Mitteln und Wegen sucht, um sich den Folgen der zivilisatorischen Entwicklung zu entziehen" (10). Die Existenz einer modernen bürgerlichen Gesellschaftsordnung ist somit eine Grundvoraussetzung des Exotismus.

> Der Exotist produziert Bilder, die als Projektion seines Inneren seinen entfremdeten Ich- und Wirklichkeitsbezug kompensieren können. […] Diesem Bild liegen die Kompensationserlebnisse schrankenloser Entfaltung, überschaubarer Einfachheit oder Ursprünglichkeit und der Außergewöhnlichkeit zugrunde. (Reif 13)

Gleichzeitig aber ist die Suche nach Heimat, nach dem Vergleich mit Altbekanntem, wie wir sie bei der deutschen Kolonialtradition gesehen haben, ein psychologisch verständlicher Prozess, denn „das Wiederfinden dieser Heimat im geheimnisvollen Dunkel der Fremde bedeutet die Rückkunft in der vorkulturellen Triebentfremdetheit des Es" (Reif 13). Diese Tradition des literarischen Exotismus führt Reif bis auf Forster zurück, hält ihn aber für ein Einzelphänomen in Deutschland und für praktisch folgenlos, wogegen sich in der englischen Literatur der Exotismus viel früher als in Deutschland voll entfaltet habe (siehe Reif 25ff). Man könnte da etwa an Rudyard Kipling denken, aber auch an Robert Louis Stevenson, Joseph Conrad und Jack London. Der franzö-

sische Diskurs ist wiederum ganz von Paul Gaugins Schriften und Bildern bestimmt.

Der deutschsprachige exotistische Roman setzt eigentlich erst in der Zeit
nach dem Abschluss des deutschen Kolonialismus ein. Hier sind in erster Linie
der Wiener Robert Müller und der Luxemburger Norbert Jacques zu erwähnen.
Wichtig wäre, herauszuarbeiten, inwiefern Texte, die in exotischen Räumen
spielen, auch eine Kritik dieser regressiven Wunschvorstellung anbieten.
Wolfgang Reif hat dies anhand seiner Analyse von Robert Müllers *Tropen:
Der Mythos der Reise. Urkunden eines deutschen Ingenieurs* von 1915 getan
und behauptet, dass darin das Erzählen der Ablösung von Bürgerlichkeit zum
Untergang führt (74). Auch Müllers Novelle „Das Inselmädchen" durchbreche
die vorromantische Tradition der Südseeschwärmerei und enthalte eine koloni-
alkritische Komponente, indem die exotische Männerphantasie, die die Tropen
als exzessive Liebesidylle konstruiert, mit den Mitteln der Groteske der Lächerlichkeit preisgegeben wird.

Ich kann mich exemplarisch an dieser Stelle nur mit einem Text beschäftigen und möchte dazu Norbert Jacques *Piraths Insel* von 1917 wählen wegen
seines eindeutigen Bezugs zur Tradition des Masochismus, die ich im Haupt-
teil dieser Arbeit analysiert habe. Jacques ist bereits vor dem Ersten Weltkrieg
in die Südsee gereist, hat sein Reisebuch aber erst nach dem Krieg 1922 veröffentlicht. Hierin schließt er an die schwärmerische Beschreibung von tropischen Idyllen an, wie wir sie von Forster und Chamisso, aber auch von der
zeitgenössischen Ethnologie her kennen: „Es ist ein immer wiederkehrendes
Schwärmen in sorglosen, aber in der Üppigkeit an immer während Wieder-
holungen gebundene Formen", „ein Schmaus für das reine Schauen" (Jacques,
Südsee 7). Aber bei diesem reinen Schauen bleibt es für Jacques nicht. Die
Umgebung von Schwarzen wird vielmehr als bedrohend empfunden, was
durch die fehlende Individualisierung in der Beschreibung der kolonisierten
Menschen zum Ausdruck kommt. Sie kommen „zu Haufen" auf das Boot zu
(Jacques, *Südsee* 8) und zwitschern aus „zehn, zwanzig Kehlen" (Jacques,
Südsee 9). Die schwarze einheimische Bevölkerung wird nicht nur als bedroh-
lich empfunden, sie stößt auch Tierlaute aus, zeigt ihre Kraft vor und wird sexualisiert beschrieben: beim Ausladen der Waren „umarmten sie die Säcke in
Liebe, beglückt, sie tragen zu dürfen" (Jacques, *Südsee* 9). Die nackt herum-
laufenden Männer „lachten uns blöd an" (Jacques, *Südsee* 11), werden als un-
willig und wild beschrieben, und sind oft von Krankheiten verstellt: „Europa
wollte von ihnen die Bitternis der Arbeit. Sie aber hatten den Sündenfall nicht
mitgemacht und vermochten mit ihrem von Resten des Paradieses angeschot-
teten Blut Arbeit nicht geben. Sie gaben statt ihrer – die Geste" (Jacques, *Südsee* 16). Auch die Landschaft ist weniger idyllisch als man das von Forster und
Chamisso her kennt:

> Aber in der Südsee sind Erde und Wasser ununterbrochen Räuber aneinander.
> Eine Landschaft kann sich zwischen der Ausreise eines Kutters und seiner Heim-

kehr ändern. Inseln verschwinden. Inseln erheben sich aus den Fluten und begrünen sich im windgetragenen Sand und dem Treibhausatem des Klimas. (Jacques, *Südsee* 46)

Die Kultur der „beachcombers" erscheint ihm als abstoßend (Jacques, *Südsee* 57) und die Physiognomie der Einheimischen gilt als schlichtweg hässlich, weil „negroid" (Jacques, *Südsee* 59). Es herrscht allgemeine paradiesische Sorglosigkeit und jeder findet alles, was er will, in den Wäldern, denn „Weiber liefen darin geschlechtstriefend umher" (Jacques, *Südsee* 70). Auch für die homoerotischen Bedürfnisse der Leser wird gesorgt mit einer Beschreibung von erotischen Tänzen, „die unter Fernhaltung von Zuschauern in umhagten Tanzplätzen vor sich gingen und bei denen Männer, denen diese Empfindungen keineswegs Norm waren, sich in anerregender Weise päderastischen Exaltationen hingaben" (Jacques, *Südsee* 77). Das Hinterland wird von „furchtbaren Menschen" bewohnt „von armseligem Äußerem und einer Grausamkeit der Sitten, die selbst in diesen Inseln berühmt war" (Jacques, *Südsee* 99). Die Kunst dieser Menschen ist ebenso ausufernd wie ihr Lebensstil:

> Alles quoll an diesen Darstellungen durcheinander. Die Geschlechter verschmelzen sich, die Figuren waren Mann und Weib. Die Münder waren wülstige Spalten wie Frauen-Geschlechtsteile. Zwischen den Beinen der Männer wuchsen stilisierte Haifische oder Eidechsen gebogen auf, Brüste sprangen ihnen vom Leib wie spitze Kürbisse. (Jacques, *Südsee* 105)

Was ist aus der Südseeidylle geworden? Ist Jacques Boot an Samoa vorbeigefahren und direkt bei den Kannibalen Melanesiens gelandet? Wieso wird der exotische Raum, primitive Rituale und exotische Kunst nicht als befreiend empfunden? Wieso verfällt Jacques nicht dem Angebot von paradiesischer Sorglosigkeit und schrankenloser Sexualität, das noch Gaugin so an Tahiti gebunden hat? Etwas ist hier passiert, das den projektiven Diskurs des Exotismus umkippen lässt in einen (nicht weniger projektiven) Diskurs der unverständlichen Andersartigkeit, deren Brücke nicht mehr überwunden werden kann. Die Südseeschwärmerei wird hiermit kritisch verabschiedet.

Vor diesem Hintergrund ist der Roman *Piraths Insel* als groteske Überspitzung einer solchen schwärmerischen Südseeidylle lesbar, in der der europäische Mann erst auf einer abgelegenen Südseeinsel seine Schaffensphantasien voll entfalten kann. Zu Hause ist Peter Pirath, der Besitzer einer Fettwarenfabrik, in einer Ehe mit einer grausamen Frau verwickelt, deren „hitzige und sprunghafte Dialektik" er fürchtet und „die ihn schon öfter übertölpelt hatte" (Jacques, *Piraths Insel* 9), die „wie eine Katze, wild, sehnig gebogen" dasitzt (Jacques, *Piraths Insel* 10) und von ihren Hunden beschützt wird. Aber im Gegensatz zu dem erfolgreichen Masochist, der seiner Venus im Pelz Vorschriften macht und Anweisungen gibt, kann sich Peter Pirath nicht gegenüber dieser Frau behaupten:

> Er kam sich vor, als läge er unterdrückt von dieser Frau zu ihren Füßen, er verglich sich mit der fetten fleischigen Dogge, die ihr so ergeben war und nichts für

ihre Ergebenheit haben wollte. Aber er wollte etwas haben. Liebe und Zweifel tauchten in ihm wild durcheinander. Er wollte sie mehr haben. Er wollte sie ganz in sich tragen. […] Er stellte sich vor, wie lächerlich das Bild sei, wenn er seine breitknochige Riesenhaftigkeit vor dieses sehnige, krause kleine Weib niederwürfe. (Jacques, *Piraths Insel* 12)

Dieses Bild war Severin von Kusiemski nicht lächerlich, auch Franz K. empfindet seine Hündischkeit am Ende vom *Proceß* nicht als lächerlich. Wir haben es also mit einem Protagonisten zu tun, der das Angebot des Masochismus (Flucht in regressive Sozialverhältnisse) nicht Ernst nimmt und an der Situation leidet, ohne Genuss daran zu empfinden. Die Grausamkeit seiner Frau, die er voyeuristisch betrachten darf bei deren Exekution der zwei Pferde, die sie sich nicht mehr leisten kann, empfindet er als „schön und grausam" (Jacques, *Piraths Insel* 17), dann wieder „furchtbar dumm" (Jacques, *Piraths Insel* 18), statt sie zu verehren.

Der Bruder Hermann verschweigt seine Analyse des Falles, sieht aber doch die größeren Implikationen dieser Konstellation, die Peter nicht wahrhaben will:

Er kämpfte die Lust nieder, zu sagen, daß solche Ansichten die Ketten bilden, die einen Mann unterwürfig an solchen Geschöpfen festhalten, wie diese tolle schwarze Hexe mit den grünen Augen eins war, die fortwährend die Gesellschaft, in der sie lebten, in Atem und Schrecken hielt und seinen Bruder quälte. Aber er fühlte, wenn auch nur verwundert und widerstrebend, die Macht dieses Außergewöhnlichen, das Außerhalb-der-Gesellschaft dieser Frau, das seinen Peter wie ein verführerisches Irrlicht umgab. Es war ihm selber maßlos fremd. (Jacques, *Piraths Insel* 21-22)

Jacques wird Hermann zum Ende dieses Romans eine ähnlich kalte und grausame Frau zur Seite stellen und Hermanns Gefühle in dieser Passage Lügen strafen. Offenbar sind Hermann masochistische Gefühle doch nicht ganz so fremd, wie er das hier eingesteht. Rees Schwarzhaarigkeit, ihre Krausheit, ihre grünen Augen und ihr Temperament führen Hermann dazu, dass er ihr „Zigeunerblut" zuschreibt in einer eindeutig exotisierenden Bewegung, zu der Peter interessanterweise nicht in der Lage war (Jacques, *Piraths Insel* 23). Peter ist nur der Zuschauer der Exekutionsszene, so wie er auch später Zuschauer von exotischen Bräuchen bleiben wird.

Die Überlagerung von europäischer exotisierter Weiblichkeit und Grausamkeit als Produkt eines Szenarios wird Peter noch in anderen Verhältnissen wiederfinden. Um seine Depressionen nach der Scheidung von Ree zu kurieren, beschlossen Peter und sein Bruder Hermann, dass Peter auf eine Weltreise gehen soll, um Pflanzungsanlagen zu studieren und dann eventuell bei seiner Rückkehr als Pflanzer und Fabrikant seinem Geschäft einen ordentlichen Impuls zu geben. Er schifft sich in Genua ein und trifft auf der „Fürst Bülow" auf eine illustre Gesellschaft, zu der auch Ewe Haug gehört. Es entwickelt sich eine Liebesbeziehung, die dann während des einen Monats, den sie auf Ceylon verbringen, aufblüht, die aber wiederum ganz von Ewe diktiert wird, die sich dann am Ende dieser Zeit mit „einer kalten Härte" von Peter absetzt (*Piraths Insel* 125) und diesen seinem Schicksal überlässt. Auf seiner nächsten Station arbeitet Peter Pirath als Aufseher in einer Palmenplantage auf Java, wo er als Voyeur die einheimischen Mädchen zwar lüstern betrachtet, aber durch den Trick des Schreibens ihnen zunächst erfolgreich entgehen kann. Er erkennt zwar diese „tierhaft leibliche, urwaldwirre, gewaltige Verführerischkeit der jungen Javanerinnen" (Jacques, *Piraths Insel* 153), kann ihr aber durch das Aufschreiben seiner Beziehung zu Ewe zunächst entgehen. Erst die Gespräche mit Direktor Föhr, der bedauert, dass er sich „mit den farbigen Weibern eingelassen habe" (Jacques, *Piraths Insel* 161), bringen eine Wende und er ruft eine der singenden Nymphen zu sich herein und „nahm sie kurz, streng und wild" (Jacques, *Piraths Insel* 174). Im Gegensatz zu seiner Beziehung zu Ree und auch zu Ewe ist Peter hier ganz Herr: „Er hatte die braune Seele in Besitz genommen, und sein weißer Wille zog auf Eroberung in die Urwälder" (Jacques, *Piraths Insel* 174). Peter Pirath findet also seine Identität nicht in dem Angebot des europäischen Masochismus, sondern als (nicht weniger europäisches) schaffendes Subjekt in der Eroberung kolonialer Gebiete.

Bei dem Ehepaar Ledinski lernt er die Grundsätze des Pflanzerlebens in der Südsee kennen und vervollkommnet dort das Bild von sich selbst als homo faber im Dienste der Kolonialidee: „Er schuf nicht für eine Mode, für einen Ehrgeiz, sondern nur für den ewig zeugenden Gedanken der Entwicklung, in dessen Schoß der Weg der Menschheit entsprang" (Jacques, *Piraths Insel* 208). Auf der Hinnerjette Hahnbock soll es jetzt in Richtung Heimat zurückgehen, aber bei einem Sturm wird er unversehens schiffsbrüchig auf der noch unentdeckten Südseeinsel Kililiki. Wir Leser lernen diese Insel noch vor Peter Piraths Ankunft dort, also vor dem ersten europäischen Kontakt kennen, lesen von ihrer Fruchtbarkeit, der Hautfarbe der Menschen, der Sozialstruktur und den geographischen Bedingungen. Wir haben auch voyeuristischen Einblick in die Beratungen unter den Eingeborenen, deren Stimmen hier fiktionalisiert wiedergegeben werden, wie sie die Ankunft des weißen Mannes diskutieren und die Strategie überlegen, wie sie ihm begegenen wollen. Peter Pirath hat von diesen Überlegungen natürlich keinerlei Ahnung und so erleben wir seine Ankunft auf der Insel aus der Perspektive der Einheimischen. Wo er nur „wildes Gebrüll" hört (Jacques, *Piraths Insel* 264) von einer tanzenden und brüllenden „schwarzen Horde" (Jacques, *Piraths Insel* 265) – so wie Jacques die Bootanlegungen auf seiner Reise in die Südsee empfunden hat – wissen wir um die Gründe für den Aufmarsch. Er wird nämlich von den Einheimischen als der weiße Gott gefeiert, auf dem ein heiliges Tabu ruht. Zwar ist die Wiedergabe der Sprache der Einheimischen im Winnetouschen Indianerton gehalten, so wie wir ihn von Karl May kennen – wo sollte auch ein deutschsprachiger Autor die Kenntnisse zu einer authentischen Wiedergabe eines Südseedialekts her haben? Aber der Versuch der Fiktionalisierung der einheimischen Perspektive ist doch zu honorieren, denn wir haben dadurch auch eine Möglichkeit, über die handelnde Person nachzudenken und kritische Fragen zu stellen. Während Peter Pirath die Kommunikationsversuche der Einheimischen oft als dumm abtut, wissen wir doch, dass sie untereinander ein Kommunikationssystem entwickelt haben, das ihrer Lebensweise auf der Insel durchaus adäquat ist.

Auf der Insel kann er die Erinnerung an die Qualen des europäischen Masochismus und die grausame Weiblichkeit langsam ablegen: „Europa starb langsam und heftig in ihm. Es starb so, wie einst eine Frau in ihm erstorben war, von der er Erde und Himmel erhofft hatte" (Jacques, *Piraths Insel* 285). Wir erinnern uns, dass er sich gerne in die Position von Rees Herrscher hineinphantasiert hat, die sie ihm aber nicht gewährte. Als weißer Gott kann Peter nun auf seiner Insel ganz unbeschränkt herrschen. Er lernt die Sprache der Einheimischen, heilt die meisten Krankheiten, hält die Phantasien der Menschen in Aufregung, leitet die Einheimischen zu kunstvollen Tätigkeiten und zur Verschönerung ihrer Umgebung an und verbindet sich mit Seeschwalbe.

> Währenddessen lebte Peter mit der Seeschwalbe in seinem Boot. Sie gingen zusammen fischen. Sie legten eine Pflanzung an. Seeschwalbe wob Matten, kochte und umgab den Mann mit einer schaumigen maßlosen Sorgsamkeit, wob ihn ein in ihre sorglose Heiterkeit, strickte ein liebliches Netz um ihn mit ihren Einfällen, die wie von wilden Tieren so tollpatschig, so beißend spielerisch, so flammig rasend waren. (Jacques, *Piraths Insel* 320)

In seiner grenzenlosen Sicherheit wagt er sich auch in den verbotenen Steinbruch Mutter und findet sich umgeben von „steinernen Ungeheuern" von der Art, wie Jacques die Kunstobjekte beschrieben hat: „sie waren wie Türme, denen ein Gott furchtbare, brutale Menschenformen gegeben hatte. Sie waren versteinerte Urtiere" (Jacques, *Piraths Insel* 333). Diese Urtiere bewachen einen deutschen Gefangenen, der dort gemästet wird. Richard Sperber meint, dass es sich bei den steinernen Ungeheuern um das Spiegelbild von Rees Grausamkeit handelt, vor der er mit Entsetzen flieht: „It is my contention that the sailor embodies Pirath in Germany when he was dominated by his wife. Not only is he incarcerated on ,Mutterinsel,' but his prison is also surrounded by giant stone statues with terrifying female figures" (Sperber 8). In der Tat ist dies die Interpretation dieser Szene, die ihm der kleine schwarze Vogel Ewe im Traum gibt: „Du bist der Sklave der Insel Kililiki" (Jacques, *Piraths Insel* 343). Die selbstgestrickte Identität von dem schaffenden homo faber, der für das Voranschreiten der Menschheit arbeitet, ist ein schöner Schein. In Wirklichkeit kann er weder Herr werden über Ree, noch über Ewe, die javanischen Mädchen oder Seeschwalbe. Das kann er sich vielleicht vormachen und uns suggerieren in seiner Erzählung, aber der Roman drängt uns Leser doch zu anderen Schlüssen.

Ein weiteres Zeichen dieser Öffnung des Textes auf eine kritische Lektüre von Peter Piraths Geschichte hin ist seine beginnende physische Hinfälligkeit. Obwohl er uns immer wieder mitteilt, dass er Vater einer beginnenden, neuen Rasse geworden ist (Jacques, *Piraths Insel* 353), die Künstler zu geistigeren

Produkten anregt, überall die Hütten verschönern lässt und weitere Palmen-
pflanzungen gründet, sehen wir ihn doch auch immer wieder im Fieber liegen.

Pirath lebte als Erzeuger in die kommmenden Jahre hinein. [...] Er war nur Erzeuger. Er ging fleißig von Hütte zu Hütte, als der große Gründer einer kommenden Rasse. Nie hatte er Schwierigkeiten mit den Frauen. [...] Die Frauen gebaren
Jahr für Jahr. [...] Im Laufe der Jahre wurde manche ausgewechselt. [...] Mit
sachtem Verblassen schwand Europa dahin. (Jacques, *Piraths Insel* 359-60)

Diese selbstgegebene Identität wird von den Geschehnissen auf der Insel nicht
unbedingt bestätigt: sobald eine deutsche Forschungsgesellschaft auf der Insel
beim Steinbruch Mutter landet und dort den Gefangenen auffindet, rudern die
Einheimischen mit ihren Kanus dorthin, obwohl Pirath ihnen das verbietet. Der
Häuptling Möwenschnabel stellt ihm nach und will ihn erschlagen und nur die
Gegenwart der Forschungsexpedition rettet ihn vor der Rache der Einheimischen. Piraths Phantasie von einem gutmütigen, die Einheimischen zu einem
wirtschaftlicheren Denken anregenden Kolonialherren scheint in sich zusammengefallen zu sein.

Der Heimgekehrte sieht sich nun im Hause seines Bruders und dessen grausamer Frau Tilla als vollkommen deplaziert und wie ein Gefangener. Den Anschluss an den Kontor findet er nicht mehr und Tilla stellt „ihren Robinson" als
Kuriosum dar, um sich gesellschaftlich zu profilieren (Jacques, *Piraths Insel*
402). Wenn er durch die Stadt geht, fühlt er sich wie ein „ausgesprungenes
Menagerietier" (Jacques, *Piraths Insel* 404). Die Fieberanfälle kehren zurück,
die Familie siedelt um in die Villa im Wiener Wald, wo Tilla ihre Beziehung
zu einem Sänger auslebt, Hermann ständig auf Reisen geht und Peter sich auf
das Sterben vorbereitet. In dem Moment, in dem es endlich zu einer Umar-
mung zwischen Tilla und dem Sänger kommt, stirbt Peter. Der Roman beschreibt also Piraths Abwerfen seiner europäischen Identität als Verfall seiner
körperlichen Kräfte mit der Zunahme seiner Fieberanfälle, an denen er letztendlich dann auch stirbt. Der junge, kräftige Pirath konnte schon seiner Frau
Ree nicht das Wasser reichen. In dem jetzigen geschwächten Zustand muss er
an Tilla zerbrechen. Im Gegensatz zu den Geschichten Hans Grimms, die die
Figur der grausamen weißen Frau im fernen Afrika und den Versuch des masochistischen Mannes, nicht nur Herr dieser Grausamkeit zu werden, sondern
sich auch noch den voyeuristischen Blick auf den schwarzen Körper zu erhalten, kann sich der deutsche Südseeheld ganz seinen Herrschaftsphantasien in
der freundlichen Umgebung hingeben, aber er kann sie nicht durchhalten, weil
sie nur eine Fiktion sind. Das Angebot des Masochismus wird nicht produktiv
gemacht.

Der Unterschied zwischen dem deutschen Diskurs über die Südsee und dem
über Afrika ist, glaube ich, in diesem Kapitel deutlich geworden. Es ist wichtig, sich auf die historischen und kulturellen Einzelheiten der Gebiete einzulas-
sen, die von Deutschen und anderen Europäern im Zuge der Welteroberung
entdeckt und kolonisiert wurden. Der Diskurs über den edlen Wilden bestimmt

ganz die Phantasie über die Menschen der Südsee. Er wird auf der einen Seite schwärmerisch ausgelebt, von klassischen Verweisen untermauert und verbindet sich mit der Tradition des Inselmotivs. Auf der anderen Seite enthält er auch immer wieder ambivalente Bezüge, die dann zur Jahrhundertwende in eine regelrechte Obsession mit primitiven und gefährlichen kulturellen Praktiken ausartet. Die Texte, die diesen Diskurs stützen sind aber nicht eindeutig homogen gestaltet. Sie enthalten auch Öffnungen, worin eine selbstkritische Wende angezeigt werden kann. Außerhalb des rein diskursiven Feldes bestehen ebenfalls gravierende Unterschiede zwischen der deutschen Kolonialverwaltung auf Südseeinseln und in Afrika, wo die Frage der Besiedlung eine wesentlich zentralere Rolle gespielt hat. Die Anti-Einwanderungspolitik der deutschen Gouverneure in der Südsee spiegelt die Idee, dass die Insulaner von schädlichen europäischen Einflüssen geschützt werden müssen, was wiederum auf den angenommenen Bezug zwischen pazifischen und europäischen Kulturen zurückgeht. Die Erinnerungsliteratur macht dies besonders deutlich, aber auch der zeitgenössische anthropologische Diskurs stützt sich darauf. Es geht um die Beschreibung von Rassemerkmalen, sexueller Freizügigkeit, dem beobachteten Kastensystem und einer allgemeinen Idee von der Gleichheit der vorgefundenen Kultur mit der europäischen. Im Exotismus bündelt sich dann die Anziehungskraft, aber auch die Kritik an diesen Ideen, die bei Jacques auf ein Umdenken der Rolle des Masochismus im kolonialen Kontext hinausläuft.

Schluss

Ausgegangen bin ich in diesen Überlegungen von dem Phänomen der schwarzen Dienerin, die Bestandteil der Ikonographie der Venus ist. Warum lässt sich Venus von einer Afrikanerin bedienen? Das war die Ausgangsfrage. In diesem Buch sind die Grundzüge des Masochismus freigelegt worden, der in der zweiten Hälfte des neunzehnten Jahrhunderts die kulturelle Produktion von Texten im deutschsprachigen Raum zu großen Teilen bestimmt hat und ursächlich mit dem Aufschwung des europäischen Kolonialismus und Imperialismus zusammenfällt. Die Welt des Masochismus ist eine zurückgerichtete: sie ist mit Menschen bevölkert, die eine sinnstiftende Lebensform für sich herstellen wollen, die aber im Zuge der Modernisierung der europäischen Gesellschaften irgendwann verloren gegangen ist. Die emotionale Besetzung dieser verlorenen Welt erfolgt wiederum durch die Wiederherstellung einzelner Elemente dieses vormodernen Daseins und der Überlagerung von verschiedenen Bildbereichen, die jeweils erotisch besetzt werden. Durch die Überlagerung der Bildbereiche des Masochismus und des Kolonialismus entsteht die spezifisch deutsche koloniale Imagination, die ich in diesem Buch zu beschreiben versucht habe. Dabei ist die Technik des Bildergedächtnisses ganz zentral, wobei in der Tradition des literarischen Masochismus Bilder metonymisch aneinander gereiht werden und eine semiotische Kette bilden, die zu einer erotischen Konstellation führen. Im neunzehnten Jahrhundert ist es die eindringlich geschilderte Begegnung des europäischen Mannes mit der verlockenden, aber auch bedrohlichen Venusfigur, die im Laufe der Produktion von Venusbildern überlagert wird von Bildern aus der Darstellungstradition schwarzer Figuren. Die Paraphernalien des Imperiums werden dabei offen zur Schau getragen und im Masochismus parodistisch verwendet. Das Urbild des Masochismus – die marmorne Statue, der Pelz, das rote Haar, das Katzenartige und die Assoziation mit der Venus der Renaissance – ist eine Vorlage für ein masochistisches Szenarium, das die Merkmale der Ikonographie der grausamen Frau in verdichteter Form enthält. Die masochistischen Texte funktionalisieren die kolonialen Figuren, die optisch als Kontrastfolie zu den weißen Körpern fungieren, die von vormodernen gesellschaftlichen Strukturen gespeiste Phantasien ausleben, dabei in einer metonymischen Reihung. Als Skandalon entsteht die Tatsache der Lust des Sklaventums mit dem verbotenen Blick auf den schwarzen Körper, der die vormoderne Gesellschaftsstruktur reproduziert.

Im ersten Kapitel habe ich versucht darzustellen, wie die masochistische Pädagogik, die das Denken der Schulen für deutsche Kolonisten und der Schulen in den deutschen Kolonien bestimmt hat, ganz bestimmte Mitspieler eines masochistischen Szenarios herstellt. Dieser bestimmte Persönlichkeitstyp akzeptiert die Stellung der weißen Frau in der Rolle der übermächtigen Mutter und grausamen Frau, wobei allerdings der Seitenblick auf die schwarze Frau erhalten bleibt und somit traditionelle Geschlechterrollen in Frage gestellt werden. Deutsche Kinder werden erzogen nach dem Ideal der Kanalisierung ihrer Energien in ganz bestimmte Aktivitäten, die der Gruppe zugute kommen. Kolonialdienst heißt von daher nicht Sittenlosigkeit, sondern Entsagung und Opferleben. Die schulische Kolonialpädagogik erweist sich quasi als ein Außenposten der allgemeinen Erziehung des deutschen Volkes zu Statthaltern einer europäischen Kolonialmacht, die von ihren Mitgliedern Entsagung und Opferhaltung verlangt als Beitrag zur Steigerung des nationalen Willens. Diese Haltung spiegelt sich ebenfalls in den literarischen Verarbeitungen, die masochistische Inszenierungen enthalten, die sich auf die masochistische Landschaft oder Imagination von Figurenszenarien beziehen. Im zwanzigsten Jahrhundert steht dann die Faszination mit dem Primitivismus im Vordergrund, der ebenfalls eine empfundene Steigerung des Körpers durch Regression verspricht, die durch koloniale Tropen angezeigt wird. Die gesteigert empfundene Erotik wird durch masochistische Abhängigkeitsverhältnisse verstärkt, obwohl die Macht der Unterordnung an agrarische Verhältnisse und die Macht der primitiven Mutter bestehen bleibt. Die masochistischen Szenarien der Kolonialliteratur gehen über in eine masochistische Ästhetik der Weimarer Zeit, wobei die erotische Steigerung der fixierten Ekstase der masochistischen Szenarien auf die Konstellationen übertragen wird, die in Literatur und Film den Lesern/Zuschauern nun dargeboten werden. In der Nachkriegszeit entfaltet sich dieses Thema mit Verweis auf die sozialen und politischen Bedingungen des Schreibens in eine offen ausgesprochene Ästhetik der Kolonialismuskritik, die allerdings nicht über das Paradigma des kolonialen Erzählens hinauskommt. Die masochistische Grundstruktur der Auseinandersetzung mit Kolonialismus bleibt also bestehen und kommt in dem dargestellten Verhältnis von Kolonisierten und Kolonisten zum Ausdruck. Die Schriftsteller der Nachkriegszeit setzen sich dabei kritisch mit den Konstruktionsprinzipien von Weißheit und Weiblichkeit/Männlichkeit auseinander.

In meinem abschließenden Kapitel habe ich die Frage des Vergleichs angeschnitten und hier wäre sicherlich die größte Möglichkeit der Expansion dieser Überlegungen anzusiedeln. Meine Hoffnung war, die Prozesse der spezifisch deutschen Kolonisierung einer Gegend, die nicht Afrika repräsentiert, herauszuarbeiten. Geklärt werden müsste die Frage: wie schließt sich diese Fragestellung an die ursprüngliche an? Wie kann die Einbindung in die masochistische literarsche Tradition im europäischen Vergleich geleistet werden? Kann eine ikonographisch geschulte Analyse – beispielsweise die eines Kunsthistorikers – das Verhältnis von Bild und Text problematisieren, das wir im Laufe der Konzeption dieses Buches bemerkt haben? Mehrere Einzelanalysen von Texten müssten erfolgen, um das Paradigma zu erhärten, das Bildmaterial müsste von Spezialwissenschaftlern untersucht werden und der Bezug dieses Themas zur deutschsprachigen Minoritätenliteratur müsste hergestellt werden.

Es gibt also noch viel zu tun. Ich hoffe, mit diesem Buch einen Anstoß zur Beantwortung dieser Fragen gegeben zu haben.

Bibliographie

Abel, Herbert. „Das deutsche Kolonial- und Übersee-Museum in Bremen." *Deutsche Kolonial-Zeitung* 50: 6 (1938): 202-4.

Albrecht, Monika. „‚Es muss erst geschrieben werden': Kolonisation und magische Weltsicht in Ingeborg Bachmanns Romanfragment *Das Buch Franza.*" *„Über die Zeit schreiben": Literatur- und kulturwissenschaftliche Essays zu Ingeborg Bachmanns ‚Todesarten'-Projekt.* Würzburg: Königshausen & Neumann, 1998. 59-91.

Albrecht, Monika. „‚Sire, this village is yours': Ingeborg Bachmanns Romanfragment *Das Buch Franza* aus postkolonialer Sicht." *„Über die Zeit schreiben" 3: Literatur- und kulturwissenschaftliche Essays zum Werk Ingeborg Bachmanns.* Hg. Monika Albrecht und Dirk Göttsche. Würzburg: Königshausen & Neumann, 2005.

Anon. „Aufgaben der Frau im kolonialen Kampf." *Deutsche Kolonial-Zeitung* 48:10 (1936): 284-85.

Anon. „Aus dem Leben einer Pflanzersfrau in Deutsch-Ostafrika." *Kolonie und Heimat* 7: 38 (1914): 4-5.

Anon. „Das Deutsche Institut für ärztliche Mission in Tübingen." *Kolonie und Heimat* 4 : 7 (1909): 2.

Anon. „Deutsche Armee-, Marine- und Kolonialausstellung, Berlin 1907." *Deutsches Kolonialblatt* 18 (1907): 38.

Anon. „Deutsch-Ostafrika und die Landesausstellung in Daressalam." *Kolonie und Heimat* 7: 40 (1914): 2-7.

Anon. „Die deutsche Frau als Kulturfaktor und Trägerin des Deutschtums im Auslande." *Kolonie und Heimat* 13: 15 (1919): 2-3.

Anon. „Die deutsche Kolonialausstellung Dresden 1939." *Deutsche Kolonial-Zeitung* 51:6 (1939): 197.

Anon. „Die deutsche Kolonialschule in Witzenhausen (Werra)." *Deutsche Kolonial-Zeitung* 49:1 (1937): 48-49.

Anon. „Die deutsche Pfadfinder-Bewegung." *Kolonie und Heimat* 5: 16 (1912): 2-3.

Anon. „Die Hamburger Kolonialtagung." *Kolonie und Heimat* 5: 40 (1912): 4-5.

Anon. „Die kolonialen Bildungsstätten Deutschlands." *Deutsche Kolonial-Zeitung* 50:1 (1938): 13.

Anon. „Die Liebestätigkeit der deutschen Frauen für die Kolonien." *Kolonie und Heimat* 6: 38 (1913): 8.

Anon. „Die Regierungsschule in Tanga." *Kolonie und Heimat* 1: 23 (1908): 6-7.

Anon. „Eine Schule für Tropenpflanzer." *Koloniales Jahrbuch* 6 (1893): 142-51.

Anon. „Ewiger Wald in München." *Film-Kurier* (17. 6. 1936).

Anon. „In der Freien und Hansestadt Hamburg: Bilder zum Hamburger Kolonialtag 1. bis 6. Juni." *Kolonie und Heimat* 5: 36 (1912): 4-8.

Anon. „Koloniale Frauenschule Rendsburg." *Deutsche Kolonial-Zeitung* 49:3 (1937): 78-79.

Anon. „Rassen, Völker und Tiere auf der Kolonialausstellung Dresden 1939." *Deutsche Kolonial-Zeitung* 51 (1939): 218-19.

Anon. „Zum kolonialen Frauentag in Berlin." *Kolonie und Heimat* 6: 36 (1913): 2-3.

Anon. „Zum kolonialen Frauentag in Münster." *Kolonie und Heimat* 7: 38 (1914): 6-8.

Anon. „Zur Uraufführung ‚Ewiger Wald.'" *Film-Kurier* (11. 6. 1936).

Arbuthnot, Lucie und Gail Seneca. „Pre-text and Text in *Gentlemen Prefer Blondes.*" *Issues in Feminist Film Criticism.* Hg. Patricia Erens. Bloomington: Indiana UP, 1990. 112-25.

Arendt, Hannah. *Elemente und Ursprünge totaler Hoffnung: Antisemitismus, Imperialismus, Totalitarismus.* München: Piper, 1951.

Arnold, Stefan. „Propaganda mit Menschen aus Übersee: Kolonialausstellungen in Deutschland, 1896-1940." *Kolonialausstellungen: Begegnungen mit Afrika?* Hg. Robert Debusman. Frankfurt: Verlag für Interkulturelle Kommunikation, 1995. 1-24.

Arns, Alfons. „Von Holstenwall nach Stedingsehre: Walter Reimann, der deutsche Film und der Nationalsozialismus." *Walter Reimann: Maler und Filmarchitekt.* Hg. Hilmar Hoffmann und Walter Schobert. Frankfurt a. M.: Deutsches Filmmuseum, 1997. 144-65.

Arriens, C. „Schwarzes Hausgesinde." *Kolonie und Heimat* 7: 13 (1913): 2-3.

Australian Film Commission. *Paradise Bent: Boys will be Girls in Samoa.* 1999.

Bachmann, Ingeborg. *„Todesarten"-Projekt.* Bd. 1: *Todesarten, Ein Ort für Zufälle, Wüstenbuch, Requiem für Fanny Goldmann, Goldmann/Rottwitz-Roman und andere Texte.* Hg. Robert Pichl, Monika Albrecht und Dirk Göttsche. München: Piper, 1995.

Bachmann, Ingeborg. *„Todesarten"-Projekt.* Bd. 2: *Das Buch Franza.* Hg. Robert Pichl, Monika Albrecht und Dirk Göttsche. München: Piper, 1995.

Bachmann, Ingeborg. *„Todesarten"-Projekt.* Band 3:1: *Malina.* Hg. Robert Pichl, Monika Albrecht und Dirk Göttsche. München: Piper, 1995.

Bader, Wolfgang und János Riesz, Hgg. *Literatur und Kolonialismus I: Die Verbreitung der kolonialen Expansion in der europäischen Literatur.* Frankfurt: Lang, 1983.

Baessler, Arthur. *Südsee-Bilder.* Berlin: Reimer, 1895.

Banse, Ewald. *Unsere großen Afrikaner: Das Leben deutscher Entdecker und Kolonialpioniere.* Berlin: Paschke, 1943.

Baum, Eckhard. *Daheim und überm Meer: Von der deutschen Kolonialschule zum deutschen Institut für tropische und subtropische Landwirtschaft in Witzenhausen.* Witzenhausen: Selbstverlag, 1997.

Baumann, Hermann, Richard Thurnwald und Diedrich Westermann. *Völkerkunde von Afrika. Mit besonderer Berücksichtigung der kolonialen Aufgabe.* Essen: Essener Verlagsanstalt, 1940.

Becker, Herbert Theodor. *Die Kolonialpädagogik der Großen Mächte.* Hamburg: de Gruyter, 1939.

Benders, Raymond J. und Stephan Oettermann, Hgg. *Friedrich Nietzsche: Chronik in Bildern und Texten.* München: Hanser, 2000.

Benjamin, Jessica. „Die Fesseln der Liebe: Zur Bedeutung der Unterwerfung in erotischen Beziehungen." *Feministische Studien* 4 (1985): 10-31.

Benninghoff-Lühl, Sibylle. *Deutsche Kolonialromane 1884-1914 in ihrem Entstehungs- und Wirkungszusammenhang.* Bremen: Übersee-Museum, 1983.

Berman, Nina. *Orientalismus, Kolonialismus und Moderne: Zum Bild des Orients in der deutschen Kultur um 1900.* Stuttgart: Metzler, 1997.

Berman, Russell A. „German Colonialism: Another *Sonderweg?*" *European Studies Journal* 16 (1999): 25-36.

Berman, Russell A. *Enlightenment or Empire: Colonial Discourse in German Culture.* London: U of Nebraska P, 1998.

Bernal, Martin. *Black Athena: The Afroasiatic Roots of Classical Civilization*. London: Free Association Books, 1987.

Bernatzig, Hugo Adolf. *Südsee*. Wien: Schroll, 1941.

Bhabha, Homi K. *The Location of Culture*. London: Routledge, 1994.

Biesenbach, Ellen und Franziska Schößler. „Zur Rezeption des Medea-Mythos in der zeitgenössischen Literatur: Elfriede Jelinek, Marlene Streeruwitz und Christa Wolf." *Freiburger Frauenstudien* 4 (1998): 31-60.

Bitterli, Urs. *Die „Wilden" und die Zivilisierten: Grundzüge einer Geistes- und Kulturgeschichte der europäisch-überseeischen Begegnung*. München: Beck, 1976.

Blank, Paul. „Ein Tag in der Schule Tanga." *Das deutsche Kolonialbuch*. Hg. Hans Zache. Berlin: Wilhelm Adermann, 1925. 377-84.

Bleicher, Thomas. „Das Abenteuer Afrika: Zum deutschen Unterhaltungsroman zwischen den Weltkriegen." *Literatur und Kolonialismus I: Die Verbreitung der kolonialen Expansion in der europäischen Literatur*. Frankfurt: Lang, 1983. 251-90.

Bley, Helmut. *South-West Africa under German Rule 1894-1914*. Evanston: Northwestern UP, 1971. Engl. Übers. Von *Kolonialherrschaft und Sozialstruktur in Deutsch-Südwestafrika 1894-1914*. Hamburg: Leibnitz, 1968.

Blumhagen, Hugo. *Südwestafrika: Einst und jetzt*. Berlin: Reimer, 1934.

Boemcken, Agnes von. „Aus Alltag und Festag unserer deutschen Schulkinder in Ostafrika." *Deutsche Kolonial-Zeitung* 6 (1937): 204-6.

Boemcken, Agnes von. „Die Frau in der Kolonialarbeit." *Das deutsche Koloniale Jahrbuch 1939*. Hg. Karl Brüsch. Berlin: Süßerott, 1939. 111-15.

Bolsinger, Willy und Hans Rauschnabel. *Jambo watu! Das Kolonialbuch der Deutschen*. Stuttgart: Steffen, 1927.

Bongie, Chris. *Exotic Memories: Literature, Colonialism, and Fin de Siècle*. Stanford: Stanford UP, 1991.

Brinkemper, Peter. „Ingeborg Bachmanns *Der Fall Franza* als Paradigma weiblicher Ästhetik." *Modern Austrian Literature* 18 (1985): 147-82.

Brockmann, Clara. „Deutsche Frauen in Südwestafrika." *Kolonie und Heimat* 3: 22 (1909): 2.

Brunner, Horst. *Die poetische Insel: Inseln und Inselvorstellungen in der deutschen Literatur*. Stuttgart: Metzler, 1967.

Bülow, Frieda von. *Der Konsul: Vaterländischer Roman aus unseren Tagen*. Berlin: Fontane, 1891.

Bülow, Frieda von. *Deutsch-ostafrikanische Novellen*. Berlin: Fontane, 1892.

Bülow, Frieda von. *Im Lande der Verheißung: Ein Kolonialroman um Carl Peters*. Berlin: Arnold, 1943.

Bülow, Frieda von. *Ludwig von Rosen: Eine Erzählung aus zwei Welten*. Berlin, Fontane 1892.

Bülow, Frieda von. *Tropenkoller: Episode aus dem deutschen Kolonialleben*. Berlin: Fontane, 1895.

Cadars, Pierre und Francis Courtade. *Le cinéma Nazi*. Toulouse: Losfeld, 1971.

Chamisso, Adelbert von. „Reise um die Welt mit der Romanzoffschen Entdeckungs-Expedition in den Jahren 1815-1818." *Sämtliche Werke in zwei Bänden*. Bd. II. Hg. Werner Feudel und Christel Laufer. München: Hanser, 1982. 81-650.

Clark, Steve, Hg. *Travel Writing and Empire: Postcolonial Theory in Transit*. London: Zed, 1999.

Cleugh, James. *The First Masochist: A Biography of Leopold von Sacher-Masoch*. New York: Stein and Day, 1967.

Das Argument. „Postkoloniale Kritik." 38:3 (1996).

Debusmann, Robert und János Riesz, Hgg. *Kolonialausstellungen: Begegnungen mit Afrika?* Frankfurt: Verlag für Interkulturelle Kommunikation, 1995.

Deeken, Richard. *Manuia Samoa!: Samoanische Reiseskizzen und Beobachtungen.* Berlin: Stalling, 1902.

Delage, Christian. *La vision nazie de l'histoire: Le cinéma documentaire du troisième reich.* Lausanne: l'age d'homme, 1989.

Dijkstra, Bram. *Idols of Perversity: Fantasies of Feminine Evil in Fin-de-Siècle Culture.* New York: Oxford UP, 1986.

Dingelreiter, Senta. *Wann kommen die Deutschen endlich wieder?* Leipzig: Köhler, 1934.

Dinkelacker, G. „Deutsche Kulturarbeit in Kamerun: Bilder aus der Mittelschule in Bonaberi." *Jambo watu: Das Kolonialbuch der Deutschen.* Hg. Willy Bolsinger und Hans Rauschnabel. Stuttgart: Steffen 1927. 45-51.

Drechsler, Horst. *Südwestafrika unter deutscher Kolonialherrschaft: Der Kampf der Herero und Nama gegen den deutschen Imperialismus.* Berlin/DDR: Akademie, 1966.

Eagleton, Terry, Fredric Jameson und Edward Said. *Nationalism, Colonialism, and Literature.* Minneapolis: U of Minnesota P, 1990.

Edmond, Rod. *Representing the South Pacific: Colonial Discourse from Cook to Gaugin.* Cambridge: Cambridge UP, 1997.

Eichendorff, Joseph von. *Werke.* Band II. Hg. Jost Perfahl. München: Winkler, 1978.

Eifler, Margret. „Bachmann, Jelinek, Schroeter: *Malina.* From Metaphoric Text to Encoded Cinema." *Out from the Shadows: Essays on Contemporary Austrian Women Writers and Filmmakers.* Riverside: Ariadne, 1997. 206-28.

Eigler, Friederike. „Engendering German Nationalism: Gender and Race in Frieda von Bülow's Colonial Writings." *The Imperialist Imagination: German Colonialism and Its Legacy.* Hg. Sara Friedrichsmeyer, Sara Lennox und Susanne Zantop. Ann Arbor: Michigan UP, 1998. 69-85.

Einstein, Carl. „Negerplastik." *Werke.* Hg. Rolf-Peter Baacke, unter Mitarbeit von Jens Kwasny. Berlin: Medusa, 1980. Bd. 1. 245-63.

Einstein, Carl. *Afrikanische Plastik.* Berlin: Wasmuth, 1921.

Eisler, Robert. *Man into Wolf: An Anthropological Interpretation of Sadism, Masochism, and Lycanthropy.* London: Routledge and Kegan Paul, 1951.

Eng, Karen. „German Colonialism in China: A Cultural and Literary Study." Diss. Georgetown 2003.

Eng, Karen. „Kiautschou: A Microcosm of German Nation-Building and Identity Construction in China." *The Heimat Abroad.* Hg. Renate Bridenthal, K. Molly O'Donnell und Nancy Reagin. Ann Arbor: U of Michigan P, 2005.

Engel, Lothar. *Kolonialismus und Nationalismus im deutschen Protestantismus in Namibia 1907-1945.* Bern: Lang, 1976.

Entwicklungspolitische Korrespondenz, Hg. *Deutscher Kolonialismus: Ein Lesebuch.* Hamburg: EPK-Drucksache, 1991.

Erickson, Nancy C. „Writing and Remembering – Acts of Resistance in Ingeborg Bachmann's *Malina* and *Der Fall Franza,* and Elfriede Jelinek's *Lust* and *Klavierspielerin.*" *Out from the Shadows: Essays on Contemporary Austrian Women Writers and Filmmakers.* Riverside: Ariadne, 1997. 192-205.

Ernst, Christian und Sabine Tischler. „Die Darstellung der Kolonisierten in der europäischen Kunst." *Andenken an den Kolonialismus*. Hg. Volker Harms. Tübingen: Attempto, 1984. 30-51.

Erzberger, Matthias. *Kolonial-Berufe: Ratgeber für alle Erwerbsaussichten in den deutschen Schutzgebieten*. Berlin: Germania, 1912.

Eulenburg, Albert. „Sacher-Masoch." *Die Zukunft* 9 (1901): 306-13.

Fabarius, C. A. *Der deutsche Kulturpionier: Nachrichten aus der deutschen Kolonialschule Wilhelmshof*. Witzenhausen: Selbstverlag, 1900.

Fanon, Frantz. *The Wretched of the Earth*. New York: Grave, 1968.

Fasold, Regina. *Theodor Storm*. Stuttgart: Metzler, 1997.

Felski, Rita. „The Counterdiscourse of the Feminine in three Texts by Wilde, Huysmans, and Sacher-Masoch." *PMLA* 106 (1991): 1084-1105.

Fernau, Joachim, Kurt Kayser und Johannes Paul, Hgg. *Afrika wartet: Ein Kolonialpolitisches Bildbuch*. Potsdam: Rütten & Loening, 1942.

Fiege, Jürgen und R. Huthemann, Hgg. *Weltpfadfindertum und Imperialismus: Dokumente und Analysen*. Materialien zur Theorie und Praxis demokratischer Jugendarbeit 4/5. Frankfurt: Bund Deutscher Pfadfinder, 1973.

Fischer, Hans. *Die Hamburger Südsee-Expedition: Über Ethnographie und Kolonialismus*. Frankfurt: Syndikat, 1985.

Fontane, Theodor. *Werke, Schriften und Briefe*. Abteilung 1, Band 2: *Sämtliche Romane, Erzählungen, Gedichte, Nachgelassenes*. Hg. Walter Keitel und Helmuth Nürnberger. München: Hanser, 1971.

Frenssen, Gustav. *Peter Moors Fahrt nach Südwest: Ein Feldzugsbericht*. Berlin: Grotesche Buchhandlung, 1906.

Freud, Sigmund. „Das ökonomische Problem des Masochismus." *Psychologie des Unbewußten. Studienausgabe*. Bd. III. Hg. Alexander Mitscherlich, Angela Richards und James Strachey. Frankfurt: Fischer, 1972. 339-54.

Freud, Sigmund. „Drei Abhandlungen zur Sexualtheorie." *Studienausgabe*. Bd. V. Hg. Alexander Mitscherlich, Angela Richards und James Strachey. Frankfurt: Fischer, 1972. 11-145.

Freud, Sigmund. „Trauer und Melancholie." *Studienausgabe*. Bd. III. Hg. Alexander Mitscherlich, Anglea Richards und James Strachey. Frankfurt: Fischer, 1972. 194-212.

Freud, Sigmund. „Zur Einführung des Narzißmus." *Studienausgabe*. Bd. III. Hg. Alexander Mitscherlich, Angela Richards und James Strachey. Frankfurt: Fischer, 1972. 39-68.

Frewin, Leslie. *Marlene Dietrich: Ihre Filme, ihr Leben*. München: Heyne, 1967.

Friedrichsmeyer, Sara, Sara Lennox und Susanne Zantop, Hgg. *The Imperialist Imagination: German Colonialism and Its Legacy*. Ann Arbor: Michigan UP, 1998.

Fries, Fritz Rudolf. „Begleichender Freispruch: Der Mythos als Heilmittel." *Freitag* 10 (1. 3. 1996).

Frobenius, Else. „Die Arbeit des Frauenbundes der Deutschen Kolonialen Gesellschaft." *Koloniale Rundschau* 11 (1921): 266-70.

Fuhrmann, Manfred, „Honecker heißt jetzt Aietes." *Frankfurter Allgemeine Zeitung* (2. 3. 1996).

Gallagher, Tag. „Josef von Sternberg." *www.senseofcinema.com/contents/01/19/ sternberg.html*. 1-9.

Gerstenberger, Katharina. „Her (Per)version: The Confessions of Wanda von Sacher-Masoch." *Women in German Yearbook* 13 (1997): 81-99.

Gilman, Sander. „The Image of the Black in the German Colonial Novel." *Journal of European Studies* 8 (1978): 1-11.

Goebel, Rolf J. „Kafka and Postcolonial Critique: *Der Verschollene*, „In der Strafkolonie", „Beim Bau der chinesischen Mauer." *A Companion to the Works of Franz Kafka*. Hg. James Rolleston. Rochester, NY: Camden House, 2002. 187-212.

Goebel, Rolf J. „Verborgener Orientalismus: Kafkas ‚Vor dem Gesetz.'" *Franz Kafka: „Vor dem Gesetz“: Aufsätze und Materialien*. Würzburg: Königshausen & Neumann, 1994. 31-43.

Goebel, Rolf J. *Constructing China: Kafka's Orientalist Discourse*. Columbia, S.C.: Camden House, 1997.

Gosden, Chris und Chantal Knowles. *Collecting Colonialism: Material Culture and Colonial Change*. Oxford: Berg, 2001.

Graudenz, Karlheinz. *Deutsche Kolonialgeschichte in Daten und Bildern*. München: Südwest, 1984.

Grimm, Hans. *Der Gang durch den Sand und andere Geschichten aus Südafrika*. München: Langen, 1916.

Grimm, Hans. *Südafrikanische Novellen*. München: Langen, 1913.

Grimm, Hans. *Volk ohne Raum*. München: Langen, 1926.

Grimm, Reinhold und Amadon B. Sadji, Hgg. *Dunkle Reflexe: Schwarzafrikaner und Afro-Amerikaner in der deutschen Erzählkunst des achtzehnten und neunzehnten Jahrhunderts*. Bern: Lang, 1992.

Gründer, Horst, Hg. „‚... da und dort ein junges Deutschland gründen“: Rassismus, Kolonien und kolonialer Gedanke vom 16. bis zum 20. Jahrhundert*. München: dtv, 1999.

Gründer, Horst. *Geschichte der deutschen Kolonien*. Paderborn: Schöningh, 1985.

Gürtler, Christa. „‚Der Fall Franza': Eine Reise durch eine Krankheit und ein Buch über ein Verbrechen." *‚Der Dunkle Schatten, dem ich ich schon seit Anfang folge': Ingeborg Bachmann: Vorschläge zu einer neuen Lektüre des Werkes*. Hg. Hans Höller (Wien: Löcker, 1982. 71-84.

Gutjahr, Ortrud. „Faschismus in der Geschlechterbeziehung? Die Angst vor dem anderen und geschlechtsspezifische Aggression in Ingeborg Bachmanns *Der Fall Franza*." *Kein objektives Urteil, nur ein lebendiges: Texte zum Werke von Ingeborg Bachmann*. Hg. Christine Koschel und Inge von Weidenbaum. München: Piper, 1989. *541-54.*

Hake, Sabine. „Mapping the Native Body: On Africa and the Colonial Film in the Third Reich." *The Imperial Imagination: German Colonial Theory and Its Legacy*. Hg. Sara Friedrichsmeyer, Sara Lennox und Susanne Zantop. Ann Arbor: U of Michigan P, 1998. 163-87.

Hake, Sabine. *The Cinema's Third Machine: Writing on Film in Germany, 1907-1933*. Lincoln: U of Nebraska P, 1993.

Hall, Stewart. „Cultural Identity and Diaspora." *Colonial Discourse and Post-Colonial Theory: A Reader*. Hg. Patrick Williams und Laura Clerisman. New York: Harvest Wheatsheaf, 1994. 392-403.

Hamburgisches Kolonialinstitut. *Bericht über das fünfte Studienjahr*. WS 1912/13, SS 1913. Hamburg: Lütcke & Wolf, 1913.

Hamburgisches Kolonialinstitut. *Bericht über das sechste Studienjahr*. WS 1913/14, SS 1914. Hamburg: Lütcke & Wolf, 1914.

Hamburgisches Kolonialinstitut. *Hamburgisches Kolonialinstitut und Allgemeines Vorlesungswesen: Verzeichnis der Vorlesungen im Winterhalbjahr 1908/1909.* Hamburg: Lütcke & Wolf, 1908.

Hamburgisches Kolonialinstitut. *Hamburgisches Kolonialinstitut und Allgemeines Vorlesungswesen: Verzeichnis der Vorlesungen im Sommerhalbjahr 1909.* Hamburg: Lütcke & Wolf, 1909.

Hamburgisches Kolonialinstitut. *Hamburgisches Kolonialinstitut und Allgemeines Vorlesungswesen: Verzeichnis der Vorlesungen im Winterhalbjahr 1909/1910.* Hamburg: Lütcke & Wolf, 1909.

Hamburgisches Kolonialinstitut. *Hamburgisches Kolonialinstitut und Allgemeines Vorlesungswesen: Verzeichnis der Vorlesungen im Sommerhalbjahr 1910.* Hamburg: Lütcke & Wolf, 1910.

Hamburgisches Kolonialinstitut. *Hamburgisches Kolonialinstitut und Allgemeines Vorlesungswesen: Verzeichnis der Vorlesungen im Winterhalbjahr 1910/1911.* Hamburg: Lütcke & Wolf, 1910.

Hamburgisches Kolonialinstitut. *Hamburgisches Kolonialinstitut und Allgemeines Vorlesungswesen: Verzeichnis der Vorlesungen im Sommerhalbjahr 1911.* Hamburg: Lütcke & Wolf, 1911.

Hamburgisches Kolonialinstitut. *Hamburgisches Kolonialinstitut und Allgemeines Vorlesungswesen: Verzeichnis der Vorlesungen im Winterhalbjahr 1911/1912.* Hamburg: Lütcke & Wolf, 1911.

Hamburgisches Kolonialinstitut. *Hamburgisches Kolonialinstitut und Allgemeines Vorlesungswesen: Verzeichnis der Vorlesungen im Sommerhalbjahr 1912.* Hamburg: Lütcke & Wolf, 1912.

Hamburgisches Kolonialinstitut. *Hamburgisches Kolonialinstitut und Allgemeines Vorlesungswesen: Verzeichnis der Vorlesungen im Winterhalbjahr 1912/1913.* Hamburg: Lütcke & Wolf, 1912.

Hamburgisches Kolonialinstitut. *Hamburgisches Kolonialinstitut und Allgemeines Vorlesungswesen: Verzeichnis der Vorlesungen im Sommerhalbjahr 1913.* Hamburg: Lütcke & Wolf, 1913.

Hamburgisches Kolonialinstitut. *Hamburgisches Kolonialinstitut und Allgemeines Vorlesungswesen: Verzeichnis der Vorlesungen im Winterhalbjahr 1913/1914.* Hamburg: Lütcke & Wolf, 1913.

Hamburgisches Kolonialinstitut. *Hamburgisches Kolonialinstitut und Allgemeines Vorlesungswesen: Verzeichnis der Vorlesungen im Sommerhalbjahr 1914.* Hamburg: Lütcke & Wolf, 1914.

Hamburgisches Kolonialinstitut. *Hamburgisches Kolonialinstitut und Allgemeines Vorlesungswesen: Verzeichnis der Vorlesungen im Winterhalbjahr 1914/1915.* Hamburg: Lütcke & Wolf, 1914.

Hardach, Gerd. *König Kopra: Die Marianen unter deutscher Herrschaft 1899-1914.* Stuttgart: Steiner, 1990.

Harlan, Veit. *Opfergang.* Ufa, 1944.

Harms, Heinrich. *Erdkundliche Hilfsbücher für Lehrerbildungs-Anstalten.* Präparandenheft III: Asien, Australien, Afrika, die deutschen Kolonien. Leipzig: List von Bressensdorf, 1916.

Harms, Volker, Hg. *Andenken an den Kolonialismus: Eine Ausstellung des Völkerkundlichen Instituts der Universität Tübingen.* Tübingen: Attempto, 1984.

Hermand, Jost. „Afrika den Afrikanern!: Timms *Morenga.“ Die Archäologie der Wünsche: Studien zum Werk von Uwe Timm.* Hg. Manfred Durzak und Hartmut Steinecke, in Zusammenarbeit mit Keith Bullivant. Köln: Kiepenheuer & Witsch, 1995. 47-63.

Herzog, Todd. „Hybrids and *Mischlinge*: Translating Anglo-American Cultural Theory into German." *German Quarterly* 70 (1997): 1-17.

Hiery, Hermann Joseph, Hg. *Die deutsche Südsee 1884-1914: Ein Handbuch.* Paderborn: Schöningh, 2001.

Hinz, Manfred O., Helgard Patemann und Armin Meier, Hgg. *Weiß auf Schwarz: 100 Jahre Einmischung in Afrika: Deutscher Kolonialismus und afrikanischer Widerstand.* Berlin: Elefanten Press, 1984.

Hochgeschurz, Marianne, Hg. *Christa Wolfs Medea: Voraussetzungen zu einem Text. Mythos und Bild.* Berlin: Janus, 1998.

Hoffmannn, E. T. A. „Haimatochare." *E. T. A. Hoffmann Werke.* Hg. Herbert Kraft und Manfred Wacker. Bd. IV. Frankfurt: Insel, 1967. 153-65.

Holm, Olga. *Ovita: Episode aus dem Hereroland.* Dresden: Reissner, 1909.

Holzapfel, Carl Maria. „Männer im Kampf um Gemeinschaft." *Kunst und Volk* 6 (June 1936): 202-5.

Holzapfel, Carl Maria. „Wald und Volk: Leitgedanken der Filmdichtung ‚Ewiger Wald.'" *Licht-Bild-Bühne* (8. 6. 1986): 203-4.

Honold, Alexander und Oliver Simons. *Kolonialismus als Kultur: Literatur, Medien, Wissenschaft in der deutschen Gründerzeit des Fremden.* Tübingen: Francke, 2002.

Horn, Peter. „Die Versuchung durch die barbarische Schönheit: Zu Hans Grimms ‚farbigen' Frauen." *GRM*, NF 35 (1985): 317-41.

Horn, Peter. „Fremdheitskonstruktionen weißer Kolonialisten." *Perspektiven und Verfahren interkultureller Germanistik.* Hg. Alois Wierlacher. München: Iudicium, 1987. 405-18.

Horn, Peter. „Fremdsprache und Fremderlebnis: Dr. Johannis Gottschalks Lernprozeß in Uwe Timms *Morenga.*" *Jahrbuch Deutsch als Fremdsprache* 14 (1988): 75-91.

Horn, Peter. „Über die Schwierigkeit, einen Standpunkt einzunehmen: Zu Uwe Timms *Morenga.*" *Die Archäologie der Wünsche: Studien zum Werk Uwe Timms.* Hg. Manfred Durzak und Hartmut Steinecke, in Zusammenarbeit mit Keith Bullivant. Köln: Kiepenheuer & Witsch, 1995. 93-118.

Howe, K. R. *Nature, Culture, and History: The Knowing of Oceania.* Honolulu: U of Hawai'i P, 2000.

Hücking Renate und Ekkehard Launer. *Aus Menschen Neger machen: Wie sich das Handelshaus Woermann an Afrika entwickelt hat.* Hamburg: Galgenberg, 1986.

Jackson, David A. *Theodor Storm: The Life and Works of a Democratic Humanitarian.* New York: Berg, 1992.

Jacques, Norbert. *Auf dem chinesischen Fluß.* Berlin: S. Fischer, 1921.

Jacques, Norbert. *Die Frau von Afrika: Roman aus den Tropen.* München: Drei Masken, 1921.

Jacques, Norbert. *Piraths Insel.* Berlin: S. Fischer, 1917.

Jacques, Norbert. *Südsee: Ein Reisebuch.* München: Drei Masken, 1922.

Jahresbericht über die Entwicklung der deutschen Schutzgebiete in Afrika und der Südsee im Jahre 1907/1908. Berlin: Mittler, 1909. Beilage zum *Deutschen Kolonialblatt* 1909.

Jahresbericht über die Entwicklung der deutschen Schutzgebiete in Afrika und der Südsee im Jahre 1900/1901. Berlin: Mittler, 1902. Beilage zum *Deutschen Kolonialblatt* 1902.

Jelinek, Elfriede. *Die Klavierspielerin.* Reinbek bei Hamburg: Rowohlt, 1983.

Jelinek, Elfriede. *Malina: Ein Filmbuch von Elfriede Jelinek nach dem Roman von Ingeborg Bachmann.* Frankfurt: Suhrkamp, 1991.

Kahakalau, Susan. „Islands of Abundance: A Native Analysis of Pre-Missionary Hawai'i, as Depicted in German Travel Literature and Fiction." Magisterarbeit. University of Hawaii, 1990.

Kamphausen, Erhard. „Weiße Herrschaft – Scharzer Widerstand: Namibia im kolonialen Zeitalter." *Deutscher Kolonialismus: Ein Lesebuch.* Hg. Entwicklungspolitische Korrespondenz. Hamburg: EPK-Drucksache, 1991.

Karow, Maria. „Die Erziehung der deutschen Jugend in Südwest." *Kolonie und Heimat* 5: 18 (1912): 6-8.

Kenosian, David. „The Colonial Body Politic: Desire and Violence in the Works of Gustav Frenssen and Hans Grimm." *Monatshefte* 89 (1997): 82-95.

Kiefer, Klaus H. „Carl Einsteins Negerplastik: Kubismus und Kolonialismus – Kritik." *Literatur und Kolonialismus I: Die Verbreitung der kolonialen Expansion in der europäischen Literatur.* Hg. Wolfgang Bader und János Riesz. Frankfurt: Lang: 1983. 233-49.

Kimmich, M. W. *Germanin.* Ufa, 1943.

Klotz, Marcia. „Epistemological Ambiguity and the Fascist Text: *Jew Jüss, Carl Peters,* and *Ohm Krüger.*" *New German Critique* 74 (1998): 91-124.

Klotz, Marcia. „Memoirs from a German Colony: What Do White Women Want?" *Eroticism and Containment: Notes from the Flood Plain.* Hgg. Carol Siegel und Ann Kibbey. *Genders* 20. New York: NYU Press, 1994. 154-87.

Klotz, Marcia. „White Women and the Dark Continent: Gender and Sexuality in German Colonial Discourse from the Sentimental Novel to the Fascist Film." Diss. Stanford, 1995.

Koch, Karl W. H. „Die deutsche Kolonialschule." *Deutsche Kolonial-Zeitung* 48:1 (1936): 10-11.

Köhler's illustrierter deutscher Kolonial-Kalender 1939. Minden: Köhler, 1939.

Königs, Geheimer Legationsrat. „Die Eingeborenenschulen in den deutschen Kolonien Afrikas und der Südsee." I: *Koloniale Rundschau* 2:5 (1912): 257-68; II: *Koloniale Rundschau* 2:7 (1912): 405-17; III: *Koloniale Rundschau* 2:9 (1912): 529-34; IV: *Koloniale Rundschau* 2:10 (1912): 616-24; V: *Koloniale Rundschau* 2:12 (1912): 721-32; VI: *Koloniale Rundschau* 3:1 (1913): 5-27.

Kopp, Kristin Leigh. „Contesting Borders: German Colonial Discourse and the Polish Eastern Territories." Dissertation UC Berkeley, 2001.

Körner, K. „Die Koloniale Frauenschule Rendsburg." *Deutsche Kolonial-Zeitung* 50:1 (1938): 51.

Kotzebue, Otto von. *Entdeckungsreise in die Südsee und nach der Bering-Straße zur Erforschung einer Nordöstlichen Durchfahrt.* Bd. 1, Weimar: Hoffmann 1821.

Krafft-Ebing, Richard von. *Psychopathia sexualis: eine klinisch-forensische Studie.* Stuttgart: Enke, 1886.

Krämer, Augustin. *Die Entstehung und Besiedlung der Koralleninseln, nach neuen Gesichtspunkten auf Grund eigener Untersuchungen.* Stuttgart: Schweizerbartsche Verlagsbuchhandlung, 1927.

Krämer, Augustin. *Die Ornamentik der Kleidmatten und der Tatauierung auf den Marshallinseln nebst technologischen, philologischen und ethnologischen Notizen.* Braunschweig: Wieweg, 1904.

Krämer, Augustin. *Die Samoa-Inseln: Entwurf einer Monographie mit besonderer Berücksichtigung Deutsch-Samoas.* Bd. II: Ethnographie. Stuttgart: Schweizerbartsche Verlagsbuchhandlung, 1903.

Krämer, Augustin. *Hawaii, Ostmikronesien und Samoa: Meine zweite Südseereise (1897-1899) zum Studium der Atolle und ihrer Bewohner.* Stuttgart: Strecker & Schröder, 1906.

Krämer-Bannow, Elisabeth. *Bei kunstsinnigen Kannibalen der Südsee: Wanderungen auf Neu-Mecklenburg 1908-1909.* Berlin: Reimer, 1916.

Kratzer, Barbara. „Ambivalente Stimmen aus einer Kolonie: Deutsche Frauen in Südwestafrika (1893-1914): Ein Vergleich mit amerikanischen Frauen der westlichen Frontier und dem Antebellumsüden." Diss. U of Oregon, 1993.

Küas, Richard. *Togo-Erinnerungen.* Berlin: Schlegel, 1939.

KultuRRevolution. „Tropische Tropen – Exotismus." 32/33 (1995).

Külz, Dr. L. „Zur Frauenfrage in den deutschen Kolonien." *Koloniale Monatsblätter* 9 (1913): 61-67.

Kussler, Rainer. „Interkulturelles Lernen in Uwe Timms *Morenga.*" *Acta Germanica* 21 (1992): 201-27.

Kütz-Bückeburg, Dr. „Die Aufgaben der deutschen Frau in Südwest." *Kolonie und Heimat* 4: 8 (1909): 8-9.

Lennox, Sara. „Geschlecht, Rasse und Geschichte in *Der Fall Franza.*" *Text + Kritik* (1984): 156-79.

Lennox, Sara. „White Ladies and Dark Continents in Ingeborg Bachmann's *Todesarten.*" *The Imperialist Imagination: German Colonialism and Its Legacy.* Hg. Sara Friedrichsmeyer, Sara Lennox und Susanne Zantop. Ann Arbor: The U of Michigan P, 1998. 247-63.

Lenzer, Gertrud. „On Masochism: A Contribution to the History of a Phantasy and its Theory." *Signs* 1 (1975): 277-324.

Lettow-Vorbeck, General von. *Heia Safari.* Leipzig: Köhler, 1912.

Lettow-Vorbeck, General von. *Meine Erinnerungen aus Ostafrika.* Leipzig: Köhler, 1932.

Lettow-Vorbeck, General von. *Was mir die Deutschen über Ostafrika erzählten.* Leipzig: Köhler, 1914.

Leventhal, Robert S. „Versagen: Kafka und die masochistische Ordnung." *German Life and Letters* 48:2 (1995): 148-69.

Lietz, Heinrich. *Wir bauen eine Kolonialausstellung: Eine praktische Anleitung für Schulen.* Berlin: Reichskolonialbund, 1937.

Lorenz, M. „Die deutsche Hausfrau in den Kolonien." *Kolonie und Heimat* 1:4 (1907): 13.

Loster-Schneider, Gudrun. „,Den Mythos lesen ist ein Abenteuer': Christa Wolfs Erzählung *Kassandra* im Spannungsverhältnis von Feminismus und Mythenkritik." *Literaturgeschichte als Profession: Festschrift für Dietrich Jöns.* Tübingen: Narr, 1996. 385-404.

Loster-Schneider, Gudrun. „Intertextualität als Mittel ästhetischer Innovation in Christa Wolfs Roman *Medea. Stimmen.*" *Nora verläßt ihr Puppenheim: Autorinnen des zwanzigsten Jahrhunderts und ihr Beitrag zur ästhetischen Innovation.* Hg. Waltraud Wende. Stuttgart: Metzler, 2000. 222-49.

Luschan, Felix von. *Beiträge zur Völkerkunde der deutschen Schutzgebiete.* Berlin: Reimer, 1897.

Lutz, R. C. „False History, Fake Africa, and the Transcription of Nazi Reality in Hans Steinhoff's *Ohm Krüger.*" *Literature/Film Quarterly* 25 (1997): 188-192.

Lützeler, Paul Michael, Hg. *Der postkoloniale Blick: Deutsche Schriftsteller berichten aus der Dritten Welt.* Frankfurt: Suhrkamp, 1997.

Lützeler, Paul Michael, Hg. *Schriftsteller und ‚Dritte Welt': Studien zum postkolonialen Blick.* Tübingen: Stauffenburg, 1998.

Mamozai, Martha. *Schwarze Frau, weiße Herrin: Frauenleben in den deutschen Kolonien.* Reinbek bei Hamburg: Rowohlt, 1989.

Martin, Adrian. „Dietrich and Sternberg: The Fallen Angels." *www.senseofcinema.com/ contents/00/7/cteq/angels.html.* 1-4.

Martin, Peter. *Schwarze Teufel, edle Mohren.* Hamburg: Junius, 1993.

Maxwell, Anne. *Colonial Photography and Exhibitions: Representations of the Native and the Making of European Identities.* London: Leicester UP, 1999.

Mayer, Friederike. „Potenzierte Fremdheit: Medea – die wilde Frau. Betrachtungen zu Christa Wolfs Roman *Medea. Stimmen.*" *Literatur für Leser* 20 (1997): 85-94.

McClintock, Anne. *Imperial Leather: Race, Gender, and Sexuality in the Colonial Contest.* New York: Routledge, 1995.

McGlathery, James M. „Magic and Desire in Eichendorff's *Das Marmorbild.*" *German Life and Letters* 43 (1989): 257-68.

Meinhof, Carl. *Die neue Sprachforschung in Afrika.* Berlin: Buchhandlung der Berliner Missionsgesellschaft, 1910.

Melville, Hermann. „Typee: A Peep at Polynesian Life." *The Portable Melville.* Hg. Jay Leyda. New York: Penguin, 1952. 10-340.

Memmi, Albert. *The Colonizer and the Colonized.* Boston: Beacon, 1970. (Übers. von *Portrait du colise, precede du portrait du colonisateur*).

Mennel, Barbara. „‚Euch auspeitschen, ihr ewigen Masochistinnen, euch foltern, bis ihr den Verstand verliert': Masochismus in Ingeborg Bachmanns Romanfragment *Das Buch Franza.*" *„ Über die Zeit schreiben" 2: Literatur- und kulturwissenschaftliche Essays zum Werk Ingeborg Bachmanns.* Hg. Monika Albrecht und Dirk Göttsche. Würzburg: Königshausen & Neumann, 2000. 111-25.

Meyer, Hans, Hg. *Das deutsche Kolonialreich: Eine Länderkunde der deutschen Schutzgebiete.* 2 Bde. Leipzig: Verlag des Bibliographischen Instituts, 1909.

Michel, Andreas. „Formalism to Psychoanalysis: On the Politics of Primitivism in Carl Einstein." *The Imperialist Imagination: German Colonialism and Its Legacy.* Hg. Sara Friedrichsmeyer, Sara Lennox und Susanne Zantop. Ann Arbor: The U of Michigan P, 1998. 141-61.

Mielke, Andreas. „Fremde Welt – Verkehrte Welt: Zur Bestialisierung der Hottentotten in Reisebeschreibung und Satire." *Akten des VIII. Germanisten-Kongresses, Tokio 1990: Begegnung mit dem Fremden. Grenzen, Traditionen, Vergleiche.* München: Iudicium, 1991. 365-71.

Mohanty, Chandra Talpade. „Under Western Eyes: Feminist Scholarship and Colonial Discourse." *Dangerous Liaisons: Gender, Nations, and Postcolonial Perspectives.* Hg. Anne McClintock, Aamir Mufti und Ella Shohat. Minneapolis: U of Minnesota P, 1997. 255-72.

Müller, Robert, Hg. *Tropen: Der Mythos der Reise. Urkunden eines deutschen Ingenieurs.* München: Hugo Schmidt, 1915.

Müller, Robert. *Das Inselmädchen.* Hg. Wolfgang Reif. Paderborn: Igel, 1994.

Mulvey, Laura. „Visual Pleasure and Narrative Cinema." *Issues in Feminist Film Criticism.* Hg. Patricia Erens. Bloomington: Indiana UP, 1990. 28-40.

Murti, Kamakshi. *India: The Seductive and Seduced „Other"* of German Orientalism. Westport: Greenwood, 2001.

Neue Rundschau. „Der postkoloniale Blick: Eine neue Weltliteratur?" 107:1 (1996).

Niekerk, Carl und Michael C. Finke, Hgg. *One Hundred Years of Masochism: Literary Texts, Social and Cultural Contexts.* Amsterdam: Rodopi, 2000.

Nolden, Thomas. „On Colonial Spaces and Bodies: Hans Grimm's *Geschichten aus Südwestafrika.*" *The Imperialist Imagination: German Colonialism and Its Legacys.* Hg. Sara Friedrichsmeyer, Sara Lennox und Susanne Zantop. Ann Arbor: U of Michigan P, 1998. 125-139.

Noyes, John K. „Deleuze liest Leopold Sacher-Masoch: Zur Ambivalenz des literarischen Kanons." *Acta Germanica* 18 (1990): 69-80.

Noyes, John K. „Imperialist Man, Civilizing Woman and the European Male Masochist." *Acta Germanica* 23 (1995): 42-65.

Noyes, John K. „National Identity, Nomadism, and Narration in Gustav Frenssen's *Peter Moor's Journey to Southwest Africa.*" *The Imperialist Imagination. German Colonialism and Its Legacy.* Hg. Sara Friedrichsmeyer, Sara Lennox und Susanne Zantop. Ann Arbor: The U of Michigan P, 1998. 87-105.

Noyes, John K. „The Capture of Space: An Episode in a Colonial Story by Hans Grimm." *Pretexts* 1 (1989): 52-63.

Noyes, John K. *The Mastery of Submission: Inventions of Masochism.* Ithaca: Cornell UP, 1997.

Noyes, John, K. „Der Blick des Begehrens: Sacher-Masochs *Venus im Pelz.*" *Acta Germanica* 19 (1988): 9-27.

NSDAP Reichspropagandaleitung, Amtsleitung Film. *Deutsches Land in Afrika.* 1939.

O'Brien, Mary-Elizabeth. „Male Conquest of the Female Continent in Veit Harlan's *Opfergang* (1944)." *Monatshefte* 87 (1995): 431-45.

Onnen, Jakobus, Hg. *Deutsche Kolonialprobleme: Reichsberufswettkampfarbeit der Kolonialschule Witzenhausen.* Berlin: Junker & Dünnhaupt, 1940.

Onnen, Jakobus. „Die deutsche Kolonialschule in Witzenhausen." *Deutsche Kolonial-Zeitung* 50:1 (1938): 50-51.

Opel, Adolf. *„Wo mir das Lachen zurückgenommen ist":* Adolf Opel auf Reisen mit Ingeborg Bachmann. München: Langen Müller, 2001.

Pakendorf, Gunther. „Mord in der Steppe: Zu einem Motiv bei Hans Grimm und Charles Sealsfield." *Acta Germanica* 16 (1983): 59-81.

Pakendorf, Gunther. „*Morenga* oder Geschichte als Fiktion." *Acta Germanica* 19 (1988): 144-58.

Pan, David. *Primitive Renaissance: Rethinking German Expressionism.* Lincoln: U of Nebraska P, 2001.

Pastor, Eckart. *Die Sprache der Erinnerung.* Frankfurt: Athenäum, 1988.

Paul, Georgina. „Schwierigkeiten mit der Dialektik: Zu Christa Wolfs *Medea. Stimmen.*" *German Life and Letters* 50 (1997): 220-40.

Pentzel, Otto. *Heimat Ostafrika.* Leipzig: Köhler, 1932.

Peters, Carl. *Wie Deutsch-Ostafrika entstand: Persönlicher Bericht des Gründers.* Leipzig: Köhler & Voigtländer, 1940.

Petropoulos, Jonathan. *Art as Politics in the Third Reich.* Chapel Hill: The U of North Carolina P, 1996.

Pikulik, Lothar. „Die Mythisierung des Geschlechtstriebes in Eichendorffs *Das Marmorbild.*" *Euphorion* 71 (1977): 128-40.

PMLA: Special Issue of the Colonial and the Post-Colonial Condition 110 (1995). Hg. Linda Hutcheon.

Pratt, Mary Louise. *Imperial Eyes: Travel, Writing, and Transculturation.* London: Routledge, 1992.

Reichskolonialbund, Hg. *Kolonien im deutschen Schrifttum: Eine Übersicht über deutsches koloniales Schrifttum unter Berücksichtigung nur volksdeutscher Autoren.* Berlin: Die Brücke zur Heimat, 1936.

Reif, Wolfgang. *Zivilisationsflucht und literarische Wunschräume: Der exotische Roman im ersten Viertel des 20. Jahrhunderts.* Stuttgart: Metzler, 1975.

Reik, Theodor. *Masochism in Modern Man.* New York: Farrar, Strauss & Co., 1941.

Reimann, Walter. „Einiges über die Bedeutung des Films und der Filmindustrie." *Neue Züricher Zeitung* 144: 1663 (1. 2. 1923).

Reimann, Walter. „Filmarchitektur – heute und morgen?" *Filmtechnik/Filmindustrie* 2:4 (20. 2. 1926): 64-65.

Reimann, Walter. „Kleine Abhandlung über die Tüchtigkeit: Dem deutschen Film gewidmet." *Kultur-Wacht* 33 (18. 11. 1933): 11-13.

Reimann, Walter. „Was erwarten die Filmarchitekten vom deutschen Film?" *Deutsche Kultur-Wacht* 15 (15. 7. 1933): 5-6.

Rejholec, Jutta. *Zur Umstrukturierung kolonialer Kulturinstitutionen: Probleme und Perspektiven der Museen in Senegal.* Bremen: Übersee-Museum, 1980.

Rentschler, Eric. *The Ministry of Illusion: Nazi Cinema and its Afterlife.* Cambridge: Harvard UP, 1996.

Reuter, Gabriele. *Kolonistenvolk: Roman aus Argentinien.* Berlin: Fischer, 1897.

Review of „Ewiger Wald." *Deutsche Filmzeitung* 25 (21. 6. 1936): 4.

Richter, Roland. „Die erste Deutsche Kolonialausstellung 1896: Der ‚amtliche Bericht' in historischer Perspektive." *Kolonialausstellungen: Begegnungen mit Afrika?* Hg. Robert Debusman und János Riesz. Frankfurt: Verlag für Interkulturelle Kommunikation, 1995. 25-42.

Ridley, Hugh. „Die Geschichte gegen den Strich lesend: Uwe Timms *Morenga*." *Reisen im Diskurs: Modelle der literarischen Fremderfahrung von den Pilgerfahrten bis zur Postmoderne.* Hg. Anne Fuchs und Theo Harden. Heidelberg: Winter, 1995. 359-73.

Riefenstahl, Leni. *Die Nuba.* Frechen: Komet, 1976.

Riesz, János. „Zehn Thesen zum Verhältnis von Kolonialismus und Literatur." *Literatur und Kolonialismus I: Die Verarbeitung der kolonialen Expansion in der europäischen Literatur.* Hg. Wolfgang Bader und János Riesz. Frankfurt: Lang, 1983. 9-26.

Ritz, Hans. *Die Sehnsucht nach der Südsee: Bericht über einen europäischen Mythos.* Göttingen: Muriverlag, 1982.

Roebling, Irmgard. „Liebe und Variationen: Zu einer biographischen Konstante in Storms Prosawerk." *Amsterdamer Beiträge zur neueren Germanistik* 17 (1983): 99-130.

Sacher-Masoch, Leopold von. *Dunkel ist dein Herz, Europa.* Graz: Stiasny, 1957.

Sacher-Masoch, Leopold von. *Katharina II: Zarin der Lust.* München: Heyne, 1982.

Sacher-Masoch, Leopold von. *Venus im Pelz.* Mit einer Studie über den Masochismus von Gilles Deleuze. Frankfurt: Insel, 1968.

Sadji, Amadou Booker. *Das Bild des Negro-Afrikaners in der deutschen Kolonialliteratur (1884-1945): Ein Beitrag zur literarischen Imagologie Schwarzafrikas.* Berlin: Reimer, 1985.

Sahlins, Marshall. *Islands of History.* Chicago: U of Chicago P, 1985.

Said, Edward W. *Orientalism.* New York: Vintage, 1978.

Sander, Ludwig, Hg. *Die deutschen Kolonien in Wort und Bild: Eine Schilderung unserer Kolonien aus der Hand von Schriften bekannter und hervorragender Kenner der deutschen Schutzgebiete.* Leipzig: Verlag für allgemeines Wissen, 1906.

Sareika, Rüdiger. *Die Dritte Welt in der westdeutschen Literatur der sechziger Jahre.* Frankfurt: R. G. Fischer, 1980.

Sauer, Elizabeth und Balachandra Rajan, Hgg. *Imperialisms: Historical and Literary Investigations, 1500-1800.* New York: Palgrave, 2005.

Sauter, Michiel. „Marmorbilder und Masochismus: Die Venusfiguren in Eichendorffs ‚Das Marmorbild' und in Sacher-Masochs ‚Venus im Pelz.'" *Neophilologus* 75 (1991): 119-27.

Schiefel, Werner. *Bernhard Dernburg 1865-1937: Kolonialpolitiker und Bankier im wilhelminischen Deutschland.* Zürich: Atlantis, 1973.

Schmidt-Egner, Peter. *Kolonialismus und Faschismus: Eine Studie zur historischen und begrifflichen Genesis faschistischen Bewußtseins am deutschen Beispiel.* Giessen: Achenbach, 1965.

Schmokel, Wolfe E. *Dream of Empire: German Colonialism, 1919-1945.* New Haven: Yale UP, 1964.

Schubert-Weller, Christoph. *So begann es: Scouting als vormilitärische Erziehung: Der Beginn der Pfadfinderbewegung in Deutschland am Vorabend des Ersten Weltkrieges.* Baunach: Deutscher Spurbuchverlag, 1988.

Schuller, Marianne. „Wider den Bedeutungswahn: Zum Verfahren der Dekomposition in *Der Fall Franza.*" *Text + Kritik.* Sonderband. Hg. Heinz Ludwig Arnold. München: text + kritik, 1984. 150-55.

Schweizer, Niklaus R. *Hawai'i und die deutschsprachigen Völker.* Bern: Lang, 1982.

Scurla, Herbert, Hg. *Auf Kreuzfahrt durch die Südsee: Berichte deutscher Reisender aus dem 18. und 19. Jahrhundert über die ozeanische Inselwelt.* Berlin/DDR: Verlag der Nationen, 1977.

Selpin, Herbert. *Carl Peters.* Bavaria, 1941.

Shafi, Monika. „Falsch leiden sollte es auch geben … : Konfliktstrukturen in Christa Wolfs Roman *Medea.*" *Colloquia Germanica* 30 (1997): 375-85.

Sieg, Katrin. „Ethnic Drag and National Identity: Performance, Multiculturalism, Xenophobia." *The Imperialist Imagination: German Colonialism and Its Legacy.* Hg. Sara Friedrichsmeyer, Sara Lennox und Suanne Zantop. Lincoln: Michigan UP, 1998. 295-320.

Siegel, Carol. *Male Masochism: Modern Revisions of the Story of Love.* Bloomington: Indiana UP, 1995.

Silverman, Kaja. *Male Subjectivity at the Margins.* New York: Routledge, 1992.

Smith, Woodruff D. *The German Colonial Empire.* Chapel Hill: U of North Carolina P, 1978.

Speiser, Felix. *Südsee, Urwald, Kannibalen: Reise-Eindrücke aus den Neuen Hebriden.* Leipzig: Voigtländer, 1913.

Spengler, Andreas. *Sadomasochisten und ihre Subkulturen.* Frankfurt: Campus, 1979.

Sperber, Richard. „Generating Nothing: Representations of the South Pacific in Norbert Jacques, Robert Müller, and Gottfried Benn." Vortragsmanuskript 2003.

Spivak, Gayatri Chakravorty. „Can the Subaltern Speak?" *Colonial Discourse and Post-Colonial Theory: A Reader.* Hg. Patrick Williams und Laura Clerisman. New York: Harvester Wheatsheaf, 1994. 66-111.

Springer, Hanns. *Ewiger Wald*. Lex Film, 1936.

Steinhoff, Hans. *Ohm Krüger*. Ufa, 1941.

Steinhoff, Ilse. *Deutsche Heimat in Afrika: Ein Bildbuch aus unseren Kolonien*. Hg. Reichskolonialbund. Berlin: Limpert, 1939.

Stephan, Inge. „Geschlechtermythologie und nationale Diskurse: Genealogische Schreibweisen bei Botho Strauß (*Ithaka*) und Christa Wolf (*Medea. Stimmen*)." *Musen und Medusen*. Köln: Böhlau, 1998. 233-52.

Sternberg, Josef von. *Blonde Venus*. Paramount, 1932.

Sternberg, Josef von. *Der blaue Engel*. Ufa, 1932.

Sternberg, Josef von. *Morocco and Shanghai Express*. New York: Simon & Schuster, 1973.

Sternberg, Josef von. *Morocco*. Paramount, 1930.

Sternberg, Josef von. *Scarlett Empress*. Paramount, 1934.

Sternberg, Josef von. *The Devil is a Woman*. Paramount, 1935.

Stewart, Suzanne R. *Sublime Surrender: Male Masochism at the Fin-de-Siècle*. Ithaca: Cornell UP, 1998.

Stoecker, Helmut, Hg. *Drang nach Afrika: Die koloniale Expansionspolitik und Herrschaft des deutschen Imperialismus in Afrika von den Anfängen bis zum Ende des zweiten Weltkrieges*. Berlin/DDR: Akademie, 1977.

Storm, Theodor. *Sämtliche Werke*. Band 1: *Gedichte, Novellen 1848-1867*. Hg. Dieter Lohmeier. Darmstadt: Wissenschaftliche Buchgesellschaft 1998.

Streese, Konstanze. *„Cric?" – „Crack!" Vier literarische Versuche, mit dem Kolonialismus umzugehen*. Bern: Lang, 1991.

Streese, Konstanze. „Die deutschsprachige Literatur Landstriche jenseits der Meere betreffend: Ein Überblick über die letzten zehn Jahre." *Das Argument* 88:3 (1996): 380-94.

Studlar, Gaylyn. *In the Realm of Pleasure: Von Sternberg, Dietrich, and the Masochistic Aesthetic*. Urbana: U of Illinois P, 1988.

Terry Eagleton, Fredric Jameson und Edward Said. *Nationalism, Colonialism, and Literature*. Minneapolis: U of Minnesota P, 1990.

Thurnwald, Richard. *Koloniale Gestaltung: Methoden und Probleme überseeischer Ausdehnung*. Hamburg: Hoffmann & Campe, 1939.

Timm, Uwe. „Für 35 Jahre einen ‚Platz an der Sonne': Die Legende von den tüchtigen Deutschen in den Kolonien." *Deutscher Kolonialismus: Ein Lesebuch*. Hg. Entwicklungspolitische Korrespondenz. Hamburg: EPK-Drucksache, 1991. 67-73.

Timm, Uwe. *Deutsche Kolonien*. München: Verlag AutorenEdition, 1981.

Timm, Uwe. *Morenga*. Köln: Kiepenheuer & Witsch, 1985.

Tobin, Robert. „*Venus von Samoa*: Rasse und Sexualität im deutschen Südpazifik." *Kolonialismus als Kultur: Literatur, Medien, Wissenschaft in der deutschen Gründerzeit des Fremden*. Hg. Alexander Honold und Oliver Simons. Tübingen: Francke, 2002.

Townsend, Mary E. „Hitler and the Revival of German Colonialism." *Nationalism and Internationalism: Essays Inscribed to Carlton J. H. Hayes*. Hg. Edward Mead Earle. New York: Columbia UP, 1950. 399-430.

Townsend, Mary E. *Origins of Modern German Colonialism 1871-1885*. New York: Columbia UP, 1921.

Treut, Monika. *Die grausame Frau: Zum Frauenbild bei de Sade und Sacher-Masoch*. Basel: Stroemfeld/Roter Stern, 1984.

Trinh, Minh-ha T. „Not You/Like You: Postcolonial Women and the Interlocking Questions of Identity and Difference." *Dangerous Liaisons: Gender, Nation, and Postcolonial Perspectives*. Hg. Anne McClintock, Aamir Mufti und Ella Shohat. Minneapolis: The U of Minnesota P, 1997. 415-19.

Uhde, Sophie von. *Deutsche unterm Kreuz des Südens: Bei den Kolonialsiedlern in Südwest und Ostafrika*. Berlin: Reimer, 1934.

Urbach, Tilman. „Frau zwischen Welten." *Rheinischer Merkur* (8. 3. 1996).

Van der Heyden, Ulrich und Joachim Zeller. *Kolonialmetropole Berlin: Eine Spurensuche*. Berlin: Berlin Edition, 2002.

Vedder, Missionar H. „Eingeborenenerziehung im heutigen Südwest-Afrika." *Koloniale Rundschau* 15:6 (1925): 180-87.

Voeltz, Richard Andrew. *German Colonialism and the South West African Company. 1884-1914*. Athens, OH: Ohio UP, 1988.

Vogel, Hans. *Eine Forschungsreise im Bismarck-Archipel*. Hamburg: Friederichsen & Co., 1911.

Volk, Winfried. *Die Entdeckung Tahitis und das Wunschbild der seligen Insel in der deutschen Literatur*. Heidelberg: Kranz und Heinrichmöller, 1934.

Von der Heydts Koloniales Handbuch.

Warmbold, Joachim. *Germania in Afrika: Germany's Colonial Literature*. New York: Lang, 1989.

Weber, Hermann. „‚Zerbrochene Gottesvorstellungen': Orient und Religion in Ingeborg Bachmanns Romanfragment *Der Fall Franza*." *Ingeborg Bachmann – Neue Beiträge zu ihrem Werk. Internationales Symposium Münster 1991*. Hg. Dirk Göttsche und Hubert Ohl. Würzburg: Königshausen & Neumann, 1993.

Wegener, Georg. *Deutschland im Stillen Ozean: Samoa, Karolinen, Marshall-Inseln, Marianen, Kaiser-Wilhelms-Land, Bismarck-Archipel und Salomo-Inseln*. Bielefeld & Leipzig: von Velgagen & Klasing, 1903.

Wehler, Hans-Ulrich. *Bismarck und der Imperialismus*. Frankfurt: Suhrkamp, 1984.

Weigel, Sigrid. „‚Ein Ende mit der Schrift. Ein andrer Anfang.'" Zur Entwicklung von Ingeborg Bachmanns Schreibweise." *Kein objektives Urteil, nur ein lebendiges: Texte zum Werke von Ingeborg Bachmann*. Hg. Christine Koschel und Inge von Weidenbaum. München: Piper, 1989. 265-310.

Weinberg, Thomas und G. W. Kamel, Hgg. *S and M: Studies in Sadomasochism*. New York: Prometheus, 1983.

Weinstein, Valerie. „Capturing Hawai'i's Rare Beauty: Scientific Desire and Precolonial Ambivalence in E. T. A. Hoffmann's Haimatochare." *Women in German Yearbook* 18 (2002): 158-78.

Weinstein, Valerie. „Reise um die Welt: The Complexities and Complicities of Adelbert von Chamisso's Anti-Conquest Narratives." *German Quarterly* 72 (1999): 377-95.

Weiss, Andrea. „‚A Queer Feeling When I Look at You': Hollywood Stars and Lesbian Spectatorship in the 1930s." *Multiple Voices in Feminist Film Criticism*. Hg. Diane Carson, Linda Dittmar und Janice Welsh. Minneapolis: U of Minnesota P, 1994. 330-43.

Welch, David. *Propaganda and the German Cinema 1933-1945*. Oxford: Clarendon, 1983. 103-112.

Westermann, Diedrich, Hg. *Die heutigen Naturvölker im Ausgleich mit der neuen Zeit*. Stuttgart: Enke, 1940.

Wetzstein, Thomas, Linda Steinmetz u.a., Hgg. *Sadomasochismus: Szenen und Rituale.* Reinbek bei Hamburg: Rowohlt, 1994.

Weule, Dr. K. „Fünfzig Jahre Leipziger Völkermuseum." *Koloniale Rundschau* 33 (1922): 107-108.

Weule, Dr. K. „Unsere Kolonien und die Völker-Forschung." *Koloniale Rundschau* 33 (1922): 50-57, 141-47.

Wildenthal, Lora. „The Places of Colonialism in the Writing and Teaching of Modern German History." *European Studies Journal* 16 (1999): 9-23.

Wildenthal, Lora. *German Women for Empire, 1884-1945.* Durham: Duke UP, 2001.

Wilke, Sabine. „,Der Elbogen ruhte auf der Ottomane': Über die sadomasochistischen Wurzeln von Kafkas *Der Proceß.*" *Yearbook of the American Kafka Society* 21 (1999): 67-78.

Wilke, Sabine. „Die Zähmung der grausamen Frau: Seelenlose Wasserkreaturen und ihre Welt des Imaginären." *Text & Kontext* 21:1 (1998): 145-71.

Wilke, Sabine. „The Sexual Woman and Her Struggle for Subjectivity: Cruel Women in Sade, Sacher-Masoch, and Treut." *Women in German Yearbook* 14 (1998): 245-60.

Wilke, Sabine. *Dialektik und Geschlecht: Feministische Schreibpraxis in der Gegenwartsliteratur.* Tübingen: Stauffenburg, 1996.

Wilke, Sabine. *Ist denn alles so geblieben, wie es früher war? Literatur und Frauenpolitik im vereinten Deutschland.* Würzburg: Königshausen & Neumann, 2000.

Williams, Rhys W. „Primitivism in the Works of Carl Einstein, Carl Sternheim and Gottfried Benn." *European Studies* 13 (1983): 247-67.

Witte, Karsten. „Film im Nationalsozialismus." *Geschichte des deutschen Films.* Hg. W. Jacobsen, Anton Kaes und Horst H. Prinzler. Stuttgart: 1993. 119-170.

Wolf, Chrisa. *Moskauer Novelle.* Halle: Mitteldeutscher Verlag, 1961.

Wolf, Christa. *Nachdenken über Christa T.* Neuwied: Luchterhand, 1969.

Wolf, Christa. „Von Kassandra zu Medea." *Hierzulande, Andernorts: Erzählungen und andere Texte 1994-98.* Darmstadt: Luchterhand, 1999. 158-68.

Wolf, Christa. *Der geteilte Himmel.* München: dtv, 1976.

Wolf, Christa. *Kassandra.* Darmstadt: Luchterhand, 1983.

Wolf, Christa. *Medea. Stimmen.* Frankfurt: Luchterhand, 1996.

Wolf, Christa. *Voraussetzungen einer Erzählung: Kassandra. Frankfurter Poetikvorlesungen.* Darmstadt: Luchterhand, 1983.

Young, Robert J. C. *Colonial Desire: Hybridity in Theory, Culture, and Race.* London: Routledge, 1995.

Zache, Hans. *Das deutsche Kolonialbuch.* Berlin: Wilhelm Andermann Verlag, 1925.

Zantop, Susanne. „Colonial Legends, Postcolonial Legacies." *A User's Guide to German Cultural Studies.* Hg. Scott Denham, Irene Kacandes und Jonathan Petropoulos. Ann Arbor: U of Michian P, 1997. 189-205.

Zantop, Susanne. „*Kolonie* and *Heimat*: Race, Gender, and Postcolonial Amnesia in Veit Harlan's *Opfergang* (1944)." *Women in German Yearbook* 17 (2001): 1-13.

Zantop, Susanne. *Colonial Fantasies: Conquest, Family, and Nation in Precolonial Germany, 1770-1870.* Durham: Duke UP, 1997.

Ziehschank, Frieda. *Ein Jahrzehnt in Samoa (1906-16).* Leipzig: Haberland, 1918.